Dood door schuld

TAYLOR SMITH

DOOD DOOR SCHULD

MIRA BOOKS AMSTERDAM

Oorspronkelijke titel: Deadly Grace
Originele uitgave: Mira Books, Canada

Vertaling: Titia van Schaik
Omslag: Véronique Batenburg, Catch
Opmaak binnenwerk: Mat-Zet, Soest

Eerste druk, oktober 2004

ISBN 90 8550 003 6
NUR 332

www.mirabooks.nl

Alle in dit boek voorkomende personen zijn ontleend aan de fantasie van de schrijver. Elke gelijkenis met bestaande personen berust op toeval.

1

Havenwood, Minnesota
Dinsdag 9 januari 1979

Jillian Meade kon zich niet herinneren dat ze was doodgegaan. Ze had geen idee wanneer of hoe het was gebeurd, of hoe lang ze bewegingloos in de onderwereld tussen leven en dood had gelegen. Maar toen ze haar ogen opende, wist ze dat ze in de hel was.

Het was precies zoals dominee Owens het had beschreven in zijn zondagse preken over hel en verdoemenis, die haar als kind de stuipen op het lijf hadden gejaagd: bijtende rook die de neusgaten schroeide en de longen verstikte. Roetwolken die in haar ogen prikten, zodat ze de tranen moest wegknipperen om iets te kunnen zien. Ze was alleen en verlaten in een inktzwarte duisternis, die alleen werd gebroken door flakkerende oranje en rode schaduwen die zich in de kolkende rook wentelden. Om haar heen klonk een laag gebrom, als het dreigende gegrom van een monsterlijk dier dat zich opmaakte voor de dodelijke sprong.

Haar botten deden pijn, ontdekte ze. Ze lag op een harde ondergrond en er drukte iets tegen haar heup. Met moeite van positie veranderd begon ze, als een dromer die langzaam ontwaakt, hier en daar vormen te ontwaren in de haar omringende duisternis. Beetje bij beetje ging ze dingen herkennen. Meubels. Ze lag op de vloer, in een hoek, op een omgevallen stoel. Langzaam rolde ze op haar zij en duwde hem weg. In het spookachtige licht herkende ze de hoge rugleuning.

Hoe vaak had ze als kind niet op de harde, koude zitting van een van die stoelen gezeten, met haar handen koppig op haar rug, haar vingers om de spijlen geklemd, weigerend een hap te nemen van bleke, houtige limabonen of slijmerige havermoutpap. Jillian onderdrukte een hoestbui en hief haar hoofd op. Hoe kon de hel zo op haar moeders keuken lijken? De simpele verklaring was natuurlijk dat ze niet dood was, maar dat ze terug was in haar moeders huis in Minnesota. Maar wat deed ze op de vloer? En waarom was het zo donker in huis, afgezien van die vreemde, dreigende rode flikkering die uit de gang kwam? En waarom...

O, nee! Brand!

'Moeder!' Hoestend probeerde Jillian op te staan, maar toen ze zich wilde afzetten op de gladde tegelvloer, gleden haar natte handen weg. Moeizaam drukte ze zichzelf op haar ellebogen omhoog en riep opnieuw. 'Moeder! Waar ben je?'

Door haar tranen heen kon ze nog net de vorm ontwaren van de drie andere keukenstoelen, die nog rechtop om de ovale eiken tafel stonden. Een dikke, bruine walm dreef de keuken binnen en bleef als een lap giftige zijde onder het plafond zweven.

Met haar polsen en ellebogen slaagde ze erin zich op haar knieën overeind te worstelen. Het subtiele bloemdessin van het Victoriaanse behang, waarmee de gang was bekleed die de keuken met de rest van het huis verbond, had een oranje gloed gekregen. Het vuur leek uit de richting van de zitkamer te komen.

Ze krabbelde overeind. 'Moeder!'

Haar stem klonk vreemd en verwrongen. Haar longen trokken pijnlijk samen, en ze klapte kokhalzend dubbel terwijl ze dik slijm ophoestte. Toen het eindelijk voorbij was, hield ze haar adem in en trok de kraag van haar coltrui over haar mond en neus. Daarna haalde ze zo voorzichtig mogelijk adem. 'Moeder, waar ben je?'

Deze keer kreeg ze antwoord, maar het was niet de stem van haar moeder. 'Jillian? Ben jij het?'

De stem kwam ergens achter haar vandaan. Van de achterdeur, dacht ze. Ze draaide zich met een ruk om en zag een schaduw door het glas heen. De deurkruk ging op en neer, maar kennelijk zat de deur op slot. 'Jillian!'

'Hier! Ik ben hier!' Ze wist dat ze naar de deur moest gaan om hem open te maken. Of de andere kant uitlopen om haar moeder te vinden. Dóe iets, brulde een stem in haar hoofd – maar ze kon zich niet verroeren, duizelig en gedesoriënteerd als ze was.

Er werd nog een keer aan de deur gerammeld, en toen verdween de schaduw achter het glas. Een fractie van een seconde later sloeg een gehandschoende vuist dwars door het glas heen. De rook warrelde en wolkte op in de richting van deze nieuwe ontsnappingsroute, terwijl de grote arm die door het gat werd gestoken zonder moeite de knop aan de binnenkant vond en die omdraaide. Toen de deur openvloog, werd Jillian op haar knieën gedwongen door de vlaag gloeiendhete lucht die haar in de rug trof. Het door verse zuurstof aangewakkerde vuur kwam naderbij.

'Jillian!'

Handen grepen haar onder de oksels en sleurden haar overeind tot ze recht in het bezorgde gezicht keek van Nils Berglund. Hij had zijn uniform aan, en de lichtgevende gele stiksels op zijn schouders lichtten op in het schemerdonker. Zijn hoofd was onbedekt en zijn kortgeknipte, besneeuwde haar flonkerde in het flakkerende licht toen de sneeuwvlokken smolten. Overeind komend, trok hij haar moeiteloos mee. 'Wat doe jij hier? Waar is je moeder?'

Jillians benen voelden aan als rubber en ze was gedwongen zich aan de zachte, gevoerde stof van zijn pilotenjack vast te houden om te voorkomen dat ze in elkaar zakte op de vloer. 'Ik weet het niet! Ik was bewusteloos en toen ik bijkwam...' Opnieuw trokken haar longen pijnlijk samen, en weer begon ze te kokhalzen.

'Laten we maken dat we buiten komen.' Berglund sloeg een arm om haar heen en trok haar, half slepend en half dragend, mee naar de deur, maar al na een paar passen zette ze zich schrap op de harde tegelvloer. Pas nu merkte ze dat ze op blote voeten was.

'Nee, Nils. We moeten mijn moeder zoeken!'

'Dat ga ik doen zodra ik jou hieruit heb gehaald!'

Al waren ze bijna bij de deur, ze greep zich vast aan de ronde rand van het betegelde aanrecht om hem tegen te houden. 'Nee, nu! Ik wacht hier wel.'

'Naar buiten, vervloekt nog aan toe!' schreeuwde hij, haar meesleurend. Hij duwde haar de deur door, de brede houten veranda op. 'Maak dat je wegkomt! De brandweer is onderweg. Die geven je wel een deken. Schiet op!'

Zonder haar nog een blik waardig te keuren, draaide hij zich om en holde weer naar binnen. 'Mrs. Meade! Grace! Waar bent u?'

Jillian hield zich staande aan een van de pilaren van de veranda en zoog gretig frisse lucht naar binnen. Maar die was te koud en te rijk, en haar longen protesteerden. Weer klapte ze dubbel en hoestte de longen uit haar lijf. Tussen de krampachtige samentrekkingen door, die aanvoelden alsof haar longen vol glassplinters zaten, hapte ze naar adem. Het sneeuwde. Grote, platte vlokken dwarrelden wit en schitterend tegen de donkere lucht naar beneden. Het gebrek aan zuurstof maakte haar duizelig en de hele wereld leek te draaien.

Toen hoorde ze, boven het raspende geluid van haar ademhaling uit, in de verte het gehuil van sirenes. Met moeite sleepte ze zich naar de balustrade om door de ronddwarrelende sneeuw heen te turen. De kwart hectare grond waarop het huis stond, was grotendeels bebost. Ze spande haar ogen tot het uiterste in en meende aan de rand van het terrein iets te zien bewegen – iets of iemand. Haar brandende, tranende ogen konden het beeld niet scherp krijgen. Was het soms een van de Newkirks? De buren, die het alarmnummer hadden gebeld?

Achter haar klonk een harde bons, en ze draaide zich haastig om. De tochtdeur zwaaide open en dicht, in beweging gezet door de druk van de lucht in het huis, en klapte tegen de wand van het huis. Ze pakte hem vast toen hij weer openvloog en tuurde naar binnen, knipperend tegen de rook en de hete lucht die haar tegemoet kwamen. 'Nils? Heb je haar al?'

Het enige antwoord was het geluid van versplinterend glas van het raam boven het aanrecht, iets links van haar. Scherven vielen op de houten planken van de veranda en op haar voeten, maar ze negeerde ze terwijl ze haar best deed iets te ontwaren in de tijdelijke opklaring. Nils stond in de opening die naar de gang leidde. Dat was het enige wat ze kon zien, voordat het rookgordijn zich weer sloot.

'Alles goed met je?' riep ze uit.

'Hier is ze!'

Terwijl ze wachtte tot hij met haar moeder naar buiten kwam, klampte ze zich aan de tochtdeur vast. Een paar keer draaide ze haar hoofd weg om wat frisse lucht in te ademen. De sirenes klonken nu veel dichterbij, en hun verontrustende gejank verscheurde de stilte van de koude winternacht. Ze keek achterom. Door de sparren aan het eind van het terrein heen zag ze de rode lichtjes van de auto's die bij Lakeshore Road de hoek omsloegen en de straat inreden waarop haar moeders oprit uitkwam.

Langzaam keerde het gevoel terug in haar benen, en ze merkte dat de planken onder haar voeten ijskoud waren. Ze rilde. Haar spijkerbroek en zwarte coltrui boden nauwelijks bescherming tegen de gure nachtlucht.

Ze verplaatste haar gewicht van de ene ijskoude voet op de andere en stak haar hoofd weer om de hoek van de deur. 'Schiet op, Nils! Kom naar buiten! De brandweer komt eraan!'

Stilte.

'Nils?'

De rook die onder het plafond hing was nu zo dik als soep en zakte zienderogen lager. Jillian aarzelde even, haalde toen diep adem en liep gebukt naar binnen om de ergste rook te ontduiken. Aan de andere kant van de keukentafel zag ze zijn rug. POLITIE, stond er met grote, reflecterende gele letters op. Hij zat gehurkt op de vloer, en naast hem zag ze een paar in kousen gestoken, wijd uitgespreide benen liggen die in bekende, elegante zwarte pumps waren gestoken. Hoewel de pose vreemd en atypisch was, zou Jillian die benen uit duizenden hebben herkend – glad, slank en opvallend meisjesachtig voor een vrouw van zestig. Die benen waren haar moeders grote trots.

'O, nee, Nils! Is ze...'

Bij het horen van haar stem vloog zijn hoofd omhoog. 'Jill,

nee!' Hij stak zijn arm uit om haar tegen te houden.

Te laat.

Ze verstijfde toen hij verschoof, en ze zag wat hij haar had willen besparen. 'O, mijn hemel! Nee! Moeder!' Naar adem happend, viel ze naast haar neer.

Haar moeder lag op de tegelvloer met haar hoofd in een vreemde hoek. Intens blauwe ogen, half verborgen achter oogleden, staarden niets ziend voor zich uit. Haar platinablonde haar zat zoals altijd in een wrong in haar nek en zag er wonderlijk onberoerd uit, afgezien van een losgeraakt plukje dat op haar slappe kaak lag. Haar mond stond open, alsof haar midden in een zin de mond was gesnoerd.

Jillians blik ging naar de donkere vlek die zichtbaar was op de voorkant van haar moeders lichte kasjmiertrui. De kleur ging verloren in de vreemde gloed van het flakkerende lichtschijnsel in de gang, maar ze wist dat die trui zo blauw was als de eitjes van een roodborstje, hetzelfde blauw als haar moeders ogen. Grace had deze trui gedragen terwijl ze in haar lievelingsstoel in de voorkamer had gezeten... Wanneer? Nog maar pas geleden, kwam het haar voor. Ze had daar in levenden lijve gezeten, met een kaarsrechte rug die nergens de rugleuning van de stoel raakte, met haar handen netjes gevouwen in haar schoot, knieën bij elkaar, benen zedig bij de enkels gekruist. Altijd op en top een dame. Nu was de trui bedorven. Haar moeder lag uitgespreid op de vloer, en het ging even door Jillian heen dat ze ontzet zou zijn als ze wist in wat voor staat ze was aangetroffen.

'Laten we maken dat we hier wegkomen!' bulderde Nils boven het kabaal van vlammen en sirenes uit – sirenes die inmiddels van heel dichtbij klonken. Terwijl hij het tengere, slappe lichaam opraapte, hoestte hij en ademde lucht in die heel snel volkomen onbruikbaar zou zijn.

Als in een trance kwam Jillian overeind en drukte zich tegen de muur, walgend van de last in zijn armen, maar niet in staat haar blik ervan los te maken. Haar ogen gingen mee omhoog toen hij zich overeind worstelde. Hij was enorm, en haar moeders kleine gestalte ging bijna verloren in zijn armen.

Met een ruk bewoog hij zijn hoofd naar de deur. 'Schiet op! Ik kom achter je aan.' Hij verschoof het gewicht in zijn armen om het makkelijker te kunnen hanteren, en daarbij viel haar moeders hoofd opzij, zodat haar dode ogen Jillian beschuldigend aanstaarden.

Jillian kromp ineen en gleed langzaam met haar rug langs de muur, tot ze met een plof op de vloer belandde.

'O, alsjeblieft, sta toch op!' barstte Nils uit. 'De brand breidt zich uit! Het hele huis stort zo in!'

O, wat wilde ze graag wegrennen – maar ze bleef verstijfd zitten, niet in staat zich te bewegen onder de starende ogen van haar moeder.

Nils hing het lichaam over zijn schouder en pakte Jillian met zijn nu vrije hand bij haar bovenarm om haar overeind te hijsen. Ze schudde hem af en draaide zich om, terwijl ze haar ogen stijf dichtkneep. Alles beter dan nog langer te moeten kijken in die starende ogen van dat monsterlijke ding dat haar moeder was... maar niet kon zijn.

Nee, mama, alsjeblieft niet!

Weer pakte hij haar vast, maar ze weerde hem af en snelde de gang op, verder het huis in, naar het gebrul en het flakkerende licht van de vlammen, die de zitkamer nu compleet in hun greep hadden.

'Jill! Kom terug, verdomme!'

In plaats daarvan liet ze zich zakken op de drempel van de eetkamer, tegenover het vuur, en drukte haar wang tegen het met was ingewreven en opgepoetste kersenhout. Het lawaai van de brand was oorverdovend, maar voor de rest was ze zich nergens van bewust. Haar ogen gingen dicht en ze gaf zichzelf dankbaar over aan de leegte die haar omgaf.

Het mocht niet zo zijn. Iets greep haar bij de ellebogen, en met twee felle rukken werd ze overeind gehesen, eerst totdat ze zat en toen totdat ze stond. Protesterend opende ze haar ogen. Nils hield haar bij haar armen vast; kennelijk had hij zich van zijn andere last ontdaan.

Kort rammelde hij haar door elkaar, maar ze had alle wil tot leven verloren. Haar hoofd viel naar voren, haar lichaam was slap en haar ledematen weigerden dienst. 'Vervloekt nog aan toe, Jill, kom op! Wil je hier soms doodgaan?'

Een zoete loomheid overviel haar. Ja, dacht ze. Laat me toch met rust.

Hij legde zijn handen om haar gezicht, hief het op en keek haar met grote, bezorgde ogen aan. 'Alsjeblieft, Jill!'

Langzaam bracht hij zijn gezicht dichterbij en liet zijn voorhoofd tegen het hare rusten, terwijl zijn duimen haar gezicht streelden. Toen hield hij zijn hoofd schuin en kuste haar. Hard. Ze voelde zijn lippen op haar mond – en heel even was ze weer zeventien. De tussenliggende jaren vielen weg en ze waren weer Nils en Jill, onafscheidelijk, smoorverliefd, verliefd zoals je alleen die eerste keer kunt zijn, wanneer alles nog nieuw is en elke aanraking een nieuwe wereld opent. Alles kwam weer terug – zijn geur, zijn smaak, de geborgenheid van zijn armen.

Toen hij haar losliet en haar aankeek met een gekwelde uitdrukking op zijn gezicht, knikte ze. Hij stak zijn hand uit en ze was bereid die te pakken... tot haar blik op de donkere vlek op de linkerschouder van zijn jack viel. Bloed, dacht ze met een schok. Het bloed van haar moeder. Ze wilde hem wegduwen – het bloed wegduwen – en merkte toen dat haar eigen handen ook nat en kleverig van het bloed waren. Met grote ogen van ontzetting staarde ze ernaar en zette het toen op een gillen.

Ruw greep Nils haar vast. Ze verzette zich, krabde en schopte hem, maar het was een ongelijke strijd. Hij was groot, bijna een meter negentig lang, en veel zwaarder dan hij was geweest toen hij nog honkbal speelde in het schoolteam. Moeiteloos tilde hij haar van de grond. Hij wilde haar net over zijn schouder slingeren, toen haar rechtervoet hem toevallig vol in het kruis raakte. Heel even verslapte zijn greep, en terwijl hij ineenkromp, worstelde ze zich los en zette het op een lopen. Al na een paar stappen glipte haar blote voet weg in een natte plek op de vloer. Ze ging onderuit en landde plat op haar rug op de hardhouten vloer. Naar adem happend bleef ze liggen.

Toen ze weer lucht had, rolde ze zich op haar zij – en kwam erachter waar Nils zijn bloedige last had neergelegd. Ze lag oog in oog met haar moeders gebroken, halfgeloken ogen.

Ogen die haar strak en beschuldigend aankeken.
Ze was dus toch in de hel, dacht ze. Precies de plek waar ze thuishoorde.

2

Washington D.C.
Woensdag 10 januari 1979

Veel later, toen het allemaal voorbij was – en toch ook weer niet, omdat, zoals Alex Cruz wist, er dingen waren die nooit voorbijgingen en die zich verscholen in die duistere uithoek van de geest waar nachtmerries leefden – maakte hij de balans op en probeerde de precieze loop van de gebeurtenissen te reconstrueren. Waar hij geweest was toen hij voor het eerst de namen van Jillian en Grace Meade had gehoord. Of hij toen al een voorgevoel had gehad dat hij op het punt stond een kwaad tegen te komen dat zijn weerga niet kende in zijn beroeps- en privé-leven. Of er signalen waren geweest dat dit de zaak zou worden die hem ten slotte over de haarfijne streep zou duwen die de scheiding vormde tussen de letter van de wet die hij gezworen had te handhaven en de botte gerechtigheid van verontruste burger; de streep tussen zijn duistere verleden en het onzekere lot dat voor hem lag.

Ook voordat hij van deze twee vrouwen had gehoord, had Cruz zijn deel gehad van de verschrikkingen die mensen elkaar konden aandoen. Zijn leerschool was de jungle van Vietnam geweest, en daarna was hij meer dan tien jaar werkzaam geweest als inspecteur in het Amerikaanse leger, waar hij zich had beziggehouden met moord, verkrachting en andere geweldsmisdrijven. Nu was hij in dienst bij de FBI en bracht hij zijn dagen door met het opsporen van de allerergste misdadigers – terroristen, kidnappers en seriemoordenaars die de hele wereld als hun persoonlijke jachtgebied beschouwden.

Al met al was er op crimineel gebied maar weinig waar hij nog van opkeek, maar de gebeurtenissen die ten grondslag lagen aan de moord op Grace Meade en wat daarmee samenhing, zouden hem voor altijd bijblijven door de ongekende wreedheid waardoor ze zich onderscheidden van al het andere. Had hij daar al een voorgevoel van gehad op de dag dat de zaak op zijn bureau was beland? Eén ding stond vast: in de nacht dat Jillian Meade probeerde te sterven in Minnesota, bevond Cruz zich tweeduizend kilometer verderop in bed. Terwijl de uitslaande brand in Minnesota moeder en dochter gevangen hield, worstelde Cruz met de slapeloosheid die hem al bijna zo lang als hij zich kon herinneren plaagde. Dat was een deel van de prijs die hij betaalde voor fouten uit het verleden. Jillian Meade mocht die nacht dan proberen te sterven, Alex Cruz had zichzelf al lang geleden neergelegd bij het feit dat hij vanwege zijn eigen zonden juist was veroordeeld om te leven.

De dag na de brand arriveerde Cruz vroeg op zijn werk. Als hij niet had geprobeerd om Sean Finney, die in het hokje naast hem werkte, te ontlopen, had hij de notitie over Jillian Meade misschien niet gezien; het was maar een van de tien hangende zaken in zijn 'In'-bakje. Hij had het al zo druk, dat hij de zaak dan misschien aan iemand anders zou hebben overgedragen, of in elk geval voorlopig terzijde zou hebben gelegd. Maar die ochtend had Cruz zich vast voorgenomen een reden te vinden om het kantoor te ontvluchten – en daarmee de suggestieve vragen en opmerkingen waarmee Finney hem in toenemende mate lastigviel. Hij zat te springen om een zaak die hem buiten de deur zou brengen, waar hij in de aanlokkelijke anonimiteit kon verdwijnen.

Elf maanden werkte hij nu in zijn nieuwe baan bij de FBI, en hij stond op het punt een van zijn grondregels te overtreden: werk en privé altijd strikt gescheiden houden. Op het nieuwjaarsfeestje van zijn collega had hij diens nicht ontmoet. Maryanne Finney was een aantrekkelijke vrouw met rode krullen tot halverwege haar rug en een aanstekelijke lach. Een vrouw die geen afwijzing accepteerde, zelfs niet van een zwijgzame nieuwkomer die probeerde uit te stralen dat hij niet in was voor romantische verwikkelingen. Binnen enkele uren na hun kennismaking had hij al een uitnodiging geaccepteerd voor een zondags diner bij haar ouders thuis in Bethesda, verleid door het zangerige Ierse accent waarmee ze hem verzekerde dat het geen echte date zou zijn, maar dat hij haar er alleen een grote dienst mee zou bewijzen.

'Ik ben dol op mijn familie, maar ze willen niets liever dan me aan een man en een stel kleine Finneys helpen. Ze kunnen er niets aan doen. Het is iets genetisch – Iers en katholiek, dus wat wil je. En geloof me, na al die jaren voor de klas zit ik daar echt niet op te wachten. Maar als er een vreemde bij is, zullen ze zich wel gedragen, en dat zou voor de verandering heel plezierig zijn.'

Zo was het begonnen, luchtig en vriendschappelijk. Maar zoals dat meestal gaat, kwam van het een het ander. Maryanne was in de slaapkamer al net zo vrolijk en energiek als daarbuiten, zoals hij later die avond ontdekte. Toen ze eindelijk in een diepe, ongestoorde slaap viel, lag hij klaarwakker in het donker voor zich uit te staren, met zijn schuldige geweten als enige gezelschap. Hij had naar de ronding van haar schouder gekeken, die bleek oplichtte in het schijnsel van de kaarsen die ze had aangestoken voordat ze naar bed waren gegaan, en had een Botticelliaanse schildering van ongecompliceerde deugden gezien: een vrouw die leek te hunkeren naar een man om haar leven mee te delen, al had ze dat nog met zoveel woorden ontkend.

Hij was geen partij voor een aardige vrouw. Na al die jaren was hij te verknocht aan zijn eenzaamheid en zijn werk. Vroeg of laat kwam elke vrouw met wie hij iets kreeg tot die conclusie, en het eindigde dan ook altijd op dezelfde manier – met tranen, harde woorden en zelfverwijten. Daarom had Cruz gedaan wat hem het beste leek – hij had Maryanne de volgende dag opgebeld en zijn excuses aangeboden voor het feit dat hij de zaak uit de hand had laten lopen.

Sindsdien had hij Sean Finney ontlopen. Net als elke koppelaar sinds mensenheugenis wentelde Finney zich behaagziek in de gedachte dat er dankzij zijn bemoeienis iets moois kon ontstaan. Daar kwam nog bij dat Sean kennelijk aangesloten was op een mysterieus familienetwerk dat leek te zinderen vanaf het moment dat Cruz' pad dat van Maryanne had gekruist, zodat Sean de helft van de tijd om Cruz heen hing, vissend naar details van wat er tussen hen opbloeide. Ze verdiende beter dan dat, dacht Cruz schuldbewust terwijl hij in de papieren op zijn bureau bladerde.

Hij was ingedeeld bij de afdeling Internationale Betrekkingen van de FBI, die een breed scala van buitenlandse ellende onderzocht – georganiseerde misdaad, ontvoering, terrorisme, smokkel, kunstroof en geweldsmisdrijven als moord, verkrachting en overvallen – en contacten onderhield met binnenlandse en buitenlandse instanties. Gedurende zijn legertijd had hij overal ter wereld aan moordzaken gewerkt, en de FBI, die dringend verlegen zat om ervaren agenten die konden worden ingezet bij het steeds grotere aantal criminele organisaties en het toenemende internationale terrorisme, had hem ingelijfd zodra hij ontslag had genomen bij het leger.

Rond negenen had hij zijn werklast voor die dag teruggebracht tot de twee à drie zaken die hem de kans boden erop uit te gaan. Voor de dag om was, zou de zaak-Meade al het andere hebben verdrongen. Niet lang daarna zou hij het ongrijpbare mysterie van Jillian en Grace Meade met een aan obsessie grenzende, blinde vastberadenheid proberen te ontrafelen.

Hij wilde net zijn jas pakken toen Sean Finneys roestbruine haardos en bijziende grijze ogen plotseling opdoken boven het beige wandje dat hun bureaus van elkaar scheidde. 'Ha die Alex! Wat is er aan het handje? Ga je of kom je?'

'Ik ga,' antwoordde Cruz, die spijt had dat hij niet wat sneller was geweest. Hij was zo verdiept geweest in zijn paperassen, dat hij Finney niet eens had horen aankomen. Vandaar dat die hem nu met een brede grijns op zijn altijd lachende gezicht stond aan te kijken.

'Waar ga je heen?'

Cruz hield een blauw papier omhoog, een van de vele internationale verzoeken in codekleuren die hun bureau dagelijks passeerden. 'Iemand opsporen om een verklaring af te nemen.'

De verzoeken in kwestie, onderdeel van een wereldwijde uitwisseling van gegevens tussen diverse opsporingsinstanties, waren bedoeld om informatie in te winnen over gezochte personen en assistentie te geven bij hun opsporing. Rode formulieren waren waarschuwingen aan politie en grenscontroles met namen van voortvluchtige personen voor wie een opsporingsbevel was uitgevaardigd. Groen werd gebruikt voor beroepsmisdadigers als pedofielen of verspreiders van kinderporno. Gele formulieren waren voor vermiste personen, grijze voor de georganiseerde misdaad. De witte papieren, die meestal rechtstreeks op het bureau van Sean Finney belandden, bevatten details over gestolen kunstwerken en cultuurschatten. Zwarte formulieren waren verzoeken om hulp bij het identificeren van lijken die zonder of met valse papieren waren gevonden.

Een blauw formulier, zoals Cruz in zijn hand had, was een verzoek van een buitenlands politiekorps – in dit geval het Britse Scotland Yard – voor het opsporen van een getuige van een misdrijf. Deze getuigen waren in feite vaak verdachten die, als het bewijs standhield, later belandden op een rood formulier. Wanneer de verdachte was gelokaliseerd, zou er vervolgens een uitleveringsverzoek uit de pijplijn rollen.

Op het blauwe formulier in kwestie had Cruz het adres in Washington gezien van een getuige die werd gezocht om gehoord te worden over twee moorden die een paar weken eerder in Engeland waren gepleegd. Een van de slachtoffers was de eenenzeventigjarige Vivian Atwater, een voormalig rijksambtenaar die was doodgeschoten in haar flat in Londen, die vervolgens in brand was gestoken. Het andere was een ongetrouwde vrouw van zestig, Margaret Ellen Entwistle, uit Dover; hierbij was een soortgelijk scenario gevolgd. Beide vrouwen hadden connecties gehad met een Amerikaanse die, heel handig, in Washington bleek te wonen, op slechts een paar kilometer van het FBI-gebouw.

'Het is afkomstig van Scotland Yard. De afgelopen weken zijn er een paar moorden op, wat zij noemen, "senioren" geweest,' zei Cruz tegen Finney. 'Ze vragen of wij een praatje willen maken met een vrouw hier in Washington om te horen of zij licht op de zaak kan werpen. Kennelijk kende ze beide slachtoffers.'

'Zij? Hebben we een vrouwelijke verdachte?'

'Geen idee. Het lijkt erop dat ze beide slachtoffers een paar dagen voor hun dood heeft ontmoet. Het zou toeval kunnen zijn als ze maar een van hen had opgezocht, maar allebei is een beetje verdacht.'

'Daar zeg je zo wat. Dus je gaat haar opsporen?'

'Als dat lukt,' antwoordde Cruz, terwijl hij zijn bureau afsloot.

'Assistentie nodig?'

'Ik denk dat ik het wel alleen af kan.'

'O.' Finney klonk teleurgesteld, en even later voelde Cruz de lucht bewegen toen hij zijn jas over de extra stoel in zijn hokje gooide. Vervolgens hoorde hij het geluid van een lucifer die werd afgestreken; Finney stak de eerste op van de vele sigaretten die nog zouden volgen. Zijn hokje zag aan het eind van de dag blauw van de rook; reden te meer de man niet mee te nemen in zijn auto.

Weer hing Finney over het scheidingswandje. 'Mocht je van gedachten veranderen en toch wat hulp kunnen gebruiken...'

'Dan laat ik het je meteen weten.' Cruz knikte en verliet zijn hokje. De ruimte was ondertussen volgestroomd, en overal waren agenten en analisten bezig in paperassen te bladeren, aantekeningen uit te werken en telefoons op te nemen die nooit ophielden met rinkelen.

Hij was al bij de lift toen zijn geluk op was. Finneys stem sneed door het geroezemoes als een roestige ijzerzaag. 'Hé, Alex... heb je Maryanne de laatste tijd trouwens nog gezien?'

Eigen schuld, dacht Cruz grimmig toen iedereen omkeek. Op dat moment gleed de liftdeur piepend open. Haastig stapte hij naar binnen en deed alsof hij niets had gehoord terwijl hij een ram op de knop gaf.

Volgens de door Scotland Yard geleverde paspoortgegevens bezat de gezochte getuige van de moorden in Engeland een dubbele nationaliteit; haar moeder was Engels en haar vader Amerikaans. Ze was op 14 juli 1944 in Drancy, Frankrijk, geboren. Op grond daarvan kon ze waarschijnlijk nog een derde nationaliteit claimen, dacht Cruz. Een oorlogskindje. Vijfendertig jaar oud, geboren op de dag dat de bestorming van de Bastille werd herdacht.

Ook Cruz was op een historische datum geboren; 7 december 1941, de dag van de Japanse verrassingsaanval op Pearl Harbor. Als hij erover had nagedacht en als hij het type was geweest dat betekenis hechtte aan dergelijke dingen, had hij die overeenkomst misschien als een gunstig voorteken opgevat. Zo ja, dan had hij toen misschien al kunnen voorspellen dat de vrouw en hij, met allebei zo'n in bloed gedrenkte geboortedatum, de bittere tegenstanders zouden worden die ze werden.

Het adres op het blauwe papier bracht hem naar een vervallen flatgebouw van drie verdiepingen in de buurt van Dupont Circle, in het centrum van Washington. Op een van de bordjes onder de intercom, in de vrij toegankelijke hal die uitkwam bij een gesloten binnendeur, stond de naam Jillian Meade naast nummer 204.

Cruz belde aan en wachtte. Hij tuurde door het gebrandschilderde art-decoraam van de binnendeur naar de zwart-wit betegelde ruimte daarachter. Toen er geen reactie kwam, probeerde hij het opnieuw en rammelde toen even aan de deurkruk. Op slot. Hij richtte zijn aandacht weer op de intercom en zag een rode plakstrook met daarop in witte letters het woord Beheerder. Hoopvol drukte hij op de knop ernaast, maar ook hier kwam geen reactie.

Net toen hij de conclusie had getrokken dat de rit pure tijdverspilling was geweest, kwam er een boze stem uit het krakende luidsprekertje. 'Ik heb de smerissen al gebeld, klootzakken!'

Even aarzelde hij, voordat hij zich naar de intercom toe boog. 'Is dit de beheerder van het complex?'

'Wie is daar?'

'FBI. Ik wil graag even met u praten.' Stilte. '*Sir*?' Toen er nog geen reactie kwam, belde hij weer aan. Niets. Hij stond op het punt net zo lang op de bel te drukken als nodig was, toen hij een gedempte maar norse stem van de andere kant van de haldeur hoorde.

'Ja, ja, rustig maar. Ik heb geen straalaandrijving, hoor.'

Door het glas heen ontwaarde hij de gedaante van een kleine, nurkse man in een donkere overall, die door de hal hinkte. De oude man drukte een oog tegen het glas en riep uit: 'Jij bent helemaal geen politieagent!'

'Jawel, *sir*, dat ben ik wel,' zei Cruz luid. 'Min of meer.'

'Wat nou, min of meer? Waar is je uniform dan? Je bent er wel een of niet een, makker, en als je er niet een bent, dan kan ik je vertellen dat de echte smerissen onderweg zijn.'

'Ik ben een federaal agent,' zei Cruz, en hij haalde een leren mapje uit zijn zak en hield dat opengeklapt tegen het glas.

De oude man tuurde ernaar en deed toen hoofdschuddend een stapje naar achteren. 'Nou, dat ziet er officieel uit, al moet ik eerlijk zeggen dat ik er zonder bril geen barst van kan lezen.'

'Ik werk voor de FBI, *sir*.'

De oude man hield een hand achter zijn oor. 'Voor wie?'

'*Sir*, als u de deur even open wilt doen –'

'Wacht, dan maak ik die verrekte deur even open.' De beheerder deed de deur op een kier open. 'Laat dat eens even zien,' zei hij en hij prikte met een knoestige vinger in de richting van Cruz' identificatie. 'O, de FBI! Waarom zei je dat niet meteen? Ik zat te wachten op de gewone politie.'

'Daar weet ik niets van, *sir*. Ik probeer alleen een van uw huurders te lokaliseren.'

'Je bent dus niet hier omdat ik de politie heb gebeld?'

'Nee, *sir*.'

'Nou, dat verklaart een hoop.' De oude man keek langs hem heen naar de buitendeur en de straat daarachter. 'Ik heb meer dan drie kwartier geleden al gebeld, maar die lui komen nooit als je ze nodig hebt.'

'Waarom hebt u ze eigenlijk gebeld?'

De man maakte een gebaar van ongeduld. 'De huurders klaagden dat er constant op de intercom werd gedrukt. Vast en zeker kinderen. Dat zou niet de eerste keer zijn. Die rotjongens proberen het steeds weer. Ze hopen dat er iemand opendoet zonder te kijken wie er heeft aangebeld. En voor je het weet heb ik binnen alles weer onder de graffiti zitten. Lastpakken, dat zijn het. Een van de huurders zei dat ze hier zonet iemand met een krullenbol zag rondhangen die hier volgens haar niets te zoeken had.'

'Heeft ze hem aangesproken?'

'Nee. Ze dacht dat hij bij iemand op bezoek was. Pas toen ze beneden kwam en een paar buren hoorde klagen over het gebel, schoot het haar weer te binnen. Als ik niet zo'n last van die hernia had, was ik zelf wel achter die kleine rotzakken aangegaan om ze even een lesje te leren. Maar nu leek het me beter de politie er maar bij te halen. En dan sta jij opeens voor de deur in plaats van de politie,' zei de oude man nijdig.

'Sorry. Maar als u ze gebeld hebt, zijn ze vast al onderweg.'

'Natuurlijk heb ik gebeld. Dat zei ik toch?'

'Inderdaad. Hoor eens, als u dat wilt, loop ik wel even met u mee om te kijken.'

De beheerder bekeek hem van top tot teen, alsof hij probeerde in te schatten wat hij in geval van nood aan hem had. 'Laat maar. Het is al meer dan een uur geleden. Als die knaap iets van plan was, is hij al lang weer verdwenen. Ik hoor het vanzelf. Nou, vertel op, wat kom jij hier precies doen?'

'Zoals ik al zei, ben ik op zoek naar iemand die in dit gebouw zou wonen. Ene Jillian Meade.'

'O, ja, die ken ik wel.'

'Weet u toevallig of ze thuis is?'

De beheerder haalde zijn magere, in het blauw gehulde schouders op. 'Geen idee. Heb je aangebeld?'

'Ja, maar ik kreeg geen antwoord.'

'Dan is ze zeker naar haar werk.'

'Weet u misschien waar ze werkt?' vroeg Cruz. Toen hij weer een schouderophalen als antwoord kreeg, ging hij verder: 'Hoe lang woont ze hier al?'

'O, even zien... Minstens drie jaar. Ja, dat klopt, want ze was hier al toen we het tweehonderdjarig bestaan van het land vierden. Toen had ze haar balkon helemaal behangen met rode, blauwe en witte kleden.'

'Wat voor soort huurder is ze?' vroeg Cruz, die een notitieboekje uit zijn zak had gehaald en een paar dingen opschreef.

'Wat moet ik zeggen? Rustig. Betaalt de huur op tijd.'

'Is ze vrijgezel? Woont ze alleen?'

'Ja. Beetje verlegen, maar oké, je kent dat wel. Gaat vroeg naar haar werk, komt 's avonds meestal tussen zes en zeven thuis. Nooit problemen mee gehad.' De oude man rekte zijn nek om te zien wat Cruz precies opschreef.

'Nog vrienden of kennissen die me iets meer kunnen vertellen? Misschien een vaste vriend?'

De man krabde nadenkend aan de stoppels op zijn kin. 'Dacht het niet. Ik heb haar maar heel weinig zien uitgaan in de tijd dat ze hier is. Zo nu en dan komt er een oudere man langs. Niet dat ik altijd loop te gluren of zo, maar ik mag de dingen nu eenmaal graag wat in de gaten houden. Dat moet wel in een stad als Washington. Er gebeurt hier altijd van alles.'

'Dat is waar. Maar die man die Miss Meade bezoekt,' drong Cruz aan. 'Weet u misschien een naam?'

'Nee. Ik heb hem een paar keer hier gezien, meer niet. Ze lopen nou niet echt de deur plat bij Miss Meade.'

'En die man is de enige die langskomt?'

'Voorzover ik weet wel. Niet dat ze lelijk is, hoor. Zeker niet zonder bril. Maar het is geen type dat voor alles in is, als je begrijpt wat ik bedoel. Ik denk dat ze een van die carrièrevrouwen is die hier bij bosjes rondlopen. Maar ik heb tenminste nooit problemen met haar. Waren al mijn huurders maar zo.'

'Oké,' zei Cruz. 'Ze komt dus tussen zes en zeven thuis van haar werk. Maar u weet niet waar ze werkt.'

'Niet zo snel. Laat me even nadenken.' De borstelige wenkbrauwen van de oude man kwamen samen boven zijn neus in een diepe frons terwijl hij ingespannen nadacht. 'Het schiet me opeens weer te binnen dat ik haar dat een keer heb gevraagd. Dat was een paar maanden geleden. Ik was in haar flat om een lekkende kraan te repareren, en om het gesprek op gang te houden vroeg ik wat ze voor werk doet. De hemel mag weten dat ze uit zichzelf nauwelijks een mond opendoet. Wat gaf ze toen ook weer voor antwoord... O, ja ik weet het alweer.' Hij knipte met zijn vingers. 'Het Smithsonian. Ja, dat was het.'

Cruz' pen bleef boven het papier hangen. 'Bedoelt u in het

hoofdgebouw, of in een van de bijbehorende musea? "Smithsonian" bestrijkt natuurlijk een groot gebied.'

'Tja, dat kan ik je verder niet vertellen. Wat moet de FBI trouwens met Miss Meade? Zit ze in de problemen?'

'Het gaat om een routinekwestie.'

'Ik heb een huurder gehad die voor BZ werkte. Toen kwam de FBI ook langs. Dat was voor een screening, zeiden ze. Waar gaat het deze keer om?'

'Ongeveer hetzelfde,' zei Cruz. Er streek rood licht over het gebrandschilderde glas van de deur, en toen de mannen zich omdraaide, zagen ze een wit met zwarte surveillancewagen met brandend zwaailicht voor het gebouw stoppen. 'Zo te zien is de politie eindelijk gearriveerd.'

'Nou, dat zou tijd worden ook.'

'Dan laat ik het hier maar bij, *sir*,' zei Cruz, die zijn notitieboekje opborg. 'Ik stel uw hulp zeer op prijs, Mr...'

'Ripkin. Graag gedaan. Ik heb hier een keurig net gebouw, en dat wil ik graag zo houden.'

'Dat begrijp ik. Luister, Mr. Ripkin, ik zal proberen Miss Meade via haar werk te bereiken, maar mocht dat niet lukken, dan kom ik vanavond nog even terug. Mocht u haar voor die tijd zien of iets van haar horen, dan wil ik graag dat u niets over mijn bezoek vertelt.' Cruz had geen idee of Jillian Meade vluchtgevaarlijk was, en hij wilde geen onnodige risico's nemen.

'Je zegt het maar,' zei de beheerder afwezig. De boze blik keerde terug in zijn ogen toen hij zijn aandacht op de twee politieagenten richtte die log de trap naar de buitendeur beklommen. 'Het werd potdomme tijd dat jullie kwamen!' tierde hij toen de buitendeur eindelijk openging.

Cruz knikte de agenten meelevend toe en glipte langs hen heen naar buiten.

Op de hoek van de straat was een telefooncel, en Cruz stapte uit om het Smithsonian Institute te bellen. De telefoniste wist hem na raadpleging van een lijst te vertellen dat er een Jillian Meade werkzaam was bij het National Museum of American History, dat gehuisvest was in een van de over de hoofdstad verspreide gebouwen die onder de brede paraplu van het Smithsonian vielen.

Het museum bevond zich net achter Constitution Avenue. Het was gehuisvest in een blokkendoosachtig, van roze marmer opgetrokken mausoleum, waarin een grote collectie Americana was ondergebracht, variërend van de oorspronkelijke vlag met sterren die Frances Scott Key zo treffend had bezongen, tot een nog door Lewis en Clark gebruikt zakkompas – een enorme verzameling memorabilia, die alles omvatte van onbetaalbare nationale iconen tot sentimentele kitsch.

In de grote entreehal wachtte Cruz tot de drukbezette bewaker achter de balie hem kon vertellen waar hij Jillian Meades kantoor kon vinden. De zalen om hem heen echoden van het geschreeuw en gelach van kinderen, het vermanend gesis van hun onderwijzers en de stemmen van docenten, die hoorbaar moeite hadden boven het kabaal van jonge stemmen en roffelende voeten uit te komen. Toen hij de informatie had, liep hij tussen de kinderen door de trap op naar de tweede verdieping, waar hij Miss Meade volgens de bewaker kon vinden in een hoekkantoor naast de permanente expositie over de militaire geschiedenis.

De tweede verdieping werd verder bijna helemaal in beslag genomen door tentoonstellingen van keramiek, drukpersen, geld en medailles. Cruz keurde ze geen blik waardig terwijl hij zich een weg naar Jillian Meades kantoor zocht. Hij kwam langs voorwerpen en foto's die verband hielden met diverse conflicten, zoals de Burgeroorlog, de Spaans-Amerikaanse oorlog, beide Wereldoorlogen en de VN-acties in Korea. In glazen vitrines lag een grote collectie wapens te kijk naast tactische plannen, strategische kaarten en portretten van heldhaftige soldaten en officieren.

Het viel Cruz op dat er bedroevend weinig ruimte was gereserveerd voor Vietnam. De expositie was een schoolvoorbeeld van verdringing, zo opgezet dat de schuldvraag voor het debacle dat achtenvijftigduizend Amerikanen het leven had gekost in een oorlog die niet te winnen was, behendig werd ontlopen. Vijf jaar na de val van Saigon was het allemaal nog veel te vers voor een nationale consensus over die oorlog, en de expositie was dan ook een neerslag van de heersende stemming in het land. Op een dag zou er een herbezinning volgen op die zwarte periode, dacht Cruz. Nu nog niet.

De expositie lag al bijna achter hem, toen zijn blik op een foto in een vitrine helemaal achteraan viel. Als aan de grond genageld bleef hij staan. Zijn aandacht was niet zozeer getrokken door het peloton soldaten in de bekende camouflagepakken die in de camera blikten en die met hun beschilderde gezicht en valse bravoure bespottelijk jong leken, als wel door de gebouwen en heuvels op de achtergrond. Hij kende die plek, besefte hij. Hij had daar ook gestaan. Het was een plek net buiten Da Nang, een kampement van waaruit een kleine verkenningseenheid van een man of zeven, onder wie hijzelf, op een dag in 1966 op pad waren gegaan onder het bevel van een incompetente onderofficier met de naam Darryl Houghton. Houghton, een bang joch uit Dayton, Ohio, had zijn angst met veel geschreeuw en dreigementen proberen te verbergen, had toen één stupide order te veel uitgevaardigd en was nooit teruggekomen.

Cruz voelde een luchtstroom en keek nerveus over zijn schouder. Er was niemand te zien, op een geüniformeerde wacht na die naast een kanon uit de Burgeroorlog stond. Tijd en ruimte leken weg te vallen. Natuurlijk wist hij best dat het dreunende geluid in zijn oren het geluid was van rennende kinderen door de zalen, en niet het geratel van helikopterwieken, maar hij kon niet verklaren waarom hij opeens de karakteristieke geur van hete machineolie rook – de vertrouwde geur die opsteeg van de roodgloeiende loop van een gebruikte mitrailleur. En hij rook nog iets: de zure stank van rottende planten, de stank die steeds weer zijn kleren en zijn oren en zijn neus was binnengedrongen wanneer hij op zijn buik over de oerwoudbodem kroop en uit het zicht van rondzwervende Vietcong-soldaten probeerde te blijven. Maar het ergste was nog wel de geur van zwarte lijkenzakken, die met inhoud en al te lang in de brandende hitte hadden gestaan.

Een luid gegiechel bracht hem terug in de realiteit. Een groep schoolmeisjes onder leiding van een geïrriteerde docent kwam de hoek om en waaierde uit over de tentoonstelling. Cruz schudde het verleden van zich af en liep verder.

Hij ging door een deur met een bordje 'Personeel' erop en belandde bij de informatiebalie waarnaar de bewaker bij de ingang hem had verwezen. Een vrouw zat met haar rug naar hem toe aan een bureau. Haar vingers vlogen over het toetsenbord van een elektrische typemachine, en ze leek de klik van de deur of het kabaal in de zaal niet te horen.

Toen Cruz dichterbij kwam, zag hij hoe dat kwam. Ze had een koptelefoon op, die was verbonden met het dicteerapparaat dat op het bureau stond, en die half verscholen zat tussen haar weelderige blonde lokken. Hij hield een hand voor zijn mond en kuchte, eerst zachtjes en toen wat harder.

De vrouw keek op en schrok zichtbaar. 'O, mijn hemel! Wat laat u me schrikken!' riep ze uit, terwijl ze de koptelefoon afzette en haar hand geschrokken tegen haar borst drukte. Haar ogen waren dik aangezet met blauw en haar wimpers waren zwarter en dikker dan moeder natuur had kunnen bereiken zonder hulp van de cosmetische industrie. Begin twintig, dacht Cruz.

'Het spijt me vreselijk,' zei hij. 'Ik ben zo luidruchtig mogelijk geweest.'

Nonchalant wuifde ze zijn excuus weg. 'Maakt niet uit. Het gebeurt zo vaak. Ik ga zo op in mijn bezigheden, dat ik niets hoor.' Ze schonk hem een glimlach. 'Maar vertel, wat kan ik voor u doen?'

'Ik kom voor Jillian Meade.'

Er verscheen een zorgelijke rimpel in haar gladde voorhoofd. 'Had u een afspraak?'

'Nee, maar ik hoopte haar even te kunnen spreken. Het is belangrijk.'

'Had maar even gebeld, dan had u zichzelf de moeite kunnen besparen,' zei ze met een spijtig gezicht. 'Ze is er niet.'

'Komt ze nog terug?'

'Vandaag niet, en ik denk morgen ook nog niet. Ik heb gehoord dat ze waarschijnlijk tot eind van de week afwezig is.'

'Weet u misschien waar ze naar toe is? Thuis is ze namelijk ook niet.'

'Bent u een vriend van haar?'

'Nee, ik ben hier voor iets zakelijks. Is er iemand die me kan vertellen waar ik haar kan vinden?'

'Ik weet het niet?' antwoordde de vrouw met een stem die onzeker rees, alsof het geven van ontkennende antwoorden op vragende toon ze minder vervelend zou maken. 'Ik ben maar een tijdelijke kracht? Het meisje dat hier normaal gesproken werkt, heeft een auto-ongeluk gehad, en ik val voor haar in tot ze weer beter is.'

'Wie zou me dat wel kunnen vertellen?'

'U zou het aan Mr. Twomey kunnen vragen.'

'En dat is?'

'De baas,' antwoordde ze, met haar duim naar een dubbele deur achter haar rug wijzend. Op een koperen bord stond het kamernummer en de naam van de gebruiker: Haddon Twomey, hoofdcurator. 'Wacht u even, dan kijk ik of hij vrij is?' Toen Cruz knikte, stond ze op en vroeg aarzelend: 'Wie kan ik zeggen dat er is?'

'Agent Alex Cruz van de FBI.'

'Wauw, de FBI? Wacht hier maar even.' Ze verdween in het hoekkantoor.

Aan de andere kant van de deur klonken gedempte stemmen, en Cruz nam de omgeving in zich op. Het kantoor was een studie in beige, ingericht met louter staal en kunststof. Aan de geelbruine wanden hingen de fleurige posters van het tweehonderdjarig bestaan van de Verenigde Staten nog. Er stond een zestal lichtbruine stoeltjes langs een van de wanden, en op kunststof kubussen die fungeerden als tafel, lagen exemplaren van het Smithsonian Magazine. Behalve de deur waar hij zelf doorheen was gekomen, waren er nog drie deuren, allemaal van hetzelfde donkere hout als die van de curator, al waren het enkele deuren in plaats van dubbele. Naambordjes ontbraken. Misschien leidde een van die deuren wel naar Jillian Meades kantoor.

Cruz hoorde de klik van een deur en draaide zich om naar de receptioniste, die knikte en de deur voor hem openhield. 'U mag doorlopen,' zei ze. Toen hij haar passeerde, drukte ze zichzelf tegen de deur, die ze vervolgens achter hem sloot.

Het kantoor dat hij betrad was aanmerkelijk luxer dan het vertrek dat hij net had verlaten. De ruimte werd gedomineerd door een enorm bureau, dat schuin voor de volgepakte boekenkasten stond die twee van de vier wanden bedekten. Het was gemaakt van een donkere houtsoort en rijkelijk versierd met houtsnijwerk. Het zag er heel oud en heel duur uit, dacht Cruz. Het fletse tapijt, hetzelfde als in de aangrenzende ruimte, was bedekt met kleden in heldere kleuren. Cruz was er bijna van overtuigd dat het originele navajo-kleden waren. Ook de rest van de inrichting van de ruimte ademde de sfeer van kostbaar antiek.

Tegenover het bureau bevonden zich twee hoge ramen, een aan elke kant van de hoekpilaster. Ze werden omlijst door goudgetinte gordijnen van een zware kwaliteit zijde, terwijl het glas zelf bedekt was met transparant materiaal dat nauwelijks invloed had op de hoeveelheid licht die op deze heldere januaridag naar binnen stroomde.

'Goedemiddag... agent Cruz, was het?' De beschaafde stem was afkomstig van een gestalte die voor het raam stond. In het tegenlicht was het onmogelijk te zien of de man met zijn gezicht naar hem toe stond of niet.

'Dat klopt, *sir*.' Cruz liep verder de kamer in en zorgde daarbij dat hij de ramen aan zijn zij had, zodat hij de ander beter zou kunnen zien. Toen zijn ogen zich aan de verandering in licht hadden aangepast, werden Twomeys trekken langzaam duidelijk.

Hij was lang, mager en gedistingeerd, en had iets gebogen schouders. Ergens halverwege de vijftig, dacht Cruz met een blik op de grijze en witte strepen in zijn haar, dat strak weggekamd was van zijn hoge voorhoofd en in de nek over zijn kraag krulde. Hij droeg een marineblauwe blazer met een gestreept overhemd. Geen das. De blazer had iets militairs, al zou hij eerder iets te maken hebben met een opleiding aan een of andere dure school. Zou dit de oudere man zijn over wie de beheerder van Jillian Meades flatgebouw het had gehad? De wenkbrauwen van de man waren borstelig en zijn ogen halfgeloken, alsof hij verveeld of vermoeid – of allebei – was. Hij had een lange, uitstekende neus en er liepen diepe lijnen van de neusvleugels naar de hoeken van zijn samengeknepen, naar beneden getrokken mond. Daardoor leek het alsof hij voortdurend zijn afkeer toonde van een vies luchtje dat zijn neus binnendrong. Bij zijn aanblik alleen al gingen Cruz' haren van weerzin overeind staan.

'Dus u bent van de FBI?' vroeg Twomey terwijl hij zijn hand uitstak in Cruz' richting.

Cruz schudde hem en merkte dat Twomeys hand koud en ongewoon glad aanvoelde voor een man. Alsof je een karper vastpakte.

'We hebben in het verleden een keer een beroep op uw dienst gedaan,' zei Twomey. 'Een tijdje geleden is er van een van onze exposities een onvervangbaar zilveren theeservies van de hand van Paul Revere zelf ontvreemd. De FBI ontdekte een spoor naar een antiekhandelaar uit New Orleans met een nogal dubieuze reputatie. Het vermoeden bestond dat hij het servies het land uit had gesmokkeld in een partij Engels zilver dat een zeer vermogende cliënt in Barbados met een al even twijfelachtige naam rond die tijd op een veiling had gekocht. Daar was een exportvergunning voor, maar ik veronderstel dat de meeste ambtenaren het verschil niet eens weten tussen plate en zilver, laat staan dat ze iets van Paul Revere zouden herkennen, nietwaar?'

Op welke onwetende ambtenaren Twomey precies doelde, besloot Cruz maar niet te vragen. Trouwens, stond Twomey zelf ook niet als ambtenaar op de loonlijst van de regering? 'Hebt u uw servies nog teruggekregen?'

'Nee. Jullie mensen hebben het nog steeds niet voor ons opgelost.'

Cruz had het gevoel dat hij zich aangesproken moest voelen, maar hij stierf liever ter plekke dan dat hij zich verontschuldigde voor het niet kunnen terugbrengen van Twomeys gestolen theepot. 'Ik probeer in contact te komen met Miss Meade,' zei hij.

'Ja, dat zei het meisje al. Jillian is een van mijn assistentes, maar vandaag is ze er niet. Kan ik u misschien ergens mee helpen?'

'Kunt u me vertellen waar ik haar zou kunnen vinden?'

'Ze is de stad uit.'

'Voor zaken?'

'Nee, voor iets persoonlijks. Waar gaat het precies om?'

Cruz gaf hem hetzelfde nietszeggende antwoord als de beheerder – het antwoord dat hij iedereen gaf die niets hoefde te weten, maar het benul miste om zich dat te realiseren. 'Een routinekwestie. Wanneer verwacht u haar terug op haar werk?'

'Misschien vrijdag. En anders maandag, zei ze.'

'Waar is ze naar toe?'

'Minnesota; naar haar moeder. Ik had de indruk dat er thuis problemen waren, al zei Jillian dat niet met zoveel woorden. Ik wilde er ook niet naar vragen.'

'Wat voor problemen?'

Twomey liep naar het bureau en ging op de rand ervan zitten. 'Zoals ik al zei, heb ik daar niet naar gevraagd. Ik weet wel dat haar moeder vorig jaar bang voor kanker was. Misschien had het daar wat mee te maken.'

'Weet u ook waar in Minnesota?'

'Een klein plaatsje met de naam Havenwood. Ik meen dat het zo'n honderdvijfentwintig kilometer ten noorden van Minneapolis ligt. Daar is Jillian opgegroeid.'

'Maar ze is er niet geboren,' merkte Cruz op.

Twomey trok een wenkbrauw op, en de misprijzende lijnen bij zijn mond werden dieper. 'Nee, dat klopt. U hebt uw huiswerk gedaan, merk ik. Ze is in Frankrijk geboren. Haar moeder was een Engels oorlogsbruidje, haar vader een Amerikaanse piloot van de OSS. Dat is de voorloper van –'

'Van de CIA, dat weet ik,' interrumpeerde Cruz hem. Hij mocht dan geen plate van zilver kunnen onderscheiden, maar hij was niet helemaal achterlijk. 'Ze zijn dus na de oorlog in de VS komen wonen?'

'Jillian en haar moeder wel, maar haar vader is in Frankrijk gesneuveld. Zijn ouders hebben Mrs. Meade en haar baby – Jillian dus – uitgenodigd bij hen te komen wonen. Zo is Jillian in Havenwood terechtgekomen, al is ze na de middelbare school vertrokken om te gaan studeren. Na haar studie is ze hier komen werken.'

'Wat houdt haar werk hier precies in? Waar assisteert ze u bij?'

Onverschillig haalde Twomey zijn schouders op. 'Ze stelt vaste en wisselende tentoonstellingen samen uit onze collectie, doet onderzoek naar achtergrondmateriaal, schrijft catalogi en monografieën. We hebben hier verschillende afdelingen en enkele tientallen onderzoekers, maar Jillian steekt met kop en schouders boven de rest uit. Haar specialisme is de militaire en sociale geschiedenis van de Tweede Wereldoorlog. Ze is de afgelopen vier tot vijf jaar bezig geweest met gesproken geschiedschrijving. Heeft mensen geïnterviewd die betrokken waren bij diverse antinazi-operaties aan het Europese front. Fascinerend werk, weet u. Die generatie heeft niet het eeuwige leven, en Jillian doet fantastisch werk door hun herinneringen op te tekenen. Ik heb haar aangeraden haar werk uit te bouwen tot een boek of een doctoraalscriptie.'

'Ze heeft zich verdiept in oorlogshandelingen aan het Europese front?' vroeg Cruz, wiens belangstelling werd gewekt.

'Ja. Het is begonnen toen ik heb geregeld dat ze inzage kreeg in recentelijk vrijgegeven OSS-dossiers hier in Washington. Die heeft ze doorgespit, en daarna heeft ze toestemming gekregen gesprekken te voeren met een paar van de gepensioneerde medewerkers. Daaruit is heel wat interessant materiaal naar boven gekomen. Genoeg voor een boek, zoals ik net al zei. Jillian heeft verscheidene monografieën gepubliceerd en meegewerkt aan enkele aan een expositie gerelateerde boeken die zijn uitgebracht onder auspiciën van onze drukkerij, maar volgens mij wordt dit haar grote doorbraak.'

'U lijkt erg onder de indruk van haar.'

'Dat ben ik ook. Je hebt op geschiedenisgebied goede onderzoekers, goede interviewers en goede schrijvers, agent Cruz. Slechts zelden vind je deze drie verenigd in één persoon. Jillian is zo iemand. Helaas lijkt ze zich niet bewust van haar bijzondere talent, in tegenstelling tot minder getalenteerde collega's. Ik moet toegeven dat ik er soms wel aan twijfel of ze ooit haar top zal bereiken. Zelfvertrouwen is zo belangrijk in deze zaken, vindt u niet? Maar ik stimuleer haar waar ik maar kan.'

'Net als professor Higgins en Eliza Doolittle dus?'

Twomey trok een wenkbrauw op. 'Als ik iemand met het talent van Miss Meade kan begeleiden, agent Cruz, dan doe ik dat graag.'

Juist, dacht Cruz. De man is verkikkerd op haar. Jillian Meade moest haast wel een zure oude vrijster zijn als ze een verwaande kwast als Twomey aantrok. Maar in dat geval was het moeilijk voor te stellen dat ze het type was dat een spoor van dode lichamen achterliet. 'Is ze de laatste tijd nog in Europa geweest?'

'Ja. Afgelopen maand was ze in Londen en in Parijs. Ze is bezig met een nieuwe tentoonstelling over de geheime Amerikaanse steun aan het Franse verzet, de Résistance. We kregen materiaal aangeboden van het Oorlogsmuseum in Londen en van de Quai d'Orsay, en ik heb Jillian erheen gestuurd om het te bekijken. Niet alleen omdat ze het geschiktst was voor de klus, maar ook omdat ze dan meteen aan haar eigen onderzoek kon werken.'

'Wat heeft ze u verteld over haar reis? Is er nog iets ongewoons gebeurd tijdens haar verblijf in Europa?'

'Wat, bijvoorbeeld?'

Bijvoorbeeld twee mensen die vermoord waren nadat zij ze had bezocht, wilde Cruz zeggen. Maar hij wilde informatie krijgen, niet verstrekken. 'Ik weet het niet,' zei hij schouderophalend. 'Misschien iemand die ze is tegengekomen, of bepaalde dingen die ze heeft gezien.'

'Ik heb nog geen uitgebreid gesprek met haar gehad over haar bevindingen daar. Ze kwam vlak voor Kerstmis terug en is vrijwel meteen daarna vertrokken om de feestdagen bij haar moeder door te brengen. Zelf ben ik eerst bij vrienden geweest en heb daarna een symposium op Harvard bijgewoond. Ik was nog maar net weer in de stad, toen Jillian me vertelde dat ze naar Minnesota moest omdat er iets met haar moeder was.'

'Volgens het meisje hiernaast wordt ze vrijdag terug verwacht, klopt dat?'

'Of maandag,' antwoordde Twomey knikkend.

'Hebt u toevallig het nummer van haar moeder in Minnesota?' vroeg Cruz. Wat er verder ook aan de hand was, het leek steeds onwaarschijnlijker dat deze Miss Meade verdachte was van een moord. Misschien was dit een van die gevallen die hij kon afdoen met een simpel telefoontje, waarna hij weer kon overgaan tot de orde van de dag.

Twomey liep om zijn bureau heen en zocht in een stapeltje briefjes. 'Ja, ze heeft een nummer achtergelaten. Ze had enkele nieuwe brochures naar de drukker gestuurd en ik wilde contact met haar kunnen opnemen als er iets misging. Hoor eens, waar gaat dit eigenlijk om? Waarom is de FBI is vredesnaam geïnteresseerd in Jillian Meade?'

Cruz haalde zijn schouders op. 'Gewoon een routineonderzoek, zoals ik al zei.'

'Aha, daar is het al.' Twomeys blik viel op een papiertje dat op de zijkant van zijn telefoon was geplakt. Hij haalde een vulpen uit een wortelnoten pennenhouder op zijn bureau en schreef het nummer op een stukje papier, dat hij vervolgens aan Cruz gaf.

'Bedankt voor de hulp, Mr. Twomey.'

'Dr. Twomey.'

'O,' zei Cruz. Met zijn hand op de deurkruk bleef hij nog even staan om een blik te werpen op de ingelijste foto's en getuigschriften die aan de wand hingen. De meeste waren van Twomey zelf, al dan niet alleen, tijdens lezingen of in gezelschap van een bonte stoet hoogwaardigheidsbekleders. 'Staat Jillian Meade ook op een van deze foto's?'

'Ik weet het niet. Even zien...' Twomey kwam naast hem staan en bekeek de foto's. 'Nee... Nee... Ja, daar is ze. Deze is genomen tijdens het feest van twee jaar geleden. Op Onafhankelijkheidsdag was er een bal van het Smithsonian en na afloop zijn we met zijn allen naar het dak gegaan om naar het vuurwerk te kijken. Dat is Jillian, in die rode jurk.'

Cruz boog zich naar de foto toe die Twomey had aangewezen. Tot zijn verrassing was Jillian Meade niet zo'n grijze muis als hij had gedacht. Ze stond in een groepje van een stuk of tien mannen en vrouwen van diverse leeftijd. De mannen droegen een smoking, de vrouwen avondkleding. De fotograaf had afgedrukt op het moment dat het vuurwerk in de lucht achter hen explodeerde. Ze leek slank en vrij lang, met lang, donker haar dat weggestopt was achter haar oren, en een nonchalante pony. Ze droeg een eenvoudige rode halterjurk die van voren hooggesloten was, maar haar schouders grotendeels vrijliet.

Net als diverse anderen van het groepje hief ze haar glas met wijn op om te toosten op het tweehonderdjarig bestaan van de natie. Waar de anderen lachten of geanimeerd stonden te praten, keek zij echter met een ernstig gezicht in de camera. Om haar mond speelde slechts een zweem van wat een superieure – of misschien sarcastische – glimlach leek. Ook Twomey maakte deel uit van het groepje. Cruz zag dat hij zijn glas afwezig ophief naar de camera, maar dat zijn blik op iets anders was gericht.

Op Jillian Meade.

3

Montrose, Minnesota
Woensdag 10 januari 1979

Het geluid klonk enigszins melodieus, als een windklok van hout of een handvol potloden die op de grond vielen. Het weekte haar los uit het stille, sussende, naadloze oord waar ze ronddreef. Doodstil bleef ze liggen, haar zintuigen op scherp, bang om haar ogen te openen. Wanhopig probeerde ze terug te gaan naar die plek van stilte, maar het was alsof ze rook probeerde vast te pakken. Het glipte tussen haar vingers door.

Wat het geluid ook was dat haar had gewekt, het was verdwenen voordat ze het kon identificeren. Nu hoorde ze alleen nog een zacht gemurmel, als stemmen die fluisterden op de bodem van een put, gedempt en net buiten gehoorsafstand. Ze gaf zich over aan het gemompel tot ze zichzelf weer voelde wegzweven, terug naar de vertroosting van de witte leegte. Blijf hier, leken de mompelstemmen te zeggen. Blijf hier bij ons, hier is het veilig.

Het was haar om het even. Buiten die vormloze plaats was er niets wat haar trok. Ze nam er genoegen mee hier voor altijd te blijven zweven, een schim zonder inhoud. Al het andere was te moeilijk.

'Jillian?'

Bij het voelen van de hand op haar schouder schokte er een felle adrenalinestoot door haar heen, alsof ze werd aangeraakt met een stierenprikker. Haar lichaam trok samen en klapte dubbel. De hand sloot zich om haar schouder, drukte even geruststellend en schudde haar toen zacht heen en weer.

'Tijd om wakker te worden. Doe je ogen open.'

Ze was doodsbang, maar ze had geen eigen wil meer. Dat was immers zo als je dood was, dacht ze.

Toen ze haar ogen opendeed, zag ze horizontale, zilveren strepen. Ze werd verondersteld dood te zijn, maar die strepen leken verdacht veel op stalen buizen. Heel echt ook. Net als de muur daarachter, die een saaie, dofgroene kleur had die de natuur niet had kunnen verzinnen. Aarzelend liet ze haar vingers over een veld van gebleekt katoen naar de buizen glijden. Die voelden hard en koud aan.

'Hoe voel je je nu, Jillian?' De stem kwam van achter haar rug. De stem van een vrouw. Hij klonk bekend – en toch ook weer niet. 'Ik ben dokter Kandinsky. Ik ben al eerder bij je geweest. Herinner je je dat nog?'

Een dokter? Dus die buizen... een ziekenhuisbed. Ze lag in het ziekenhuis. Was ze ziek? Of had ze een ongeluk gehad? Een auto-ongeluk, misschien? Maar wanneer dan? Hoe lang lag ze hier al? Kennelijk lang genoeg voor eerdere bezoekjes van de dokter, dacht ze. Doodsbang zich te verroeren, staarde ze naar de muur. Doodsbang te ademen. Als ze zich niet verroerde, niet ademhaalde, zou ze geen pijn voelen.

Maar ze haalde wél adem, en elke ademtocht schrijnde. Snel ging ze haar zintuigen na. Ze kon zien, ze kon horen. Ze kon ruiken – een geur van ontsmettingsmiddelen, van plastic en... rook? Een zachte luchtstroom kriebelde in haar neus. Ze voelde de zachte matras onder de rechterkant van haar gezicht en een langgerekt bobbeltje onder haar wang. Een slangetje. Er liep een dun plastic slangetje naar haar neus waardoor zuurstof in haar schrijnende longen stroomde, die bij elke ademteug protesteerden.

Oké, dacht ze bij zichzelf. Ze lag dus op haar rechterzij in een ziekenhuisbed naar een groene muur te kijken en ademde lucht in die pijn deed. Wat was er met haar aan de hand? Ze voelde zich niet uitgesproken ziek of koortsig, maar wel duizelig. Voorzichtig spande ze een voor een haar spieren aan zonder zich te bewegen, een isometrische test van een lichaam dat nog maar net vaste vorm aangenomen leek te hebben. Het enige wat ze wilde, was teruggaan naar de zachte, stille, veilige plaats waar ze vandaan kwam, maar dat stond de stem niet toe.

'Jillian? Kom op, tijd om wakker te worden,' herhaalde de stem op vriendelijke maar besliste toon.

Armen, handen, benen, voeten, nek, ruggengraat. Alles was aanwezig, alles werkte. Geen pijn, afgezien van een vage hoofdpijn en, bij het ademhalen, het gevoel dat haar longen vol zaten met zand. Ook had ze diep in haar binnenste het akelige ziekmakende gevoel dat er iets helemaal mis was. Ze hoorde hier niet te zijn. Kon ze maar terug naar die stille plaats.

Laat me met rust!

'Jillian, kun je op je rug rollen en gaan zitten? Zou dat misschien lukken?'

De druk op haar schouder werd groter, en ze voelde dat de hand probeerde haar op haar rug te rollen, naar de stem toe.

Nee!

Jillians hand schoot uit, en krampachtig omklemde ze de stalen buizen, vechtend tegen het draaien van haar lichaam en haar geest. Ze voelde een stekende pijn in haar linkerarm. Keek ernaar en bevroor. Aan de binnenkant van haar elleboog zat een verband. Een dik, wit vierkantje gaas dat met leukoplast was vastgeplakt en aan haar huid trok. In het midden van het verband zat een kleine rode vlek van doorgelekt bloed.

Ik dacht dat ik het had gedroomd...

Was het mogelijk dat het echt was geweest? Die droom over sirenes en een ambulance? Over een ziekenhuiskamer met verblindende lampen en mensen die zich over haar heen bogen en haar neerdrukten terwijl ze schreeuwde en los probeerde te komen? Ze had zich uit alle macht verzet... tot iemand iets in haar rechterarm had gestoken. Ze had het uitgeschreeuwd... of misschien had ze dat alleen maar gedacht, want alles was wazig geworden en ze was in die stille plaats gevallen.

Later droomde ze dat ze was ontwaakt en had ontdekt dat ze op een brancard lag. Alleen stonden er nu geen mensen om haar heen en was het licht niet zo fel. In de droom had ze zichzelf duizelig omhooggewerkt tot ze zat, bang en in de war, omdat ze wist dat ze niet hier, maar elders hoorde te zijn. Ze hadden haar kleren meegenomen, maar ze had zich niettemin van de brancard laten glijden, naakt, op het laken na dat ze om zich heen klemde, en had om zich heen gekeken, op zoek naar iets wat ze kon aantrekken om weg te gaan. Toen had ze een la gevonden met daarin kleine pakketjes waarop Injectiespuit stond. En opeens had ze beseft dat er een snellere manier was om haar bestemming te bereiken.

Ze had een van de pakketjes opengescheurd, de spuit eruit gehaald, de zuiger naar achteren getrokken en het plastic dopje van de naald gewipt. De punt zat al in haar arm en ze had haar vinger al op de zuiger, toen de wereld uiteenspatte in geschreeuw en verblindend licht. Iemand had haar op de grond gegooid en de naald uit haar arm gerukt. Ze had het uitgegild van de pijn, en terwijl haar bloed op de grond stroomde, had ze gevochten met alle kracht die ze had, totdat ze er eindelijk in slaagden een andere naald in haar arm te krijgen en ze weer terugduikelde naar die stille plek.

Dat had ze allemaal gedroomd, had ze gedacht – maar het met bloed bevlekte verband om haar arm was maar al te echt. Daarom wist ze dat het echt was gebeurd. Ze had gefaald.

4

Havenwood, Minnesota
Donderdag 11 januari 1979

Het geschilderde reclamebord langs de snelweg toonde een aanlokkelijk plaatje van golven met witte koppen, hoge, altijd groene bomen en een enorme vis die in het aas hapte.

WELKOM IN HAVENWOOD, HENGELHOOFDSTAD VAN MINNESOTA!
PLEZIERIG VISSEN IN ELK SEIZOEN!

Wat Cruz over de hengelsport wist, paste op de achterkant van een bierviltje, dus wie was hij om die hoogdravende claim te betwisten. Hij had echter wel zijn twijfels over die geschilderde bomen. De hele rit van honderd kilometer vanaf het vliegveld had hij alleen maar een glooiend, kaal, verlaten en grotendeels besneeuwd landschap gezien, dat zich eindeloos uitstrekte onder een grauwe lucht. De monotone aanblik werd alleen onderbroken door een incidentele windsingel, door een boer aangeplant om te voorkomen dat de vruchtbare bovenlaag van de aarde door de wind werd weggeblazen.

Die ochtend was hij van start gegaan met het plezierige gevoel dat hij aan het spijbelen was. Het gevoel was hem tot Minneapolis bijgebleven, maar toen hij de stad weer uitreed en via de snelweg koers zette naar het noordoosten, begon de kou in zijn botten te sijpelen en werd de omgeving steeds monotoner. De enige afwisseling kwam van een enkel stadje met verweerde graansilo's en ballonvormige watertorens. Hij vroeg zich af waarom hij geen opdracht had verzonnen in een wat warmer en minder troosteloos oord. Minnesota in januari was geen pretje.

Toen hij de vorige dag het kantoor van Haddon Twomey had verlaten, was hij helemaal niet van plan geweest op het vliegtuig richting Minnesota te springen om op zoek te gaan naar de ongrijpbare Jillian Meade. In plaats daarvan was hij bijna onverrichter zake teruggekeerd naar kantoor. Het enige goede nieuws daar was dat Sean Finney voor de verandering in beweging was gekomen en zijn stoel had verruild voor het echte benenwerk in het veld. Cruz had zich opgemaakt voor een middag van relatieve rust achter zijn bureau, ondanks de voortdurend rinkelende telefoons en luidruchtige conversaties om hem heen. Met de vragenlijst in de hand die bij het blauwe verzoek van Scotland Yard zat, had hij het interlokale nummer in Minnesota gebeld dat Haddon Twomey hem had gegeven. Als hij Jillian Meade dan niet in levenden lijve kon ontmoeten, zou hij haar telefonisch opsporen, haar enkele vragen stellen over haar recente reizen en dan besluiten of hij het daarbij zou laten, of dat hij haar na haar terugkeer naar de stad diepgaander moest verhoren.

Na drie vergeefse pogingen kreeg hij nog steeds het bericht dat het gekozen nummer buiten gebruik was. Hij had de telefoniste gebeld, en die kon hem vertellen dat het nummer wel degelijk klopte en dat het toegewezen was aan een abonnee met de naam Grace S. Meade, die woonde op Lakeshore Road 34 in Havenwood, Minnesota. De telefoniste had het nummer ook geprobeerd, met hetzelfde resultaat als Cruz. Het leek of de lijn dood was, had ze gezegd. Cruz had gevraagd of dat misschien door een sneeuwstorm kwam, maar de telefoniste had dat ontkend. Ze bevond zich zelf in Minneapolis, en het was de hele week al koud maar zonnig geweest. Voorzover ze wist, waren er geen meldingen van storing uit de buurt van Havenwood gekomen. Het probleem scheen zich tot dat ene nummer te beperken.

Cruz' volgende stap was een telefoontje naar het politiebureau van Havenwood. Hoofd van politie Wilf Lunders die aan zijn stem te horen niet zo jong meer was, kwam betrouwbaar en vriendelijk over. Hij was blij dat hij kon helpen, al klonk er lichte verbazing in zijn stem door over het feit dat de FBI hem belde. Hij was een groot bewonderaar van wijlen J. Edgar Hoover, zei hij, en hij zegde zijn hulp graag toe.

'Jillian Meade, zei u? Ja, die is hier inderdaad.'

'Weet u dat zeker? Hebt u haar zelf gezien?'

'Ja zeker. Ik heb vannacht met eigen ogen gezien dat ze in een ambulance werd geschoven. Mijn hulpsheriff heeft haar persoonlijk uit het huis van haar moeder gehaald, vlak voordat dat tot de grond toe afbrandde.'

Opeens voelde Cruz de haartjes in zijn nek recht overeind gaan staan. 'Is het huis van haar moeder afgebrand? Hoe kwam dat?'

'Tja, dat zouden wel meer mensen willen weten. Misschien een defect aan het elektra, of een gesprongen gasleiding. De chef van de vrijwillige brandweer is er nu samen met mijn hulpsheriff en een paar politiemensen naar toe om poolshoogte te nemen. Vannacht was er weinig te vinden. De brand was pas om een uur of drie, vier bedwongen, nadat alles goed nat was gespoten om te zorgen dat het nergens meer smeulde.'

'Sheriff Lunders? Ik wil u natuurlijk niet vertellen hoe u uw werk moet doen, maar ik denk dat u in dit geval ernstig rekening moet houden met brandstichting.'

'Dat doen we ook. Alleen... Hoe komt u daar zo bij?'

Cruz gaf geen antwoord, maar leunde achterover en tikte nerveus met zijn pen op zijn knie. 'Hoe is het met de moeder afgelopen?'

'Nou, dat is voor Jillian natuurlijk de grootste klap. Haar moeder heeft het niet overleefd. Verschrikkelijk. Zestig jaar oud en een echte dame. Een steunpilaar van de gemeenschap. Ik kan het zelf eigenlijk nog nauwelijks geloven. Die familie heeft heel wat meegemaakt, moet u weten. En wat Grace betreft... Die zullen we hier enorm missen, dat kan ik u verzekeren.'

'Is het lichaam al geborgen?'

'Ja, dat is vanochtend al gebeurd.'

'Ik neem aan dat er een autopsie zal komen om de doodsoorzaak vast te stellen?'

'Ja, natuurlijk. Dat schrijft de wet voor in zulke gevallen. Alleen was het lichaam van die arme Grace heel erg verbrand, dus ik moet nog zien wat de lijkschouwer daar voor conclusies uit kan trekken. Maar mijn assistent heeft bevestigd dat ze al dood was voordat de brand uit de hand liep.'

'Hoe is ze dan gestorven?'

Lunders wilde antwoord geven, maar werd op dat moment overvallen door een hoestbui. Met verstikte stem excuseerde hij zich, en hij leek de hoorn even van zich af te houden, maar Cruz hoorde niettemin het diepe, piepende hijgen dat hem vertelde dat de sheriff waarschijnlijk rookte, te dik was en te weinig beweging kreeg.

Het beeld van zijn rondbuikige vader verscheen voor zijn geestesoog. Zijn vader, die koppig weigerde ook maar een dokter te raadplegen. De oude man kluste nog steeds bij als tegelzetter in luxe nieuwbouwwoningen, die stuk voor stuk meer kostten dan hij in zijn hele leven had verdiend. Cruz had hem alleen met Kerstmis even gezien, al had hij afgelopen jaar na zijn diensttijd geprobeerd wat vaker bij hem langs te gaan. Een paar weken voordat hij bij de FBI was begonnen, was hij naar Californië gevlogen om zijn oude Harley onder het dekkleed in zijn vaders garage in Santa Ana weg te halen.

Om te zien of hij nog de fut had een lange trektocht te maken. En of er inmiddels genoeg tijd was verstreken om met zijn ouwe heer een biertje te gaan drinken en een fatsoenlijk gesprek te voeren. Ze werden er tenslotte geen van beiden jonger op. Er was echter niets van gekomen. Zijn vader had de drie dagen dat hij er was alleen maar argwanend achter hem aangelopen, mopperend en kankerend alsof hij bang was dat zijn zoon de niet-bestaande familiejuwelen zou stelen. Ten slotte had Cruz het opgegeven en had hij het dekkleed weer over de Harley gegooid, een vliegtuigticket gekocht en was hij teruggegaan naar Washington.

Sheriff Lunders hoestte nog wat na en kwam toen terug aan de telefoon. 'Sorry. Ik kan die hoest maar niet kwijtraken. Waar hadden we het ook weer over?'

'U zei dat uw assistent Mrs. Meade dood aantrof toen hij bij haar huis arriveerde, en ik vroeg hoe ze was gestorven.'

'Dat is het hem nu juist. Dat weet hij niet precies. Het huis stond vol rook. Nils is een prima politieman en hij wilde het lichaam ter plekke onderzoeken om te kijken hoe en wat, maar hij zei dat hij door de rook bijna niets meer kon zien. Hij weet alleen heel zeker dat ze dood was en dat er flink wat bloed was. Maar voordat hij kon nagaan waar dat precies vandaan kwam, kwam Jillian, die hij al naar buiten had gebracht, weer naar binnen, zag haar moeder daar zo dood en alles liggen en ging van haar stokje. Zijn grootste zorg was op dat moment haar levend naar buiten te krijgen, voordat het hele pand in vlammen opging. En tegen de tijd dat hij haar goed en wel naar buiten had gebracht, was het onmogelijk Grace heelhuids te bereiken. Het huis was veranderd in een hel.'

'En wat is er volgens de dochter gebeurd?'

'Die heeft nog niets gezegd. We hebben vannacht haar verklaring nog niet kunnen opnemen. Ze heeft een flinke rookvergiftiging opgelopen plus een hersenschudding, volgens de kliniek. Nog afgezien van alle emotionele spanning doordat ze haar moeder daar zo heeft zien liggen. Uiteindelijk hebben ze haar iets kalmerends moeten geven. Ik denk trouwens dat het allemaal wel weer goed komt met haar, als ze over de eerste schok heen is. Jillian is altijd al een erg verstandige jonge vrouw geweest, en ik weet zeker dat ze ons een goede indruk kan geven van wat er is gebeurd. Toen u belde, stond ik trouwens op het punt naar de kliniek te gaan om te kijken of ze al in staat is een verklaring af te leggen.'

'Hebben jullie een ziekenhuis in Havenwood? Is ze daarnaar toe gebracht?'

'Reken maar. Niet groot natuurlijk, maar acht bedden. Ernstige gevallen gaan naar Montrose of Minneapolis. Maar wat Jillian heeft, kunnen ze hier prima behandelen.'

'Hebt u er bezwaar tegen als ik naar u toekom en zelf even met haar praat?' Cruz vroeg het meer in een opwelling dan uit een weloverwogen beslissing, maar intuïtief wist hij dat dit allemaal veel te toevallig was. Na een carrière van meer dan tien jaar in moordzaken, wist hij wel beter dan in toeval te geloven en hij ging altijd op zijn intuïtie af. Bovendien was hij inmiddels erg benieuwd naar de dame die kennelijk geen leven had buiten de stoffige bibliotheek van een museum. Die opeens het onderwerp van een internationaal politieonderzoek was geworden... en wier moeder plotseling was overleden op een manier die ongemakkelijk veel overeenkomst vertoonde met de gevallen in Engeland.

'Acht u het mogelijk dat Jillian Meade haar moeder heeft vermoord en daarna het huis in brand heeft gestoken?' vroeg hij aan de sheriff.

'Jillian?' antwoordde die ongelovig. 'Dat meisje is hier opgegroeid, agent Cruz. Ik ken haar mijn hele leven al, en de rest van Havenwood ook. Ze is altijd een heel rustig typje geweest. Geloof me maar, die zou niet in staat zijn zoiets te doen. Dat ligt niet in haar aard.'

'Dat zeiden de mensen vast ook over Lizzie Borden.'

'Tja, dat weet ik niet, maar ik ken de familie Meade goed genoeg. Ze wonen al generaties lang in deze stad. Geloof me maar gerust, een dochter van Grace en Joe Meade zou nooit tot zo'n gruweldaad in staat zijn. Ik zal u vertellen wat ik er zelf van denk, even onder ons dan, hè? Ik wil niet te veel zeggen tot we meer bewijzen hebben, maar ik denk dat het een verkeerd afgelopen inbraak met diefstal was... door iemand van buiten. Vast een of andere hippie die naar onze contreien is afgezakt op zoek naar wat snel geld om drugs te kopen in Minneapolis. Het huis van Grace ligt aan het meer, op een mooi plekje aan de rand van de stad. De vakantiehuizen liggen aan de andere oever, maar misschien dacht deze knaap dat Grace' huis leegstond. Of misschien heeft hij Grace en Jillian wel gezien en gedacht dat hij twee vrouwen alleen makkelijk aankon.'

'Ik weet het niet, sheriff,' zei Cruz hoofdschuddend.

'Vergeet niet dat Jillian zelf ook gewond raakte. Hersenschudding. Volgens Nils, mijn assistent, was ze buiten westen en werd ze wakker op de keukenvloer. Wie weet wat er gebeurd zou zijn als de buren niet gebeld hadden dat er brand was en als mijn assistent niet zo snel ter plekke was geweest? Dan had zij het ook niet overleefd.'

'Daar hebt u gelijk in.' Cruz besloot dat hij er niets mee opschoot als hij de plaatselijke politie tegen zich in het harnas joeg voordat hij meer informatie had – en hij had heel wat meer informatie nodig voordat hij bereid was Jillian Meade van de lijst van verdachten af te voeren. 'Ik wil u nog iets anders vragen, sheriff Lunders.'

'En dat is?'

'Ik wil u vragen de plaats delict te verzegelen. Met alle respect voor uw vrijwillige brandweer en uw mensen, *sir*, lijkt het me beter dat er een in brandstichting gespecialiseerd team wordt ingeschakeld om het huis met een stofkam te doorzoeken. Ik zou dat van hieruit kunnen regelen, als u daar geen bezwaar tegen hebt.'

Natuurlijk hadden de mannen van de sheriff alles al flink vertrapt toen ze waren teruggegaan om het lichaam te halen, dacht Cruz grimmig. En wie weet hoeveel andere laarzen er daarna overheen waren gewalst. Maar met een beetje geluk zou een brandstichtingsteam nog genoeg sporen vinden om te weten of het vuur op meer plaatsen was ontstaan en of er bepaalde stoffen waren gebruikt, twee zekere aanwijzingen dat er sprake was van brandstichting.

'Nou, nee, dat lijkt me helemaal niet zo'n slecht idee,' zei Lunders. 'Dus als u dat wilt doen, ga uw gang. Ik zal zorgen dat mijn mensen het terrein afzetten en dat ze niemand het huis laten betreden voordat uw team is gearriveerd. Maar mag ik misschien weten wat dit allemaal te betekenen heeft? Waarom zijn jullie zo geïnteresseerd in deze zaak?'

'Dat is door de telefoon wat lastig uit te leggen. Ik stel voor dat ik zorg dat er een team naar Havenwood komt om de brand te onderzoeken en dat ik daarna zelf ook die kant op kom, vanavond of op zijn vroegst morgenochtend. Dan kan ik u persoonlijk vertellen waar het ons om gaat.'

'Als u denkt dat dat nodig is...'

'Ja, sheriff, dat is hard nodig.'

Eenmaal voorbij het schreeuwerige billboard met de vissen en de bomen, begon de weg te stijgen en keek Cruz neer op een pittoresk stadje dat zich, net als op het reclamebord, behaaglijk tegen groene naaldbossen schurkte die zich tot aan de horizon uitstrekten. Het stadje lag ingeklemd tussen de bossen en een meer dat uit de westflank van de Mississippi stulpte, alsof de rivier lek was geraakt in zijn haast de Golf van Mexico te bereiken. Volgens de kaart die Cruz had meegenomen van het autoverhuurbedrijf op het vliegveld, heette het meer het Lost Arrow Lake. Misschien was de hengelsportclaim op het billboard dan toch niet zo overdreven, dacht hij. Maar tenzij hij zich bekwaamde in de finesses van het ijsvissen, zou hij de snoevende bewering voor zoete koek moeten slikken.

Kort daarna passeerde hij het officiële naambord van het stadje. Havenwood, bevolking 2012. Daarachter zag hij een blauw bord waarop stond dat hij de volgende afslag rechts moest nemen om bij het politiebureau te komen. Steentjes spatten op onder zijn banden toen hij een paar minuten later de parkeerplaats van het politiebureau van Havenwood op reed. Het was een laag, geelbruin gebouw dat een goedkope indruk wekte. Het soort gebouw waar prijsbewuste gemeenteraden over het hele land de voorkeur aan gaven. Cruz wist nu al dat de kantine zou tochten, dat er twee ondeugdelijke cellen waren en dat het kantoortje van de sheriff veel te dunne muren zou hebben.

Hij parkeerde naast een paar zwart met witte patrouillewagens, stapte uit de hete, benauwde huurauto en voelde zijn longen dichtklappen door de schok van lucht die ijzig aanvoelde vergeleken met die in het zoele Washington. Zoals altijd op zulke plaatsen leken zijn door Californië verwende botten te vragen wat mensen in vredesnaam bezielde zich in een kou als deze te vestigen.

In de kleine hal zat een gezette vrouw met grijs haar, gekleed in een pluizig vest van roze wol, achter de balie. Ze had een boek vast dat ze op armslengte afstand hield. Toen Cruz binnenkwam, zag hij haar aan haar wijsvinger likken, de bladzijde omslaan en verder lezen met van inspanning samengeknepen ogen. De wind blies fluitend naar binnen, en het kostte hem moeite de deur achter zich dicht te doen.

Bij het horen van het geluid keek de vrouw geschrokken op. 'Hallo.' Haar gezicht vertrok in een vriendelijke glimlach toen hij over het gespikkelde linoleum in haar richting liep. Ze wierp nog een blik op haar boek – aan de omslag te zien een misdaadroman – maakte toen een ezelsoor in de bladzijde die ze aan het lezen was en sloeg het boek dicht. 'Kan ik u misschien helpen?'

Cruz haalde het leren mapje met daarin zijn identiteitsbewijs en zijn penning uit zijn binnenzak. 'Ik ben agent Cruz van de FBI,' antwoordde hij. 'Sheriff Lunders verwacht me.'

De vrouw legde het boek weg en pakte het mapje aan. Ze hield het ver van zich af om de letters te kunnen ontcijferen. 'Ik heb die ellendige leesbril vanmorgen op de keukentafel laten liggen,' zei ze met een gegeneerde blik in zijn richting. 'Even zien, hoor... Alejandro Cruz.'

'U spreekt Spaans!' Ze sprak zijn naam bijna uit zoals het hoorde, met een aangeblazen 'h' in plaats van een zachte 'g', zoals de meeste mensen. Dat was de reden dat hij Alejandro al lang geleden had ingeruild voor Alex.

Ze bloosde. 'O, nee, geen woord, tenzij je *una margarita, por favor* meetelt. Dat heb ik opgestoken van een vakantie in Acapulco, een paar jaar geleden.'

'Nou, dat is een belangrijke zin om te weten,' zei hij glimlachend.

'Ik ben Verna Rasmussen,' zei ze, haar hand uitstekend. 'Zeg maar Verna.'

'Prettig kennis te maken, Verna. En je sprak mijn naam trouwens precies zo uit als het hoort.'

'Ik doe mijn best. Ik vind dat iemands naam iets speciaals is en dat we daarom wel wat moeite mogen doen om die goed uit te spreken, vindt u niet? Mijn vader heette Bjorn, en daar struikelden mensen zo vaak over, dat hij zich uiteindelijk maar Bub liet noemen. Niet te geloven, hè? Alejandro is trouwens makkelijk. Net als Alejandro Rey, de acteur.'

Hij knikte. 'Dat zal dan wel. De meeste mensen noemen me Alex. Maar zoals ik al zei, word ik verwacht door de sheriff. Wil je tegen hem zeggen dat ik er ben?'

Haar grijze krullen wipten spijtig van links naar rechts terwijl ze hem het leren mapje teruggaf. 'Hij is er vandaag niet.'

'Ik heb hem gisteren nog telefonisch gesproken. Hij wist dat ik zou komen.'

'Komt u uit Minneapolis?'

'Nee, uit Washington.'

'D.C.?'

'Ja.'

'O, jee, helemaal uit Washington, D.C.'

Cruz stopte zijn identiteitsbewijs weer in zijn binnenzak. 'Nou, wat zeg je ervan, Verna? Kun je hem misschien even bellen om te zeggen dat ik er ben?'

'Dat zou ik wel willen, maar dat gaat niet. De sheriff is in het ziekenhuis, en ik denk dat hij daar wel een tijdje zal blijven.'

Het gezicht dat ze trok bij die opmerking gaf Cruz het vermoeden dat hier een lang verhaal achter zat, een verhaal dat Verna maar al te graag kwijt wilde. Een blik op zijn horloge leerde hem dat het inmiddels middag was geworden. Over een paar uur zou de schemering invallen, en voor die tijd wilde hij de plaats des onheil met eigen ogen bekijken. Het brandstichtingsteam zou het onderzoek inmiddels hebben afgerond en de eerste resultaten ervan aan de sheriff hebben gegeven, maar Cruz wilde met eigen ogen een beeld vormen van de situatie.

Over Verna's hoofd heen keek hij naar het raam achter haar. Daarachter lag waarschijnlijk de agentenkamer, met in het midden vier stalen bureaus tegenover elkaar en langs één kant een aantal dossierkasten. Voorzover hij kon zien, was er slechts een iemand aanwezig. Een agent in een kakiuniform, met opgeschoren haar dat bijna net zo wit was als het papier in zijn typemachine, zat aan een van de bureaus en leek helemaal verdiept in de vertrouwde, eindeloze en ondankbare taak politierapporten te tikken op de stokoude Olivetti die voor hem stond. Hij leek te jong om al van de middelbare school af te zijn.

'Wie heeft de leiding tijdens de afwezigheid van sheriff Lunders?'

'Dat zal Nils Berglund zijn, de hulpsheriff –'

'Kun je –'

'...maar die is aan het surveilleren.'

'Kun je contact met hem krijgen?'

'O, natuurlijk,' antwoordde ze monter, en ze wees met haar duim naar de zender achter haar rug. 'Ik kan hem via de radio oproepen.'

'Zou je dat willen doen?'

'Tuurlijk. Wilt u niet even gaan zitten?' Opgewekt wees ze naar een rij stoelen langs een van de wanden. 'O, wacht even,' voegde ze eraan toe, terwijl ze een Tupperware-doos van een schap achter haar stoel pakte en het deksel eraf trok. 'Neem een koekje. Die bak ik altijd zelf voor de jongens. Ben vergeten ze op hun bureau te zetten.'

Gehoorzaam pakte Cruz een koekje uit de doos, waarna hij naar het rijtje stoelen liep, terwijl Verna contact zocht met de hulpsheriff. In plaats van te gaan zitten, iets wat hij die dag al veel te veel naar zijn zin had gedaan, liep hij door naar het mededelingenbord aan de muur ertegenover. Haastig knoopte hij zijn overjas los; die voelde opeens zwaar en beklemmend aan in het verwarmde gebouw. Warm en koud, warm en koud.

Terwijl hij de briefjes op het prikbord las, stak hij het koekje in zijn mond. In een van de hoeken hing een lijstje dat hem bekend voorkwam. Daarop stonden de tien door de FBI meest gezochte misdadigers. Het was een bedenksel dat J. Edgar Hoover in een van zijn creatieve momenten als FBI-directeur had verzonnen. Het lijstje hing inmiddels in de helft van de politiebureaus in het land. De overige mededelingen hadden een veel lokaler karakter. Ze gingen over septic tanks, vis- en vaarvergunningen en het verbranden van tuinafval. Aan een punaise bungelden de notulen van gemeenteraadsvergaderingen, terwijl een handgeschreven stuk papier in een hoek van het bord een oproep deed voor vrijwilligers voor de Paasparade en Eierwedstrijd van 1979. Het was uitbundig versierd met blauwe paashazen en eieren in alle kleuren van de regenboog.

Cruz hoorde Verna's oproep en even later een diepe stem, onderbroken door statisch geruis. Net wilde hij zich omdraaien om mee te luisteren, toen zijn blik op de laatste regel van de oproep viel.

Voor meer informatie kunt u contact opnemen met:
Grace Meade
Voorzitster van het Havenwood Paasparadecomité.

Grace Meade, recentelijk gestorven steunpilaar van de gemeenschap en moeder van zijn onderzoeksobject, Jillian Meade. Tot wie moest Havenwood zich nu richten voor de organisatie van de komende feestelijkheden, vroeg Cruz zich af, terwijl achter hem de diepe bariton van de hulpsheriff krakend meldde dat hij onderweg was naar het bureau.

5

Montrose, Minnesota
Donderdag 11 januari 1979

Weer de stem van die vrouw, gedecideerd maar vriendelijk – het soort stem dat je wil laten weten dat hij geen bedreiging vormt, maar die niettemin je aandacht eist. Jillian bleef roerloos liggen en deed net of ze sliep – en dat was niet zo moeilijk, want ze was de hele tijd erg slaperig. Hopelijk was het genoeg om de stem te ontmoedigen. Om haar met rust te laten.

'Ik ben dokter Kandinsky, Jillian. Herinner je je me nog? Ik ben gisteren een paar keer bij je geweest, en afgelopen nacht ook.'

Gisteren? Afgelopen nacht? Hoe laat was het? Welke dag? Toen ze een tijdje geleden wakker was geworden – wanneer dat dan ook was geweest – had ze gezien dat haar horloge weg was, net als de rest van haar spullen. De kamer waarin ze lag, had hoge, kleine ramen, en het enige wat ze van de buitenwereld kon zien was een stukje lucht. Ze had daglicht gezien, maar er waren lange, blauwige schaduwen geweest, zoals ze alleen te zien waren op koude winterdagen, wanneer het land baadt in het schijnsel van een felle maar kille zon.

'Hoe voel je je nu?' vroeg de stem. 'Je ziet er wat beter uit.'

Beter dan wat? Hoe lang was ze hier al? Als die dokter zei dat ze afgelopen nacht was wezen kijken... soit. Het had net zo goed vorige week of vorige maand kunnen zijn. Maar die stem herinnerde ze zich nog wel. Een warme, sussende stem. Verleidelijk ook, als een belofte van genade. Of vergiffenis misschien, voor wat ze had gedaan.

Haar ogen vlogen open. De spijlen waren er nog steeds, en de groene muur ook. Wat heb ik gedaan?

'Je bent hier veilig,' zei de dokter. 'Niemand kan je hier kwaad doen. Misschien wil je je nu wel wat opfrissen. Ik denk dat je je dan een stuk beter zou voelen.'

Opfrissen? Wat was er dan gebeurd? Angstig staarde ze naar haar hand, die plat op de kraakheldere lakens lag. Ze herinnerde zich vaag dat iemand bloed had weggewassen toen ze net was binnengebracht, maar er zat nog wat onder haar nagels, opgedroogd, bruin en beschuldigend. Ze zag er vast vreselijk uit, dacht ze. Haar haren hingen los en waren piekerig, kleefden in plakken aan haar wangen, nek en schouders. De lange plukken pony die haar wimpers beroerden, voelden stug en hard aan. Verschroeid, dacht ze opeens. Net als haar longen, die bij elke ademhaling pijn deden. En ze rook de zure, scherpe stank van verkoold hout. Een geur die ze maar niet kwijt kon raken...

Toen kwam het allemaal met een schok terug. Ze herinnerde zich de brand. Ze herinnerde zich Nils, en de ambulance, en wat er was gebeurd nadat ze haar op Spoedeisende Hulp hadden onderzocht en haar iets hadden gegeven om te slapen. Toen hadden ze haar alleen gelaten, zodat ze de shock van de brand in haar slaap kon verwerken. Van wat ze in haar moeders huis had gezien.

Ze trok haar arm naar zich toe en balde haar vuist. Moeder! Haar moeder was dood. Waarom zij dan niet? Een kwade stem in haar hoofd snauwde: omdat je een zwakkeling bent!

Dat was waar. Ze was een zwakkeling. Twee keer had ze op de rand gestaan – en twee keer was ze op het laatste moment teruggedeinsd. Samen met haar moeder had ze kunnen sterven. Dat had ze ook gewild. Ze had naast dat kleine lichaam in elkaar willen kruipen, het in haar armen willen nemen en het tegen haar borst willen drukken, in een volledige omkering van de eerste rol die ze hadden gespeeld. Aan het eind alleen met haar moeder, net zoals in het begin, eindelijk vrede met elkaar en met het verleden, wachtend op de zuiverende vlammen. Maar op het laatste moment had ze toegestaan dat ze werd gered. Haar moeders ijzeren wil had ze nooit gehad.

En later op Spoedeisende Hulp... wat was ze dichtbij geweest! De naald had al in haar arm gezeten. Het enige wat ze hoefde te doen, was de zuiger naar beneden drukken en zich op een genadig luchtbelletje mee laten voeren naar de vrijheid. Het had nu allemaal voorbij kunnen zijn, maar in plaats daarvan had ze een fractie van een seconde te lang geaarzeld en was de beslissing haar uit handen genomen.

Nu lag ze hier... Waar? In elk geval niet meer op de brancard op Spoedeisende Hulp, dat was wel duidelijk. Ze lag in een bed, waarschijnlijk op een van de afdelingen. Hoe lang was ze hier al? Vaag herinnerde ze zich dat ze haar iets hadden gegeven na haar stunt met de injectiespuit, kennelijk iets veel sterkers dan de eerste keer, en daardoor was ze tot nu onder zeil geweest. Hoe lang precies wist ze niet, maar in elk geval zo lang, dat ze niet bewust had meegemaakt dat ze haar naar deze kamer hadden overgebracht. Haar drempel voor drugs lag natuurlijk niet erg hoog, dacht ze grimmig. Zelfs op het hoogtepunt van de psychedelische jaren zestig had ze nooit iets sterkers genomen dan een aspirientje. De immer brave dochter van Grace Meade.

Ze sloot haar ogen en merkte dankbaar dat ze meteen weer wegzonk. De matras leek haar als een grote, warme muil op te slokken. Ze was Jonas in de buik van een walvis van veren, drijvend op golven van zacht katoen, tevreden met de richting die ze uit dobberde.

Na het incident op Spoedeisende Hulp had ze het gevoel alsof er stroperige troep door haar aderen vloeide in plaats van bloed. Het kon haar niets schelen, zolang ze maar niet hoefde te denken, zich niets hoefde te herinneren. Misschien kwam het niet alleen door de slaapmiddelen; misschien was er een of ander primitief instinct dat haar aanzette zichzelf uit te schakelen, in plaats van het onverdraaglijke onder ogen te zien. Zichzelf dood te houden in het aanzien van de gruwel.

Haar moeder zou het vreselijk vinden haar hier zo te zien liggen; stom, lam en smerig. Grace Meade was altijd op en top een dame geweest. Haar hele leven had ze nooit de deur opengedaan zonder eerst met een blik in de spiegel haar lipstick te controleren, haar haren in orde te brengen en haar rok glad te strijken. Van haar dochter had ze een miniatuuruitvoering van zichzelf willen maken, maar dat was natuurlijk een hopeloze zaak geweest. Jillian had de genetische loterij verloren. Ze had niets van haar moeders verfijnde schoonheid geërfd: haar goudblonde haar, haar prachtige blauwe ogen, haar roomblanke Engelse huid. Jillian had een olijfkleurige huid en bruin haar, kennelijk net als haar vader, en ze werd langer en magerder dan haar moeder ooit was geweest.

Toch, dacht Jillian, zou ze er alles voor over hebben gehad om maar één keer niet die berustende klank te horen die haar moeders opgewekte woorden van bemoediging steevast vergezeld had. 'Nou, we zullen het moeten doen met wat we hebben meegekregen, nietwaar, kind?'

'Wat zeg je ervan, Jillian? Zou je het niet fijn vinden om even te douchen? En misschien daarna wat eten en een beetje praten?'

Dat was de dokter weer, dacht ze met een schok, en niet haar moeder. Moeizaam opende ze haar ogen. Ze wilde best meewerken, maar meer dan dit kon ze niet opbrengen. Haar moeder zou het beslist hebben afgekeurd. Grace was altijd even beleefd in het openbaar, hoe moeilijk dat soms ook voor haar was. Ze zou op zijn minst rechtop zijn gaan zitten toen de dokter binnenkwam. Maar eerlijk gezegd, dacht Jillian, kon het haar geen moer schelen. Ze wilde niet onbeleefd zijn, maar ze had deze vrouw niets te vertellen.

De dokter wachtte rustig haar antwoord af. De minuten verstreken. Jillian voelde dat ze er nog steeds was, al zei ze niets. Misschien keek ze naar haar. Observeerde haar. Jillian vroeg zich af wat ze zou zien. Vroeg ze zich af wat ze voor monster voor zich had?

Opeens voelde ze het bed bewegen. Ze kromp ineen toen ze een hand voelde, een hand aan het eind van een witte mouw. Een zuchtje wind streek langs haar wang toen de dokter iets naast haar hoofd op de matras legde. Een notitieboek, zag Jillian. Een dik notitieboek met een harde, bobbelige zwarte kaft. Toen trok de witgejaste arm zich terug en kwam het bed tot rust.

'Het geeft niet als je er nog niet over wilt praten, Jillian. Wanneer het zover is, ben ik er voor je. Maar ik heb gehoord dat je schrijfster en historicus bent,' zei de dokter – onnodig, dacht Jillian. Zo ver heen was ze nu ook weer niet. Ze wist best wie ze was. Dat was immers het probleem? 'Je weet hoe je feiten moet rangschikken tot een begrijpelijk verhaal. Ik weet dat je je nu verward voelt, maar misschien helpt het je op te schrijven wat er allemaal door je hoofd speelt.'

O, hemel... Wat speelt er dan allemaal door mijn hoofd?

Om het licht buiten te sluiten, sloot Jillian haar ogen weer, en ze bad om een wonder om het stemgeluid van de dokter buiten te sluiten, en vooral om het gegil van haar eigen schuldige gedachten te smoren.

Wat wil ze dat ik zeg? Dat ik achtervolgd word door de herinnering aan mijn moeder, aan haar dode blauwe ogen die me aanstaren vanaf de keukenvloer, in de dood nog net zo beschuldigend als voordat die haar kwam halen? Dat ik niet meer wil leven? Dat ik dat niet verdien? Mijn moeder zal me niet met rust laten. Haar mooie, verschrikkelijke gezicht is een beeld dat ik met me mee zal dragen tot mijn dood – die al heel snel zal komen, als ik niet weer de moed verlies.

6

Havenwood, Minnesota
Donderdag 11 januari 1979

Hulpsheriff Nils Berglund bleek een van die forsgebouwde Scandinaviërs te zijn bij wie elke andere man zich een kleuter voelde. Vanaf het moment dat de man eindelijk opdook op het bureau en met tegenzin zijn hand uitstak, was Cruz geneigd de afstand tussen hen te bewaren, niet zozeer uit intimidatie – dat hoopte hij althans – als wel om beter zicht te hebben op deze berg van een man. Zelf was hij een meter drieëntachtig, maar Berglund was minstens een kop groter en een stuk zwaarder. Bovendien had hij het idee dat de hulpsheriff hem liever zag gaan dan komen, hoewel zijn baas aan de telefoon hartelijk genoeg was geweest. Berglunds voorhoofd bleef maar een diepe frons vertonen, en in zijn lichte, kille ogen lag een ondefinieerbare uitdrukking.

'We nemen het kantoortje van de baas wel,' bromde hij, terwijl hij Cruz voorging door de deur achter de balie, die naar de gezamenlijke ruimte daarachter leidde.

'Ik hoorde van Verna dat hij in het ziekenhuis is,' zei Cruz.

Berglund hield de deur voor hem open, maar zijn ogen gingen naar de balie, waar Verna weer verdiept was in haar misdaadverhaal. Zijn frons werd dieper. Het was onmogelijk te zeggen wat hem meer stoorde, Verna's lezen of het feit dat ze tegenover een vreemde uit de school had geklapt. Verna leek zich in elk geval van geen kwaad bewust; Cruz had het idee dat ze uitstekend was opgewassen tegen hulpsheriff Berglund en andere obstakels die op haar weg kwamen.

De hulpsheriff ging hem voor naar een kantoortje in de hoek en sloot de deur achter hen. Hij schudde zijn groene pilotenjack uit en gooide het over een stoel. 'Jas?'

'Nee, het is goed zo, bedankt.'

'Zoals u wilt. Ga zitten.' Berglund liep om het grote stalen bureau heen en installeerde zich in een bruine stoel van imitatieleer, die verontwaardigd piepte bij de plotselinge belasting.

'Wat is er aan de hand?' informeerde Cruz. 'Met de sheriff, bedoel ik.'

'Hij voelt zich al een tijdje niet goed, en gisteravond belde de dokter om te zeggen dat hij zich vanmorgen vroeg voor onderzoek in het ziekenhuis moest melden.'

'Welk ziekenhuis?' vroeg Cruz, die zich herinnerde dat de sheriff had gezegd dat die keuze afhing van de ernst van de klacht.

'De Mayokliniek in Minneapolis.' Die mededeling, en de toon waarop Berglund het zei, lieten geen twijfel bestaan over de ernst van de toestand van de sheriff.

'Het spijt me dat te horen,' zei Cruz. 'Hij lijkt me een goed mens.'

'Dat is hij ook. In elk geval heeft hij me verteld dat u gebeld hebt. Hij zei ook dat u gezorgd hebt voor dat onderzoeksteam dat op de plaats van de brand rondkruipt.'

'Dat is er nog?'

'Ze zijn nog steeds bezig. Ik was daar ook toen ik Verna's oproep kreeg.'

'Misschien moesten we er maar even heen,' zei Cruz. 'Ik wil eigenlijk de plaats des onheil wel even zien voordat ik met Jillian Meade praat. En horen wat die jongens over de oorzaak van de brand te melden hebben.'

'Wacht even,' zei Berglund, toen Cruz aanstalten maakte om overeind te komen. 'Dat is prima, maar eerst wil ik weleens weten waarom u die lui erbij hebt gehaald, en waarom u helemaal uit Washington hierheen bent gekomen.'

Cruz ging weer zitten. 'Ik heb geprobeerd Jillian Meade in

Washington te pakken te krijgen, maar hoorde daar dat ze hier was om haar moeder te bezoeken. Telefonisch kon ik geen verbinding krijgen. Daarom heb ik contact opgenomen met sheriff Lunders.'

'Wie vertelde dat ze bij haar moeder was?'

'Haar baas bij het Smithsonian.'

'En waarom wilt u haar spreken?'

'Haar naam dook op in een verzoek om inlichtingen van Scotland Yard. Ik ben werkzaam bij een afdeling van de FBI die met buitenlandse politiekorpsen samenwerkt bij de internationale misdaadbestrijding.'

'En? Denkt u soms dat Jillian Meade een internationale juwelendievegge of zo is?' Berglund snoof ongelovig. 'Doe even normaal.'

'U kent haar zeker goed?'

De hulpsheriff haalde zijn schouders op. 'Ze is hier opgegroeid. Dit is een klein stadje. Iedereen kent elkaar hier. Wat heeft ze volgens Scotland Yard eigenlijk op haar geweten?'

'Ik weet niet of zo'n verzoek om inlichtingen noodzakelijkerwijs betekent dat ze haar ergens van verdenken. Kennelijk was ze vorige maand in Engeland toen daar wat dingen voorvielen, en –'

'Wat voor dingen?' viel Berglund hem in de rede.

'Een paar moorden.'

'En daar zou Jillian iets mee te maken hebben?' Er lag zo'n oprechte uitdrukking van ongeloof op het gezicht van de man, dat Cruz bijna het gevoel had dat hij zich belachelijk zat te maken met zijn suggestie... als er niet een derde dode was geweest, de moeder van Jillian Meade. De vrouw liep op zijn minst het gevaar te veranderen in het menselijk equivalent van de Zwarte Dood, gezien het fatale effect dat ze leek te hebben op mensen die ze bezocht. Berglund leek haar echter het voordeel van de twijfel te gunnen, en Cruz dacht dat hij dat ook maar moest doen, in elk geval tot hij wist hoe de zaken ervoor stonden.

'Het is niet gezegd dat Miss Meade iets te maken heeft met die moorden, maar ze was in de buurt toen het gebeurde en heeft kennelijk contact gehad met de slachtoffers. Scotland Yard denkt dat ze mogelijk iets heeft gehoord of gezien wat kan helpen bij het onderzoek. Voorzover ik weet, zien ze haar op dit moment gewoon als een getuige.'

'Dus u wilt haar een paar vragen stellen, verder niets?'

'Dat klopt.'

'Als dat zo is, wat komt dat speciale brandteam hier dan doen? En waarom vroeg u sheriff Lunders dan of hij dacht dat Jillian haar moeder had vermoord?'

'Ik denk omdat het in mijn aard ligt om voor advocaat van de duivel te spelen. Het kan toeval zijn, maar ook in Engeland brak er na de moorden brand uit. En bekijk het eens van mijn kant. Ik heb een gesprekje met haar baas, en die vertelt me dat ze hier in Havenwood is. Van úw baas hoor ik dat er brand is geweest. U moet toegeven dat dat op zijn minst aanleiding geeft tot een paar vragen.'

'Hm.'

'Kunt u me daarom precies vertellen wat er is gebeurd?'

Berustend haalde Berglund zijn schouders op. 'Dinsdagavond kregen we een telefoontje dat er brand was in het huis van Grace Meade. Ik was nog voor de brandweer ter plaatse, en toen was er al sprake van een uitslaande brand. Ik ging naar binnen en trof daar Mrs. Meade en Jillian aan. Grace was al dood. Het lukte me Jillian naar buiten te krijgen, maar daarna greep het vuur zo snel om zich heen, dat we het lichaam van haar moeder pas de volgende ochtend konden bergen.'

'De sheriff zei dat u het lichaam van Mrs. Meade hebt onderzocht voordat u de dochter naar buiten bracht.'

'Klopt. Grace lag in de gang, net voorbij de keukendeur.'

'Hebt u ook iets kunnen zien wat mogelijk haar dood heeft veroorzaakt?'

'De voorkant van haar trui zat onder het bloed, maar verder was er niets te zien. Geen kneuzingen of andere zichtbare sporen van geweld, maar het was er nogal donker, dus ik durf er geen eed op te doen. Het enige licht kwam van de vlammen van de brand in de woonkamer, die tegen die tijd al flink uit de hand was gelopen.'

'Waar kwam dat bloed vandaan?'

'Het leek erop dat ze een wond in haar borst had. Maar zoals ik al zei, het was donker en ik moest min of meer op mijn gevoel afgaan. Ik zag dat haar trui hier een scheur had.' Berglund legde zijn vingertoppen hoog op zijn brede borst, iets naar opzij toe. 'Middenin de bloedvlek, die ik heel goed kon zien omdat ze een lichtgekleurde trui droeg.'

'Dus ze lag bijna de hele tijd dat ze bloedde op haar rug,' zei Cruz, hardop denkend. 'Als ze rechtop had gestaan, zou de scheur boven aan de bloedvlek hebben gezeten en was het bloed naar beneden gelopen. Liep de wond trouwens door tot aan de achterkant? Hebt u haar omgedraaid?'

Berglund knikte. 'Zo'n beetje. Het vuur breidde zich heel snel uit, en ik wist dat ik haar daar snel weg moest zien te krijgen. Daarom heb ik haar opgetild en over mijn schouder gelegd. Haar rug was doorweekt van het bloed, en toen ik mijn hand daar legde om haar lichaam te ondersteunen, voelde ik dat haar trui daar ook kapot was.' Berglund leek even te huiveren bij de herinnering.

Arme kerel, dacht Cruz. Al met al had hij zich als een held gedragen. Het was niet niks om dat brandende huis binnen te gaan om de twee vrouwen te redden. Net als de meeste helden had hij waarschijnlijk puur op instinct en adrenaline gehandeld. Pas achteraf drong het door wat voor afschuwelijks hij eigenlijk had gezien. 'Sheriff Lunders vertelde dat u er uiteindelijk niet in slaagde het lichaam naar buiten te krijgen.'

'Nee. Ik had Jillian achtergelaten op de veranda en was zelf teruggegaan om Grace te zoeken. Ik wilde haar verwondingen net wat beter bekijken, toen ik besefte dat Jillian was teruggekomen en achter me stond. Ik wilde niet dat ze haar moeder zo zou zien.' Onverwacht gaf Berglund zo'n harde klap tegen zijn dij, dat Cruz ervan schrok. 'Ik had haar... Vervloekt nog aan toe! Ik had haar al vast! Ze was zestig jaar en woog bijna niets. Ook al compliceerde Jillian de zaak, ik had Grace eruit moeten halen. Dat had me moeten lukken!'

Geen moment twijfelde Cruz eraan aan dat de hulpsheriff in staat was twee vrouwen tegelijk uit een brandend pand te dragen. 'Wat gebeurde er toen precies?'

'Jillian wou niet meekomen! Ik probeerde haar met mijn vrije hand mee te trekken, maar ze bleef zich maar verzetten. Ze was gedesoriënteerd – later kwamen we erachter dat ze zelf ook een klap op haar hoofd had gehad – en ze was halfgek van paniek en verdriet. Ze gilde om haar moeder.'

'Maar het is zeker dat de moeder dood was?'

'Ja, daar ben ik van overtuigd. Ik had de tijd niet om haar pols te voelen voordat Jillian binnenkwam en hysterisch werd, maar afgaande op de aanblik die Grace bood...' Zijn kortgeknipte, blonde hoofd ging grimmig heen en weer. 'In elk geval moest ik haar weer neerleggen om Jillian voor de tweede keer naar buiten te brengen. Tegen de tijd dat ik haar bij de ambulance had afgeleverd, was het vuur zo hevig, dat ik onmogelijk het huis weer in kon. Pas de volgende ochtend was de as zover afgekoeld, dat we naar binnen konden om het lichaam te halen. Ze lag tussen het puin naast de keukendeur, op de plek waar ik haar had achtergelaten.'

'Volgens sheriff Lunders zou er een lijkschouwing komen.'

Berglund knikte. 'Die heeft vanochtend plaatsgevonden. Het lichaam is gisteren overgebracht naar Montrose, maar de lijkschouwer besloot om er een medisch specialist van het SBI bij te halen omdat het lichaam zo verkoold was. Die heeft meer ervaring met dit soort gevallen.'

'Hebben ze een doodsoorzaak kunnen vaststellen?'

Ontkennend schudde Berglund zijn hoofd. 'Nee. Het lichaam was te erg verbrand.'

'En al dat bloed dat u aantrof, en de verwondingen in borst en rug. Die wijzen toch zeker op een schotwond?'

'Ja, al was het lichaam zoals ik al zei te erg verbrand om daar nog sporen van te vinden. Enkele organen waren gespaard – het dak stortte in en doofde het vuur op bepaalde plaatsen – maar daar kon niet uit worden afgeleid of ze al dan niet was neergeschoten. Ook hebben we ter plekke geen kogels of hulzen aangetroffen, al blijft uw team daar wel naar zoeken. Bij de autopsie kwam overigens wel een fractuur in het borstbeen aan het licht, en samen met de informatie die ik kon verstrekken, leidde dat tot de conclusie dat ze hoogstwaarschijnlijk was doodgeschoten, mogelijk met een wapen van een flink kaliber.'

'Dat zou ook de wond in haar rug verklaren,' merkte Cruz op.

Berglund knikte. 'Volgens de specialist zat de fractuur in haar borstbeen op een zodanige plaats, dat de kogel waarschijnlijk haar linkerlong heeft geraakt, en mogelijk ook het hart, al betwijfel ik dat laatste.'

'Waarom?'

'Omdat er zo veel bloed was. Als haar hart getroffen zou zijn door een kogel, zou het niet langer bloed rondpompen en had ze niet zo veel bloed verloren.'

'Dat kan, maar het hoeft niet,' zei Cruz. 'Het hangt af van de aangerichte schade. Het zou seconden of zelfs minuten kunnen duren voordat haar hart helemaal zou stilstaan. En een kogel van een groot kaliber richt vaak een bloederige ravage aan, of het slachtoffer nu meteen sterft of niet.' Hij keek naar Berglunds strenge gezicht, terwijl die een moddervlekje van zijn broek veegde. 'Denkt u dat u Mrs. Meade nog had kunnen redden en geeft u zichzelf de schuld van haar dood?' vroeg hij toen.

Met een ruk keek Berglund op, toen wendde hij wat schaapachtig zijn blik af. 'Misschien wel, al weet ik ook eigenlijk wel dat het toch al te laat was. Bij de autopsie bleek dat de rechterlong min of meer intact was, en er werden geen sporen van rook in gevonden.'

'Nou, dat bewijst dan toch dat Grace Meade haar laatste adem had uitgeblazen voordat de brand uitbrak.'

Nadenkend fronste Berglund zijn wenkbrauwen. 'Dat zal dan wel.'

'En dus had het geen enkel verschil gemaakt als u haar wel naar buiten had weten te krijgen.'

Nog leek Berglund niet erg overtuigd. 'Misschien niet, maar niemand weet hoe lang ze daar al lag. Misschien had ze nog gereanimeerd kunnen worden, of zoiets. Ik blijf het gevoel maar houden dat ik meer had kunnen doen.'

Cruz ging naar voren zitten en zette zijn ellebogen op zijn knieën. 'Volgens mij hebt u meer dan genoeg gedaan. U bent dat brandende huis binnengegaan en hebt Jillian Meades leven gered – niet een keer, maar twee keer. Ik denk dat u zichzelf niet zo hard moet vallen en u puur op het onderzoek moet richten. Als Grace Meade dood was voordat er brand uitbrak, betekent dat dat ze vermoord is en dat het vuur waarschijnlijk werd aangestoken om sporen uit te wissen. Ik kan me voorstellen dat dat voor heel wat mensen uit de buurt erg moeilijk is, maar het bewijs ligt er. En het is natuurlijk uw onderzoek. Het is niet mijn bedoeling uw autoriteit te ondergraven. Ik heb dat brandstichtingsteam ingeschakeld om te zorgen dat er geen verwarring kan ontstaan over het gebeurde, maar ik ben hier niet om u in de weg te lopen. Het enige wat ik wil, is even met Jillian Meade praten en antwoord krijgen op de vraag wat er tijdens haar verblijf in Engeland is gebeurd. Zodra ik haar verklaring heb, ben ik weg. Ik stuur het resultaat naar de Britten en daarmee is de kous waarschijnlijk af. Kunt u zich daarin vinden?'

Berglund knikte mat, als een man die dodelijk vermoeid was en er tegelijk tot over zijn oren in zat. Hoe vaak zou hij een moord hebben onderzocht, vroeg Cruz zich af. In een stadje als dit was de kans groot dat dit zijn eerste moordzaak was.

'Alleen, een gesprekje met Jillian, dat ligt misschien wat moeilijk,' zei de hulpsheriff.

'Hoezo? Ze ligt toch in de lokale kliniek?'

'Niet meer. Ze hebben haar overgebracht naar het streekziekenhuis in Montrose. Daar hebben ze meer ervaring met gevallen als die van haar.'

'Ik dacht dat ze er goed vanaf gekomen was.'

'Een hersenschudding, zoals ik al zei, maar dat was niet het ergste. Ze maakten zich meer zorgen over rookvergiftiging, al gaan ze ervan uit dat ze ook daarvan weer helemaal zal herstellen. Maar haar geestelijke toestand is een ander verhaal.'

'Hoe bedoelt u?'

'Op de spoedopvang in Havenwood heeft ze geprobeerd zelfmoord te plegen.'

Verrast keek Cruz op. 'Dat heeft sheriff Lunders niet gezegd.'

'Hij wist het nog niet toen hij u gisteren aan de telefoon had. Het gebeurde woensdagochtend vroeg. De sheriff was de hele ochtend op pad geweest en kwam pas tegen de middag binnen. Jill had de nacht op de opvang doorgebracht, zodat ze haar ademhaling in de gaten konden houden. Ik ben rond vieren nog even bij haar geweest, en toen leek ze te slapen. Maar rond zonsopgang is ze kennelijk wakker geworden en heeft in een la of zo een injectlespuit gevonden. Ze zeiden dat ze de naald al in een ader had gestoken en op het punt stond de zuiger in te drukken toen iemand haar zag. Gelukkig reageerde die man razendsnel. Als hij haar niet had overmeesterd, was ze nu dood geweest.'

'En hoe is het nu met haar?'

Berglund streek vermoeid met zijn grote handen over zijn gezicht. 'Ze ligt nu op de psychiatrische afdeling in Montrose, waar ze vierentwintig uur per dag wordt bewaakt. De eerste dag is ze zwaar verdoofd gehouden, maar nu zijn ze bezig haar van de medicijnen te krijgen. We kunnen er wel even langs gaan nadat we bij de resten van haar moeders huis zijn geweest, maar als ik u was, zou ik maar geen al te hoge verwachtingen koesteren. Ik hoorde dat ze sinds de brand geen woord meer heeft gezegd.'

Het kwaad slaapt nooit. 's Nachts sluipt het dichterbij en duikt het op waar het het minst wordt verwacht, dacht Cruz. Je verschuilen achter gesloten deuren of je beroepen op de wet is zinloos. Vroeg of laat vindt het ergens een kiertje en wurmt het zich naar binnen. Een klein zwak plekje, een haarscheurtje in de muur van sociale orde, een minuscuul gaatje in het weefsel van menselijk fatsoen is voldoende. Zelfs in het kleine prairiestadje dat de goden dorst te tarten en zichzelf Havenwood noemde, was het niet veilig.

'Hier is het.' Berglund parkeerde de surveillancewagen voor de zwartgeblakerde overblijfselen van wat, afgaande op naburige huizen, een mooi huis in een prettige buurt was geweest, voordat het eergisteren in brand was gestoken. Op de brede, in een bocht lopende oprit stonden nog een surveillancewagen en een beige Ford Farlane met het wapen van Minnesota op de portieren.

'Ik weet niet of er nog veel te zien is. Het is inmiddels aardig vertrapt, maar u krijgt zo wel een idee van de omvang van de brand.'

De zurige stank van roet kroop al door de ventilatieopeningen van de auto naar binnen. Cruz stapte uit en liep een eindje bij de oprit vandaan om een beter overzicht van het uitgebrande karkas te krijgen. Hij schermde zijn ogen met een hand af tegen de zon, die al laag aan de westelijke hemel stond en een verblindend spoor trok over het ijs en de sneeuw op Lost Arrow Lake. Vanaf de plaats waar hij stond, zag hij niet veel meer dan de ongelijke omtrek van de overblijfselen van het huis van Grace Meade.

De nabije omgeving van het huis was afgezet met geel politietape. Het huis zelf was grotendeels ingestort. Het enige wat nog rechtop stond, waren de beroete rode bakstenen van een grote schouw met schoorsteen, die als een schildwacht oprees boven de gebarsten en zwartgeblakerde betonnen fundamenten. Een paar verkoolde balken staken onder een vreemde hoek omhoog. Er hingen lange ijspegels van bluswater aan.

De tuin liep af naar een houten steiger die een eindje uitstak in het bevroren meer. Aan de overkant van het meer staken de besneeuwde daken van een paar vakantiehuisjes en een dichte rij naaldbomen scherp af tegen de stralende lucht. Indrukwekkend, dacht Cruz. Net een kerstkaart. In de zomer zou het hier ongetwijfeld wemelen van de watersportliefhebbers. Nu zag hij alleen de sporen van langlaufers en sneeuwscooters die kriskras over het ijs liepen. In het midden van het bevroren wateroppervlak kringelden grijze rookslierten op uit geïmproviseerde, uit schotten opgetrokken hutjes, die bewezen dat er dapperder zielen dan hij daar aan het ijsvissen waren.

De auto schommelde heen en weer toen Berglund aan zijn kant uitstapte en het portier dichtsloeg. Ondanks de kou had hij zijn groene politieparka niet dichtgeritst. De koperen knopen van zijn uniform spanden om zijn borst terwijl hij om de auto heenliep om zich bij Cruz te voegen. Net als veel grote mannen bewoog Berglund zich langzaam en aandachtig, alsof hij bang was per ongeluk iemand omver te kegelen.

Twee mannen met oranje overalls over hun kleren waren tussen de verkoolde resten bezig. Zo te zien waren ze aan het opmeten. Een paar plaatselijke agenten in hetzelfde uniform als Berglund keken toe vanachter de tape en hielden de wacht naast een karretje met daarop een grote, metalen gereedschapskist en wat eruit zag als een stapel papieren en plastic bewijsstukzakken.

'Dat was een flinke brand,' merkte Cruz op, terwijl ze naar de mannen tussen de grimmige puinhopen keken.

'Een hele flinke,' beaamde de hulpsheriff al even onderkoeld.

Er viel een stilte. Een diepere stilte dan Cruz sinds lange tijd had meegemaakt. Er was geen geluid van auto's of vliegtuigen, of van ander verkeer. Niets van de zware machinerieën die het kloppende hart van een grote stad vormden. Hij had op zijn minst toch een paar tsjirpende vogels verwacht, maar kennelijk waren die zo verstandig geweest deze plaats des doods te ontvluchten.

Het liefst had hij hun voorbeeld willen volgen. Zijn maag draaide om bij de scherpe lucht van nat, verkoold hout en de giftige stank van gesmolten kunststof, rubber en verf.

Hij deed een stap naar voren en hoorde iets kraken onder zijn schoen. Toen hij naar beneden keek, zag hij dat hij op een stuk glas stond, mogelijk van een van de ramen. Hij schopte het opzij en bleef toen staan om een glassplinter los te trekken die zich in het harde rubber van zijn linkerhak had geboord.

'Het waaide hard op de avond van de brand,' zei Berglund. 'De vlammen sloegen over naar de bomen, en we waren even bang dat het vuur zou overslaan naar de buren. Dan waren we misschien de halve straat kwijtgeraakt.'

Cruz volgde de richting van de opgestoken duim naar de berken en esdoorns die de scheiding vormden tussen het verwoeste huis en het pand ten noorden ervan. Verscheidene ervan hadden brandschade opgelopen. De houten betimmering van de garage van de buren, ongeveer twintig meter verderop, was hier en daar zwartgeblakerd, als een zwijgend bewijs van de intensiteit van de brand.

'We hebben maar twee bluswagens,' vervolgde Berglund. Hij was spaarzaam met woorden, merkte Cruz op, alsof hij niet gewend was aan vreemdelingen of lange verklaringen. 'Het is geen beroepsbrandweer, en met die harde wind...' De frons op zijn vierkante gezicht werd dieper en zijn witblonde wenkbrauwen vormen nu bijna een ononderbroken streep, slechts van elkaar gescheiden door twee diepe denkrimpels. 'Als die er niet geweest was, hadden we het vuur misschien eerder onder controle gekregen, hadden we meer bewijs kunnen redden. Maar toen het eenmaal duidelijk werd dat het onmogelijk was het huis te redden of Grace eruit te halen, leek het ons beter het huis van de buren te redden.'

Het klonk verdedigend, dacht Cruz, alsof de man dacht dat deze bobo uit de hoofdstad van plan was de lokale hulpverlening een veeg uit de pan te geven. 'Had ik ook gedaan,' zei hij instemmend.

Er stak een gure wind op uit de richting van het meer, en Cruz voelde de vochtige kou door zijn botten trekken. Hij zette zijn kraag op en wenste voor de zoveelste keer dat hij een warmere jas had aangetrokken. In Washington was de lente nog maar een week weg en zou de lucht al snel vochtig en warm worden. Dat soort weer was hier echter nog ver te zoeken.

Opeens deinsde hij terug toen hij een vleug opving van een lucht die zich losmaakte uit de stank van verkoold hout. Een vertrouwde lucht die hij nooit meer zou vergeten – de afgrijselijke geur van verbrand mensenvlees. Hij hield zichzelf voor dat zijn verbeelding hem parten speelde. Grace Meades verkoolde lichaam was allang weggehaald.

Logica telde hier echter niet mee, want voor zijn ogen zag hij niet het verkoolde huis, maar een andere brand van lang geleden – een ander vermoord lichaam dat verbrand was met de bedoeling bewijsmateriaal te vernietigen. Alleen was dat slachtoffer geen onbekende geweest – en Cruz niet een of andere onpartijdige onderzoeker die na de daad poolshoogte kwam nemen.

'Wilt u het van dichtbij bekijken?' vroeg Berglund, terwijl hij naar het gele lint liep dat om de plaats van de brand was gespannen. Hij tilde het een stukje op, zodat Cruz er onderdoor kon lopen. Een en al beroepsmatige beleefdheid.

Hemel, nee, dat wilde hij helemaal niet, dacht Cruz met een weerzin die voortkwam uit de diepste krochten van zijn brein, dat primitieve deel waar instinctieve angst en de neiging tot vluchten zetelden. Maar hij kon zich beheersen – nog net.

Hij draaide zich om en bestudeerde de weg, alsof hij het scenario van twee dagen geleden in zijn hoofd naspeelde. Aan de bochtige weg langs het meer stonden goed onderhouden huizen met dubbele garages op beboste kavels, die zonder afscheiding of zichtbare begrenzing in elkaar overliepen. Het was een mengelmoes van bouwstijlen, van moderne blokkendozen en brede drive-inwoningen met een zandkleurige façade, tot bungalows in ranchstijl. De kavels waren groot, elk minstens een kwart hectare, schatte Cruz. Aan zulke grond hing een prijskaartje dat alleen betaalbaar was voor de rijkste inwoners. Hoe klein het stadje ook was, dit moest een toplocatie zijn. Cruz zag op diverse opritten sneeuwscooters staan, en hier en daar, onder een dekkleed, een speedboot die voor de winter aan wal was gehesen.

Toen zijn hart eindelijk weer rustig klopte, stond hij zichzelf toe zich weer om te keren naar het verwoeste huis, waar de twee onderzoekers in overall net klaar leken met hun werkzaamheden. Ze zochten zich een weg over de puinhopen en bleven bij het wagentje staan om er een paar zakken met bewijsstukken op te leggen. Een van hen droeg een spade met een lange steel, die hij rechtop in een hoop as plantte. Ze klopten het stof van hun handen, doken onder de tape door en liepen in de richting van Cruz en Berglund. Een van de mannen was grijs en kalend, maar oogde fit genoeg onder de oranje overall. De andere was jonger en dikker. Ondanks de kou liep hij te zweten, en zijn zwartomrande bril gleed steeds weer van zijn neus, die zwart geworden was door de vele keren dat hij zijn bril weer teruggeduwd moest hebben.

'Dit is agent Cruz van de FBI,' zei Berglund.

Ze knikten, en de oudste van de twee stak een vuile hand uit, maar bedacht zich toen en maakte een halfslachtig begroetend gebaar. 'Ik denk niet dat u deze hand wilt schudden,' zei hij. 'Ik ben Don Beadle van het staatsonderzoekbureau. En dit is Bill Oppenhalt van het brandstichtingsteam. Ik geloof dat u degene bent die om onze hulp in deze zaak heeft verzocht, is het niet?'

Cruz knikte. 'Dat klopt. Fijn dat jullie meewerken.'

'Daar zijn we nu eenmaal voor.'

'En, weten jullie al iets meer? Was er sprake van brandstichting?'

Beadle keek naar Oppenhalt, die zijn zware bril weer recht op zijn neus zette en knikte. 'O, ja, daar mogen we wel van uitgaan. Er was hier al flink in gerommeld toen we kwamen, maar we hebben desondanks genoeg aanwijzingen voor brandstichting gevonden.'

'Zoals?' vroeg Berglund.

'Nou, we hebben bijvoorbeeld ontdekt dat het vuur op verschillende plaatsen is begonnen, en dat wijst vrijwel zeker op brandstichting. Verder zitten er hier en daar scheurtjes in de betonfundering, wat volgens sommigen op gebruik van een brandversneller wijst, al vind ik dat persoonlijk geen betrouwbare indicator. Maar we hebben ook monsters van het tapijt en het ondertapijt genomen, en die vormen een beter bewijs. Ik wil ze in het lab nog wel even onder de gaschromatograaf bekijken.' Hij tikte tegen zijn zwarte neus, voordat hij zijn bril weer omhoogschoof. 'Maar uiteindelijk is het de neus die de doorslag geeft.'

'Hoe bedoelt u dat?'

Oppenhalt bukte zich steunend om wat vuil van de grond te pakken, dat hij fijnwreef tussen duim en wijsvinger en toen onder zijn neus hield. 'Benzine,' zei hij. 'Op zulke koude dagen als vandaag is dat duidelijk te ruiken. Ruiken jullie het niet? Het stinkt er hier overal naar.'

'Ik ruik alleen verbrand hout, en dat is al zo sinds de avond van de brand,' zei Berglund hoofdschuddend. 'En trouwens,' voegde hij eraan toe, terwijl hij naar het grind onder hun voeten knikte, 'wat u ruikt, zijn waarschijnlijk de sporen van benzine die is weggelekt uit alle auto's die in de loop der jaren op deze oprit hebben gestaan.'

'Dat klopt, maar die geur beperkt zich niet tot de oprit, hulpsheriff,' zei Beadle, en hij wees met zijn duim over zijn schouder. 'Alles is ervan vergeven. En hij is vooral heel sterk in de tapijtmonsters die we hebben gevonden, zoals Bill al zei. Zelfs ik rook het, en mijn neus is lang niet zo goed getraind als die van hem.'

De brede schouders van Berglunds groene parka gingen omhoog, en een regen van wat op het eerste gezicht roos leek, dwarrelde op de grond; toen realiseerde Cruz zich dat het as was, die bijna achtenveertig uur na de brand nog door de lucht zweefde en zich overal op vastzette.

'Zijn jullie bij het zoeken toevallig ook kogels of hulzen tegengekomen?' informeerde hij. 'Volgens hulpsheriff Berglund heeft de autopsie op de dame die hier is gestorven, uitgewezen dat ze mogelijk in de borst is geschoten met een wapen van vrij zwaar kaliber, misschien een vijfenveertiger of een negen millimeter.'

Beadle schudde zijn hoofd. 'Nee. We hebben er wel naar gezocht, maar niets gevonden. Misschien was uw moordenaar voorzichtig en heeft hij de lege patronen meegenomen.'

'Dat zou hem tot een bijzonder voorzichtige rondzwervende hippie onder invloed van drugs maken,' zei Cruz droogjes, met een blik op Berglund.

'Ik heb nooit gezegd dat er niet meer verklaringen mogelijk zijn voor wat hier heeft plaatsgevonden,' reageerde de hulpsheriff geïrriteerd. 'De sheriff kwam ermee, en er was op dat moment niets wat die mogelijkheid uitsloot. Maar als het om iemand gaat die zo berekenend te werk gaat...' Zijn stem stierf weg.

Het gezicht van de man was grauw en vertoonde tekenen van vermoeidheid en spanning. Ook vond hij het duidelijk vervelend dat bemoeizieke vreemdelingen zijn conclusies in twijfel trokken. Logisch, dacht Cruz. Als híj de hulpsheriff was en een of andere onbekende kwam zich met een van zijn zaken bemoeien, dan zou hij waarschijnlijk net zo reageren. Maar dat veranderde niets aan het feit dat de man de hulp dringend nodig had.

'Bent u hier klaar?' vroeg Berglund.

Cruz wierp een blik op de puinhopen en knikte. 'Ik geloof het wel. Jullie dan?'

Ook Beadle knikte. 'Ik zal jullie binnen enkele dagen een voorlopig rapport toesturen. Het definitieve oordeel moet wachten tot we tests hebben gedaan op de monsters die we hebben genomen, maar zoals Bill al zei, denken wij dat er hier inderdaad sprake is van brandstichting. Dat is dus iets om rekening mee te houden bij het verdere onderzoek. Was er verder nog iets?'

'Voorlopig niet. Mocht dat wel zo zijn, dan hoort u van me,' antwoordde Berglund nors.

7

Die dokter is weer bij me langs geweest – een paar uur geleden. Ik was niet zo van de wereld als de vorige keren dat ze bij me was. (Ik vraag me trouwens af hoe vaak ze is geweest. Geen idee.) Nu is het weer rustig. Er is al een tijdje niemand meer geweest. Ze lijken besloten te hebben me alleen te laten met dit opschrijfboekje als enig gezelschap. Ik vind het best. Ik wil alleen maar met rust worden gelaten.

Ik hoor het gemurmel van stemmen in de gang, die luid en afkeurend klinken wanneer ze soms even stilhouden bij het raampje van deze kamer. Ik denk dat ze me knettergek vinden, en misschien ook wel gevaarlijk.

De dokter heeft nooit precies gezegd wat ze doet, maar volgens mij is ze psychiater. Dat lijkt me ook logisch, na wat ik op de spoedopvang heb geprobeerd – en na al die andere dingen. Misschien wil ze me echt helpen. Maar ik denk eigenlijk eerder dat dit bij hun aanpak hoort – eerst vaststellen in hoeverre ik bij mijn verstand ben voordat ze bepalen wat ze verder met me moeten. Helpen kunnen ze me trouwens niet meer. En hoewel ik zeker weet dat ik berecht zal worden, zal dat niet in dit leven gebeuren.

Ik heb zelfs nog nooit naar de dokter gekeken, al doet ze haar best mij aan het praten te krijgen. Ze is trouwens wel goed. Trok de hele trukendoos open – empathie, open vragen, lange, beladen stiltes die normale mensen gauw willen opvullen met nerveus gekwetter. Ze leek teleurgesteld toen ik niet reageerde. ‘Misschien wil je morgen wel praten, Jillian,’ zei ze vlak voor ze vertrok.

Nou, nee, had ik tegen haar kunnen zeggen, dat is niet zo. Mocht ze inderdaad zielenknijper zijn, dan is het haar werk mensen aan het praten te krijgen over hun diepste gevoelens, maar ik kan dat niet. Ze is een vreemde voor me. Ik ben niet iemand die haar hart uitstort, zelfs niet bij mensen die ik al jaren ken. Nooit geweest ook. Ik weet dat er mensen zijn die dat als het bewijs zien dat ik mezelf als superieur beschouw, maar het tegendeel is waar. Ik schaamde me altijd als ik over mezelf moest praten. Ik kan me geen saaier onderwerp voorstellen, en ik snap ook niet dat iemand in mij geïnteresseerd zou kunnen zijn.

Maar ik kan wel heel goed luisteren. Ik denk dat ik daarom het werk doe dat ik doe, het optekenen van *oral history*; het vastleggen van de herinneringen van oudere mensen over de grote gebeurtenissen tijdens hun leven. Levens die zoveel opwindender zijn dan dat van mij.

Deze dokter is koppig. Dat weet ik. Ik weet zeker dat ze terugkomt. En eerlijk gezegd lijkt ze me best een aardig mens. Ik voel me schuldig dat ik haar negeer, maar ik ben gewoon niet geïnteresseerd in haar aanbod. Hoe moet ik haar ervan overtuigen dat ik een verspilling van haar tijd en talenten ben? Dat ze haar energie beter kan bewaren voor iets anders, voor iemand die gered wil worden... die dat verdient? Hoe kan ik haar ervan overtuigen dat ik niet meer te redden ben?

Toen ze wegging, deed ze de deur niet met een klap achter zich dicht, maar sloot hem heel zacht. Wel hoorde ik daarna het geluid van een grendel die werd dichtgeschoven. Kennelijk willen ze geen risico's meer met me nemen. Misschien zijn ze bang dat ik probeer te ontsnappen, maar wat zou dat voor zin hebben? Mijn gedachten draag ik immers altijd met me mee.

Nee, voor mij is er maar één ontsnapping mogelijk.

Trouwens, zelfs al wilde ik weglopen, ze hebben mijn kleren afgepakt – vernietigd, denk ik, omdat ze toch al bedorven waren, met al dat bloed en daarna helemaal zwart van de brand...

O, Jillian, wat maak je jezelf nu wijs? Natuurlijk hebben ze ze niet vernietigd. Verre van dat. Alles is natuurlijk bewaard. Op dit moment worden ze ongetwijfeld bestudeerd door een of andere onderzoeker die er haren vanaf haalt, microscopisch kleine pluisjes en druppels van mijn moeders bloed. Zo stapelen de bewijzen van mijn schuld zich steeds meer op. Maar ook dat is verspilling van tijd en mankracht.

In plaats van mijn geruïneerde kleren hebben ze me een kort blauw ziekenhuishemd gegeven en witte katoenen sokken. Verder ligt er een badstofochtendjas op het voeteneind van het bed – zonder ceintuur. Dat heb ik al gecontroleerd. Ook verder is hier niets dat lang genoeg is om als touw te gebruiken, zelfs geen laken. Op het bed liggen alleen een gewatteerde mat, en een dik, donzen dekbed om me warm te houden. Het maakt ook niet uit. Zelfs al had ik wel iets om een lus van te maken, dan was er nog niets om die aan op te hangen. De halfronde plafonnière is zo te zien stevig bevestigd aan het plafond, en de hoge ramen hebben geen spijlen die ik zou kunnen gebruiken. Het met gaas versterkte glas in de ramen lijkt onbreekbaar, en er zijn nergens scherpe voorwerpen aanwezig. Zelfs de dienbladen met eten die ze neerzetten en later, onaangeroerd, weer meenemen, hebben alleen ronde, roestvrijstalen lepels en borden en kopjes van melamine. Geen scherven van hard plastic of glas om die polsen mee door te snijden vandaag, meid!

Ze denken hier werkelijk aan alles.

Behalve dit opschrijfboekje heeft de dokter nog een afscheidsgeschenk achtergelaten – een doosje viltstiften met fijne punt. Ik moest bijna lachen. Die vrouw is niet gek. Ze zou me geen scherpe potloden geven of stalen balpennen die geschikt zijn om in gretige aderen te rammen. Het valt niet mee zelfmoord te plegen met pluizige viltstiften.

Ze wil dat ik mijn gedachten op papier zet. Hoe wreed is dat? Mijn geest kan niet kiezen tussen apathie, woede en verdriet, en soms vergeet ik alles, een paar minuten lang. Maar dan opeens is het er weer, raakt het me als een mokerslag vol op de borst – die afgrijselijke, monsterlijke herinneringen die aan mijn brein klauwen... en dan weet ik weer waar ik ben en waarom.

Ik kan mezelf er nauwelijks toe brengen om het te geloven – mijn moeder is dood...

Mijn moeder is dood en ik leef ten onrechte nog. Dat is hier de fundamentele waarheid. Maar misschien is het nog niet te laat. Misschien heb ik dan toch een heel klein beetje van haar onwrikbare wilskracht geërfd.

Al realiseer ik me nu opeens wel dat ik de maatschappij misschien een verklaring schuldig ben. Als ik die heb afgelegd, zou ik dan de moed vinden om te doen wat ik moet doen?

Ik weet dat er mensen zijn die het verkeerd vinden om het recht op deze manier te ontlopen. Tegen die mensen kan ik alleen maar zeggen dat ik geen vergiffenis wil en die ook niet verwacht. Niet dat ik bang ben om de gevolgen van mijn daden onder ogen te zien. Ik kan alleen niet leven met de wetenschap van wat ik ben.

Ze zeggen dat biechten oplucht, maar daar geloof ik niets van. Er is niets wat deze last van schuld en schaamte kan wegnemen. En het idee dat mensen naar me kijken met nieuwsgierigheid, walging of (wat God verhoede) medelijden, is zo onverdraaglijk, dat ik zelfs nu even moet stoppen. Het is al vreselijk genoeg dat ik zelf de waarheid ken, een waarheid die als een kwaadaardige woekering aan mijn ziel vreet, maar om die waarheid aan andere mensen te openbaren? Waarom zou ik dat doen, terwijl het zo makkelijk is die waarheid samen met mijn moeder te laten sterven – samen met mij?

Aan de andere kant, als er iets is wat ik in mijn leven en in mijn werk heb geleerd, is het dat wij mensen gedoemd zijn de wandaden te herhalen die we niet begrijpen. Maar voordat er begrip is, moet er iemand zijn die getuigenis aflegt. De onschuldigen verdienen dat.

O, ja zeker, ook dit verhaal kent onschuldigen. Misschien ben ik het aan hen verplicht alles te vertellen. Misschien moet ik omwille van hen verslag doen, nu ik daartoe nog in staat ben – nu deze mensen me nog met rust laten. Ik kan me niet voorstellen dat dat erg lang zal duren. Vroeg of laat duiken de autoriteiten met hun vragen op, en zodra ik fit genoeg ben om dit ziekenhuis te verlaten, word ik waarschijnlijk gearresteerd. Maar als ik deze dokter in de waan kan brengen dat ik dankzij dit opschrijfboekje therapeutische vorderingen maak, is zij misschien in staat de wolven lang genoeg op afstand te houden om mij mijn verhaal op te laten schrijven.

Deze cadeautjes van haar – dit schrift, deze ongestoorde momenten en deze viltstiften in die belachelijk vrolijke kleurtjes – zijn misschien wel een manier van het noodlot om me de kans te geven te boeten voor mijn zonden. Die van mij en van mijn moeder. We hebben een immense schuld, zij en ik, en hoewel die nooit ongedaan kan worden gemaakt, is een volledige bekentenis het minste wat we kunnen terugdoen.

En dan, wanneer ik klaar ben, zal ik mijn kans grijpen. Want ik weet zeker dat de aandacht van het personeel hier vroeg of laat zal verslappen, al is het maar heel even. En wanneer het zover is, zal ik de gelegenheid aangrijpen om een eind te maken aan een leven dat er nooit had mogen zijn, en me onderwerpen aan het oordeel dat me misschien in een volgend leven wacht.

8

Montrose, Minnesota
Donderdag 11 januari 1979

Cruz en Berglund reden het parkeerterrein op van het streekziekenhuis in Montrose, zestien mijl ten noordwesten van Havenwood. De hulpsheriff parkeerde de zwart-witte surveillancewagen op een plek die voor officiële voertuigen was gereserveerd, pal tegenover de ambulance-ingang.

Het twee verdiepingen tellende ziekenhuis met zijn vrolijke oranjeblauwe borden oogde nieuw. Trottoirs en wegen waren nog niet aangetast door de vorstaanvallen van strenge winters, die elk bestraat oppervlak veranderen in een spinnenweb van scheuren, barsten en gaten. Bij zichzelf dacht Cruz dat het ziekenhuis echter net zo goed in Tallahassee, Florida of Missoula, Montana had kunnen staan, zo nietszeggend was de buitenkant.

'Denkt u echt dat Jillian Meade zichzelf van het leven wilde beroven?' vroeg hij, terwijl hij samen met Berglund uit de auto stapte en in de richting van het ziekenhuis liep.

'Geen twijfel mogelijk. Ze zeiden dat ze de naald al in haar arm had en dat ze zich uit alle macht verzette tegen de verpleger die haar betrapte, net zoals ze mij te lijf ging toen ik haar niet achter wilde laten in dat brandende huis. Na het incident hebben ze de dosering tranquillizers verdubbeld. En zelfs toen nog zei de dienstdoende arts dat hij haar had moeten opsluiten voordat ze naar de psychiatrische afdeling van dit ziekenhuis is overgebracht.'

Ondanks zijn twijfels zweeg Cruz. Dat de vrouw op de krankzinnigenafdeling zat, betekende immers nog niet dat ze zo gek als een deur was.

Nog een keer snoof hij de naar dennen geurende lucht diep in, voordat ze door de glazen schuifdeuren naar binnen liepen. Hij had heel wat psychiatrische inrichtingen bezocht. In de elf jaar dat hij als inspecteur bij het leger had gewerkt, was hij elke denkbare geestelijke afwijking, elk trauma en elke ziekte tegengekomen die tot een uitbarsting van geweld kon leiden. Op 11 juni 1965 was hij getuige geweest van zijn eerste moord. Die dag had zijn leven veranderd. Sindsdien had hij meer dan driehonderd moorden onderzocht. De meeste hadden plaatsgevonden in een opwelling van razernij en verlies van zelfbeheersing, zinloze misdaden die waren begaan in een roes van drank of drugs. Een paar keer was de gepleegde moord zorgvuldig gepland geweest, het resultaat van een onverzadigbare drang naar iets anders – geld, een vrouw, wraak.

En dan had je natuurlijk nog de simpele tragedies. Zelfs bij normale, fatsoenlijke mensen kon er iets knappen als de druk maar groot genoeg was. Dat had Cruz veertien jaar geleden meegemaakt, op een dag in juni in de moerassen ten noorden van Da Nang. Zijn geloof in de mensheid had daar een flinke deuk opgelopen.

'Klaar?' vroeg Berglund. Zijn gezicht stond grimmig, alsof hij er net zo tegenop zag als Cruz.

Cruz knikte.

Hoe zou Jillian Meades verhaal luiden? Hoe toevallig was het dat drie vrouwen met wie ze connecties had, kort na elkaar onder verdachte omstandigheden waren gestorven? Was ze een of andere psychopaat of sluwe bedriegster met een duister en verwrongen motief? Als dat het geval was, dan konden ze haar in dit ziekenhuis niet helpen. Drugs en therapie konden een kleine kronkel in de geest rechttrekken, maar tegen een moordenaar die echt psychotisch was of heel slim – of allebei, zoals vaak voorkwam – was geen kruid gewassen. Hij had dieven, verkrachters en seriemoordenaars meegemaakt die de hele mikmak van klinische symptomen uit de kast hadden gehaald om de verantwoordelijkheid voor hun misdadige praktijken én hun straf te ontlopen onder het mom dat ze 'ontoerekeningsvatbaar' waren. Was dat het spelletje dat Jillian Meade speelde?

Vanbinnen onderscheidde het ziekenhuis zich in niets van ziekenhuizen overal ter wereld. De witte muren waren afwasbaar, de vloeren waren bedekt met slijtvast linoleum en het meubilair was lelijk maar functioneel. Zelfs de gekleurde lijnen op de vloer waren er louter omdat ze een functie hadden en de weg wezen naar de verschillende afdelingen. Cruz en Berglund volgden een blauwe lijn naar de receptie, waar de hulpsheriff inlichtingen inwon. Cruz zag dat de lijnen die naar de spoedopvang liepen rood waren. Groen was kennelijk gereserveerd voor verloskunde, oranje voor de kinderafdeling. En de psychiatrische afdeling?

Berglund kwam terug en knikte naar de liftdeuren aan de andere kant. 'We moeten naar de tweede etage en daar de paarse lijn volgen.'

Bij de liften bleven ze zwijgend staan kijken naar het lampje, dat versprong van 2 naar 1. Ondertussen dacht Cruz na over mogelijke connecties tussen Grace Meade en de andere slachtoffers. Mrs. Meade was Engelse van geboorte, dus misschien was ze bevriend geweest met de beide vrouwelijke slachtoffers in Engeland, wat mogelijk de verklaring was voor Jillians bezoekje. Zijn contactpersoon bij Scotland Yard had gezegd dat een van de vrouwen voor haar pensioen een of andere overheidsfunctie had vervuld. De andere had tot haar pensionering maaltijden rondgebracht in een ziekenhuis. Het waren allebei dames op leeftijd geweest, die ten tijde van hun dood alleen woonden. Ze waren op brute wijze aangevallen en vermoord in hun eigen huis, dat daarna in brand was gestoken. Waarom?

Kort voor hun dood hadden ze allebei een bezoekje van Jillian Meade gehad. Waarom?

Op de tweede verdieping liep Cruz achter Berglund aan naar een raam van dik glas onder een bord waarop stond: 'Receptie. Hier melden alstublieft.' Aan de andere kant van het glas zat een man in een groen pak op een draaistoel met zijn witte schoenen op tafel en zijn rug naar het raam. Hij had een beker koffie in zijn ene hand en was verdiept in een krant, die hij onhandig vasthield met zijn vrije hand. Steeds als de krant inzakte, schudde hij hem ongeduldig weer open. De strippagina, zag Cruz, die over zijn schouder meekeek.

Berglund klopte op het raam, en de man schrok op. Koffie gutste over de rand van de beker op zijn broek, de krant en zijn arm. De verwensing die hij slaakte, drong maar half door het dubbele glas heen. Hij zette zijn voeten neer en draaide zich om. Toen keek hij geërgerd op. Bij de aanblik van de man in uniform slikte hij zijn protest snel in. 'Kan ik u helpen?' informeerde hij, terwijl hij de koffie van zijn handen schudde.

Zijn stem bereikte hen via een ronde, metalen schijf in het glas, waardoor het geluid blikkerig en krakend klonk, net als uit de luidsprekers van de drive-infilms waarbij Cruz een groot deel van zijn jeugd had doorgebracht.

'Ik ben hulpsheriff Berglund van de politie van Havenwood,' antwoordde Berglund, terwijl hij zijn handen op de balie plantte. 'En dit is federaal agent Cruz. We komen voor Jillian Meade.'

'O, maar ik werk hier niet. Ik val alleen even voor de hoofdzuster in tijdens haar koffiepauze, maar ik zal even zien...' Hij pakte een klembord en ging met een vinger langs de lijst met namen die daarop was bevestigd. 'Meade, Meade... Nee. Ik ben bang dat ik u op dit moment niet kan helpen.'

'Hoe bedoelt u? Ik heb een paar uur geleden nog met de hoofdbalie gebeld. Ze moet hier zijn.'

'O, ja, ze is er wel, maar ze wordt nog onderzocht. Geen bezoek.'

'Ik ben hier uit hoofde van mijn functie.'

De man haalde zijn schouders op. 'De behandelend arts moet toestemming geven.'

'Prima,' zei Berglund. 'Hem willen we dan graag even spreken.'

De man zei iets onverstaanbaars.

'Pardon?' vroeg Berglund.

'Haar,' antwoordde de man iets duidelijker. 'De psychiater is een vrouw. Dokter Kandinsky.'

'Haar, dan. Kunt u haar misschien gaan halen?'

De luidspreker kraakte nog een keer. 'Ik geloof dat ze zo straks op de afdeling was, maar ik weet niet of ze er nu nog is. Neemt u even plaats, dan zal ik haar oproepen.'

Cruz was al naar een raam gelopen dat uitkeek over het parkeerterrein en de wijde, bevroren prairie daarachter. Het ziekenhuis lag aan de uiterste rand van Montrose. Erachter strekten zich eindeloze, open akkers uit, slechts onderbroken door windsingels van voornamelijk sparren en populieren. De grond zag er donker en doods uit, zwartgeblakerd door het afbranden van de stoppels na de oogst, met slechts hier en daar wat sneeuw. De sneeuw was opgewaaid tegen de barrière van de windsingels, zoals rommel op het strand op de vloedlijn nadat het eb is geworden. Hij had zulke velden echter ook midden in het groeiseizoen gezien, wanneer ze getransformeerd waren tot een uitgestrekte, golvende zee van goud graan.

In die maanden van rusteloosheid na zijn eerste verblijf in Vietnam, voordat hij besloten had toch maar terug te gaan, was hij op zijn oude Harley kriskras door het land gereden, doelloos rondzwervend van de ene staat naar de andere. Proberend in het reine te komen met wat hij had gezien en gedaan. Proberend met zichzelf in het reine te komen.

Berglunds massieve gedaante dook naast hem op. De hulpsheriff wierp een blik naar buiten, maar voor hem was het uitzicht waarschijnlijk even vertrouwd als zijn eigen gezicht in de badkamerspiegel. Hij draaide zich weer om, haakte zijn duimen achter zijn riem en leunde tegen het raamkozijn in de typische pose van een gespierde man die onbewust compensatie zoekt voor de ongelukkige neiging zijn armen bijna aapachtig weg te zwaaien van zijn overtrainde lichaam.

'Laten we hopen dat die psychiater er is, anders hebben we dat hele eind voor niets gereden,' zei hij. Met zijn vingers trommelde hij tegen het dikke leer van zijn holster, terwijl ze samen luisterden naar het zachte gezoem van het gebouw, het getingel van de liften en de zangerige toon waarop dokters werden opgeroepen via het intercomsysteem. 'Weinig sneeuw hier,' vervolgde hij toen, met een tweede blik op het landschap achter hen. 'Volgens de almanak krijgen we een hete, droge zomer.'

'Dat zullen de boeren wel niet zo prettig vinden.'

'Nee. Het is ook altijd wat. Of te nat, of te droog. In het voorjaar was het land zo nat, dat het al bijna juni was voordat we er met de machines op konden. Hadden we eindelijk ingezaaid, werd het zo'n droge zomer, dat de grond harder werd dan beton.'

Van opzij keek Cruz aan. 'Bent u zelf ook boer?'

Berglund haalde zijn schouders op. 'Een beetje. Ik bewerk de oude stee van mijn schoonvader. Een paar akkers met gerst en wintertarwe.'

'Een druk bestaan, samen met het politiewerk.'

'Het kan erg hectisch zijn, vooral 's zomers, in het toeristenseizoen. Dan hebben we in een klap bijna tienduizend inwoners.'

'Als de sheriff dan nog uit de running is, wordt het helemaal afzien voor u.'

Berglund zweeg, alsof hij zich dat nu pas realiseerde, en streek met een vermoeide hand over zijn vierkante, gegroefde gezicht – een man met te veel taken en te weinig tijd. 'Dat zou best eens kunnen. En u dan? Woont u in Washington?'

'Sinds ik bij de FBI werk wel.'

'Zou niks voor mij zijn, in zo'n grote stad wonen. Waar woonde u voordat u bij de FBI kwam?'

'Overal. Thailand, Filippijnen, Engeland, Duitsland. Een rondje Pentagon, een tijdje Fort Gordon, Georgia.'

'Aha, een militair. Luchtmacht?'

'Landmacht.'

'Werkelijk?'

Ze waren even stil toen de naam van dokter Kandinsky eindelijk werd omgeroepen.

Toen wendde Berglund zich weer tot Cruz. 'En waar komt u oorspronkelijk vandaan?'

'Zuid-Californië. Santa Ana.'

'O, ja, ik weet waar dat is. Vlak bij Disneyland, hè? Daar ben ik een paar jaar geleden met vrouw en kinderen naar toe geweest. "Het vrolijkste plekje op aarde".'

Cruz knikte. 'Dat zeggen ze. Ik woon er al niet meer sinds ik werd opgeroepen, in '65.'

Snel keek Berglund om zich heen, maar de wachtkamer was verlaten. 'Bent u in 'Nam geweest?' vroeg hij zacht.

Dat was de manier waarop de veteranen het er tegenwoordig over hadden, dacht Cruz grimmig – op gedempte toon op een veilige plek. Er was niemand meer die hen bespuwde en babymoordenaars noemde, maar er was ook niemand die wilde horen wat ze daar hadden meegemaakt. Dat kinderen op een vijand werden afgestuurd die ze niet konden zien, voor een zaak waar niemand in geloofde. Dat dat iets met hen had gedaan waardoor veel te veel van hen verknipt waren geraakt. 'Twee keer,' antwoordde hij.

'Twee keer? Hemel, voor mij was een keer meer dan genoeg. Waarom ging je terug?'

'Ik moest nog iets afmaken, en toen werd het een loopbaan. Jij dan? Ook landmacht?'

'Nee, marine. Gek, hè? Zo'n landrot als ik op een schip? Ik heb mijn oproep zelfs niet eens afgewacht. Ik ging ervan uit dat ik er toch wel aan zou moeten geloven, en daarom heb ik me maar vrijwillig opgegeven. Kon ik tenminste nog kiezen waar ik terechtkwam. En de zee trok me denk ik juist zo omdat ik uit zo'n dorre boel als hier kom.'

'Ja, daar kan ik me wel iets bij voorstellen.'

'Maar jij bent dus teruggegaan en daarna blijven hangen? Wat voor werk deed je?'

Cruz aarzelde; hij wilde er liever niet over praten. De tweede keer had hij zich aangemeld om te boeten voor zijn zonden, en boete had hij gedaan toen was uitgelekt dat hij getuigd had tegen de mannen van zijn oude eenheid, die bij een moord en het verdoezelen daarvan betrokken waren geweest. Dat hij de man was die vier van zijn voormalige kameraden naar het cachot had gestuurd, had hem geen lintje opgeleverd. Integendeel, hij was al twee keer flink afgetuigd tegen de tijd dat de CID eindelijk in actie was gekomen en hem daar weg had gehaald. Toen ze ontdekt hadden dat hij op de universiteit een college criminologie had gevolgd, hadden ze hem een opleiding als rechercheur aangeboden. Dat aanbod had hij niet kunnen weigeren. Het enige alternatief dat hij had, was terugkeer naar een eenheid aan het front en de aan zekerheid grenzende waarschijnlijkheid dat hij vroeg of laat zou omkomen door een 'verdwaalde' kogel van een medestrijder.

Dat was hij echter niet van plan aan Berglund te vertellen, en niet alleen omdat de hulpsheriff, net als de meeste mensen, waarschijnlijk zou denken dat hij zijn mond had moeten dichthouden. Niemand in het leger was erg gesteld op de CID, net zomin als een politieagent veel moest hebben van interne controlediensten. Agenten die andere agenten in de gaten hielden en soldaten die andere soldaten natrokken, leerden zich bij hun eigen soort te houden en altijd goed achter zich te kijken.

'Voornamelijk veldwerk,' zei hij tegen Berglund. 'Ik denk dat het legerleven me trok.'

'Hm. Nou, je hebt in elk geval heel wat van de wereld gezien. Ik ben in dienst alleen maar heen en weer gevaren tussen San Diego en Cam Ranh, en ik ben een keer met verlof geweest naar Bangkok. Ik heb in St. Paul op de politieschool gezeten en ben dus een keer met de familie naar Californië geweest. Verder ben ik altijd hier gebleven.'

'Havenwood lijkt een aardig stadje.'

'Dat is het ook. Sommige mensen vinden het leven er misschien te gezapig, maar ik heb nooit ergens anders willen wonen.' Hij zweeg even, en er gleed een donkere uitdrukking over zijn gezicht, alsof hij een nare herinnering had, of het gevoel had dat er iemand over zijn graf liep. 'Dat met Grace Meade en de brand en zo... Dat soort dingen hoort hier niet te gebeuren. Snap je dat? We hebben hier natuurlijk vechtpartijtjes op zaterdagavond, en er rijdt zich ook wel eens iemand met een dronken kop te pletter op de snelweg, maar een moord...'

Een moord kon overal plaatsvinden, had Cruz willen zeggen, maar in plaats daarvan knikte hij alleen maar.

'Hoelang blijf je nog?' informeerde Berglund.

'Zolang als nodig is.'

'Je hoeft toch alleen nog maar een verklaring van Jillian te hebben?'

'Dat in elk geval. En ik zou het liefst ook nog een babbeltje willen maken met mensen die haar kennen, voor het rapport dat ik aan Scotland Yard moet uitbrengen. Wat meer te weten komen over haar achtergrond, je kent dat wel. Weet jij een paar namen?'

Berglund leek geen zin te hebben mee te werken. 'Ik zou op dit moment niemand weten. Jillian woont al een hele tijd ergens anders. Direct na de middelbare school is ze vertrokken om aan de oostkust te gaan studeren. Af en toe kwam ze bij haar moeder op bezoek, maar dat was alles.'

'Verdere familie? Vrienden?'

'Haar enige familie was haar moeder. Jillian was enig kind. Haar grootouders hebben geholpen haar groot te brengen, maar die zijn al jaren dood. En wat vrienden betreft...' Berglund haalde zijn schouders op. 'Je weet hoe dat gaat. Je verliest elkaar uit het oog. Zeventien jaar is een hele tijd.'

Een hele tijd, dacht Cruz, maar wel een precies getal – een getal dat Berglund zonder nadenken had genoemd. Was dat alleen omdat Jillian hem bezighield in verband met de brand en de dood van haar moeder? Of zat er meer achter? Hij bestudeerde de hulpsheriff vanuit zijn ooghoeken. Berglund kon niet veel ouder zijn dan Jillian Meade, en zoals hij zelf had gezegd, was het een klein stadje. Ze moesten elkaar van vroeger kennen. Maar hoe goed? Kennelijk zo goed, dat Berglund de jaren had geteld dat ze al weg was.

'En haar vader, hoe zit het daarmee?' vroeg hij.

'Die heeft ze nooit gekend. Hij was vliegenier en is tijdens de oorlog gesneuveld. Haar moeder was Engelse. Ze hebben elkaar daar leren kennen; kennelijk werkte ze voor de Britse geheime dienst. Joe Meade was werkzaam bij de OSS. Weet je wat dat was?'

Cruz knikte. 'Office Of Strategic Services. De voorloper van de CIA.'

'Klopt. Ze zeggen dat Grace in die tijd een echte seksbom was, een soort Mata Hari, denk ik. Ik weet het niet. In elk geval hadden de Britten haar naar Frankrijk gestuurd, achter het front, en voerde Joe geheime bevoorradingsvluchten uit voor de Résistance. Zijn vliegtuig werd neergeschoten. De Résistance vond hem en heeft hem een aantal maanden verborgen gehouden voor de Duitsers, terwijl ze een gelegenheid zochten hem het land uit te smokkelen. Op die manier hebben ze elkaar ontmoet. Net een film, hè? Een Franse priester heeft ze in het geheim getrouwd, en ze zijn in elk geval lang genoeg bij elkaar geweest om een kind te maken, maar toen werden ze gescheiden. Joe Meade kwam om bij een poging Engeland te bereiken, en Grace zat tot het eind van de oorlog vast in Frankrijk.'

'Dus daarom is Jillian daar geboren,' merkte Cruz op. Toen Berglund hem vragend aankeek, legde hij uit: 'Dat zag ik in de paspoortgegevens die wij van de Britten kregen.'

'O. Nou, dat was het wel zo'n beetje. Joe's ouders woonden in Havenwood en hebben Grace en het kind na de oorlog over laten komen.'

'En Grace Meade is nooit hertrouwd?'

Ontkennend schudde Berglund zijn hoofd.

'Je bent goed op de hoogte van de familiegeschiedenis.'

'Heel Havenwood kent het verhaal; Joe Meade is een plaatselijke oorlogsheld. De school waar mijn kinderen op zitten, is naar hem genoemd. En wat Grace betreft, die heeft haar eigen stempel op Havenwood gedrukt. Het zal wel niet gemakkelijk voor haar zijn geweest om alles en iedereen achter te laten en naar Amerika te komen. Maar op het laatst was er hier niets waarbij zij geen vinger in de pap had. Ze had veel te vertellen in Havenwood, en ik denk dat haar begrafenis de grootste wordt die hier ooit geweest is. Iedereen zal erbij zijn.'

Behalve haar dochter, dacht Cruz.

Achter het glas van de balie klonken gedempte stemmen, en toen ze opkeken, zagen ze een oudere vrouw in gesprek met de verpleger.

'Dat zal die psychiater wel zijn,' zei Berglund, en hij ging rechtop staan.

Dat dacht Cruz ook. De vrouw droeg geen witte jas, maar een lang, donkerblauw vest met een ceintuur en een donkerblauwe broek. Ze straalde echter de autoriteit uit van iemand die gewend was de dingen naar haar hand te zetten. Hij zag dat de verpleger in hun richting knikte. De vrouw verdween achter een wandje, verscheen toen weer en duwde met een frons op haar voorhoofd de zware deur open die de wachtruimte scheidde van de eigenlijke afdeling.

Het was een grote, forse vrouw met staalgrijs, krullend haar dat in een knot op haar hoofd was vastgezet. Een goudomrande bril bungelde aan een ketting om de kraag van de felgekleurde blouse die ze onder het donkerblauwe vest droeg, een uitbundig patroon in roze, wit en oranje. Met haar handen in de zakken van haar vest kwam ze naderbij, terwijl de gummizolen van haar bruine Hush Puppies op de gladde vloer piepten. 'Ik ben dokter Helen Kandinsky. Wat kan ik voor de heren doen?'

Haar geïrriteerde gezicht deed Cruz denken aan Miss Nugent, zijn lerares Engels van de middelbare school, die de gewoonte had alle 'Mexicanen' in haar klas in de bankjes achter in de klas te zetten. Zolang ze maar stil waren, konden ze daar hun gang gaan, placht ze te zeggen, want ze had geen zin haar tijd te verspillen aan boneneters. Ergens in Amerika liepen mensen in demonstraties voor gelijke rechten voor alle burgers, maar daar had Miss Nugent kennelijk nog nooit van gehoord. Het feit dat Cruz' familie al bijna tweehonderd jaar in Californië woonde, maakte voor haar ook al geen verschil. Hoe hij ook zijn best had gedaan, ze had hem nooit meer gegeven dan het magere zesje dat ze standaard elke leerling met een Spaans klinkende achternaam gaf, het laagste cijfer dat ze kon geven zonder problemen te krijgen.

Berglund stelde zichzelf en Cruz voor en legde het doel van hun komst uit. De dokter haalde haar handen uit haar zakken en schudde de uitgestoken hand. Toen Cruz aan de beurt was, keek ze hem onbevangen aan en hield zijn hand extra lang vast. Toen verzachtte haar uitdrukking en maakte de irritatie plaats voor nieuwsgierigheid. In die fractie van een seconde voelde Cruz Miss Nugent wegzinken in dat duistere hoekje van zijn geest waar zijn woede en twijfel woekerden.

'FBI?' vroeg ze. 'Ik begrijp dat de hulpsheriff hier mijn patiënt wil ondervragen, maar waarom heeft de FBI in vredesnaam belangstelling voor zo'n plaatselijk drama?'

'Ik ben bezig met een zaak waarbij Miss Meade mogelijk als getuige kan optreden,' antwoordde hij. 'Ik heb haar in Washington proberen op te sporen, en toen ik hoorde wat hier gebeurd was, besloot ik hierheen te komen.'

'Heeft ze al iets gezegd over de gebeurtenissen van die nacht?' vroeg Berglund.

'Ze heeft sinds haar komst hier geen woord gezegd, daarover niet en ook niet over iets anders. Vergeet niet dat ze de eerste vierentwintig uur zwaar verdoofd was. Sinds vandaag heb ik de hoeveelheid medicijnen verminderd, maar ze reageert nog steeds nauwelijks. Ze lijkt in een shocktoestand te verkeren.'

'Ze heeft niet geprobeerd... eh, zichzelf weer iets aan te doen of zo, hè?'

'Nee. We houden haar nauwlettend in de gaten, maar ze is rustig. Te rustig zelfs. Ik maak me zorgen over het feit dat ze niet eet en drinkt. Mocht daar de komende uren geen verandering in komen, dan moet ik haar waarschijnlijk een infuus geven. Ik hoop dat het zover niet komt, want dat zal haar een hoop onrust geven. En als ze zich verzet en we haar moeten vastbinden en kunstmatig moeten voeden, zijn we weer even ver als toen we begonnen.'

'Wilt u daarmee zeggen dat ze vooruitgang heeft geboekt sinds ze hier is?' vroeg Cruz.

'Misschien een heel klein beetje. In het begin reageerde ze totaal niet, maar dat kwam uiteraard grotendeels door de medicatie. Ze heeft weliswaar nog steeds niets gezegd, maar wel een eerste stapje op de weg naar genezing gezet.'

'Hoe bedoelt u?'

'Ik was een tijdje geleden bij haar. Ze praat weliswaar nog steeds niet, maar ze luistert wel degelijk. Ik heb bij wijze van experiment een schrift en enkele viltstiften bij haar achtergelaten. Mij werd namelijk verteld dat ze historica is en dat ze regelmatig publiceert. En er zijn schrijvers die een lege bladzijde niet kunnen weerstaan.'

'En dat werkte?'

De dokter knikte. 'Ik geloof het wel. Toen ik een paar minuten geleden door het raampje keek, was ze koortsachtig aan het schrijven. Bijna alsof ze met een of andere duiveluitdrijving bezig was. Al met al is het een bemoedigend teken. Er is iets wat haar enorm dwarszit, en dat probeert ze te communiceren op de manier waar ze zich het prettigst bij voelt. En als dat het enige is wat ze op dit moment kan opbrengen, heb ik daar geen problemen mee.'

'Wat schrijft ze dan?' informeerde Cruz.

Dokter Kandinsky stak haar onderlip naar voren en schokschouderde. 'Ik heb geen idee.'

'U hebt het niet gelezen?'

'Nee. Ik respecteer haar privacy.'

'Hoe weet u dan dat ze niet een hoop onzin opschrijft?'

'Dat weet ik niet. Maar als dat wel het geval was, zou het iets over haar geestestoestand zeggen. In elk geval probeert ze niet zichzelf van het leven te beroven zolang ze in beslag wordt genomen door haar schrijfwerk.'

'Ik zou graag even met haar willen praten, dokter,' zei Berglund. 'Zij en ik...' Hij aarzelde. 'Jillian en ik kennen elkaar van kinds af, en ik denk dat ze nu wel behoefte heeft aan een vertrouwd gezicht.'

De dokter bestudeerde hem een tijdje zwijgend en schudde toen haar hoofd. 'Het spijt me, maar dat kan ik niet toestaan. Vandaag in elk geval nog niet. Haar toestand is nog heel precair. Ze is ernstig getraumatiseerd, en naar mijn professionele mening staat ze op het punt zich helemaal terug te trekken.' Toen Berglund wilde protesteren, hief ze haar hand op. 'Ik twijfel er niet aan dat u het goed bedoelt, *sir*, maar om nu naar haar toe te gaan, in dat uniform, om vragen te stellen over de brand en haar moeders dood... Nee, ik ben bang dat het daar nog te vroeg voor is.'

Berglund knikte, kennelijk bereid nog wat langer te wachten, maar Cruz wiebelde ongeduldig heen en weer.

'Met alle respect, dokter, maar ik wil toch een paar vraagtekens bij dat trauma van haar zetten. Er zijn aanwijzingen dat Miss Meade iets weet over minstens twee andere recente moordgevallen – en haar moeder wás vermoord, al wist u dat misschien nog niet.'

'Is dat waar?' vroeg dokter Kandinsky aan Berglund. Die knikte.

'Vandaar,' vervolgde Cruz, 'dat we volgens mij rekening moeten houden met de mogelijkheid dat ze simuleert.'

'Ze wilde sterven in die brand,' zei Berglund. 'Dat weet ik. Ik was erbij. Ik moest haar praktisch knock-out slaan om haar naar buiten te krijgen.'

'En dan was er nog die tweede zelfmoordpoging op de spoedopvang in Havenwood,' merkte dokter Kandinsky op.

'Die toevallig ook mislukte,' zei Cruz. 'Hoor eens, dokter, u moet toegeven dat er slimme mensen zijn die soms doen alsof ze gek zijn om anderen zand in de ogen te strooien. Dat heb ik zelf meegemaakt.'

'Ik zeg niet dat het onmogelijk is, maar in dit geval betwijfel ik het sterk. En als u het mis hebt en we zetten haar te vroeg onder druk, agent Cruz, dan zouden we heel goed onherstelbare schade kunnen aanrichten. Dan kan ze zich voorgoed afsluiten en zou haar volgende zelfmoordpoging misschien een succes zijn. Want laten we wel wezen, heren, de gelegenheid zal zich vroeg of laat voordoen, en dat is in uw belang noch in het mijne.'

Cruz wilde tegenwerpingen maken, maar haar strijdlustige houding en het schudden van haar grijze hoofd maakten duidelijk dat ze niet van plan was toe te geven.

'Nee. Komt u morgen maar terug, dan zien we wel verder. Jillian Meade mag op dit moment niet worden gestoord. O, en mocht u een rechterlijk bevel willen halen, dan waarschuw ik u dat ik me daar fel tegen zal verzetten.'

Hoewel Cruz best bereid was het daarop aan te laten komen, sprak Berglunds gezicht boekdelen. Hij zou er alleen voor staan.

'Een dag extra maakt geen verschil,' zei de hulpsheriff. 'We wachten wel.'

Kandinsky knikte. 'Dat lijkt me ook het beste.'

'Kunnen we haar dan in elk geval even zien?' vroeg Berglund.

'Dat lijkt me wel. Ik zie niet in wat het voor kwaad kan als u even naar haar kijkt – van een afstandje, uiteraard. In haar kamer is een doorkijkspiegel. Daar mag u gebruik van maken.'

Ze volgden haar naar de deur van massief staal naast de balie en wachtten tot de verpleger op een knop had gedrukt om de deur te openen. De dokter ging hen voor door een grote zaal. Een stuk of acht voornamelijk al oudere mensen in witte jurken en pakken zaten aan tafeltjes te kaarten. Iets verderop zaten mensen in een rolstoel voor een televisietoestel.

'Onze geriatrische patiënten,' legde de dokter uit. 'De meesten zijn dement. We proberen ze zo goed mogelijk bezig te houden, maar veel uitzicht op een goede afloop is er niet.'

Ze vervolgden hun weg door een lange, smalle gang, langs kamers met dikke deuren, die nu openstonden. In de muren ernaast waren rechthoekige observatieramen van ongeveer zestig bij negentig centimeter geplaatst die een kijkje boden in de kamer erachter. Het glas had een donkere tint, en daardoor wist Cruz dat het aan de andere kant een spiegel vormde, net als de observatieramen in de vele verhoorruimten waarin hij de afgelopen jaren getuigen had verhoord. De meeste kamers waren leeg; kennelijk werden ze bewoond door de geriatrische patiënten in de grote zaal. Ze passeerden echter ook een deur die dicht was, en door het observatieraam zagen ze een magere jongen met lang haar die op zijn bed lag te woelen en te schokken, alsof hij onder stroom stond.

'Overdosis drugs,' zei Kandinsky, terwijl ze met gefronste wenkbrauwen naar de jongen keek. 'Zestien jaar. Dit is de derde dag van zijn ontwenningskuur. Hij heeft twee keer eerder geprobeerd af te kicken, en als het hem deze keer niet lukt, ben ik bang dat hij zijn zeventiende verjaardag niet haalt.' Vermoeid schudde ze haar hoofd. 'Een leuk joch uit een goed nest. Zo zonde, zo vervloekt zonde. Hij is de enige andere patiënt die vierentwintig uur per dag onder observatie staat.'

Ze liepen verder naar de laatste kamer op de gang, en de dokter dempte haar stem. 'Hier ligt ze.'

'O, Jezus!' Berglund hield geschrokken zijn adem in.

Cruz keek door het raam. Ook hij was geschokt. Hij kende de gegevens uit Jillian Meades paspoort en was zich aan de hand daarvan een mentaal beeld van haar gaan vormen. Haar: bruin. Ogen: bruin. Lengte: een meter vijfenzestig. Gewicht: vijftig kilo. Geboorteplaats en -datum: Drancy, Frankrijk, 14 juli 1944.

Al die informatie zat in het gedeukte koffertje in de kofferbak van zijn huurauto, die nog steeds bij het politiebureau van Havenwood stond. Hij had haar ook gezien op de groepsfoto aan de wand van het kantoor van Haddon Twomey. En er was nog een foto in zijn koffertje, die met een paperclip aan haar dossier was bevestigd. Het was een korrelige kopie van de foto in haar paspoort, die echter duidelijk genoeg was om wat vlees te brengen op de botten van de andere gegevens die hij over haar had. Haar niet gewoon bruin, maar donkerbruin; lang, tot over haar schouders, met een scheiding in het midden en voor haar paspoortfoto zedig in een staart gedaan. Een warrige pony, als een gordijn waarachter grote, iets amandelvormige ogen deels schuilgingen. Een sombere uitdrukking op haar gezicht en haar kin iets omhoog, alsof ze intuïtief terugdeinsde voor de brutale blik van de camera, waardoor het gezicht met de onopvallende neus iets hautains kreeg. Haar mond glimlachte niet; de volle lippen waren donker, waarschijnlijk van de lipstick, al was dat moeilijk te zeggen bij een zwart-witfoto. Ze droeg kleine gouden creolen en een eenvoudig gouden kettinkje om haar nek.

Uit die details, en uit de andere informatie die Cruz de vorige dag over haar had verzameld, had hij zich het beeld gevormd van een stille, intellectuele, gereserveerde vrouw die opging in haar werk. Niet onsympathiek, maar het soort vrouw dat bij het naderen van de middelbare leeftijd zelden oogcontact maakte, alsof ze bang was een of andere fatale ziekte op te lopen door sociale interactie. Een vrouw die wellicht uit beleefdheid of uit nervositeit glimlachte, maar zelden uit volle borst lachte. Een tengere vrouw met bleke handen die nooit vuil werden. Een vrouw die zich thuis voelde tussen de boeken en die zich 's avonds van het museum naar een rustig, keurig flatje haastte waar ze zich in leven hield met yoghurt, appels en drie goede boeken per week.

Het probleem was dat dat beeld niet strookte met de realiteit van een vrouw die bij drie gewelddadige doden betrokken was. En het strookte al helemaal niet met het beeld van de vrouw aan de andere kant van het raam.

De kamer was in een dofgroene tint geverfd. Er stonden een ziekenhuisbed, een stalen stoel en een tafeltje op wielen in. Verder niets. Het voeteneind van het bed wees naar het raam, maar de vrouw die er op haar zij in lag, steunend op een elleboog, zagen ze en profil. Ze had een zuurstofbuisje in haar neus en leek moeizaam en raspend adem te halen. Haar lange benen waren bloot en zaten vol blauwe plekken, en omdat ze bijna in foetus-houding op de dekens lag, oogde ze heel klein en kwetsbaar in het grote ziekenhuisbed. Haar gezicht was bleek en strak, haar ogen dik, haar huid besmeurd met sporen van roet. Haar lange haar was geklit en hing slordig in haar ogen. Dunne armen staken uit de korte mouwen van een ziekenhuispyjama van blauw katoen; net als haar benen waren ze bont en blauw, al dacht Cruz bij zichzelf dat het misschien alleen maar roetvegen waren. Het dikke verband om haar linkerarm, net onder de elleboog, liet echter niets te raden over. Dat was natuurlijk het gevolg van haar actie met de met lucht gevulde spuit.

Naast haar op de matras lag de inhoud van een doosje viltstiften. Met haar rechterhand omklemde ze een van de stiften terwijl ze koortsachtig lag te schrijven in een dik schrift; ze hield alleen even op om de bladzijde om te slaan. Ze ondersteunde zichzelf met haar linkerelleboog, en haar linkerhand kneedde dwangmatig een hoek van de deken. Cruz keek toe, gefascineerd door de tegenstrijdige bewegingen van haar klauwende linkerhand en haar koortsachtig schrijvende rechterhand, die van de linkerbladzijde van het schrift naar de bovenkant van de rechterbladzij vloog, die ze als een bezetene volschreef en haastig omsloeg. Ze was bezig op een manier die hem er bijna van overtuigde dat ze inderdaad gek was. En wat ze met die snelheid schreef, dacht hij, moest wel wartaal zijn.

Was ze dan toch gek? Of alleen heel erg geslepen?

'Wat ziet ze eruit,' bromde Berglund. 'En hier helemaal in haar eentje opgesloten. Kunnen we niets...'

'We doen alles wat we op dit moment kunnen,' zei Kandinsky. 'Het belangrijkste is nu dat ze op papier kan zetten wat er in haar omgaat. Dat, plus hopelijk wat slaap en wat te eten. Misschien kunnen we haar zelfs wel overhalen een douche te nemen. Ik weet dat ze zich dan een stuk beter zou voelen. Maar op dit moment,' besloot ze, 'is dit wat ze het meeste nodig heeft.'

Berglund leek zijn ogen niet van de ineengedoken gedaante op het bed te kunnen afhouden. De dokter keek even naar hem, fronste toen haar voorhoofd en legde een hand op zijn arm. 'Misschien kunt u nu maar beter weer gaan. Kom morgen maar terug, dan bekijken we dan hoe het ervoor staat. Ze gaat nergens heen, en ik weet zeker dat ze er morgen, na een goede nachtrust, heel anders uitziet.'

'Goed, dan doen we het zo.' Berglund rukte zijn blik los van het raam. 'Maar mocht er verandering in haar toestand komen, dan wil ik dat wel graag meteen weten,' voegde hij eraan toe, terwijl hij een kaartje en een pen uit zijn borstzak haalde en een nummer op de achterkant krabbelde. 'Ik geef u ook mijn privénummer. Wilt u tegen haar zeggen dat ik geweest ben, als u de kans krijgt? En mocht ze willen praten, bel me dan, het maakt niet uit hoe laat het is. Oké?'

Kandinsky nam het kaartje aan dat hij haar toestak, bekeek het en liet het in haar vestzak glijden. 'Beloofd.'

Nog even bleef Berglund haar onderzoekend aankijken, toen draaide hij zich om en beende met grote passen weg.

Cruz wierp een laatste blik op de gestalte op het bed. Jillian Meades ene hand bleef doorgaan met het krampachtige kneden van de dekens, terwijl de turkooizen viltstift in haar andere hand over het papier vloog.

9

Ik weet niet waar ik moet beginnen met mijn verhaal. Hier lig ik, zoekend naar de betekenis van wat er is gebeurd – tevergeefs. Ik moet dit verhaal op zijn minst in een logische volgorde van gebeurtenissen vertellen, maar ik ben zo in de war door schuldgevoel en woede, dat ik nauwelijks helder kan denken.

Hoe pak ik dit aan? Hoe moet ik uitleggen waarom een vrouw die zo bewonderd werd als mijn moeder, zo aan haar eind moest komen? En hoe moet ik het zieke, verwrongen lot verklaren dat mij, een dochter even door en door verrot als haar moeder, dwingt over haar te oordelen?

Ik kan het wel uitschreeuwen om de onrechtvaardigheid daarvan. Mijn keel en borst doen pijn van de druk van niet-vergoten tranen, zoals een stuwdam pijn moet doen van de druk van het water erachter. Maar ik mag niet huilen. Dat is een recht dat ik niet heb verdiend.

Eén ding lijkt duidelijk: als ik het hele verhaal wil opschrijven, moet ik ergens iets van onbevooroordeeldheid vandaan halen. Grace Meade als niets meer dan een van mijn onderzoeksobjecten beschouwen, een onbelangrijke historische figuur die een speelbal werd van het lot. De emotionele band negeren die ons zelfs nu nog bindt – dat zachte, onzichtbare koord dat om mijn nek zat vanaf het moment dat ik werd geboren en dat langzaam het leven uit me knijpt.

En wie weet? Misschien heeft het ons allebei gesmoord. Al jaren draag ik het schuldige vermoeden met me mee dat mijn moeder liever had gehad dat ik nooit was geboren. Dat de last van mijn kinderlijke behoeften haar heeft gedwongen haar eigen verlangens opzij te zetten. Dat haar zorg voor mijn veiligheid elke kans heeft verwoest die ze misschien had gehad op een beetje geluk voor zichzelf.

Ze heeft haar land en het leven dat ze kende, verlaten om mij mee te nemen naar de ouders van mijn vader. Ik kan me de tijd niet herinneren dat mijn grootouders niet de liefdevolste aanwezigheid in mijn leven waren, en ik zal hun altijd dankbaar blijven voor de veilige cocon van hun warmte. Ik ben innig dankbaar dat ze niet meer hoeven meemaken wat er van mij geworden is.

Ondanks de onwankelbare liefde en steun van mijn grootouders, was in ons huis altijd alles van een bepaalde droefheid doortrokken. Heel soms leek die even weg te trekken, maar onvermijdelijk keerde hij altijd weer terug.

Mijn vader was enig kind, en natuurlijk is er voor een ouder geen grotere tragedie denkbaar dan het verlies van een kind. Nu ik met volwassen ogen terugkijk, zie ik dat mijn jonge leven was getekend door de vage schaduw van verdriet achter hun bemoedigende glimlach. Elke mijlpaal die ik bereikte, moet hen herinnerd hebben aan dat andere kind dat ze veilig langs de valkuilen van de jeugd hadden geloodst, en dat daarna in den vreemde was gestorven.

En mijn moeder? Mijn vaders schaduw leek ook over haar heen te hangen, en soms voelde ik dat ze me nauwelijks kon ontwaren in de somberheid van die herinneringen. Toen ik klein was, waren er momenten dat ik de kamer wilde binnen stormen om me tegen haar aan te werpen – alles om maar door dat schild heen te breken, te zorgen dat ze me zág. Maar ik deed het niet, omdat ik bang was, of te goed opgevoed. Ik bleef maar wachten en hopen dat ze mij zou aankijken met die stralende, ongelooflijke glimlach, die ze als een zegen over al die anderen uitstortte die van haar gingen houden en haar bewonderden. Ze deed het nooit – in elk geval niet wanneer we samen waren en ik er absoluut van overtuigd kon zijn dat die glimlach helemaal alleen voor mij bestemd was.

Jarenlang heb ik gedacht dat het kwam doordat ik haar te veel deed denken aan mijn vader, wiens in zilver ingelijste portret ons toelachte vanaf de schoorsteenmantel. Dat mijn bestaan een voortdurende en pijnlijke herinnering was aan zijn afwezigheid. De laatste jaren neig ik meer naar de opvatting dat ze misschien gewoon een van die vrouwen was die geen moeder wilde zijn. Ik vraag me zelfs af of ze ooit echt een kind heeft gewild. Ze heeft het nooit gezegd, maar ik kan er niets aan doen dat ik denk dat ik een ongelukje was waarmee ze heeft leren leven, net zoals ze met alle andere tegenslagen en tragische gebeurtenissen die ze heeft meegemaakt, heeft leren leven. Er is niets ergers dan te denken dat je eigen bestaan een vergissing is.

Let wel, ik ben ervan overtuigd dat heel Havenwood zou willen getuigen dat ze een modelouder was. Als kind aanbad ik haar en leefde ik in de voortdurende angst dat ik haar zou kwijtraken. Naarmate ik ouder werd, begon ik me te realiseren dat haar leven zo veel meer had kunnen zijn als ze zichzelf niet voor mij had opgeofferd – zichzelf had begraven in dit kleine prairiestadje waar haar kennis en talenten altijd onbenut zouden blijven, waar haar verleden grotendeels onbegrepen bleef, hoe men haar hier ook bewonderde.

Ik wist – net als iedereen – dat haar leven voor haar komst naar Amerika vol actie, gevaar en passie was geweest, een leven als in een boek of een film. Als burger aan de frontlinies van WO II, daar waar de actie zich concentreerde, had ze deel uitgemaakt van een van de grootste gevechten tussen goed en kwaad die de wereld ooit heeft gekend. Toen liep er een duidelijke scheidslijn tussen beide kanten, duidelijker dan ooit ervoor of erna. Voor mijn moeders generatie was er aan de ene kant het kwaad van het fascisme en aan de andere kant alles wat daartegen in het geweer kwam. Als partizane leidde ze een leven vol actie en passie – en onvoorstelbare tragiek. Maar toen de strijd om de vrijheid was gewonnen, trok ze zich samen met mij, haar baby, terug in een ver en vreemd land, in het stadje van de man die ze had gevonden en in die grote strijd weer was kwijtgeraakt.

Ik kan niet geloven dat ze zich hier soms niet wanhopig verveelde. Zich verveelde en zich eenzaam voelde. Toch heeft ze, voorzover ik weet, nooit overwogen te verhuizen naar een plaats waar ze op zijn minst af en toe naar een concert of een toneelstuk kon gaan, waar ze misschien iemand zou vinden – een vriend, een minnaar, een nieuwe echtgenoot – die nog andere interesses had dan de graanprijzen, de televisie, plaatselijke roddels en het weer. Iemand die haar begreep en die haar leven kon delen.

Ik herinner me de eerste keer dat het me duidelijk werd dat mijn moeder eens een leven buiten Havenwood had gehad. Dat was nadat mijn grootouders allebei waren gestorven; ik moet toen een jaar of twaalf, dertien zijn geweest. Mijn moeder en ik zaten op een avond samen naar een oude film op televisie te kijken. Welke precies weet ik niet meer. Ik weet alleen nog dat het verhaal zich afspeelde in een van die fraaie Britse landhuizen die nu vrijwel niet meer bestaan, en dat alle acteurs net zo spraken als mijn moeder. En opeens drong het tot me door dat er ergens op aarde misschien wel een plaats was waar Grace Meade niet opviel als een bontjas in de sloppen.

Ik herinner me ook nog dat ik naar haar keek en met stomheid was geslagen door het feit dat ze kon huilen.

'Mam? Wat is er?' vroeg ik haar, bijna in paniek, omdat ik haar nog nooit had zien huilen.

Met haar ivoorwitte zakdoekje wuifde ze me gegeneerd weg. 'O, niets, kind. Het spijt me. Ik weet niet wat me bezielt.'

'Wat bedoelt u? Wat is er dan?'

Ze aarzelde en keek naar het scherm, maar Deborah Kerr (die was het, geloof ik) had plaatsgemaakt voor een reclameboodschap. Mijn moeders porseleinblauwe, betraande ogen richtten zich weer op mij. Op haar hoge jukbeenderen waren twee blosjes zichtbaar. Hoewel haar gezicht met de jaren wat zachter en ronder werd, is ze tot de dag van haar dood een mooie vrouw gebleven. 'Ik stel me een beetje aan,' antwoordde ze. 'Ik denk dat ik een beetje heimwee had.'

'Heimwee? Echt waar?' Ik was met stomheid geslagen. De gedachte was nooit bij me opgekomen dat ze misschien liever ergens anders wilde zijn dan waar we waren. Ze was geabonneerd op de Daily Mail en de Times of London, en in haar slaapkamer had ze een kortegolfradio om de BBC te kunnen ontvangen. We hadden op 25 december een speciale traditie: we moesten wachten tot na de kersttoespraak van de koningin voor we onze cadeautjes mochten uitpakken.

Maar dat waren gewoon de vreemde trekjes van mijn moeder. Ik had haar nooit als een sentimenteel iemand gezien. Ze sprak bijna nooit over haar leven voor haar komst naar Minnesota. Net als de meeste chauvinistische Amerikanen ging ik er eenvoudig vanuit dat ze dolblij was hier te zijn.

Toen ik ouder werd, besefte ik echter dat haar afkeer om over het verleden te praten misschien niet zozeer een kwestie van gebrek aan sentimentaliteit was, als wel haar manier van omgaan met de dingen. Tenslotte had ze heel wat verloren in de jaren voor mijn geboorte – haar ouders, een verloofde, mijn vader, haar thuis, om nog maar te zwijgen van de talloze vrienden en kameraden uit haar oorlogstijd.

Dan was het eigenlijk ook geen wonder dat ze het verleden liever liet rusten.

'Mist u Engeland, mama?'

'Soms wel, denk ik,' bekende ze.

'Hebt u spijt dat u bent weggegaan?'

'Nee, dat niet. Wat heeft het voor zin ergens spijt van te hebben? Als je eenmaal een besluit hebt genomen, moet je nooit achterom kljken, Jillian. Onthoud dat.'

'U had kunnen blijven,' ging ik door, geïntrigeerd door het idee dat ik wellicht een heel ander leven gehad zou kunnen hebben, een leven waarin ik in een schooluniform met een geruite rok, kniekousen en een blazer met embleem naar een school ging die veel weg had van een oud kasteel. In stilte oefende ik alvast op een Engels accent en stelde me mezelf voor als een slungeligere, minder knappe versie van Elizabeth Taylor in National Velvet.

Maar mijn moeder schudde ferm het hoofd. 'Nee, schat. Hierheen komen was indertijd het beste. Vlak na de oorlog waren het barre tijden in Europa. Je was nog te klein om je te herinneren hoe het was, maar ik weet het nog goed. We woonden in een benauwd kamertje in een oud huis buiten Londen. Er was amper plaats voor een bed en een tafeltje. Een oude bureaula deed dienst als wieg. We hadden hard een flatje nodig, maar dat was eenvoudig niet te krijgen. De Duitsers hadden een groot aantal huizen plat gebombardeerd, en vooral toen de soldaten terugkeerden van het front, was er een schreeuwend gebrek aan woningen. Die oorlogsveteranen werden uiteraard bove naan de lijst gezet, en het had nog tijden kunnen duren voordat wij tweetjes voor een flat in aanmerking kwamen. En op die kamer, dat ging echt niet langer.'

'Maar dat is niet eerlijk! U had boven aan de lijst moeten staan. U hebt ook meegevochten in de oorlog. Net als mijn vader.'

'Ja, maar je vader was Amerikaan.'

'Dat zou geen verschil mogen maken. We waren bondgenoten en we vochten allemaal aan dezelfde kant. En u dan? U hebt toch ook voor Engeland gevochten. Dat u geen uniform droeg, maakt toch geen verschil? U had dezelfde behandeling moeten krijgen als de soldaten die terugkwamen van het front.'

'Ja, in theorie misschien. Maar in de praktijk lag dat niet zo eenvoudig. Ik werkte voor een heel kleine, heel geheime afdeling van de regering. Zelfs nu nog ontkent Whitehall in het openbaar het bestaan van de geheime dienst, al weet iedereen dat die bestaat. In elk geval waren wij maar met enkelen, kind, en er waren talloze anderen die hulp nodig hadden. Ze moesten prioriteiten stellen, en Britse soldaten en hun gezinnen kwamen nu eenmaal op de eerste plaats.'

Ik wilde nogmaals protesteren tegen de onrechtvaardigheid van dat alles, maar mijn moeder hief haar hand op. 'Het ging niet alleen om onderdak. Er was ook een tekort aan voedsel en kleding. Alles was nog steeds op de bon. Jij had flesvoeding en luiers nodig en allerlei andere dingen die domweg niet te krijgen waren. Dus toen je grootouders ons uitnodigden om bij hen in Amerika te komen wonen, wist ik dat ik geen andere keus had. En wat dit betreft...' Ze wuifde met een keurige, gemanicuurde hand naar het televisiescherm, waar Deborah Kerr weer verschenen was, nu gekleed in een simpel maar elegant zwart jurkje dat verdacht veel leek op een van mijn moeders jurken. 'Ik stel me gewoon een beetje aan, dat is alles.'

Diep in mijn hart was ik eigenlijk ook blij dat ze het aanbod van mijn grootouders had aangenomen. Het waren lieve, hartelijke mensen geweest, en dankzij hun verhalen en die van de vele oude vrienden en buren in Havenwood, voelde ik me steeds sterker verbonden met een vader die ik nooit had gekend – een vader over wie mijn moeder me eerlijk gezegd bedroevend weinig kon vertellen, omdat ze maar zo kort samen waren geweest voordat hij sneuvelde.

Die avond begon ik mijn moeder echter in een geheel nieuw licht te zien. Voor mij, een jong meisje op de rand van de volwassenheid, school er verrukkelijk veel melodrama in het verhaal van deze dappere, jonge Engelse weduwe, een oorlogsheldin, die zich met een baby tegen haar borst geklemd van de ene instantie naar de andere haastte onder een gestaag neervallende Engelse regen en smeekte om een fatsoenlijk onderkomen dat er domweg niet was. 'En nu dan?' wilde ik weten.

'Wat bedoel je?'

'Denkt u ooit over teruggaan?'

'Naar Engeland? En jou hier alleen achterlaten? Wat een bespottelijk idee!'

'Nee, ik bedoel samen. Dat zou leuk zijn. Dan zou ik kunnen zien waar u bent opgegroeid en waar u papa hebt ontmoet.'

'Och, wat een gedoe, Jillian. Je hebt geen idee wat een lange reis dat is.'

'We kunnen vliegen.'

'Dat is verschrikkelijk duur. En bovendien hebben ze daar een heel ander schoolsysteem en zo.'

'Niet voor altijd. Ik bedoel voor een tijdje. In de zomervakantie bijvoorbeeld. U zou vrienden van vroeger kunnen opzoeken en mij de witte kliffen van Dover laten zien. En misschien zouden we ook nog even naar Frankrijk kunnen om onze familie daar te bezoeken.'

Mijn moeder was in Dover geboren uit een Engelse vader en een Franse moeder. Dankzij die gemengde afstamming was ze een goede vangst voor de Britse geheime dienst geweest toen de oorlog uitbrak en ze uiteindelijk achter het front in Frankrijk belandde. Die avond bij de televisie toonde ze geen enkele interesse in een terugkeer.

'Alles is nu heel anders dan vroeger, Jillian. Er is zoveel weggebombardeerd in de oorlog – ook het huis waarin ik ben opgegroeid en de drukkerij van mijn vader. Ik denk dat ik het niet prettig zou vinden om te zien wat er allemaal is veranderd. Ik blijf het me liever herinneren zoals het was.'

'En de mensen dan?'

'Welke mensen?'

'Familie bijvoorbeeld? Van vaderskant... of moederskant?'

Op het bureautje in haar slaapkamer had ze een ingelijst fotootje staan van haar eigen moeder, wier schoonheid ze had geërfd. De Britse sappeur Albert Wickham had de jonge Sylvie Fournier tijdens de Eerste Wereldoorlog in Frankrijk ontmoet en had direct zijn hart verloren. Na de oorlog waren ze getrouwd, maar helaas was mijn grootmoeder gestorven aan griep toen mijn moeder nog maar een peuter was. Mijn moeder was net als ik enig kind.

'Van mijn vaders kant is niemand meer in leven,' zei ze. 'Hij had maar één zus, die nooit getrouwd is, en die is al jaren geleden gestorven. Van de andere kant – de familie van je *grandmaman* – had je natuurlijk een paar ooms, maar die zijn ook gestorven. En wat *les cousins* betreft,' voegde ze er in onberispelijk Frans aan toe, terwijl ze afkeurend haar neus optrok, 'met hen heb ik bewust het contact verbroken zodra ik volwassen was. Wat een akelig stel was dat.'

Ik glimlachte. Ze had me een keer verteld hoe vreselijk ze vroeger gepest was door de afschuwelijke Normandische neven bij wie ze als kind de zomervakanties doorbracht. Maar wat ze ook aan hen te danken had, was haar vloeiende Frans, de taal die ze voor het eerst had gehoord aan de borst van haar verdoemde moeder en bijgeschaafd had in die lange zomers bij de ooms en hun gezinnen. Jaren later, toen ze naar Frankrijk was gestuurd om de Résistance te helpen, koos ze zelfs als schuilnaam de naam van mijn Franse grootmoeder, Sylvie Fournier.

'En oude vrienden dan?' drong ik aan.

Er verscheen een lichte frons op haar hoge voorhoofd. In die tijd begon ze waarschijnlijk al grijs te worden en maakte het honingblond plaats voor zilverwit, al staat me dat niet meer zo helder voor de geest. Wel weet ik zeker dat ze het die avond droeg zoals altijd, glad achterover gekamd, in een lage wrong in haar nek. 's Ochtends bij het opstaan stroomde het als een zachte, gouden waterval over haar rug, maar overdag zou ze het onder geen beding los hebben gedragen.

De kleine parels in haar oren pasten bij het enkele parelcollier om haar nek, en ik herinner me nog dat ze een perzikroze twinset droeg met het vest los om haar schouders geslagen, als een cape. Terwijl ze nadacht over mijn vraag, kruiste ze haar armen voor haar borst en trok het vest dichter om zich heen, alsof ze het opeens koud had. Ik weet ook nog dat ik een subtiel vleugje van haar parfum rook. Ma Griffe.

'Het is allemaal zo lang geleden, kind,' zei ze ten slotte. 'De oorlog heeft alles veranderd, en terugkeren is onmogelijk. Er zijn dingen die je maar beter kunt laten rusten.'

Ik beeldde me in dat ik die avond in de stem van mijn moeder de geesten hoorde fluisteren van alle mensen die ze in de oorlog was kwijtgeraakt. Natuurlijk haar geliefde vader, die in 1941 omkwam door de Duitse bom die zijn drukkerij vernielde. Ik wist ook dat ze eens verloofd was geweest met een andere man, lang voordat ze mijn vader ontmoette – zelfs lang voordat de VS betrokken raakten bij de oorlog. Dat had ik haar namelijk niet lang daarvoor weten te ontfutselen. Die man was een Brits marineofficier geweest, die al in het begin van de oorlog was gesneuveld.

Er moesten tal van andere vrienden en kameraden zijn geweest, uit haar jeugd en uit die vijf lange oorlogsjaren die ze grotendeels als Brits geheim agente had doorgemaakt, allereerst in Engeland, en later in Frankrijk. Engelse spionnen. Franse verzetsmensen. En natuurlijk Joe Meade, de charmante Amerikaanse piloot op wie ze verliefd was geworden, met wie ze was getrouwd en van wie ze een kind had gekregen, en die ze een week voor mijn geboorte had verloren.

Ik kan me indenken dat de geesten van al die dode mensen mijn moeder achtervolgden – die avond en de rest van haar leven.

10

Havenwood, Minnesota
Donderdag 11 januari 1979

Cruz wist wanneer hij werd afgepoeierd. Samen met Berglund stond hij op de parkeerplaats voor het politiebureau van Havenwood. Hij was moe en hij had honger, en zijn handen en voeten waren ijskoud. De zon was ondergegaan terwijl ze in het ziekenhuis van Montrose waren, en er gierde nu een bitterkoude wind over het basketbalveldje aan de overkant van de weg. Onder zijn schoenen kraakte een dun laagje ijs op het geasfalteerde parkeerterrein, dat verlaten was op Berglunds auto en een andere surveillancewagen na.

'Waarom laat je het niet aan mij over?' zei Berglund. 'Zodra Jillian weer op de been is, zal ik haar vragen naar dat bezoek van haar aan Engeland – wie ze daar heeft gesproken, of haar iets bijzonders is opgevallen, dat soort dingen. Geef me desnoods een lijstje met vragen, dan zorg ik dat je antwoorden krijgt. Alleen kan dat nog wel een tijdje duren, gezien de toestand waarin ze verkeert. Reden te meer trouwens om hier je tijd niet langer te verspillen.'

Terwijl Cruz stukjes ijs met zijn voet loswrikte en wegschopte, keek hij naar de grond. Ze waren via een landelijk weggetje teruggereden naar Havenwood – volgens Berglund de kortste route, al was de zwarte leegte waar ze doorheen reden Cruz grimmig, onaanlokkelijk en eindeloos voorgekomen. Al die tijd waren ze slechts één ander voertuig tegengekomen, een bestelwagen die de andere kant uitging. Verder niets. Geen benzinepomp, geen telefooncel, geen eenzame boerderijen. Na de eerste paar minuten vaag naar de door vuile koplampen verlichte weg te hebben gestaard, had Cruz het akelige gevoel gekregen dat hij langzaam blind werd.

Sinds ze waren vertrokken van de psychiatrische afdeling, had Berglund nauwelijks een woord gezegd. Nu stonden beide mannen tegenover elkaar op het parkeerterrein, verlicht door een enkele natriumlamp hoog aan een verweerde paal, die lange schaduwen wierp en het brede gezicht van de hulpsheriff in een spookachtig licht zette. Zijn adem hing als de rookpluim van een stoomlocomotief in de koude nachtlucht. Het was duidelijk dat hij niet op een uitnodiging hoefde te rekenen om nog even mee naar binnen te gaan, dacht Cruz. Berglund had genoeg van zijn rol als gastheer.

'Ik zal erover nadenken,' antwoordde Cruz. 'Misschien doe ik dat uiteindelijk wel, maar we moeten maar even zien hoe de zaken zich ontwikkelen. Laat je trouwens door mij niet van je werk houden. Ik weet zeker dat je genoeg te doen hebt zonder op mij te moeten passen.'

Met zijn duim wees Berglund naar het lage gebouw. 'Er liggen nog stapels papierwerk op me te wachten binnen.'

Cruz knikte. 'Succes. En nog bedankt voor je hulp.'

'Geen probleem. Vlieg je vanavond nog terug?'

'Dat denk ik niet. De laatste vlucht naar Washington is om halfacht, en ik denk niet dat ik die haal, zeker niet als ik de auto eerst nog moet terugbrengen.'

'Misschien kun je de eerste ochtendvlucht nemen. Lever je auto vanavond nog in en boek een kamer in een van de luchthavenhotels in Minneapolis.'

'Dat zou ik kunnen doen, maar eigenlijk was ik van plan om nog een dagje langer te blijven. Zien hoe Miss Meade zich morgen voelt.'

Berglund zweeg. Zijn ogen lagen diep verscholen in hun kassen. 'Zoals je wilt,' zei hij ten slotte vlak.

'Kun je een hotel aanbevelen?'

'Er zijn rond deze tijd maar twee hotels open, Lakeside Inn en Whispering Pines.'

'Welk kun je aanbevelen?'

'De kamers in Lakeside zijn groter en het uitzicht is mooier, al maakt dat 's nachts natuurlijk weinig uit. Het is er wel lawaaierig. Beneden is een steakhouse met een bar. Ze serveren er trouwens een prima biefstuk. Het Whispering Pines Motel ligt naast het Chevron-station een kilometer verderop. Je bent er langs gekomen toen je in Havenwood aankwam. De kamers zijn niet veel bijzonders, maar het is er schoon en veel rustiger, vooral in deze tijd van het jaar. En voor een goed ontbijt is er geen beter adres dan het aangrenzende wegrestaurant. Vrachtwagenchauffeurs rijden zelfs speciaal om om daar te kunnen eten.'

'Ik denk dat het dan dat laatste wordt,' zei Cruz. 'Heb jij trouwens nog zin om daar even een hapje te gaan eten? Of een biertje te drinken?'

Berglund bracht zijn gewicht over op zijn andere voet. 'Geen tijd. Ik moet die paperassen nog afhandelen, en daarna wil ik nog even bij de vrouw van de baas langs om te horen hoe het vandaag met hem is gegaan. En...' Hij ging opeens rechtop staan en schoof zijn mouw omhoog om op zijn horloge te kijken. 'O, shit! Ik had geen idee dat het al zo laat was. Mijn zoontje moet over een halfuur op ijshockey zijn. Ik coach zijn team. Sorry,' zei hij, terwijl hij zijn hand uitstak. 'Ik zal je nu aan je lot moeten overlaten.'

'Geen probleem. Ik red me wel,' zei Cruz. Zijn hand verdween haast in Berglunds kolenschop. 'Nogmaals bedankt. Hoe laat wilde je morgen naar het ziekenhuis gaan?'

'Dat weet ik nog nict. Moeilijk te zeggen. Hangt ervan af wat hier verder nog gebeurt.'

'Ja, je hebt natuurlijk meer te doen. Nou, misschien ga ik er dan wel op eigen gelegenheid heen. Wie weet treffen we elkaar nog.'

De hulpsheriff wilde zich al omdraaien om naar binnen te gaan, maar bleef met opgetrokken wenkbrauwen nog even staan. 'Even voor de duidelijkheid, Cruz, onze eerste prioriteit is uitzoeken wat Jillian ons kan vertellen over de brand en de dood van haar moeder. Mocht de dokter ons – míj – morgen bij haar laten en is ze in staat om te praten, dan komt dat onderzoek van jou even op de tweede plaats. Daarom zei ik dat je je informatie misschien beter aan mij kon geven, zodat ik je later kan vertellen wat ze te zeggen had.'

'Zoals ik al zei, draait het daar misschien op uit,' zei Cruz bedaard. 'Laten we eerst maar even afwachten wat er morgen gebeurt.'

'Ze zal het al moeilijk genoeg krijgen met de verwerking van de dingen die hier zijn gebeurd. Ik zal je moeten vragen haar op dit moment niet lastig te vallen met andere dingen. Dat meen ik.'

Cruz knikte. 'Ik begrijp dat je onder grote druk staat om met antwoorden te komen, hulpsheriff.'

'Dat is zo. En wie weet hoe lang het duurt voordat ik die antwoorden krijg? Het laatste wat ik wil is de hete adem in mijn nek van een of andere federale bons terwijl...' Berglund had zich opgericht en boog zich dreigend over Cruz heen, maar opeens vermande hij zich en deed een stap achteruit. 'Laat maar. Sorry. Het zijn zware dagen geweest. En ik weet natuurlijk ook wel dat jij ook je werk moet doen, maar daar kan ik me nu even niet mee bezighouden, begrijp je?'

'Tuurlijk, dat begrijp ik best. Ik neem je niets kwalijk.'

'Dat waardeer ik. Ik vind het alleen een vervelend idee dat je hier je tijd loopt te verspillen. Je hebt vast wel iets beters te doen, denk ik.'

'Ik heb het inderdaad vrij druk,' gaf Cruz toe. 'Aan de andere kant ligt dit nu eenmaal op mijn bordje, en zolang ik hier toch ben, kan ik net zo goed hier en daar wat navraag doen. Maar ik waardeer je bezorgdheid om mijn werklast.'

'Je moet het zelf weten,' zei Berglund. 'Maar laat ik één ding heel duidelijk stellen: ik wil niet dat je Jillian Meade op dit moment lastigvalt. Begrepen?' Zonder een antwoord af te wachten, draaide hij zich om en beende naar binnen.

Peinzend keek Cruz hem na, toen stapte hij in zijn gehuurde Buick en startte de auto. Hij zette meteen de verwarming in de hoogste stand. Zijn schouders, armen en benen, elke spier in zijn lichaam, alles zat vast in protest tegen de kou. Ineengedoken zat hij achter het stuur, over zijn armen wrijvend en naar het gebouw kijkend, terwijl hij wachtte tot het in de auto wat warmer was.

Rechts van de glazen voordeur was het raam van het kantoortje van de sheriff, waar hij de eerste keer met Berglund had gepraat. Er brandde geen licht, maar de deur stond open, en Cruz kon de fel verlichte agentenkamer daarachter zien. Berglund stond er te praten met een van zijn mannen, de witharige man in uniform die Cruz eerder rapporten had zien typen. Opeens stond de man op en pakte de parka die over de rugleuning van zijn stoel hing.

De hulpsheriff wekte een sombere indruk toen hij zich omdraaide en naar het kantoortje liep. De man was het prototype van een dienstklopper, dacht Cruz. Een fatsoenlijke, maar onervaren plattelandsdiender die onverwacht was opgezadeld met de dubbele last van een moordonderzoek en de verantwoordelijkheid daarvoor. Als Berglund echter inderdaad zo schoon was als hij leek, waarom nam zijn achterdocht dan steeds vastere vormen aan? Kwam dat door Berglund, of was het zijn eigen probleem, een reactie die veroorzaakt werd door te lange omgang met corruptie in uniform? Hij zag Berglund het licht in het kantoortje aanknippen en de deur sluiten, waarna hij zijn jas op een stoel gooide en de telefoon pakte.

Ondertussen trok een beweging achter de balie Cruz' aandacht. De witharige agent verscheen achter de glazen deur. Hij zette een politiepet op en zwaaide naar iemand achter de balie – nog steeds de op detectiveverhalen verzotte Verna? Of zou die inmiddels naar huis zijn? In de deuropening bleef de agent staan toen hij Cruz' Buick met draaiende motor op de parkeerplaats zag staan.

Tijd om te vertrekken. Cruz zette de auto in de versnelling en reed weg, terwijl hij ogen in zijn rug voelde prikken. Bij de weg aangekomen, wierp hij een blik in zijn spiegeltje. De agent stapte net in de zwart-witte surveillancewagen die naast die van Berglund stond. Met een bedaard gangetje reed Cruz de weg af, speurend naar het tankstation van Chevron en het aangrenzende motel dat Berglund had aanbevolen. Ook keek hij uit naar de auto die hij elk moment achter zich aan verwachtte. En inderdaad draaiden er een ogenblik later twee koplampen de weg op, die zich in dezelfde richting bewogen als hij, weg van de stad. In een klein plaatsje als dit kon hij zich onmogelijk verbergen, als Berglund opdracht had gegeven dat hij in de gaten gehouden moest worden. Het enige wat hij kon doen, was de surveillance zo saai mogelijk maken.

Het Whispering Pines Motel bevond zich ongeveer een mijl buiten de stad. Met een zucht van opluchting reed Cruz het parkeerterrein op, blij van de hoofdweg af te zijn, waar het zicht steeds slechter werd. Het weer was er ook verder niet beter op geworden. Natte sneeuw zwiepte over het trottoir en hoopte zich op daar waar het een obstakel als een stoeprand of een boomstam tegenkwam. Het was een donkere nacht, en de ruimte achter het tankstation was een duister gat, maar het complex zelf was verlicht door felle lampen die op de hoeken van het dak van het lange, lage gebouw waren bevestigd. Sneeuwvlokken voerden een wilde dans uit in de lichtbundels. Mooi om te zien, dacht Cruz, maar het was akelig weer om in te stranden.

Alle kamers van het motel grensden aan het parkeerterrein, dat achter een gezellig aandoend wegrestaurant was gesitueerd. Het naastgelegen pompstation was met het restaurant verbonden door middel van een kantoortje dat zowel voor het pompstation als voor het motel erachter dienst leek te doen. Naast de deur lichtte het woord 'Vrij' op in rode neonletters. Opzij van het gebouw stonden een paar vrachtwagencombinaties geparkeerd en in het restaurant leek het tamelijk druk, maar de parkeerplaatsen voor de motelkamers waren allemaal leeg.

Een bel aan de deur klingelde toen Cruz het kantoor betrad. Binnen rook het naar machineolie, friet en koffie; die laatste geuren dreven het kantoortje in via de openstaande verbindingsdeur tussen restaurant en kantoor. Cruz zag een gezette serveerster van middelbare leeftijd drie borden op een arm balanceren. In haar andere hand klemde ze drie witte mokken van email. Zo stevende ze af op drie mannen aan een tafeltje in de hoek. Cruz' maag rammelde. Sinds de rubbereieren en keiharde broodjes aan boord van het vliegtuig had hij, op Verna's koekje na, niets meer gegeten.

'Avond,' riep een stem achter hem.

Hij draaide zich om en zag een oudere man met een dikke bos achterovergekamd haar in een met olie besmeurde blauwe overall over de balie hangen, kauwend op een geel potlood. Een eindje verderop stond een nog veel oudere man in een roodgeblokt jack, met een groene pet op zijn hoofd. De twee mannen hadden staan praten toen Cruz binnenkwam, maar pauzeerden nu om de nieuwkomer schattend op te nemen. De blauwe overall – waarschijnlijk de eigenaar, dacht Cruz – haalde het potlood uit zijn mond en knikte bij wijze van welkom, maar de oude man draaide zijn hoofd af en ging verder met het gesprek dat door Cruz' komst was onderbroken.

'Je vraagt je af waar ze het voor nodig had, dat is mijn mening.'

'Ik kom zo,' riep de man achter de balie over het hoofd van de oude man heen naar Cruz, voordat hij zich weer tot zijn gesprekspartner wendde. Op zijn overall was in rood de naam 'Norbert' gestikt. 'Hm-hm,' zei hij tegen de oude man, al was het moeilijk te zeggen of hij het echt met hem eens was of zomaar wat zei. Hij pakte een stapeltje rekeningen en bladerde erin, pakte er toen een tussenuit en liet een met olie besmeurde vinger over het blaadje glijden. 'In elk geval, Henry, heb ik haar schokdempers en velgen wel degelijk vervangen. Maar die uitlaat moest ik bestellen. Ik heb de ouwe min of meer gefikst zodat je er nog even mee vooruit kunt, maar ik heb geen idee hoe lang die het houdt.'

'Dus dan moet ik haar wel brengen?'

'Ja, zeker. Als we die beugels niet vervangen, breekt de middenas met een paar weken door – helemaal met jouw manier van rijden,' voegde hij eraan toe, en hij knipoogde naar Cruz.

De oude man, Henry, negeerde de steek. 'Hoe lang duurt het dan voor die uitlaat hier is?'

'Week, tien dagen. En dan moet ik hem nog vastlassen.'

'Bah! Wat gaat dit geintje me eigenlijk kosten?' Hij haalde een dikke, versleten leren portemonnee uit de achterzak van zijn kreukelige groene werkbroek.

'Zeg maar tachtig dollar.'

'Inclusief de beugel?'

'Nee, niet inclusief de beugel, maar ik neem wel de sleepkosten voor mijn rekening. Die beugel gaat je nog tien of twaalf extra kosten – of zeg twintig, inclusief werkloon. Maar dat zien we wel als het zover is.'

'Man, je haalt me het vel over de oren!'

Zo onwillig alsof het om een lapje van zijn bloedeigen huid ging, pelde de oude man een biljet van de dikke stapel geld die hij uit de portemonnee haalde. Hij legde het met een klap op de balie, en Cruz zag op het gekreukte papier de trekken van Ben Franklin. Net als Cruz' vader, vertrouwde Henry de bank kennelijk niet en paste hij liever zelf op zijn geld.

'Ik heb toch gezegd dat je met die ouwe brik niet in ruig terrein moest rijden?' zei de garagehouder, terwijl hij het biljet pakte en het bedrag intikte op de antieke kassa. 'Je boft nog dat je niet de hele bodem hebt opengescheurd.' De kassa ratelde en de lade gleed open.

Henry maakte een afwerend handgebaar. 'Er zit nog leven genoeg in haar.'

De garagehouder tilde een stapeltje twintigjes op en liet het honderdje onderop glijden. Vervolgens pakte hij een briefje van twintig van de stapel. 'Tuurlijk, Henry,' zei hij, en grinnikend schoof hij de la dicht en overhandigde de oude man zijn wisselgeld. 'Blijf dat vooral geloven. Goed voor de zaken.'

De man keek hem nijdig aan en griste het briefje van twintig weg, alvorens het in de al overvolle portemonnee te laten verdwijnen. 'In elk geval,' zei hij, de draad van het onderbroken gesprek weer opnemend, 'vraag je je toch af waar ze het voor nodig had, wat jij? In elk geval niet om het gras te maaien, dacht ik.'

'Daar kon je wel eens gelijk in hebben.'

'Mijn vrouw heeft Grace die middag nog gezien, wist je dat? Bij Set 'n Style.'

'O, ja?'

'Dat zeg ik. Ze zat in de stoel naast haar en vertelde het meisje dat haar hielp dat Jill onverwacht was opgedoken. Mijn vrouw zei dat Grace geen idee had dat ze langs zou komen.'

Cruz was de ansichtkaarten in het rek bij de balie aan het bekijken – zomerse plaatjes van raceboten en waterskiërs op Lost Arrow Lake, grijnzende hengelaars die de vangst van de dag ophielden en pittoreske beelden van de ondergaande zon boven het meer, dat bloedrood oplichtte. Er waren ook een paar kaarten met racende sneeuwscooters, en de winterwonderlandplaatjes die Cruz had gezien vanaf het terrein waar het huis van Grace Meade had gestaan, toen hij over het bevroren meer keek. Maar de zomer was duidelijk het favoriete toeristenseizoen. Toen hij zich realiseerde dat de mannen het over Grace Meade hadden, spitste hij zijn oren.

'Wist Grace niet dat ze zou komen?' vroeg de garagehouder, terwijl hij de doorslag van de rekening scheurde en aan de oude man gaf. Hij sloeg zijn armen over elkaar en leunde tegen de vitrine achter de balie, die een gevarieerd aanbod van producten bevatte – aspirine, scheermesjes, papieren zakdoekjes, een selectie van felgekleurde vliegjes en nylon visdraad.

'Ze had geen flauw idee,' antwoordde de oude man. 'En dat zet je toch wel aan het denken.'

'Daar kon je wel eens gelijk in hebben. In elk geval, Henry, ik geef een seintje zodra die beugel binnenkomt.'

Henry vouwde de doorslag dubbel en propte hem in de achterzak van zijn afzakkende werkbroek. 'Moet je doen.' Even aarzelde hij, zichtbaar verlangend het gesprek voort te zetten, maar de over elkaar geslagen armen van de garagehouder zonden een niet mis te verstaan negatief signaal uit. Ouwe Henry nam Cruz nogmaals nogal misprijzend op en liep toen naar de deur. Onderweg riep hij over zijn schouder: 'Kom je zaterdag nog, Norbert?'

'Reken daar maar wel op.'

'Oké. Dan zie ik je dan wel.'

'Ik bel je nog over die beugel.'

'Zie maar even.' De deur bel klingelde toen de oude man naar buiten liep.

De monteur schudde zijn hoofd, grijnsde en wendde zich

toen tot Cruz. 'Dat is me er eentje. Probeerde laatst na een bezoekje aan de kroeg een kortere weg naar huis te vinden. Reed met zijn ouwe Ford dwars door het open veld. Na vijftig meter bleef hij al aan een stronk hangen.'

Cruz grijnsde terug. 'Dat is in elk geval goed voor de zaken, zoals u al zei.'

'Klopt als een bus. Nou, waarmee kan ik u helpen?'

'Ik heb een kamer nodig, en ik heb gehoord dat ik dan hier aan het beste adres ben.'

De ander haalde bescheiden zijn schouders op. 'Het kon minder. Van wie hebt u dat trouwens gehoord?'

'Hulpsheriff Berglund.'

'Zo, zei Nils dat? Tuurlijk, geen enkel probleem. Het is rond deze tijd niet echt druk. U kunt zelfs kiezen.'

'Zou ik dan de kamer helemaal achteraan kunnen krijgen, het verst weg van de pomp?'

'Dat kan.' Hij haalde een dik boek uit een vak onder de balie en bladerde naar de laatst beschreven bladzijde. 'Voor hoeveel nachten is het?' vroeg hij.

'Weet ik nog niet. Een, misschien twee. Hangt ervan af.'

Aan de muur achter de balie hing een kalender van een graanfabriek. De man draaide zich om om te zien welke datum het was en noteerde toen datum en kamernummer in het register, voordat hij het een halve slag draaide en naar Cruz toe schoof. 'Bent u hier voor zaken?'

'Inderdaad,' antwoordde Cruz. Hij nam de pen aan en vulde zijn naam en adres in.

De eigenaar knikte naar Cruz' jas en stropdas. 'U lijkt me geen type voor ijsvissen.'

'Nee, dat is zo.' Cruz draaide zich half om en tuurde door het raam naar de huurauto die hij voor het gebouw had geparkeerd, boog zich toen weer over het register en schreef de gegevens van het nummerbord op.

'De prijs is twintig dollar per nacht,' zei de man, waarna hij het register naar zich toe trok en Cruz' gegevens bestudeerde. 'Lokaal bellen is inbegrepen, maar interlokaal is voor eigen rekening.' Cruz knikte. 'U komt uit Washington? Dan bent u een heel eind van huis.'

'Dat is waar. Mag ik u iets vragen?'

'Wat dan?'

Cruz wees met zijn duim naar de deur. 'Die oude baas die hier net was, had die het over Grace Meade en haar dochter?'

'Bent u van de krant?'

'Nee, dat niet.' Toen Cruz zag dat de eigenaar daar geen genoegen mee nam, voegde hij eraan toe: 'Ik ben detective.'

'Dus daarom hebt u met Nils Berglund gepraat. U onderzoekt de brand zeker, hè? Ik had al gehoord dat er een speciaal team bezig was in het huis van Grace.'

'Ik ben van het Federal Bureau Of Investigation.'

'A. Cruz,' las de eigenaar hardop. Hij keek op. 'FBI, zei u?'

'Dat klopt,' antwoordde Cruz. 'Agent Alex Cruz. Ik ben net vanmiddag gearriveerd. En u bent...'

'Norbert Jorgenson. Eigenaar van dit bedrijf.' Hij legde het register weer onder de balie. 'Tevens loco-burgemeester van Havenwood. De mensen hier zijn aardig van streek door deze hele toestand, dat kan ik u wel vertellen.'

'Dat kan ik me voorstellen.'

'Ja. Verschrikkelijk, die brand. Mrs. Meade was heel actief in het maatschappelijk leven hier, en veel mensen zullen haar missen. Maar het verbaast me toch wel dat de FBI een van haar brandexperts stuurt.'

'Nee, ik hoor niet bij het team dat de brand onderzoekt. Ik ben hier voor een heel andere zaak. Pas nadat ik Jillian Meade hier had opgespoord, hoorde ik van de brand en haar moeders dood.'

'Dus u was op zoek naar Jillian?' Jorgenson leunde tegen de balie en sloeg zijn armen over elkaar. 'Waar was dat dan voor, als ik mag vragen?'

'Een routinekwestie. Maar die zaak met de brand heeft de dingen wel wat gecompliceerd. Wat zei die oude man zonet? Iets over Mrs. Meade en over grasmaaien?'

'O, Henry was hier een paar dagen geleden ook al, en toevallig was ik net bij de pomp bezig, toen Jillian Meade hier een jerrycan met benzine kwam vullen.'

Cruz hield zijn adem in. 'Is Jillian Meade hier geweest om een jerrycan met benzine te halen? Was dat op de dag van de brand?'

'Ja, ik meen dat het eergisteren was.'

'Zei ze ook waar ze het voor nodig had?'

'Tja, dat is nu juist zo vreemd. Ik was stomverbaasd haar te zien. De laatste keer was minstens drie jaar geleden. Ze was op de middelbare school bevriend met onze dochter, en vandaar dat we haar aardig goed hebben leren kennen,' antwoordde Jorgenson met een hoofdknikje in de richting van het restaurant, waar zijn vrouw een tafeltje afnam. 'Onze dochter is inmiddels getrouwd en woont in Seattle, dus we hadden eigenlijk geen contact meer met Jill. Maar Grace zei dat ze heel weinig naar huis kwam. Met kerst was ze er ook niet. Dat weet ik, omdat Grace die dagen bij de Newkirks heeft doorgebracht. Dat zijn haar buren. Tom Newkirk is onze burgemeester, en hij en ik hebben op de dag voor kerst nog samen een borreltje gedronken. Van hem hoorde ik ook dat Grace met de kerstdagen alleen was en dat ze daarom bij hem en Sybil zou komen eten.

'In elk geval,' ging Jorgenson verder, zich kennelijk realiserend dat hij afdwaalde, 'dook Jillian hier een paar dagen later volkomen onverwacht op om een jerrycan met benzine te halen. Stomverbaasd was ik. Ik zei nog dat we haar gemist hadden met de kerstdagen.'

'Heeft ze nog gezegd waarom ze hier toen niet was?' vroeg Cruz, terugdenkend aan het gesprek met haar baas. Volgens de douanegegevens was Jillian Meade op 22 december teruggekomen van haar reisje naar Europa. Volgens Haddon Twomey hadden ze nauwelijks tijd gehad om de resultaten van haar bezoekjes aan Engeland en Frankrijk te bespreken, omdat ze allebei voor de kerstdagen weer weggingen, Jillian naar haar moeder en Twomey naar vrienden van hem. Maar als ze dat tegen haar baas had gezegd, waarom was ze dan niet gekomen? Had ze besloten toch maar te blijven en het fort tijdens Twomeys afwezigheid te verdedigen? Of was ze achter geraakt met haar werk en wilde ze dat inhalen? In gedachten maakte Cruz een notitie om dat punt later uit te zoeken, in een gesprek met haar of desnoods met Twomey.

Jorgenson wist het in elk geval niet. 'Ze zei alleen dat ze met kerst niet kon komen. Ze is nog steeds vrijgezel, en daarom vroeg ik me af of ze misschien de kerstdagen met een speciale vriend had doorgebracht. Maar Jillian zei er verder niets over, en ik wilde er ook niet naar vragen. Jaren geleden zou ik haar er misschien wel mee geplaagd hebben, maar ze is geen kind meer en we kennen haar ook niet meer zo goed als vroeger...' Schouderophalend zweeg Jorgenson, alsof hij wilde zeggen: 'Zo gaan die dingen nu eenmaal.'

'En die benzine? Zei ze daar nog iets over?'

'Nee, en ik heb er eerlijk gezegd ook niet naar gevraagd. Ik vond dat het me niets aanging.'

Nadenkend keek Cruz naar buiten, waar de wind was aangetrokken en natte sneeuw over de verlaten parkeerplaats joeg. De vlokken bleven als nat zand tegen het raam plakken. 'Maar u vond het niet vreemd, of zo.'

'Nee, toen niet. Iedereen komt hier zijn jerrycans met benzine vullen voor een of ander klusje. Pas daarna hoorde ik van Nils Berglund dat er een speciaal onderzoeksteam op de plaats van de brand bezig was. En toen herinnerde Henry me eraan dat Jillian hier die middag geweest was.' Weer haalde Jorgenson zijn schouders op. 'Wat zei dat speciale team trouwens, weet u dat?'

'Hun definitieve rapport laat denk ik nog wel even op zich wachten. Hebt u dat met die jerrycan aan Nils Berglund verteld?'

'Nee, dat is er nog niet van gekomen. Zoals ik al zei, schoot het me pas weer te binnen toen Henry er net over begon. Maar ik zie Nils vandaag of morgen wel weer. Dan zal ik het tegen hem zeggen.'

Er klingelde een bel, en beide mannen keken naar buiten, waar een oude vw-bus met meer roest dan staal op de carrosserie stilstond bij een van de pompen. Jorgenson liep naar een plank achter de balie, waar een aantal sleutels aan kopjeshaken hing. Elke sleutel was voorzien van een felgroene sleutelhanger in de vorm van een dennenboom. Hij pakte de sleutel met het cijfer acht op de sleutelhanger en overhandigde die over de balie heen aan Cruz. 'Alstublieft. De kamer helemaal achteraan.'

Cruz pakte de sleutel aan, maar maakte geen aanstalten om te vertrekken. 'Kunt u een reden bedenken waarom Jillian Meade brand zou hebben gesticht?'

Het antwoord kwam zonder aarzelen. 'Jillian? Vergeet het maar. Het is een aardige, rustige meid, en de Meades zijn fatsoenlijke mensen. Jillian is hier nota bene opgegroeid! Nee, zij kan het onmogelijk gedaan hebben.'

Langzamerhand begon Cruz het idee te krijgen dat hij misschien niet rijk zou zijn als hij een dollar kreeg voor elke keer dat iemand zei dat opgroeien in Havenwood een garantie voor onschuld was, maar toch in elk geval rijk genoeg voor een van die steakmaaltijden waar Berglund het over had gehad; een gedachte die des te aanlokkelijker was omdat hij sinds het ontbijt praktisch niets meer had gegeten.

De Volkswagen toeterde, en Jorgenson liep om de balie heen. 'Ik moet die mensen even helpen, maar mocht u iets nodig hebben, Mr, eh...'

'Cruz.'

'Precies. Mocht u iets nodig hebben, dan belt u maar hierheen. Als ik er niet ben, dan neemt mijn vrouw de telefoon wel op. Die zorgt wel dat het u aan niets ontbreekt.'

11

Nu heb ik toch gehuild. De bladzijde waarop ik bezig was is doorweekt, en de roze inkt van deze bespottelijke viltstift is helemaal doorgelopen. Erger nog is dat ik tijd heb verknoeid, en ik heb al zo weinig tijd. Nils Berglund is hier geweest. Ik hoorde stemmen op de gang, en ik weet bijna zeker dat een van die stemmen van hem was. Maar er is niemand binnengekomen. De dokter was er geloof ik ook bij. Die houdt bezoekers bij me weg, denk ik. Dat is de enige verklaring die ik kan bedenken voor het feit dat ze nog niet zijn langs geweest.

Toen ik ze op de gang hoorde, herinnerde ik me trouwens wel opeens dat het Nils was die me uit de vlammen heeft gehaald. Zou hij het onderzoek leiden? Hij moet er op zijn minst bij betrokken zijn. De politie van Havenwood bestaat per slot van rekening uit niet meer dan vijf of zes man, en op de een of andere manier zie ik die ouwe sheriff Lunders niet aan het hoofd van zoiets serieus als een moordonderzoek.

Ik vraag me af of er wel ooit eerder een moord is gepleegd in Havenwood. Wel jacht- en bootongelukken natuurlijk, en flink wat auto-ongelukken – waaronder dat van vier van onze vrienden, die zich na een schoolfeest te pletter hebben gereden. Maar een echte moord, daar kan ik me niets van herinneren. Het is Nils overigens wel toevertrouwd. Hij zal het grondig aanpakken – volgens de regels, en zonder aanzien des persoons.

Zal hij degene zijn die me geboeid afvoert uit dit ziekenhuis? Arme Nils! Het spijt me zo, dit en alles. Ik blijf je leven maar in de war schoppen, hè? Dat is nooit mijn bedoeling geweest, maar ik besef dat dat een schrale troost is. En ik wil dat je weet dat ik het je niet zal aanrekenen dat je je plicht doet. Het spijt me alleen zo dat ik je in zo'n lastig parket heb gebracht.

Dit verslag zou de dingen wat eenvoudiger moeten maken en helpen uitleggen wat er is misgegaan. Bepaalde details staan me nog steeds niet helder voor de geest en mijn gedachten dwalen steeds af. Ik probeer het allemaal op een rijtje te krijgen, zodat ik een samenhangend verhaal kan opschrijven – waarom ik deze week hierheen ben gekomen en wat er na mijn komst is gebeurd. Als ik me maar lang genoeg afstandelijk kan opstellen en concentreren om alles op papier te zetten.

Hoe heeft het zover kunnen komen?

Ik heb mijn moeder nooit pijn willen doen. Ik hield van haar, echt waar, ook al hebben we elkaar de afgelopen jaren weinig gezien. In mijn hart heb ik altijd het gevoel gehad dat ik niet het kind was dat ze zich gewenst had – als ze tenminste ooit een kind heeft gewenst. In de loop der jaren keerde het schuldgevoel over mijn tekortkomingen zich uiteindelijk tegen haar, alsof haar aanwezigheid alleen al een verwijt was naar mij toe.

De laatste tijd drong het echter tot me door dat mijn moeder oud begon te worden (ze was net zestig geworden) en dat ik zelf ook de middelbare leeftijd begon te naderen. Misschien werd ik eindelijk volwassen, want ik begon in te zien dat het zinloos was haar verantwoordelijk te houden voor alles wat er in mijn leven was misgegaan. Opeens betreurde ik al die verspilde tijd; per slot van rekening was ze mijn moeder. Ik wilde haar beter leren kennen en het weer goedmaken met haar.

Hoe heeft het allemaal zo fout kunnen gaan?

De meeste mensen in Havenwood zouden stomverbaasd zijn als ze mijn liefdesverklaring hoorden, vooral nu. Ik denk dat ze me maar een dochter van niks vinden. Bij de gelegenheden dat ik vrienden van mijn moeder tegenkwam bij een van mijn zeldzame bezoekjes thuis, voelde ik de afkeuring in de koele vragen naar mijn leven in Washington. De laatste keer las Sybil Newkirk, onze buurvrouw en waarschijnlijk mijn moeders beste vriendin, me de les dat ik haar verwaarloosde.

'Ze verdient beter, Jillian. Ze is een verbazingwekkende

vrouw, maar net als wij allemaal wordt ze een dagje ouder. Jij bent de enige familie die ze heeft, en je woont mijlenver weg. Grace zegt dat je bijna nooit belt. Dat is niet goed, na alles wat ze heeft meegemaakt... nadat ze hierheen is gekomen om jou een goed thuis te geven.'

Hartelijk dank, Mrs. Newkirk. Alsof ik me nog niet schuldig genoeg voel.

Iedereen hier kent uiteraard het verhaal van Grace en Joe Meade; hoe de knappe sterspeler van Havenwood High ten strijde trok en uiteindelijk geheime missies uitvoerde voor de Franse Résistance. Hoe hij in de val liep achter de vijandelijke linies en daar verliefd werd op een mooie, jonge Engelse die bij de Maquis werkte. Hoe ze in het geheim trouwden onder de neus van de Gestapo en hoe Joe kort daarna gevangengenomen werd tijdens een poging bezet Frankrijk te ontvluchten. Hoe Joe een paar weken voor de bevrijding werd doodgeschoten zonder zijn kind (mij dus) ooit te hebben gezien. Dat Helen en Arthur Meade de bruid van hun zoon na de oorlog een brief stuurden waarin ze haar uitnodigden naar Havenwood te komen met haar baby en bij hen te komen wonen.

Het was net een film, en Havenwood sloot Grace, de heldin, met alle beschermende liefde en loyaliteit van een klein stadje in de armen. Zelfs de onderwijzers op de Joseph Meade-basisschool vertelden me keer op keer dat ik iets van mijn leven moest maken, omdat mijn ouders zo veel offers hadden gebracht.

Daarom is het waarschijnlijk onvermijdelijk dat ik de slechterik ben in dit verhaal. Maar wat maakt dat uit? Gebeurd is gebeurd, daar is niets aan te veranderen. Ik kan geen excuses aanbieden voor mijn daden; er is trouwens niemand die ze zou willen horen. Een verklaring is het enige wat ik kan geven – al weet ik heel goed dat ik daardoor alleen nog maar slechter lijk. Maar ik ben op het punt gekomen dat dat me niets meer kan schelen. Ik wil alleen maar dat het voorbij is.

Zolang ik me kan herinneren, hebben mensen me bestudeerd, zoekend naar sporen van Grace' schoonheid en moed. Ze waren niet de enigen die daarin teleurgesteld werden. Het feit dat ik me naast haar zo tekort voelde schieten, was waarschijnlijk een deel van de problemen tussen ons. Ik wilde zo graag net als zij zijn. Zij was nergens bang voor; ik overal. Zij werd door iedereen bewonderd; ik werd altijd over het hoofd gezien. Zij blonk uit in alles wat ze deed; ik was op elk gebied middelmatig, behalve wat leren betreft, omdat alleen al de hoeveelheid tijd dat ik met mijn neus in de boeken zat, borg stond voor een goed resultaat. Jillian Meade, eersteklas sul: ziehier mijn persoontje.

Net als de meeste toonbeelden van volmaaktheid, was mijn moeder niet altijd de makkelijkste. Ze kon veeleisend zijn en vond het moeilijk te accepteren dat niet iedereen zo zeker van zichzelf was als zij. Nadat we haar met zijn allen op een voetstuk hadden gezet, was het trouwens, toen ik ouder werd, een hele schok voor me te ontdekken dat zij ook niet perfect was. De fouten die ze maakte, en die maakte ze, bleken al net zo levensgroot als haar deugden.

De spanning tussen ons was de laatste paar jaar dat ik thuis woonde al flink opgelopen. Een groot deel ervan was waarschijnlijk de normale spanning tussen een moeder met een sterke wil en een dochter die zich begon te roeren. Ik probeerde, op mijn eigen zwakke manier, op eigen benen te staan. Tegelijkertijd wilde ik niets liever dan haar een plezier doen en haar goedkeuring afdwingen. Net als de meeste moeders had zij nog niet geaccepteerd dat de tijd waarin ze me kon vormen, zo goed als voorbij was; wat ze tegen die tijd niet had bereikt, zou er niet meer van komen. In mijn laatste jaar op de middelbare school leed ik enorm onder de tegenstelling dat ik haar aan de ene kant wilde plezieren en aan de andere kant mezelf wilde blijven. Ze was zo'n overheersende persoonlijkheid, dat ik wist dat ik, als ik niet wegging, de rest van mijn leven in haar schaduw zou doorbrengen, onder haar invloed. Dat ik me zou kleden zoals zij wilde, mijn leven zou leven volgens haar standaard, haar als een schoothondje volgend, terwijl zij aan de touwtjes trok in de stad.

Dus koos ik een universiteit zo ver mogelijk weg van Havenwood. Maar zelfs toen ik al was aangenomen op Georgetown, wist ik niet of ik de moed had de band te verbreken. Toen, niet lang voordat ik zou vertrekken, hadden we een verschrikkelijke ruzie. Het incident dat er de aanleiding voor was, lijkt nu belachelijk en onwerkelijk. Ik weet zeker dat we beiden wilden dat het nooit was gebeurd; we hebben het in elk geval nooit meer ter sprake durven brengen. Maar in die tijd was het meer dan genoeg om me te laten vertrekken met het vaste voornemen nooit meer terug te keren.

Natuurlijk kwam ik wel terug, zij het niet vaak. Ik was te zeer gebonden door conventies om een zo groots gebaar te maken als de verloochening van mijn moeder. Maar ik denk dat ik de afgelopen zeventien jaar niet vaker dan een keer of tien thuis ben geweest, en dan net zo kort als met goed fatsoen mogelijk was.

Toen, afgelopen zomer, dacht mijn moeder kanker te hebben. Uiteindelijk bleek het gezwel in haar nieren goedaardig te zijn, maar naderhand realiseerde ik me dat ik haar kwijt had kunnen raken zonder dat we ons ooit echt met elkaar verzoend hadden. Nadat ik het al die jaren in mijn eentje had moeten rooien en een leven had geleid dat veel simpeler was dan dat van haar, begon ik me te realiseren hoe moeilijk haar leven geweest moest zijn. Het werd tijd haar te vergeven dat ze niet de supervrouw was die ze volgens mijn kinderlijke verwachtingspatroon moest zijn.

Ongeveer in die tijd benaderde Haddon Twomey, curator van het museum waar ik werk, me over het opzetten van een tentoonstelling die was gebaseerd op pas vrijgegeven informatie betreffende de Amerikaanse steun aan het Franse verzet in de Tweede Wereldoorlog. Haddon wist iets van de geschiedenis van mijn ouders; ik denk dat hij daarom mij uitkoos om in Engeland en Frankrijk naar materiaal voor de expositie te zoeken. Ik wist meteen toen hij ermee kwam dat het een geschenk was – een kans uit duizenden om meer te weten te komen over mijn ouders en om mijn moeder wat beter te leren begrijpen.

Op dat moment besloot ik meer te doen dan domweg oude dossiers en foto's napluizen om materiaal voor deze expositie te verzamelen. Ik zou van de gelegenheid gebruikmaken ook een veel persoonlijker missie uit te voeren. Ik zou zo veel mogelijk van mijn moeders oude vrienden en kennissen opsporen. Ik zou hun vragen wat ze zich nog herinnerden van haar en van de tijd waarin ze hadden geleefd, en ik zou foto's nemen van de plekken waar ze had gewoond en gewerkt voordat ze naar Amerika kwam. Daarna zou ik alles bundelen in een album. Haar leven van vroeger.

En dan, dacht ik, zou ik haar het album als kerstgeschenk geven en tegen haar zeggen hoe trots ik was om haar dochter te zijn.

Nu ik weet wat ik toen niet wist, lijkt dat plan een wrede, verwrongen grap. Een grap om de goden te laten lachen – of bittere tranen te laten schreien.

12

Havenwood, Minnesota
Donderdag 11 januari 1979

Cruz parkeerde zijn auto voor nummer 8, de laatste kamer in het rijtje. Hij pakte zijn attachékoffertje van de achterbank en stapte vermoeid uit. Uit de kofferbak haalde hij de kleine weekendtas, waarin hij die ochtend wat schone kleren en zijn scheerspullen had gedaan voor hij naar het vliegveld was vertrokken, met de vage hoop dat hij die niet nodig zou hebben omdat hij 's avonds alweer in Washington zou zijn. Jammer.

Alle motelkamers waren voorzien van een buitendeur van glas en gaas, met direct daarachter een houten deur. Met zijn koffertje onder zijn ene arm en de weekendtas in de andere rukte Cruz de buitendeur van nummer 8 open en hield hem met een voet open terwijl hij de sleutel in het slot van de binnendeur stak en die moeizaam open wurmde. Beide deuren waren voorzien van een scharnierende veer en deden hun uiterste best dicht te klappen, met Cruz er als een rat in de val tussenin. Binnen was het aardedonker. De gordijnen waren dichtgetrokken tegen het felle licht van het parkeerterrein.

Gewoontegetrouw wilde Cruz eerst wat zien voordat hij een onbekende ruimte binnen ging. Hij drukte zijn heup tegen een van de deuren, zijn voet tegen de andere en tastte toen langs de wand, op zoek naar het lichtknopje. Toen zijn haast bevroren vingers dat eindelijk hadden gevonden, explodeerde de kamer in een uitbarsting van kleur. Hij keek snel om zich heen en voelde toen, ondanks zijn vermoeidheid, een grijns om zijn mondhoeken kriebelen.

Opeens bevond hij zich weer in zijn oude kamer, naast die van zijn tante Luisa – niet zoals die was toen hij er woonde, maar zoals hij die een paar weken eerder had aangetroffen, toen hij met de kerstdagen bij haar had gelogeerd en af en toe even bij zijn vader aanwipte.

'Dit zal altijd jouw kamer blijven, Alejandro,' had ze tegen hem gezegd. 'Hij was alleen hoognodig aan een opknapbeurt toe. En deze kleuren zijn nu helemaal in de mode, wist je dat? Ik las dat de woonkamer van Mrs. Carter in Plains in ditzelfde graangeel en avocadogroen is gedaan. De First Lady heeft precies dezelfde smaak als ik.'

'Ik heb altijd wel geweten dat u een goede smaak hebt, tante Lu,' had Cruz gezegd, terwijl hij haar kleine ronde lichaam tegen zich aantrok. Ze had tevreden gebloosd toen hij een kus op haar kruin drukte.

Vanaf zijn dertiende had hij bij haar gewoond, tot het moment dat ze hem hadden opgeroepen voor dienst. De eerste keer dat hij bij haar had gelogeerd, was toen zijn vader hem uit huis had gezet omdat hij te laat was thuisgekomen. Een dag of twee later, toen zijn vader was afgekoeld, was hij weer naar huis gegaan. Een paar weken later echter veranderde zijn logeerpartij bij zijn tante, die weduwe was, in een permanent verblijf, toen zijn vader weer eens in blinde woede was uitgebarsten om een of ander onbenullig voorval dat Cruz zich niet eens meer voor de geest kon halen. Wat hij zich nog wel herinnerde, was het gevoel van vernedering. Zijn vader had hem over straat achternagezeten met een honkbalknuppel, en Cruz had gerend voor zijn leven, tot een van de buren de politie had gebeld.

Er was een maatschappelijk werkster gekomen, die één blik op Cruz' blauwe plekken had geworpen – sommige vers, andere al bijna verdwenen – en direct met een pleeggezin had gedreigd. Bij dat idee was Cruz net zo woedend geworden als zijn vader. Hij kon prima voor zichzelf zorgen; hij was inmiddels al een stuk zwaarder dan de oude man en torende ver boven hem uit. De enige reden dat hij hem niet al lang geleden met gelijke munt had terugbetaald, was dat hij wist dat de echte reden van zijn vaders aanvallen het verdriet om de dood van zijn vrouw was. Hij schaamde zich dat hij niets had kunnen doen aan de kanker die haar drie lange jaren had gemarteld, alvorens haar uiteindelijk te doden. En hoewel Cruz het niet prettig vond het doelwit van zijn vaders onmacht te zijn, wilde dat nog niet zeggen dat hij bij vreemde mensen wilde wonen.

Hulp was er niet. Waarschijnlijk kwam een weinig honkvaste metselaar, wiens beheersing van het Engels soms net zo wankel was als die van zijn drift, in die dagen niet eens in aanmerking voor maatschappelijke hulp. En was die er wel geweest, dan zou zijn vader er nooit gebruik van hebben gemaakt, omdat het probleem in zijn ogen geheel te wijten was aan een opstandige zoon die geen respect voor zijn vader toonde.

De maatschappelijk werkster was echter net zo koppig gebleken als de oude Vicente Cruz, en uiteindelijk had de man moeten accepteren dat zijn zoon zijn intrek nam in de logeerkamer van zijn zus. Het was of dat of hem helemaal kwijtraken – een totaal uiteenvallen van *la familia*, zoals tante Luisa tegen haar broer had gezegd, wat zou betekenen dat de ziekte hem dan toch klein had gekregen. Hen allemaal.

Cruz gooide zijn tas op een stoel, die met een fel goudgele stof was bekleed, passend bij het goudgeel met groene dessin van de beddensprei en de gordijnen. De wanden waren behangen met een materiaal dat nog het meest op bamboe leek, en het kamerbrede, hoogpolige groene tapijt deed hem sterk denken aan mals voorjaarsgras. Ach, de kamer maakte een schone indruk, zoals hulpsheriff Berglund al had gezegd, al was het er wel frisjes.

Nadat hij de thermostaat wat hoger had gezet, liep hij naar de badkamer. Op de wastafel stonden twee in papier verpakte glazen, en over het handdoekenrekje hingen een paar donzige handdoeken. Weer in de kamer, tilde hij de sprei een eindje op en zag fris, wit beddengoed. Zonder zijn jas uit te doen, ging hij op de rand van het bed zitten en liet hij zich achterover vallen. De matras veerde mee, maar leek verder stevig en comfortabel. Cruz sloot zijn ogen en negeerde het holle gevoel in zijn maag na de prikkelende geur van ui en friet in het kantoortje.

Heel even zou hij zijn ogen dichtdoen, en dan ging hij naar het restaurant...

Hij schrok wakker van een harde knal. Meteen nam zijn training het over: hij liet zich van het bed op de vloer rollen en tastte naar het pistool dat hij onder zijn jas in een holster droeg. Zijn ogen zochten de kamer af en zijn oren waren gespitst. Ondertussen probeerde zijn gedesoriënteerde brein zich te herinneren waar hij was. Een motelkamer, dat was duidelijk. Maar waar ook weer?

Nog een geluid van buiten. Een dichtslaand autoportier, dacht hij toen hij zich eindelijk de plattegrond van het Whispering Pines Motel weer voor de geest had gehaald.

Hij liet de adem ontsnappen die hij onbewust had ingehouden en kwam, op zijn hoede, overeind. Naast het raam bleef hij staan om door een kier in de gordijnen naar buiten te gluren. Aan de andere kant van het parkeerterrein, voor het restaurant, vlamden de achterlichten van een pick-up fel op. Even later reed de auto achteruit zijn plekje af en koerste richting hoofdweg. Het pompstation in het midden van het terrein was hel verlicht. Door de brede ramen van het restaurant zag hij dat het verlaten was, al was het er bij zijn komst flink druk geweest. Alleen de man in de blauwe overall die hem had ingeschreven, zat aan de bar, gebogen over een bord met eten. Zijn vrouw liep heen en weer en ruimde tafeltjes af.

Cruz liet het gordijn los, keek om zich heen en stopte zijn wapen weg. Op de wekker naast het bed zag hij dat het bijna kwart voor acht was – hij had dus meer dan een uur geslapen. Zijn ogen brandden en zijn rug deed pijn van de houding waarin hij had gelegen. Het was inmiddels warm en benauwd geworden in de kamer, en het feit dat hij zijn jas nog steeds aanhad, maakte het er niet beter op. Die jas mocht dan helpen tegen de bijtende prairiewind, voor binnen was hij veel te warm.

Nadat hij de jas van zijn schouders had geschud, deed hij zijn colbertje ook maar meteen uit. Zijn das volgde. Hij maakte de manchetknopen en de bovenste knoopjes van zijn witte overhemd los, pakte het bij de kraag vast en trok het over zijn hoofd uit. In de badkamer liet hij de wasbak vollopen met koud water, waarna hij zijn gezicht erin onderdompelde.

Hij droogde zich snel af en keek in de spiegel. Zijn wangen vertoonden een blauwig waas van een halve dag niet scheren, en zijn zwarte ogen lagen diep in hun kassen van vermoeidheid. Een vreemde zou het misschien aan de reis hebben geweten, maar Cruz wist dat die donkere kringen er vaker wel dan niet waren; het onvermijdelijke gevolg van chronisch slaapgebrek.

Dat was al zo sinds het begin van zijn diensttijd. Van een psychiater had hij later gehoord dat zijn onderbewuste hem wakker hield, dat zijn geest liever niet afdaalde naar het rijk van bewusteloosheid, waar te veel herinneringen aan de dood rondwaarden. En het zou niet beter worden, had de psychiater gezegd, voordat die herinneringen naar boven waren gehaald, voordat ze onderzocht en aanvaard waren voor wat ze waren – stukjes bloederige geschiedenis die Cruz niet kon veranderen, alleen kon leren ontwijken. Erover praten, wat volgens de zielenknijper de eerste stap was, kon hij niet. Een tijdlang had hij vergetelheid gezocht in de drank, maar dat had de dromen alleen maar echter gemaakt. Uiteindelijk had hij besloten zich weer aan te melden, terug te gaan naar de plaats des onheils, om de schikgodinnen uit te dagen hem deze keer te doden, omdat het hun de eerste keer niet gelukt was. Achteraf had het zo niet gewerkt, maar op zijn eigen manier had hij verder kunnen gaan. En wat zou het dat hij zelden een volle nacht sliep? Misschien was dat alleen voor baby's en onschuldige mensen weggelegd.

Met zijn hand probeerde hij zijn haar wat glad te strijken. Het was dik en golvend, en zelfs in het zicht van de middelbare leeftijd trok de haargrens zich niet terug. Wel maakte het zwart langzaam en onvermijdelijk plaats voor grijs. Net als zijn slapeloosheid, was dat proces in gang gezet na zijn eerste keer Vietnam. Nu was het zwart bij zijn slapen doorschoten met zilver. Het haar krulde over zijn oren en in zijn nek, slordiger dan in al die jaren dat hij een uniform had gedragen. Voor de burgermaatschappij was het nog steeds te kort om modieus te zijn, maar dat interesseerde hem niet.

Nonchalant gooide hij de handdoek over de rand van het bad. Daarna liep hij terug naar de kamer, waar hij in zijn tas zocht naar de zwarte wollen coltrui die hij er die ochtend in had gegooid. Hij trok hem aan, maakte het veiligheidsriempje van zijn holster weer vast en klopte toen op zijn heupzak om te voelen of hij zijn portefeuille bij zich had. Vervolgens pakte hij zijn jas en de sleutel van zijn kamer en liep hij naar buiten. Voor hij de deur achter zich dichttrok, bleef hij even staan om het parkeerterrein aan een onderzoek te onderwerpen. Leeg. Hij sloeg de deur dicht en rammelde even aan de deurknop om zich ervan te vergewissen dat de deur op slot zat.

Iets te eten en een biertje – dat was wat hij nodig had. Berglund had het over een hotel in de stad gehad met een kroeg en een steak bar. Hij was de naam ervan vergeten, maar hij dacht dat het vast geen probleem was het adres te vinden in een stadje dat zo klein was. Terwijl hij richting snelweg reed, keek hij af en toe in de achteruitkijkspiegel om te zien of hij niet werd gevolgd, maar tot de snelweg was hij de enige auto op de weg. Als Berglund hem eerder die dag door een van zijn mensen had laten volgen, dan had de man het kennelijk voor gezien gehouden. Cruz betwijfelde of de hulpsheriff wel voldoende mankracht had om hem dag en nacht in het oog te laten houden. En trouwens, waarom zou hij dat doen? Hij kon geen enkele reden bedenken, maar tegelijk twijfelde hij er geen moment aan dat de man hem had laten schaduwen nadat ze afscheid van elkaar hadden genomen. Waarom? Havenwood leek even schoon als de sneeuw die door de straten vloog. Als je dat smetteloze kleed oplichtte, wat lag daar dan onder te rotten?

De Lakeside Inn lag aan de hoofdstraat van het stadje, tegenover een soort park. Beide voorzieningen keken uit over het meer, dat de toeristische kurk vormde waarop het stadje dreef, zoals de naam van het hotel al impliceerde. Het park liep door tot de oever. Er was een lange, houten steiger, die vijftien tot twintig meter ver over het water stak, met aan weerskanten nu verlaten ligplaatsen.

Het hele parkeerterrein bij het hotel stond vol met sneeuwscooters, en daarom zette Cruz zijn auto op een van de parkeerplaatsen aan de andere kant van de weg. Op het moment dat hij de motor uitzette en de koplampen doofde, werd hij opgeschrikt door twee sneeuwscooters die hem brullend voorbijreden aan de linkerkant. Ze scheurden de steiger op, en net toen Cruz dacht dat ze er aan het eind af zouden vallen, reden ze een tot dan toe onzichtbare boothelling af en verdwenen ze over het bevroren meer. Er bewogen nog een stuk of tien andere koplampen over het ijs, zag Cruz, en in het schijnsel ervan kon hij hier en daar de vierkante massa van een paar triplex bouwseltjes ontwaren.

Hij stapte uit en trok zijn kraag hoog op tegen de snijdende wind die het hoge gejank van tweetaktmotoren op het meer in zijn richting blies. Ontspanning voor elk seizoen, ja ja... Geef mij maar Bermuda, dacht hij.

Toen hij de weg overstak, hoorde hij vanuit het hotel gelach en muziek zijn kant op komen. Ook rook hij de uitnodigende geur van gebakken biefstuk. Binnen was het schemerig, lawaaierig en verrassend druk voor een donderdagavond. Het publiek leek te bestaan uit een mengeling van twintigers in uitgaanskleding en oude mannen met drankneuzen die om ronde, met bierflesjes beladen tafeltjes zaten. Minstens de helft van de aanwezigen droeg de dikke trui, sneeuwlaarzen en de gewatteerde nylon broek die kennelijk onverbrekelijk verbonden waren met de buiten geparkeerde sneeuwscooters. Cruz begon te watertanden bij de geuren die hij rook – die van bier en gebraden vlees overstemden bijna de stank van sigarettenrook, die als een vuilgrijs baldakijn onder het plafond zweefde. Neonreclames voor Miller High Life, Schlitz en Bud versierden de met hout beklede wanden en wierpen een warme gloed over gezichten die toch al gloeiden van de drank en de kou.

Achter de lange eikenhouten bar aan een kant van de ruimte zag Cruz de vlammen van een open vuur, die reflecteerden in het glimmende gezicht van een kok die behendig grote lappen vlees op een grill om en om keerde. In een andere hoek trilde een Wurlitzer in regenboogkleuren mee op het ritme van de BeeGees. Ernaast stonden zes flipperkasten, die ratelend hun bijdrage leverden aan het alomtegenwoordige rumoer. Op een dansvloertje van hardhout bij de jukebox stond een dikke man met een rood gezicht wild te dansen in de trant van Saturday Night Fever, compleet met een in de broekband van zijn blauwe nylon skibroek gehaakte duim, ronddraaiende heupen en opgestoken wijsvinger. 'Stayin' alive! Stayin' alive!' brulde hij mee met de muziek.

Een van de onderste knopen van zijn overhemd sprong open, en een groepje vrouwen aan een tafeltje in de buurt begon enthousiast te joelen bij het zien van zijn op en neer deinende, behaarde buik. 'Doorgaan, Ed!'

Onzeker bleef Cruz in de deuropening staan. Zou hij naar binnen gaan, of kon hij beter de lokroep van zijn maag weerstaan?

Net op dat moment kwam een serveerster langs met een dienblad vol bier in haar hand. Ze bleef even voor hem staan. 'Zoek je iemand?'

'Ik wilde eigenlijk een hapje eten. Is de keuken nog open?'

'Reken maar. Tot tien uur.'

'Druk hier.'

'Dat heb je goed gezien. Ik zou zeggen, probeer een tafeltje te vinden, dan kom ik over een minuutje je bestelling opnemen.'

'Doe mij maar vast een biertje. Een Bud graag,' zei Cruz met een blik op de flesjes op haar dienblad.

'Komt in orde,' zei ze, waarna ze haar weg vervolgde tussen de tafeltjes door.

Cruz ging op zoek naar een leeg tafeltje, maar bijna alles was bezet. In het midden van de ruimte zag hij er een dat vrij was, naast de dansvloer en de gezette Travolta-imitator. Zijn oog viel op een ander tafeltje in een hoek, waar hij met zijn rug tegen de muur kon zitten en zowel de zaak als de deur in het oog kon houden. Terwijl hij erheen liep, trad er een subtiele verschuiving in het geluidspatroon op en voelde hij ogen in zijn rug. Hij gooide zijn jas over een lege stoel en was blij dat hij in elk geval zijn overhemd en das had uitgedaan. Toen hij zich met de rug tegen de muur had geïnstalleerd en weer om zich heen keek, wist hij dat het een illusie was te denken dat hij hier niet zou opvallen, wat hij ook droeg. Bijna alle gezichten in de ruimte waren breed, blank en noordelijk, en bij het aanschouwen van al die blonde haren en blauwe ogen voelde hij zich als Zorro die per ongeluk op de set van Ingmar Bergman was beland.

Iemand gooide wat geld in de Wurlitzer en koos een nummer van Harry Chapin, veel rustiger dan de muziek van de BeeGees. De zwetende danskoning liet zich op een stoel vallen, zichtbaar opgelucht dat de hartaanval die hij riskeerde als hij nog veel langer had moeten dansen, deze keer was uitgebleven. Een kameraad schoof hem over de tafel een pul bier toe, en Disco-Ed dronk hem in één lange, dankbare teug leeg.

Een flesje Budweiser en een glas werden voor Cruz neergezet en toen hij opkeek, zag hij de – hoe kon het ook anders – blonde serveerster die hem bij de deur had aangesproken. 'Alsjeblieft,' zei ze. Met haar stralende teint en grote blauwe ogen leek ze niet ouder dan zestien. 'Nou, zeg het maar.'

'Ik heb gehoord dat jullie hier een beste steak serveren.'

'Klopt. Compleet met een salade, broodje en gebakken aardappelen komt dat op zes vijfennegentig plus btw.'

'Verkocht.'

'Nou, dat ging vlot. Ik kom het over een paar minuten brengen. Verder nog iets?'

'Geef me hier nog maar eentje van,' antwoordde Cruz en hij hief het flesje op.

'Komt voor mekaar. Hoe wil je je biefstuk hebben?'

'Medium, graag.'

Het meisje knikte en vertrok. Cruz liet het glas dat ze op tafel had gezet voor wat het was, zette de fles aan zijn lippen en nam een lange teug, in de hoop het eenzame gevoel dat hem plotseling overviel de kop in te drukken. Uit de opmerkingen die over en weer werden geschreeuwd en het veelvuldige verkeer tussen tafeltjes, was duidelijk dat iedereen elkaar hier kende. Hij vroeg zich af hoe het was je hele leven op een plaats te blijven waar iedereen je kende. Waar iedereen wist wie je familie was, wat je voor de kost deed, met wie je sliep en hoe vaak je jezelf in het openbaar voor schut had gezet.

Al met al verschilde dat niet eens zoveel van de plek waar hij was opgegroeid, een kleine gemeenschap aan de rand van Los Angeles. Jongens met wie hij naar school was gegaan, woonden nog steeds op loopafstand van het huis waarin ze waren opgegroeid, getrouwd met meisjes uit de buurt, voor het merendeel kleine zusjes van makkers met wie ze sinds hun eerste communie waren opgetrokken. Hij was het enig overgebleven kind geweest van hardwerkende ouders die in een hechte gemeenschap woonden en zich een weg zwoegden naar de Amerikaanse droom.

Toen hij drie was, werd er een zusje geboren, Pilar, maar die was op vijfjarige leeftijd aan hersenvliesontsteking overleden. Zijn moeder had twee keer een miskraam gehad, een keer voor Pilar en een keer erna. Daarna had ze baarmoederhalskanker gekregen. Zijn vader had gedroomd op een dag zijn eigen aannemersbedrijf te hebben, maar die droom was samen met zijn vrouw gestorven, en Vicente Cruz was een verbitterd man geworden, oud voor zijn tijd, die zijn dagen in eenzaamheid en woede sleet en de opvoeding van zijn zoon overliet aan zijn zus. Ook tante Luisa was al jong alleen komen te staan, toen haar man bij een bedrijfsongeval om het leven was gekomen. Kinderen had ze niet.

Cruz had vaak gedacht dat ze best had kunnen hertrouwen; ze was een aantrekkelijke vrouw met een warm, gul karakter – en aan eenzame mannen geen gebrek. Het waren vaak immigranten die hun familie en vrienden in Mexico achterlieten om in *El Norte* te gaan werken aan een betere toekomst. Verscheidene mannen hadden een poging gewaagd, maar wanneer ze aandrongen, en Vicente vroeg waarom tante Luisa niet op hun avances inging, schudde ze slechts haar hoofd. 'César is en blijft voor mij de enige,' zei ze dan. 'Als ik hem niet kan hebben, dan maar niemand.'

Nu hij erover nadacht, was zijn vader precies zo geweest. Zijn familie was kennelijk voorbestemd maar één grote liefde te hebben. Zelf had hij die ene ware in elk geval nog niet gevonden, zijn eigen mislukte, korte huwelijk buiten beschouwing gelaten. Of misschien ook wel – maar hij had zich te diep in zijn werk begraven om het te zien.

De serveerster verscheen weer bij zijn tafeltje en zette een groot wit bord neer met daarop de grootste steak die hij ooit had gezien, vanbuiten bijna zwart en vanbinnen sappig. Ernaast lag een enorme in folie verpakte aardappel, half doorgesneden en overdekt met zure room, bieslook en boter. Het meisje zette een kom met salade naast zijn bord, een mandje met knapperige broodjes en boter, en in een papieren servetje gerold bestek. 'En nog een Bud,' zei ze, terwijl ze een vol flesje bier van het dienblad pakte en het voor hem neerzette.

'Dat ziet er heerlijk uit. Dank je wel,' zei hij.

'Reken maar.' Ze liet het dienblad op haar heup rusten. 'Ben je hier voor de ijsviswedstrijd?' vroeg ze.

'Is er een ijsviswedstrijd?'

'Ja. Officieel begint het morgenavond, maar de helft hier is voor de lol al wat eerder begonnen,' antwoordde ze. 'Die hebben hun hutjes al opgezet.'

'Dat verklaart waarom het zo druk is op het meer.'

'Precies. Dus jij waagt ook een kansje? De hoofdprijs voor de grootste vis is honderd dollar per pond.'

'Nee, ik ben bang van niet. Ik ben hier maar op doorreis.'

Het meisje aarzelde – zichtbaar nieuwsgierig, maar te beleefd om verder aan te dringen. 'Peper en zout staan op tafel. Kan ik verder nog iets voor je doen?' Cruz schudde zijn hoofd. 'Nou, als je nog iets nodig hebt, dan geef je maar een gil.'

'Doe ik.'

Even keek hij haar na, toen stortte hij zich op de steak. Die was mals en verrukkelijk, en de gepofte aardappel droop van de boter en de zure room. Hij was uitgehongerd en maakte korte metten met het eten. Daarna leunde hij verzadigd achterover en ontfermde zich over zijn tweede biertje, ondertussen de mensen om zich heen bestuderend. De alcohol temperde het gevoel dat hij hier een buitenstaander was.

Als kind al had hij altijd het gevoel gehad dat hij er niet bij hoorde. Zijn vriendjes hadden grote families, die verbonden waren door een netwerk van huwelijken, terwijl die van hem klein en in zichzelf gekeerd was. Hij was opgegroeid tot een rusteloze puber, die niet kon wachten om te ontsnappen aan een bruisende gemeenschap die het falen van zijn eigen familie alleen maar benadrukte. Waarschijnlijk was zijn tante Luisa de eerste geweest die hem het idee had gegeven dat een opleiding zijn uitweg was, want zij had erop aangedrongen dat hij moest gaan studeren. De jonge Cruz had die boodschap ter harte genomen – in elk geval tot hij voor dienst werd opgeroepen.

'Neem me niet kwalijk, hallo?'

Cruz keek op en zag een amazone naast zijn tafeltje staan. De vrouw was ergens tussen de vijfentwintig en vijfendertig, lang en fors, op haar manier best knap, met een grote bos blonde krullen en donker omlijnde, lichtbruine ogen.

'Sorry dat ik stoor,' zei ze, 'maar mijn vriendinnen en ik zagen dat je alleen bent.' Ze wees naar een tafeltje iets verderop, waar twee andere vrouwen een beetje schaapachtig zwaaiden. 'We vroegen ons af of je zin had een potje te sjoelen. We zoeken een vierde man.'

Het was Cruz al opgevallen dat ze naar hem hadden zitten kijken, al was dat niet zo bijzonder, want dat hadden de meeste aanwezigen gedaan. Een stel vriendinnen op stap, had hij gedacht. Hij leunde achterover om haar aan te kunnen kijken. 'Ik weet niet,' zei hij. 'Ik ben net klaar met eten en ik heb een lange dag gehad. Bovendien heb ik nog nooit eerder gesjoeld.'

'O, het is heel makkelijk. We leggen het je wel uit. We spelen twee tegen twee; jij vormt een team met mijn vriendin Shelli. Onder het spelen leggen we de regels wel uit.'

Weifelend keek Cruz naar het andere tafeltje. Een van de vrouwen, met een rode sweater aan met daarop het logo van Disneyworld, wuifde weer. Dat zou Shelli wel zijn. De andere vrouw, heel knap om te zien, perste haar lippen op elkaar en keek in haar glas. Verlegenheid of schaamte? Cruz had geen idee. In de motelkamer wachtte hem een lange, eenzame nacht met de televisie als enige gezelschap, wist hij. Natuurlijk kon hij ook hier blijven zitten drinken tot sluitingstijd, maar daar zou hij de volgende ochtend spijt van hebben. Of hij kon een potje gaan sjoelen met deze drie dames. 'Vooruit dan maar.'

'Geweldig! Kom maar vast bij ons zitten. Over een paar minuten is de sjoelbak vrij.'

Cruz pakte zijn bierflesje bij de hals, stond op, greep zijn jas en volgde de vrouw. De vriendin in de rode sweater trok een stoel voor hem bij.

'Ik ben trouwens Carla,' zei de amazone. Daarna knikte ze eerst naar het verlegen meisje en toen naar de Disneyworld-fan. 'Dat is Lydia, en dit is Shelli.'

'Alex Cruz,' stelde hij zichzelf voor, waarna hij iedereen de hand schudde en zich op de lege stoel liet zakken terwijl hij de namen uit elkaar probeerde te houden. Lydia was klein, met ongelooflijk lange wimpers en schitterende blauwe ogen die verlegen naar het tafelblad staarden. Aan haar linkerhand droeg ze een smalle zilveren ring met een blauw steentje erin. Het zou een verlovings- of trouwring kunnen zijn.

'Prettig kennis met je te maken, Alex,' zei Shelli. 'Je bent vast niet gekomen voor de viswedstrijd, of wel?'

Moeizaam maakte Cruz zijn ogen los van de mooie Lydia. Shelli was ook leuk, maar aan haar linkerhand prijkte een levensechte trouwring. 'Hoe raad je het zo?'

'Nou, om te beginnen ben je er niet op gekleed. Maar zoals ik net al tegen Lydia zei, denk ik dat ik wel weet wie je bent.'

Opnieuw keek Cruz naar de knappe vrouw links van Shelli, die met een rood gezicht haar ogen meteen neersloeg omdat ze op staren was betrapt. 'Je weet wie ik ben?' vroeg hij, zich weer tot Shelli wendend.

'Echt waar?' vroeg ook Carla de amazone verbaasd.

Shelli knikte. 'Dat denk ik wel. Je bent van de overheid, hè?'

'Leg eens uit, Shell,' zei Carla met grote ogen.

'Het kwam opeens bij me op toen je net naar zijn tafeltje toeliep,' zei Shelli tegen haar. 'Volgens mij is Alex hier van de FBI uit Washington, D.C. en is hij hier in verband met de brand bij Grace Meade. Ik heb gehoord dat hij daar vanmiddag met Nils is geweest en dat ze daarna naar Jillian in het ziekenhuis van Montrose zijn gegaan. Ik heb ook gehoord dat deze agent in elk geval vannacht nog in Havenwood blijft, en het is logisch dat hij dan hierheen komt om te eten. Nou, heb ik gelijk?'

Wat maakte het ook uit, dacht Cruz. Toegegeven, het was een klein stadje, maar niettemin was hij hier nog geen zes uur en had hij, afgezien van Verna, de twee mannen die de brand onderzochten en de moteleigenaar, alleen nog maar met Berglund gesproken. 'Hoe weet je dat allemaal?'

Shelli glimlachte geheimzinnig, en Carla rolde met haar ogen. 'Geen kunst aan. Nils is haar zwager; hij is getrouwd met Shelli's zus, Sharon. Die zou vanavond meegaan, maar ze kon niet omdat Nils nog niet weg kon van zijn werk.'

'Ik ben bij haar langs geweest om haar op te halen,' zei Shelli knikkend, 'maar ze zei dat ze beter thuis kon blijven. Nils en de jongens waren nog niet terug van ijshockeytraining. Hij kon elk moment thuiskomen, en Sharon zei dat hij dacht dat hij vanavond nog weer aan het werk moest, en het was te laat om nog een oppas te regelen. In elk geval vertelde zij me dat Nils zijn hele middag heeft verspild... Oeps. Sorry hoor! Ik bedoel, de hele middag heeft doorgebracht met een FBI-agent die hier uit het niets opdook. En de enige hier die in aanmerking zou kunnen komen voor die rol, ben jij. Vandaar dat ik het wist toen ik je zag zitten.'

'Shelli is onderwijzeres,' vertelde Lydia zacht.

Glimlachend keek Cruz haar aan. 'Dat zal de verklaring zijn voor haar opmerkelijke deductievermogen. En jij dan?'

'Ik?'

Hij knikte. 'Wat doe jij voor de kost?' Kwam het door het bier of door de omgeving? Zat hij werkelijk te flirten? Misschien kwam het alleen door de gedachte aan dat lege, koude bed in het motel.

'O, ik werk in het ziekenhuis,' antwoordde Lydia verlegen. 'Het ziekenhuis in Havenwood, niet dat in Montrose, waar Jillian ligt.' Haar lange wimpers gingen weer naar beneden, alsof de inspanning van al dat praten en al dat oogcontact haar te veel werd. De twee andere vrouwen dronken bier uit een groen Heineken-flesje, maar zij had een hoog glas met een roze drankje en een rood rietje voor zich staan. Ze stak het rietje tussen haar lippen en nam een miniem teugje, keek toen op en bloosde toen ze zich realiseerde dat Cruz nog steeds naar haar keek. 'Een Singapore Sling,' zei ze verontschuldigend. 'Ik ben niet zo'n drinker.'

Carla boog zich naar voren, tussen Lydia en Cruz in. 'Ik ben kapster,' zei ze. 'Of beter gezegd, haarstyliste. Ik heb bijna mijn diploma voor Vidal Sassoon. Ik volg de weekendopleiding in Minneapolis.'

'Je meent het. Vidal Sassoon, hè?' Cruz nam een slok van zijn bier.

Samenzweerderig legde Carla haar armen op tafel en boog nog verder naar Cruz toe. 'Vertel eens, Alex, werk je echt bij de FBI?'

'Schuldig.'

'En wat kom je precies in deze uithoek doen?'

'Och, een routineklus.'

'Weet je zeker dat je niet van de CIA bent?' informeerde Carla met een kokette blik. 'Per slot van rekening weet iedereen dat Grace Meade in de oorlog een soort spionne was.'

'Nee, echt niet,' zei Cruz. De sjoelbak was inmiddels vrij. 'Had je het niet over een of ander spel? Ik geloof dat we nu kunnen.'

Met een snelheid die verbazend was voor een vrouw van haar formaat, sprong Carla overeind. 'Kom mee, voordat iemand anders ons voor is.' Ze beende door de zaal en plantte zichzelf aan het uiteinde van de sjoelbak, terwijl ze een aanbod wegwuifde van een paar in skipak geklede jongens om samen een potje te spelen.

Cruz kwam overeind en deed een stapje naar achteren om de andere twee vrouwen te laten passeren. Toen Lydia langs hem heen glipte, rook hij iets bloemigs – lavendel, of zo. Haar trui van zachtblauw mohair streek langs zijn hand en hij kon de neiging haar aan te raken bijna niet weerstaan.

'Ik kan niet zo lang meer blijven, Brad is om tien uur vrij en ik moet voor die tijd thuis zijn om zijn eten klaar te maken!' riep ze naar Carla. 'Brad is mijn verloofde,' zei ze over haar schouder tegen Cruz. 'Hij werkt ook in het ziekenhuis. Als bewaker, maar hij is bezig met een parttimeopleiding. Over driekwart jaar heeft hij zijn diploma.'

'Dat is geweldig,' zei Cruz met een opgewekte glimlach. Verdomme, dacht hij.

Toen ze bij de sjoeltafel arriveerden, werd hem duidelijk dat Shelli weliswaar zijn partner was, zoals Carla had gezegd, maar dat de teams gescheiden speelden. Aan beide kanten van de heuphoge tafel stelde zich één speler op van beide teams. Carla dirigeerde haar partner, de lieflijke Lydia, naar Shelli's kant en bleef zelf naast Cruz staan. Terwijl ze wachtten tot Lydia en Shelli hun schijven vanaf de andere kant hadden gespeeld, hervatte Carla haar ondervraging. 'Waarom is de FBI eigenlijk geïnteresseerd in een brand in een huis hier in Havenwood?'

'Dat heb ik niet gezegd.'

'Maar wat kom je hier anders doen?'

'Ik geloof dat wij nu aan de beurt zijn.'

'Speel jij de eerste ronde maar.'

Cruz pakte een schijf en concentreerde zich om die hard genoeg te lanceren om de lijn aan de andere kant van de tafel te overschrijden, maar niet zo hard dat hij de baan uit zou vliegen en in de opvangbak langs de tafel zou belanden. Carla liet hem een tijdje met rust terwijl ook zij zich op haar worp concentreerde. Toen de ronde voorbij was en de beurt weer overging naar de andere kant, begon ze echter weer. 'En?'

'Wat, en?'

'Gaat het je om Grace of om Jillian?'

'Luister, Carla. Ik kwam hier vanavond alleen een hapje eten en een biertje drinken. Het is niet de bedoeling dat ik mijn werk hier bespreek, als je begrijpt wat ik bedoel.'

'O, het is dus geheim? Oké, dan spijt het me dat ik zo aandrong.'

'Het geeft niet. Het is trouwens niet geheim, en ook niet zo interessant.'

'Ik snap je heus wel, hoor. Maar toch is het vreemd. Dat je hier bent, bedoel ik. Na wat ik vandaag op mijn werk hoorde.'

Zuchtend keek Cruz haar aan. 'En dat was?'

'Dat er speciale onderzoekers de plaats van de brand hebben doorzocht, alsof de politie denkt dat de brand is aangestoken,' antwoordde ze triomfantelijk. 'Bovendien zei Olive, een van de dames die vandaag in Set'n Style kwam – de salon waar ik werk – dat mensen gezien hadden dat Jill op de dag van de brand een jerrycan met benzine had gevuld bij de Chevron-pomp. Dat is op zijn minst toevallig, vind je ook niet?'

'Hoe goed ken je Jillian Meade eigenlijk?'

'O, we groeten als we elkaar tegenkomen, maar verder ken ik haar amper. We zaten bij elkaar op school, maar zij zat een paar klassen hoger. Ze zat al in de bovenbouw toen ik nog in de brugklas zat. Na de middelbare school is ze gaan studeren, en daarna heb ik haar zelden meer gezien. Maar iedereen kent de familie Meade natuurlijk, vooral Grace Meade, dus logisch dat het het gesprek van de dag is wanneer iemand als zij op die manier omkomt.'

Er verscheen een rimpel in haar brede voorhoofd. 'Er is nog wat. Ik heb Mrs. Meade een paar uur voor haar dood nog gezien. Ze kwam eens per week in de salon om haar haren te laten doen, en toevallig was ze die middag nog geweest. Best wel griezelig, vind je niet? Heb jij dat ooit gehad? Dat iemand doodgaat en dat je dan steeds maar moet denken aan de laatste keer dat je die persoon zag? Ook al voerde je een doodnormaal gesprek, als die ander kort daarna dood blijkt te zijn, lijken diens laatste woorden veel gewichtiger dan op het moment dat je ze hoorde.'

Cruz knikte. Dat was hem vaker overkomen dan hij zich wenste te herinneren. 'Vergeet niet om even naar tante Luisa te gaan om te zien of het gras ook gemaaid moet worden.' Dat waren de laatste woorden van zijn moeder geweest toen hij haar de middag voor haar dood in het ziekenhuis had achtergelaten. En dan waren er nog de laatste woorden vol valse bravoure, die hij luitenant 1e klas Darryl Houghton had horen grommen vlak voordat Cruz er alleen opuit gegaan was met zijn 6-16 om het overwoekerde junglepad te verkennen dat Houghton per se wilde volgen. 'Ga jij maar vooruit om de zaak te verkennen, Cruz, dan pas ik wel op deze bange mietjes hier.' Natuurlijk was de man een volslagen idioot geweest, dacht Cruz. Maar dat wilde nog niet zeggen dat hij het verdiende op die manier te sterven.

Voordat Carla hem echter kon vertellen wat Grace Meades laatste woorden waren geweest, was het hun beurt alweer. Ze richtte haar aandacht weer op het spel, en Grace Meade en de brand kwamen pas weer ter sprake toen het spel was afgelopen. Het spande erom, maar ondanks het feit dat hij nog nooit eerder had gesjoeld, behaalde hij een goede score en wonnen Shelli en hij met twee punten verschil. Carla leek de pest in te hebben toen ze weer gingen zitten voor een laatste drankje, en hij voelde zich een beetje schuldig. Al met al was de avond heel wat plezieriger verlopen dan hij had verwacht. Het was niet meer dan redelijk om iets terug te doen voor degene die hem zo onverwacht had uitgenodigd. Bovendien was hij nieuwsgierig naar wat zijn tafelgenotes hem konden vertellen over Grace en Jillian Meade.

'Heb jij Mrs. Meades haar gedaan toen ze die laatste keer in de salon kwam, Carla?' vroeg hij, nadat hij voor iedereen nog wat te drinken had besteld.

'Nee. Meestal kwam ze niet bij mij. Ik heb haar een paar keer geholpen als mijn baas ziek was of met vakantie, maar daar bleef het bij. Mrs. Meade was heel precies. En ze kende me van kinds af aan, wat ook niet erg hielp.' Ze trok een gezicht. 'Mijn moeder maakte vroeger bij haar schoon, en soms ging ik op weg van school naar huis even bij haar langs. Bovendien kende Mrs. Meade me natuurlijk ook nog van toen ik net als kapster begon – en daarom wilde ze nooit hebben dat ik haar haren deed, hoeveel anderen ik ook al geholpen had. Persoonlijk denk ik dat er ergere dingen zijn dan zo af en toe een nieuw kapsel uitproberen, vind je niet?'

'Zit wat in.'

'Ja, vind ik ook, maar Grace Meade dus niet.'

'Ze was dus een lastige tante?'

'Laten we zeggen dat ze zichzelf als de koningin zag.'

'Net als de halve stad,' merkte Shelli op. 'Er gebeurde hier niets waar zij niet bij betrokken was. Ze was voorzitster van het kerstcomité, het paascomité en het 4-julicomité. Ze was presidente van de vrouwenafdeling van de Lionsclub. Ze was actief in de kerk. En als je een blik in de Havenwood Herald werpt – de plaatselijke krant,' voegde ze er ten behoeve van Cruz aan toe, 'dan zul je zien dat Grace bijna alle columns schreef.'

'Vonden jullie haar aardig?'

Carla trok een gezicht, maar Shelli fronste nadenkend haar voorhoofd. 'Wel eerlijk blijven, Carla. Als je bedenkt dat ze niet eens van hier was, heeft ze heel veel voor deze stad gedaan. Daar moet je bewondering voor hebben. Maar aardig vinden, tja. Ze was anders. Misschien had ze dat klassengevoel door haar Engelse afkomst.'

'Ja, dus je kunt je wel voorstellen hoeveel tijd ze had voor de dochter van haar schoonmaakster,' zei Carla grimmig.

'We waren te jong om ons in dezelfde kringen als zij te bewegen, dat is het,' zei Shelli. 'Ik heb dit jaar met haar in het comité voor de paasparade gezeten, en ze was heel aardig tegen me.'

'Ja, logisch. Nils is per slot van rekening je zwager, nietwaar?'

Geprikkeld informeerde Shelli: 'En wat wil je daarmee zeggen?'

Carla deed haar mond al open, maar bedacht zich toen en haalde haar schouders op. 'Niks. Laat maar.'

'Nee, Carla, vooruit. Je bent erover begonnen, maak het dan ook af,' drong Shelli aan. 'Wat bedoelde je met die opmerking?'

'Nou, ik bedoelde alleen dat Nils waarschijnlijk de volgende sheriff wordt. Hij begint een belangrijk iemand te worden in deze stad, en de hemel weet dat Mrs. Meade alleen met belangrijke mensen vriendschappelijk omging.'

Hierop fronste Shelli haar voorhoofd, en Cruz kreeg de indruk dat hier van alles over tafel ging waar hij geen idee van had, maar niemand leek bereid er verder op in te gaan. 'En hoe zit het met Jillian?' vroeg hij, om de spanning te breken. Jammer genoeg was dat precies de verkeerde vraag.

Shelli keek hem scherp aan en richtte haar blik toen op Carla. 'Wat heb je hem daarover verteld?'

Afwerend hief Carla haar handen op. 'Niets. Ik heb geen woord gezegd, dat zweer ik.' Snel wendde ze zich tot Cruz. 'Zoals ik al zei, was Jillian een paar jaar ouder dan wij, dus echt goed kenden we haar geen van allen. In elk geval is ze al heel lang weg.'

'Ik heb haar altijd aardig gevonden,' zei Lydia.

Met een onderzoekende blik keek Cruz haar aan. Het was het eerste wat ze had gezegd sinds ze weer waren gaan zitten. Opnieuw bloosde ze onder zijn blik, maar ze ging niettemin door.

'Jill paste vroeger altijd op mijn zusje en mij. We vonden het altijd heerlijk als ze kwam; ze las ons altijd prachtige verhalen voor. Over koning Arthur en Guinevere en de ridders van de Ronde Tafel, en Jane Eyre. Dat boek heeft ze ons in één winter voorgelezen, toen mijn vader aan een weg aan de andere kant van het land werkte en mijn moeder 's avonds in het ziekenhuis moest werken. Wat was dat een prachtig verhaal!' Lydia glimlachte en keek toen geschrokken op, alsof ze zich opeens herinnerde dat ze absoluut niet in het middelpunt van de belangstelling wilde staan. Nerveus pakte ze haar glas, schoof het parapluutje opzij om een klein slokje te nemen en staarde toen naar het dunne rode rietje. 'In elk geval,' voegde ze er kleintjes aan toe, 'vond ik Jillian heel aardig.'

Nadat Carla haar eigen glas had leeggedronken, zette ze het met een klap terug op tafel. 'Persoonlijk heb ik Jillian Meade altijd een verwaande trut gevonden.'

'Carla!' riepen beide andere vrouwen in koor uit.

'Ja, neem me niet kwalijk, hoor, maar jullie moeten toegeven dat ze altijd aardig vol van zichzelf was.'

'Dat is niet waar,' protesteerde Shelli. 'Ze was alleen verlegen. Het zal ook wel niet makkelijk voor haar geweest zijn om onder één dak te leven met iemand die zo, eh...'

'Drammerig was?' opperde Carla.

'Nee, ik wilde eigenlijk volmaakt zeggen. Het zal niet makkelijk zijn geweest in de schaduw te leven van iemand die zo volmaakt was als Mrs. Meade, denk ik.'

'Denk jij dat?' Carla's geëpileerde wenkbrauwen rezen als vanzelf sarcastisch omhoog. 'Is dat jouw mening... of die van Nils? Want iedereen weet toch, Shelli, dat Grace Meade niet bepaald een van Nils' favoriete personen was.'

'Nee, Carla, dat is niet wat Nils zegt. Hij heeft het in mijn bijzijn zelfs nog nooit over Grace of Jillian gehad.'

'Poe! Nou, ik snap niet waarom jij het voor die twee opneemt. Als het mijn zus was...'

Nu fronste Cruz zijn wenkbrauwen. 'Mis ik iets, dames?'

Shelli maakte een ongeduldig handgebaar. 'Nee. Je mist helemaal niets.' Na een vernietigende blik op Carla, wendde ze zich met een diepe zucht weer tot Cruz. 'Nils en Jillian Meade gingen op de middelbare school met elkaar, dat is alles. Toen hij in dienst ging, hebben ze het uitgemaakt, en daarna is Jillian naar de universiteit vertrokken. Dat was een hele tijd voordat hij met mijn zus ging, dus je moet niet denken dat Sharon en Jillian elkaars rivalen waren, of zo.' Weer keek ze naar haar vriendin. 'Ik snap niet dat je dat zegt, Carla,' voegde ze er verontwaardigd aan toe.

'Neem me niet kwalijk, zeg! Nils en Jill waren wel mooi verloofd! En iedereen weet dat Nils nog heel lang een zwak voor haar heeft gehad. Misschien is dat nu over, maar aan de andere kant, wie weet? Je moet toch toegeven, Shell, dat het op zijn minst een rare situatie is. We hebben Jillian, die opgesloten zit in het gekkenhuis in Montrose en die misschien de hoofdverdachte is als die lui ontdekken dat de brand was aangestoken. En wie moet die zaak onderzoeken?' Ze haalde haar schouders op, alsof het allemaal glashelder was. 'Als het aan Nils lag –'

'Als het aan Nils lag, dan wat?' Achter Cruz' rug klonk een zachte, dreigende stem.

De drie vrouwen keken op en verbleekten. Toen Cruz zich omdraaide, zag hij Berglund staan, met zijn ogen strak op de kapster gericht. Hij droeg een donkerblauw jack met het logo van de Minnesota Vikings op de linkerborst. Behalve zijn uniform, had hij ook zijn hoed thuisgelaten.

'Als het aan Nils lag, wat dan, Carla?' herhaalde Nils.

'Niets. Helemaal niets,' wuifde ze zijn vraag weg, waarna ze haar glas pakte. Toen ze ontdekte dat het al leeg was, fronste ze haar wenkbrauwen.

'Wat moet dit trouwens voorstellen?'

'We kwamen alleen maar wat drinken, Nils, meer niet,' zei Shelli.

'En jij?' vroeg Berglund aan Cruz. 'Wat doe jij hier?'

'Je hebt me zelf verteld dat je hier prima kon eten. En je had gelijk. Nog bedankt voor de tip.'

'We hebben hem uitgenodigd een potje met ons te sjoelen,' voegde Shelli er nerveus aan toe.

Ondertussen keek Lydia op haar horloge. 'O, jeetje, wat is het al laat! Ik moet echt weg. Brad komt zo thuis.' Ze kwam overeind en griste haar jas van de rugleuning van haar stoel. 'Ik zie jullie nog wel. Prettig kennis met je gemaakt te hebben, Alex,' voegde ze er blozend aan toe, zonder hem aan te kijken.

Galant stond hij op om haar in haar jas te helpen. 'Ik vond het ook prettig kennis met jou te maken, Lydia.'

‘Ik moest er ook maar eens vandoor,’ zei Shelli. ‘Ik heb Ben beloofd niet zo laat thuis te komen. Ga je mee, Carla?’

Die leek echter weinig zin te hebben al een eind aan de avond te maken. ‘Ik blijf denk ik nog even. Zullen we er nog eentje nemen, Alex?’

Berglund pakte haar jas van de rugleuning van haar stoel en hield die voor haar op. ‘Ik geloof dat je wel genoeg hebt gehad, Carla. Tenzij je het risico wilt lopen dat ik je straks aanhoud voor rijden onder invloed.’

Bij het horen van die woorden stond Carla kwaad op en rukte de jas uit Berglunds handen. Ze kon hem bijna recht aankijken. ‘Wat kun je ook een spelbreker zijn, Nils Berglund!’

‘Zorg nou maar dat je thuis komt, voordat ik je autosleutels vorder.’

Ze sputterde nog wat na, maar begon te glimlachen toen Cruz haar in haar jas hielp. ‘Heel erg bedankt, Alex,’ zei ze. ‘Het is een waar genoegen eens een echte heer te ontmoeten – voor de verandering,’ zei ze, met een blik op Berglund. Daarna wendde ze zich weer tot Cruz. ‘Zei je zonet niet dat je nog een paar dagen in de stad bleef? Mocht je in dat geval zin hebben in een goede maaltijd –’

‘Waarschijnlijk vertrek ik morgen. Maar bedankt voor het aanbod.’

‘Nou, mocht je van gedachten veranderen, ik ben de hele dag in Set’n Style. We zitten iets verderop in deze straat. Je kunt het niet missen.’

Cruz knikte op een manier die van alles kon betekenen en nam toen afscheid van Shelli. Hij keek de beide vrouwen na en wendde zich tot de hulpsheriff. ‘Biertje?’

‘Nee, bedankt. Ik moest maar eens op huis aan.’

‘Nou ja, ik heb eigenlijk ook wel genoeg gehad.’

‘Ja.’

‘Morgen ga ik nog een keer naar het ziekenhuis om te proberen Miss Meade te spreken te krijgen,’ waarschuwde Cruz de zwijgzame man naast hem, terwijl ze het pand verlieten en de koude nachtlucht inademden. ‘Maar ik beloof je dat ik het zo rustig mogelijk houd.’

'Tja, ik kan je niet tegenhouden. Al betwijfel ik eerlijk gezegd of je langs die psychiater komt.'

'Misschien niet, maar ik vond dat ik het je toch even moest vertellen.'

'Goed. Ik zou trouwens maar een beetje oppassen wanneer je zo terugrijdt naar het motel. Die laatste bocht kan bij dit weer verraderlijk glad zijn.'

Dus Berglund wist wel degelijk dat hij gekozen had voor een kamer in de Whispering Pines, dacht Cruz. Waarom verbaasde hem dat niet? 'Zeg, Berglund,' riep hij tegen de rug van de hulpsheriff, die al op weg was naar zijn auto.

'Ja?'

'Heb je al gehoord dat Jillian Meade op de middag van de brand bij de Chevron-pomp een jerrycan met benzine heeft gevuld?'

Berglunds gezicht werd donker. 'Wie heeft je dat verteld?'

'De eigenaar. Wist jij dat al?'

'Ja, ik had al zoiets gehoord.'

'En?'

'En, wat? Ze heeft dus een jerrycan met benzine gehaald. Dat wil nog niet zeggen dat ze die gebruikt heeft. Iedereen kan die jerrycan in de garage hebben gevonden en besloten hebben brand te stichten om zijn sporen uit te wissen.'

'Maar waar heeft ze die benzine in deze tijd van het jaar voor nodig? Het is te vroeg om het gras te maaien, en het lijkt me hoogstonwaarschijnlijk dat zij of haar moeder met een kettingzaag of zo aan de slag wilde. En ik hoop dat je me niet wilt wijsmaken dat een van die vrouwen van plan was deel te nemen aan de wedstrijd ijsvissen.'

Berglund keerde terug op zijn schreden en kwam iets dichterbij Cruz staan dan de politieregels voorschreven. 'Ik weet niet waarvoor ze het heeft willen gebruiken, maar ik zal navraag doen. Tevreden? Verder nog iets?'

'Had Grace Meade vijanden in Havenwood?'

Zuchtend schudde Berglund zijn hoofd. 'Niet dat ik weet. Ze was een steunpilaar van de gemeenschap.'

'Zelfs steunpilaren hebben vijanden.'

'Waar dan? In de kerk? Iemand die het voorzitterschap van het paasparadecomité wilde overnemen? Iemand die boos was omdat Grace' petunia's de eerste prijs wonnen bij de jaarlijkse bloemenshow? Laten we wel even serieus blijven, Cruz.' Hij snoof luidruchtig.

'Hoe zit het met haar grond? Zo te zien een A-locatie. Misschien dat iemand die grond zo graag wilde hebben, dat hij bereid was haar uit te roken?'

'Kijk om je heen, Cruz. Dit is een klein stadje, en er is genoeg onbebouwd land. Er zijn hier ik weet niet hoeveel prachtige kavels voor woningbouw te koop.'

Hoewel Cruz wist dat het vergezocht was, moest hij eenvoudigweg alle mogelijkheden uitsluiten. Het sloeg nergens op dat deze misdaad hier gepleegd was. 'Als Mrs. Meade niet het doelwit was, kun jij dan iemand bedenken die haar dochter heeft willen treffen?'

'Nee. Jillian is hier al jaren weg. Volgens mij weten veel mensen niet eens dat ze deze week in de stad was,' antwoordde Berglund. Hij voegde eraan toe: 'Maar natuurlijk bekijken we alle mogelijkheden.'

Weer viel het Cruz op dat de politieman zich in de verdediging gedrukt voelde. Even aarzelde hij. Zou hij het laten passeren? Maar het lag niet in zijn aard om dingen te laten passeren, hoe impopulair hij zich er ook mee maakte. 'Is het waar?'

'Is wat waar?'

'Dat jij vroeger met Jillian Meade verloofd was?'

Berglund aarzelde, zij het heel kort. 'Dat is geen geheim. Wat zou dat?'

'Volgens Carla –'

'Carla is een kletskous.'

'Volgens Carla moest jij niet veel hebben van Grace Meade. Waar kwam dat door? Vond ze jou niet goed genoeg voor haar dochter? Is zij de reden dat het tussen Jillian en jou tot een breuk kwam?'

'Allemachtig, het is zeventien jaar geleden dat Jillian en ik uit elkaar gingen! Heb jij in je jeugd geen vriendinnen gehad, Cruz? Waar wil je in godsnaam naar toe?'

'Ik vraag me alleen af of je verleden je tijdens dit onderzoek geen parten gaat spelen.'

Deze keer keek Berglund hem lange tijd zwijgend aan alvorens antwoord te geven. 'Je weet helemaal niets van mijn verleden, makker. Maar ik zal je één ding zeggen. Ik mag dan een plattelandsdiender zijn, maar ik heb net als jij een eed gezworen. Verder ben ik waarnemend hoofd van politie in deze stad, en die verantwoordelijkheid vat ik niet licht op. Ik voer dit onderzoek uit zoals ik vind dat het moet. Uit wat jij me verteld hebt, kan ik opmaken dat de dood van Grace Meade weinig of niets te maken heeft met de kwestie die jou hierheen heeft gebracht – wat dat dan ook moge zijn. Ik stel voor dat jij jouw werk doet en dat jij me mijn werk laat doen. Wat zeg je daarvan?'

Cruz haalde zijn schouders op. 'Klinkt niet onredelijk.'

'Mooi zo. En zoals ik al zei, pas goed op jezelf onderweg.' Met die woorden draaide Berglund zich om en beende weg.

13

Ik geloof dat de drugs nog steeds niet helemaal zijn uitgewerkt. Ik merk dat ik wegdrijf in een halfwereld, ergens tussen apathisch en superalert, gevoelloos en overontvankelijk – nergens aan denkend, of hooguit aan luchtige filosofische opvattingen als noodlot, bestemming en vergeldend recht.

Ik heb geprobeerd mezelf wijs te maken dat we uiteindelijk vernietigd werden door háár schuld, háár geheimen – dat daardoor het rad werd aangeslingerd van de gebeurtenissen die ons beiden fataal werden. Maar dat is laf. Ze was wie ze was, maar wie ben ik om haar te veroordelen? Wat voor kind vernietigt zijn eigen moeder? Ik zal het jullie vertellen: een monster.

Hoe zit het dan met haar? Was ze voorbestemd voor het lot dat haar uiteindelijk trof? Dat kan ik moeilijk geloven. Er moet een tijd geweest zijn dat ze vanbinnen even puur en lief was als aan de buitenkant. Dat willen we toch zeker geloven van zo'n mooi iemand?

Mensen die haar niet als jong meisje hebben gekend, hebben geen idee wat voor een verfijnde schoonheid ze was. Toen ze naar dit land kwam, was ze al zesentwintig, en toen had ze al vijf lange oorlogsjaren achter de rug. Bombardementen meegemaakt, vrienden en familie verloren, onder wie de vader die ze aanbad en de man met wie ze zou gaan trouwen voordat ze ooit maar van Joe Meade had gehoord. Bovendien had ze meer dan een jaar bij de Franse ondergrondse gewerkt, een tijd waarin ze haar leven geen dag zeker was. Alsof dat nog niet genoeg was, had ze een grote liefde gevonden en verloren en had ze een kind gebaard. Al die dingen hadden hun tol geëist van haar schoonheid, en toch was ze nog steeds de mooiste vrouw die ooit voet had gezet in Havenwood.

We kunnen ons alleen maar voorstellen hoe ze geweest moet zijn als zorgeloze jonge vrouw. Het was met de intentie haar te herinneren aan de geest die die jongere versie van haar had bezield, dat ik begon aan mijn geschenk: haar verleden.

Afgelopen maand kwam ik eindelijk aan in Engeland. In Dover, de geboorteplaats van mijn moeder. Toen ik eenmaal besloten had haar te verrassen met dit kerstgeschenk, leek dat een logisch vertrekpunt. Vandaar dat ik eropuit trok op mijn eerste vrije dag na het afronden van mijn afspraken en het onderzoek in het Oorlogsmuseum.

Dover is vooral erg saai; zo'n stad waar mensen alleen op doorreis naar elders komen. Een arbeidersstad met eindeloze rijen gemetselde flatgebouwen, waar mensen wonen die of in de bijstand zitten – vooral tegenwoordig, nu de Britse economie in zo'n belabberde positie verkeert – of slechtbetaalde baantjes hebben in de haven en op de veerboten en treinen die mensen naar en door die rusteloze stad aan het eind van het 'groene, soevereine eiland' brengen.

Hoog boven de stad rijst het kasteel van Dover op, een middeleeuws fort dat al bijna duizend jaar het symbool is van het Britse verzet tegen invasies van het Europese vasteland. Tijdens mijn bezoek aan het kasteel heb ik op de borstweringen gestaan en neergekeken op de kiezelstranden waar mijn moeder als kind gespeeld zal hebben. Voorbij het strand en voorbij Het Kanaal, in de verte, kon ik nog net de wazige contouren van Frankrijk zien, dertig kilometer verderop – het land waar mijn grootmoeder geboren is.

Staand op die wallen wenste ik dat mijn moeder bij me was. Ik probeerde me voor te stellen hoe ze zich na al die jaren zou hebben gevoeld bij het zien van die Franse kustlijn. Ik ben ervan overtuigd dat het overweldigende herinneringen zou hebben losgemaakt aan zomers met de ooms en haar afschuwelijke neefjes. En natuurlijk zou ze ook hebben teruggedacht aan de veertien maanden die ze in en om Parijs als 'Sylvie Fournier', haar moeders meisjesnaam, bij de Résistance doorbracht.

Terwijl ik uitkeek over de beroemde krijtrotsen, speelde dat beroemde lied uit de oorlog door mijn hoofd: *There'll be bluebirds over the white cliffs of Dover*... Ik zag wel geen vogels, maar het was ook december, koud en guur, en de vogels waren ongetwijfeld vertrokken naar waar ze dan ook 's winters heengingen. Toen mijn moeder opgroeide, waren er zeker vogels geweest. Vogels zijn een gelukssymbool – en ik denk dat die jaren de gelukkigste jaren van haar leven waren. Haar gezicht straalde tenminste altijd wanneer ze over haar kindertijd in Dover vertelde, het enige deel van haar verleden waar ze geen moeite mee had. De rest, van 1940 tot haar aankomst in Amerika in 1945, leek te pijnlijk om op te halen. Het weinige wat ik over die latere periode wist, was afkomstig uit terloopse opmerkingen die ze in de loop der jaren had gemaakt, snippertjes informatie die ik had vergaard en aaneengeregen tot een gouden ketting die ik koesterde en jaloers bewaakte.

Ik vraag me nog steeds af of mijn imposante, ongrijpbare moeder enig idee heeft gehad hoe graag ik alles over haar wilde weten. Hoe wanhopig graag ik net zo wilde zijn als zij.

Engeland was de tien dagen dat ik er was, ondergedompeld in grijs. Eerlijk gezegd beviel me dat wel. Dat leek op een of andere manier te passen bij mijn speurtocht naar mijn moeders verleden. Ik had het gevoel alsof ik me in de oude zwartwitfoto's bevond die mijn mentale beeld van haar thuis en haar leven voor haar komst naar dit land lijken te bepalen. Engeland draagt nog steeds littekens van de oorlog; hopen puin die nog steeds niet zijn opgeruimd, vijfendertig jaar nadat de laatste Duitse bom is gevallen. Elders zijn lelijke, nietszeggende, moderne gebouwen neergezet op de plaats waar voor de Blitz andere gebouwen stonden – gebouwen die misschien niet minder lelijk waren, al denken we altijd het liefst dat ze vroeger alles beter deden.

Ik wist dat de drukkerij van mijn grootvader reeds lang was verdwenen. Bij de Slag om Engeland is er een Duitse bom op gevallen. Het was de tijd dat de havens en industriële centra van Engeland elke nacht het doelwit waren van heftige luchtaanvallen, die bedoeld waren om de weerstand van het land en het moreel van de bevolking te breken ter voorbereiding van de Duitse invasie. Op de plaats waar Wickham Press volgens de oude kaarten die ik in het stadsarchief had gevonden, had gestaan, bevond zich nu een modern gebouw van drie verdiepingen hoog. Op de begane grond was een makelaardij gehuisvest, op de bovenliggende verdiepingen hielden diverse advocaten en accountants kantoor. Ik wilde er een foto van nemen, maar ik wist zeker dat die mijn moeders hart zou breken.

In de plaatselijke bibliotheek vond ik echter een groot aantal kopieën van materiaal dat Wickham Press had gedrukt voordat het bedrijf was platgebombardeerd, waaronder allerlei affiches die de Britten aanspoorden toch vooral de moed niet te verliezen en zich op te geven als vrijwilliger. Van een paar ervan heb ik kopieën gemaakt om in haar herinneringsalbum op te nemen.

In de openbare bibliotheek van Dover heb ik meteen in de telefoongids onder de naam 'Entwistle' gekeken. Al na twee keer proberen had ik de vrouw te pakken wier naam mijn moeder zich had laten ontvallen en met wie ze vroeger bevriend was geweest. Dat was een van die kostbare snippertjes informatie waaruit ik het hele prachtige kleed van haar vroege jeugd had gesponnen zoals ik me die voorstelde. Het toeval wilde dat Nellie Entwistle nooit getrouwd was en nog altijd die onvergetelijke naam droeg.

'Wiens dochter zei je, kind?' zei ze door de telefoon, hoorbaar geschrokken van dit onverwachte contact met een onbekende Amerikaanse.

'Grace Meade – of Grace Wickham, zoals u haar gekend hebt. Ik ben haar dochter, Jillian Meade.'

'Jij bent de dochter van Grace? Lieve hemel! En je komt helemaal uit Amerika? Hoe is het met Grace? Er is toch niets...'

'De laatste keer dat ik haar sprak, was alles in orde.'

'Zijn jullie hier dan niet samen?'

'Nee, ik ben bang van niet. Ze woont in Minnesota.'

'Minnesota? Stel je voor! Ik heb me altijd afgevraagd wat er van haar geworden is.'

'Ze heeft het vaak over u gehad. Ik neem aan dat u samen met haar bent opgegroeid?'

'Ja zeker,' antwoordde Miss Entwistle hartelijk, nu het verband was gelegd. 'Vanaf de kleuterschool. Hartsvriendinnen waren we.'

'Ik ben in Engeland voor zaken, Miss Entwistle, en het leek me leuk om nu ik hier toch ben een paar oude vriendinnen van mijn moeder op te zoeken en wat souvenirs voor haar mee terug te nemen. Ik herinnerde me uw naam, en dit leek me een goede gelegenheid u op te zoeken. Ik weet dat mijn moeder het heerlijk zou vinden te weten hoe het met u gaat – als u daar geen bezwaar tegen hebt.'

Mijn moeder en deze vrouw hadden elkaar kennelijk in geen jaren gesproken, al waren ze vroeger dus hartsvriendinnen geweest. Ik kende de omstandigheden niet waaronder ze uit elkaar waren gegroeid. Wie weet was er een enorme ruzie geweest.

Miss Entwistle leek me echter graag te willen ontvangen, toen ze eenmaal over de eerste verrassing heen was. Ze nodigde me uit om diezelfde middag nog thee te komen drinken.

Ze woonde in een klein, wit huisje met een rieten dak en een met zwarte planken betimmerde gevel, bij de Canterbury Road. De witgepleisterde muren van het huisje waren begroeid met rozentakken, die zich om vensters met glas in loodramen en om de ronde groene deur wonden. In deze tijd van het jaar waren ze natuurlijk kaal, maar ik kon me voorstellen hoe mooi het zou zijn wanneer de rozen bloeiden. Het was een echt sprookjeshuis.

De groengeverfde voordeur ging open toen ik de klink van het lage tuinhekje oplichtte, en in de deuropening verscheen een ronde gestalte met een montuurloos brilletje en sneeuwwit haar. Het regende ondertussen pijpenstelen.

'Kom gauw binnen, kind!' riep Miss Entwistle uit. 'Wat vervelend dat het zulk slecht weer is. En je hebt nog wel zo'n lange reis gemaakt.'

Glimlachend liep ik naar haar toe. Op de drempel bleef ik even staan om mijn paraplu uit te schudden, voordat ik hem inklapte en in de paraplubak naast de deur zette. Er stond maar één andere paraplu in, een knalrode met een knobbelig houten handvat. Binnen rook het naar lamsvlees en lavendel, en de flauwe, muffige geur die alles in dat prachtige maar natte land leek te doordringen.

'Hemeltje, ik kan mijn ogen nauwelijks geloven,' zei Miss Entwistle en haar bril gleed van haar neus toen ze naar me opkeek. Ze droeg een hooggesloten bloemetjesjurk met een ouderwetse camee op haar keel. Om haar schouders hing een vest van witte wol. 'Ben jij werkelijk de dochter van Grace?'

'Ja, ik ben Jillian, Miss Entwistle. Jillian Meade.'

'Stel je voor! Helemaal uit Amerika! Wat een verrassing. Geef je jas maar hier, kind, dan zal ik je een lekker kopje thee inschenken. Ik heb net gezet.'

Miss Entwistle was zelf net zo rond als een theepot, en ze moest op haar tenen gaan staan om mijn regenjas van mijn schouders te pakken. Ze was van dezelfde leeftijd als mijn moeder, maar anders dan bij haar, was duidelijk te zien dat Nellie Entwistle zestig en een beetje was. Haar zachte, witte haar was ouderwets gepermanent en haar huid oogde even zacht en pafferig als brooddeeg. Terwijl ze mijn jas aan een hanger onder de trap hing, keek ze naar me. Aan de lichte frons op haar voorhoofd zag ik dat ze tevergeefs zocht naar enige overeenkomst met haar vroegere vriendin.

'Ik zie er zeker heel anders uit dan u had verwacht, hè?' vroeg ik, me pijnlijk bewust van mijn lengte en saaie, donkere uiterlijk.

Ze bloosde. 'O, het spijt me kind, het was niet netjes van me je zo aan te staren. Maar ja, ik denk dat ik inderdaad naar iets van Grace zocht. Je lijkt niet op haar, moet ik zeggen.'

'Ik schijn meer te hebben van mijn vader; die was ook lang en donker.'

'Dat zal het zijn. Grace was gewoon een plaatje.' Haastig voegde ze eraan toe: 'Niet dat jij dat niet bent, hoor! Je bent een heel opvallende verschijning. Alleen...'

'U hoeft u niet te verontschuldigen, Miss Entwistle. Ik begrijp het wel.'

'Och, kind toch. Nou, kom verder, zou ik zeggen. De thee is net klaar.'

Ze ging me voor naar een klein kamertje naast de gang, waar

een bloemenbom leek te zijn ontploft. Overal zag ik bloemen: op het behang, op de gordijnen, de bekleding van de stoelen, de kussens en het geborduurde linnen tafelkleed, dat over de kleine tafel in het midden lag. We gingen allebei aan een kant van de tafel zitten. In het midden stond een sierlijk zilveren theeservies, en op porseleinen bordjes lagen koude hapjes, kaas, sandwiches en een melange van dezelfde biscuitjes die Arneson in Havenwood altijd speciaal voor mijn moeder in voorraad had. Miss Entwistle had zich duidelijk uitgesloofd, en ik voelde me gevleid dat ze dat speciaal voor mij had gedaan.

'Dat ziet er heerlijk uit,' zei ik. 'Fijn dat ik even langs mocht komen, Miss Entwistle.'

'Och, het was geen moeite, hoor. Je telefoontje was een enorme verrassing. Ik denk nog zo vaak aan je moeder. Sinds de oorlog heb ik niets meer van haar gehoord. Alles is toch wel goed met haar, hè?'

'Ja, uitstekend. Ik woon zelf in Washington, maar ik denk dat ik haar met de kerstdagen wel weer zie. Vorige week heb ik haar nog aan de telefoon gehad. Ze had het druk, maar dat is niets bijzonders. Ze schrijft stukken voor de Havenwood Herald – de lokale krant – en ze is voorzitster van verscheidene comités, en dus is er altijd wel iets wat haar aandacht opeist. Ik denk dat de stad haar deuren wel kan sluiten als haar iets overkomt.'

Miss Entwistle glimlachte. 'Wat dat betreft is ze niets veranderd. Vroeger schreef ze hier ook stukjes in de krant, wist je dat? Mr. Wickham – Grace' vader, God hebbe zijn ziel – zorgde dat het in de krant kwam. Voor de oorlog had hij een drukkerij hier in de stad.' Ik knikte. 'Grace had vroeger een rubriek die "Dingen in Dover" heette,' vervolgde Miss Entwistle. 'Die ging over welke films er draaiden, welk orkestje er op dansavonden speelde, en zo. Ze was natuurlijk de aangewezen persoon om dat te doen; er gebeurde niet veel waar je moeder niet bij betrokken was.'

'Ze was zeker dol op uitgaan?'

'O, ja, en ze was ook heel erg in trek. De jongemannen stonden in de rij om haar mee te mogen nemen naar de film en om op zaterdagavond een keer met haar te dansen.' Miss Entwistle bloosde. 'Maar je moet niet denken dat ze los van zeden was, hoor. O, nee, helemaal niet. Ze was heel kieskeurig over met wie ze uitging, en terecht, zo'n knap ding. Ja, onze Grace stelde hoge eisen. Maar we waren jong en we mochten graag plezier maken.' Even zweeg ze. 'Ook toen de oorlog al was uitgebroken, leek het allemaal een grap – in het begin tenminste,' voegde ze er met een ernstiger gezicht aan toe.

In de stilte die volgde, schonk ze de thee in.

'Ik kan me voorstellen dat de emoties hoog opliepen,' zei ik, terwijl ze me een kopje en een schoteltje overhandigde. 'Voor jonge mensen leek het waarschijnlijk één groot avontuur.'

'Ja, daar heb je gelijk in.' Ze hield me een schaal voor en drong erop aan dat ik wat van de sandwiches en de koude hapjes zou nemen. 'Voor het Grand Hotel lag een rolschaatsbaan, aan het water, en daar gingen we 's avonds wel heen. Zelfs toen de oorlog al was uitgebroken, zetten ze het geluid van de grammofoon op zijn hardst. Ze zeggen dat de muziek tot in Frankrijk te horen was. En toen Frankrijk door de nazi's was veroverd, moesten de Duitsers natuurlijk horen dat wij ons prima vermaakten – dat was onze manier om een lange neus naar ze te trekken, om ze te laten zien dat ze ons er niet onder kregen.'

Ik moest lachen om de Engelse koppigheid, die nog steeds oplichtte in die waterige oude ogen.

'Wel hielden we altijd een oogje op het kasteel,' ging ze verder. 'Wanneer de rode vlag in de toren werd gehesen, betekende dat dat de bommenwerpers onderweg waren. Dan werd de grammofoon uitgezet en werd het doodstil, totdat we opeens, heel in de verte, de vliegtuigen van de Luftwaffe laag over het water zagen aankomen, als een zwerm insecten. Kinderen hadden vliegtuigkaartjes en maakten er een spel van welke vliegtuigen ze allemaal herkenden – Messerschmitts of Junkers of Heinkels, of welke je dan ook maar had. En dan hoorden we achter ons onze eigen jongens van de RAF opstijgen, om de Luftwaffe boven Het Kanaal op te wachten. Mensen klommen soms naar de top van Shakespeare Cliff om het luchtgevecht beter te kunnen zien. Het was een verschrikkelijk gezicht, al die vliegtuigen die elkaar beschoten en die een voor een in het water duikelden. Verschrikkelijk, en toch ook zo opwindend.'

Ik nam een slokje thee. 'Hebt u mijn vader ooit ontmoet, Miss Entwistle? Joe Meade? Mijn moeder zei een keer dat ze elkaar in Londen al even hadden ontmoet, en ik vroeg me af of hij ooit in Dover was geweest voordat zij naar Frankrijk werd gezonden.'

'Nee, die heb ik nooit ontmoet, kind. Grace heeft me wel een keer geschreven om te vertellen dat ze met een Amerikaanse officier was getrouwd, maar dat hij in Frankrijk was gesneuveld.' Er verscheen een frons op haar gladde voorhoofd, maar die verdween bijna net zo snel weer, om plaats te maken voor een glimlach. Ze reikte over de tafel heen en kneep even in mijn hand. 'Ze schreef dat ze een baby had, een meisje. Dat zul jij dus geweest zijn. Ook zei ze dat ze hoopte nog eens op bezoek te komen, maar dat het allemaal erg moeilijk was. Het waren toen voor iedereen zware tijden, maar vooral voor die arme Grace. Zo jong al weduwe.'

Ik knikte. 'Mijn vader was piloot bij de OSS,' legde ik uit. 'Office of Strategic Services. Ik heb hem jammer genoeg nooit gekend. Zoals ik al zei, hebben ze elkaar in Londen leren kennen. Ik weet niet precies hoe, maar omdat ze allebei in dienst van hun respectieve regeringen waren, zal het wel een of ander uitwisselingsprogramma zijn geweest.'

'We kwamen de Amerikanen vaak tegen op de dansavonden van het Rode Kruis,' zei Miss Entwistle. 'Misschien heeft Grace je vader daar wel ontmoet. Ze waren zo leuk, die *yanks*. Altijd hadden ze chocola en sigaretten en kousen voor de meisjes bij zich. Ik kan je wel vertellen dat onze eigen jongens stikjaloers waren.'

'Een stelletje hartenbrekers zeker, die *yanks*?'

'Reken maar. Geld zat, tijd zat en zin zat,' antwoordde Miss Entwistle, waarna ze gauw een hand voor haar mond sloeg, geschrokken van haar eigen schalksheid.

'Dat heb ik gehoord,' zei ik lachend. 'Hoe dan ook, mijn moeder heeft nooit precies verteld hoe ze elkaar in Londen hebben leren kennen, alleen dat ze later, toen ze elkaar in Frankrijk weer tegenkwamen, verliefd werden. Ik heb geprobeerd alle stukjes ineen te passen tot een samenhangend verhaal. Ik denk dat ze elkaar kort voordat ze naar Frankrijk werd gestuurd hebben ontmoet, want mijn vader kwam rond het voorjaar van 1943 in Engeland, en mijn moeder is, geloof ik, kort daarop naar Frankrijk gegaan. In de herfst was hij betrokken bij het overvliegen van voorraden, en bij een van die missies is hij achter de Duitse linies neergeschoten. Mijn moeder was een van degenen die hem hebben verborgen tot hij door de Résistance teruggebracht kon worden naar Engeland. Ze heeft me verteld dat ze toen smoorverliefd op elkaar werden, tijdens de weken dat hij ondergedoken zat. Ze zijn in het geheim getrouwd door een priester die voor het verzet werkte.'

'O, wat ontzettend romantisch, vind je niet?' vroeg Miss Entwistle met grote ogen.

'Ja. Toen ze eindelijk zo ver waren dat ze allebei naar Engeland zouden worden teruggebracht, werden ze gescheiden. Mijn moeder heeft verteld dat ze erop stond dat mijn vader vast vooruit ging, omdat hij het meeste risico liep. Ze wist toen al wel dat ze zwanger was. Mijn vader sprak geen Frans, en dus was het voor hem veel moeilijker om zich op straat te vertonen. Het is hem nooit gelukt Parijs uit te komen. De Duitsers hadden de druk op het verzet vergroot en hielden razzia's, in een poging het hele ondergrondse netwerk te ontmantelen. Honderden Parijzenaars liepen in de val, en mijn vader zat e tussenin. Toen de Gestapo besefte dat hij geen Fransman was en ook geen gewoon soldaat, hebben ze hem als spion gefusilleerd.'

'O, wat vreselijk.'

'Uiteindelijk is het mijn moeder pas na de bevrijding van Frankrijk gelukt terug te keren naar Engeland.'

Miss Entwistle nam de bril van haar neus en begon de glazen te poetsen met een zakdoekje dat ze uit een zak van haar jurk haalde. Daarna bette ze haar vochtige ogen.

Ik boog me voorover en kneep in haar hand. Het was heel vreemd voor me dingen over mijn ouders te vertellen. Ik was gewend dat anderen dingen over mijn ouders aan míj vertelden, vooral over mijn vader, die per slot van rekening een van Havenwoods lokale helden was. Waarschijnlijk was ik ervan uitgegaan dat Grace' levensverhaal in haar geboortestad net zo bekend zou zijn. Dat is precies het soort zelfoverschatting dat opgroeien in een klein stadje soms meebrengt – iets wat ik dacht dat ik dat inmiddels kwijt was na al zo lang buiten Havenwood te hebben gewoond. 'Het spijt me, Miss Entwistle, ik wilde u niet van streek maken. Ik dacht dat u dat allemaal wel wist.'

'Nee, kind, ik had geen idee. Arme, arme Grace! Dat ze het gered heeft, zo jong al weduwe. En alleen een baby krijgen in die vreselijke tijd... Terwijl ze haar vader en die arme John ook al was kwijtgeraakt...' Ze zweeg abrupt en wierp me een nerveuze blik toe.

Ik besloot haar tegemoet te komen. 'John is zeker de marineofficier met wie ze verloofd was toen de oorlog uitbrak? Ik heb begrepen dat hij kort daarna al is gesneuveld.'

'John Emory, dat klopt,' zei Miss Entwistle opgelucht, blij dat ze geen geheim had verraden. 'Wat een droeve tijd was dat. Maar goed, dat is allemaal voorbij. Zei je dat Grace nu journaliste is? Stel je voor. Het verbaast me trouwens niets, met haar achtergrond.'

'Ik wil u niet de indruk geven dat de Havenwood Herald net zoiets is als de New York Times of een andere krant van dat kaliber,' zei ik. 'Havenwood is een heel klein stadje. Er wonen maar een paar duizend mensen, al loopt het inwonertal in het toeristenseizoen flink op. Het is namelijk een echte vakantieplaats.'

'Wat fijn. Hier, kind, neem wat kaas en een paar van die koekjes.'

'Maar moeder zegt wel eens dat ze met inkt in haar aderen is geboren,' besloot ik terwijl ik een puntje Stilton en een paar crackertjes pakte.

'O, maar dat is ook zo. Ze aanbad haar vader en vond het heerlijk hem op de drukkerij te helpen. Tot de dag van zijn dood is ze bij hem gebleven.'

'Dat was in 1941?'

'O, ja?' Ze wachtte even en schonk me nog een keer in. 'Ja, dat zal dan wel. Ik zal die avond nooit vergeten. Het was herfst. Het had geregend, maar de lucht was opgeklaard. Ik zat net thee te drinken met je moeder en haar vader, toen de sirenes gingen. Ze woonden boven de drukkerij. Grace en ik waren van plan later die avond naar een dansfeest in het Grand te gaan, al hadden we half-en-half wel een luchtaanval verwacht. Je wist eigenlijk nooit precies wanneer de Duitsers kwamen – of ze een heldere nacht uitzochten zodat ze hun doelen konden zien, of een bewolkte nacht om onzichtbaar te zijn voor het afweergeschut. En je wist ook nooit of ze hun bommen al boven Dover zouden laten vallen of dat ze doorvlogen naar Londen. Ze hadden al heel wat schade aangericht in East End. De koningin-moeder ging te voet door de wijk om de mensen moed in te spreken. Ze zei dat ze blij was toen ze Buckingham Palace bombardeerden, omdat ze nu pas de Eastenders recht in de ogen kon kijken. Maar hier in Dover hadden we nog niets gehad, dus we dachten dat we wel eens aan de beurt konden zijn.'

'En dat was het geval, de avond dat mijn grootvader stierf?'

Miss Entwistle knikte. 'Het was verschrikkelijk. Toen de sirenes gingen, stuurde Mr. Wickham Grace en mij naar de schuilkelder van Anderson.'

'Die had hij geloof ik zelf gebouwd?'

'Dat klopt, in de achtertuin. Je groef een diepe kuil, dekte die af met ijzeren golfplaten en schepte daar de grond weer overheen. Zo'n schuilkelder was eigenlijk verrassend stevig. Met een beetje moeite pasten er wel zes mensen in. Mr. Wickham had die van hem groot genoeg gemaakt voor zichzelf en Grace, plus alle werknemers van de drukkerij. Maar die avond hadden Grace en ik er het rijk alleen.'

'Ging haar vader dan niet mee?'

'O, nee. Die was bij de vrijwillige brandweer en moest die avond wacht lopen. Ze maakten zich namelijk vooral zorgen om de brandbommen. Dat waren kleine, ronde vuurballen, die veel meer schade aanrichtten dan gewone bommen. Zo'n brandbom werd op de daken van de huizen gegooid, en voor je het wist stond een hele wijk in lichterlaaie. De regering had de brandwachten voorzien van scheppen en emmers met zand, en daarmee gingen ze de daken op om te proberen de brandbommen op te scheppen en in de emmer met zand te leggen voordat ze al te veel schade aanrichtten.'

'Terwijl de bombardementen bezig waren? Dat klinkt ontzettend gevaarlijk.'

'Dat was het ook. Onze brandwachten waren ongelooflijk dapper. Maar goed, Grace en ik waren die avond dus alleen in de schuilkelder, terwijl haar vader het dak op ging. We wisten dat het erg zou worden; we hoorden het afweergeschut knallen en het gedreun van de vliegtuigen. En toen de doffe knallen van de bommen.' Bij wijze van demonstratie bonsde Miss Entwistle met haar kleine vuist op het tafelblad, zodat de kopjes rinkelden. 'Opeens was er een akelig, afschuwelijk geloei, en het volgende moment vlogen de kluiten ons om de oren. Er was vlakbij een bom ingeslagen, dat kon niet anders. Grace en ik hielden elkaar stevig vast, maar we trilden allebei als espenblaadjes. Het leek nooit meer op te houden, maar de schuilkelder hield het. Toen klonk eindelijk het signaal dat alles veilig was, en Grace vloog meteen naar buiten. Ik liep vlak achter haar, maar in de tuin aangekomen liep ik haar bijna omver. Ze was plotsklaps blijven staan en staarde naar het huis. Zoals ik al zei, woonden ze boven en stonden de drukpersen op de begane grond.'

Ik knikte.

'Wel, het halve gebouw was verdwenen. Bijna loodrecht doormidden gesneden,' vervolgde Miss Entwistle. 'De kamer waar we een paar minuten eerder nog thee hadden zitten drinken? Die leek nog het meest op een toneeldecor. De bordjes stonden nog op tafel, precies zoals we ze hadden achtergelaten. De stoel van haar vader lag op zijn kant, dat was alles. Verder was de kamer nog helemaal intact. Van de andere helft van het gebouw was niets meer over dan een berg puin. En in de drukkerij woedde een felle brand – vanwege al dat papier dat daar lag, begrijp je.'

'En mijn grootvader?'

'Die konden we niet vinden. In het begin niet. We riepen en riepen, maar kregen geen antwoord. We zochten overal – tussen het puin, op straat. Grace was degene die hem uiteindelijk vond; hij moet van het dak zijn geblazen. Aan de overkant van de weg was een apotheek, en Mr. Wickham zat op het trottoir met zijn rug tegen de voorgevel van de apotheek, alsof hij even was gaan zitten om uit te rusten. Er was bijna niets aan hem te zien, maar hij had zijn ogen wijd open, en je zag meteen dat hij dood was.'

'O, wat verschrikkelijk allemaal,' zei ik zacht. Dit gedeelte had mijn moeder me nooit verteld. Ze had alleen gezegd dat haar vader was gedood door de bom die op zijn drukkerij terecht was gekomen.

'Je hebt geen idee hoe verschrikkelijk, kind. Zijn haar stond namelijk in brand. Hij zat daar op het trottoir, zijn ogen staarden ons aan, en zijn haar stond in lichterlaaie. Grace stond als aan de grond genageld naar hem te kijken. En toen begon ze te gillen. Ze gilde en gilde, totdat eindelijk een van de andere brandwachten aan kwam hollen. Die moesten namelijk na het signaal dat alles veilig was de eventuele doden ophalen. De man wierp een blik op die arme Mr. Wickham en gooide toen zijn jas over hem heen om de vlammen te doven. Toen dat klaar was, liet hij de jas over hem heen hangen.'

Triest staarde Miss Entwistle naar haar thee, die allang koud was geworden. 'Arme Grace! Hij was alles wat ze nog had, nadat de arme John Emory was gesneuveld. Ze hebben haar vader in een kartonnen doos moeten begraven. Houten doodskisten waren er nauwelijks meer, met die vele doden.'

We bleven zwijgend tegenover elkaar zitten, terwijl het vreselijke beeld zich in mijn geheugen grifte: mijn grootvader, die tegen de pui van de apotheek zat met starende ogen en zijn haar in brand. Nu vraag ik me af of dat misschien het moment was, de bocht in de weg, waar mijn moeders deugdzaamheid van het rechte pad afweek.

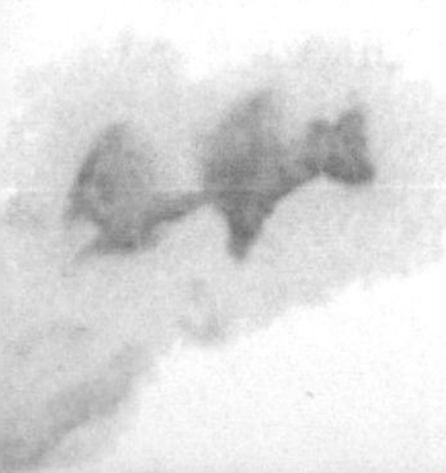

14

Havenwood, Minnesota
Vrijdag 12 januari 1979

Het was voor Cruz niets nieuws een buitenstaander te zijn. Hij wist dat hij die ochtend niet de enige vreemdeling in het wegrestaurant was, maar hij was wel de enige die er helemaal niet op zijn plaats leek. Even had hij overwogen vandaag geen stropdas om te doen, maar dat zou weinig verschil hebben gemaakt. Zijn grijze overjas en zwarte leren schoenen mochten dan in een stad van bureaucraten niet opvallen, in deze wereld van geruit flanel, stalen neuzen en bezwete honkbalpetten verrieden ze hem niet minder dan wanneer hij het woord 'ambtenaar' op zijn voorhoofd had geschreven. Op zijn motelkamer, toen hij bezig was geweest zijn brogues glanzend te poetsen – wat na zijn diensttijd bijna een tweede natuur was geworden – had hij besloten om een paar overschoenen te gaan halen in het warenhuis waar hij de vorige avond langs was gereden, maar na een blik op de ontbijtende meute was hij daarvan teruggekomen. Liever bedorven schoenen dan gekwetste trots.

De dag was zonnig begonnen en beloofde minder koud te worden dan de vorige. De afgelopen nacht was Cruz pas tegen vieren in slaap gevallen. Steeds wanneer hij wegdoezelde, schrok hij weer wakker van het gepiep en gezoef van autobanden op de snelweg, zijn lichaam gespannen, zijn oren gespitst, terwijl hij in de duisternis tuurde die hem omringde. Ten slotte was hij weggezakt. De scherpe geur van naaldbomen en benzinedampen zorgde voor bizarre dromen over ronddolen in brandende bossen. Rond kwart over zeven was hij gewekt door een felle lichtstreep die door het raam van de badkamer naar binnen scheen, en even later had hij in een weidse, open hemel gekeken die zo blauw was, dat zijn ogen er pijn van deden.

Terwijl hij van zijn kamer naar het wegrestaurant liep, viel hem voor het eerst op dat er boven op een lage heuvel pal achter het motel-benzinepomp-wegrestaurantcomplex een laag, houten huis stond. Het erf eromheen was beplant met hetzelfde soort jeneverbessen als op het motelterrein, wat hem tot de conclusie bracht dat de Jorgensons waarschijnlijk bij hun werk woonden, zodat ze de boel een beetje in de gaten konden houden.

Twee grote vrachtwagencombinaties met nummerplaten van een andere staat stonden op de voor truckers gereserveerde parkeerplaats. Een ervan was een verhuiswagen. Door het grote raam van het wegrestaurant zag hij de bestuurder ervan op een met rood vinyl beklede kruk aan de halfronde bar gebogen over zijn bord zitten. Op de rug van zijn jack was 'Allied Van Lines' geborduurd. De andere truck met oplegger was afkomstig uit de staat New York. Terwijl Cruz langs de benzinepompen liep, zag hij de chauffeur uit het slaapgedeelte achter de cabine springen, waarna hij even bleef staan om zijn overhemd in zijn broek te stoppen, zijn gulp dicht te ritsen en zijn riem vast te maken. Daarna slenterde hij een eindje voor Cruz uit naar het wegrestaurant.

Eenmaal binnen, koos Cruz een tafeltje in een hoek uit, zodat hij met zijn rug naar de muur kon zitten, terwijl de chauffeur een plekje zocht bij het raam, waar hij uitzicht had op de benzinepompen en de weg daarachter. Er waren een stuk of zes ontbijters aanwezig – een paar kabeltrekkers van de telefoonmaatschappij, enkele truckers en een paar oude mannen met verweerde, doorploegde gezichten – boeren uit de buurt, dacht Cruz toen hij het beeldmerk van International Harvester en Monsanto op hun petten zag.

Twee serveersters namen de bediening voor hun rekening –

de oudere vrouw die Jorgenson als zijn vrouw had betiteld en een tienermeisje met een donkere paardenstaart, misschien zijn kleindochter. Het meisje had net een kopje, bestek en een menu naar de chauffeur van de grote oplegger gebracht, toen er een knap, maar bleek jong meisje in een gerafelde spijkerbroek, een strak T-shirt en een suède jasje met franje uit de doucheruimte iets verderop in de gang te voorschijn kwam. Ze keek een ogenblik aarzelend om zich heen, zag toen de chauffeur zitten en liep naar hem toe. Haar groezelige groene rugzak zette ze op de grond naast zijn tafeltje. Met een onzekere glimlach liet ze zich op de plaats tegenover hem zakken. De blik die de chauffeur haar toewierp, drukte een heel scala van gevoelens uit – zelfvoldaanheid, ijdelheid, verachting en niet meer dan een spoortje schuldbesef.

Cruz keek naar de jonge serveerster, die nog een kopje, extra bestek en een menukaart ophaalde en naar het tafeltje bracht. Het meisje accepteerde het kopje, maar schudde haar hoofd bij de menukaart. Natte slierten donkerbruin haar zwierden over de rug van haar jasje. Mrs. Jorgenson was achter de bar bezig, maar hield het tafeltje wel in de gaten, zag Cruz. Zodra het meisje haar natte hoofd had geschud, pakte ze een pot met koffie uit de koffiemachine achter haar rug en liep om de bar heen.

'Je moet wat eten,' zei ze bruusk, en ze vulde het kopje van het meisje tot de rand toe.

Het jonge meisje keek op. Ondanks de zwarte mascara om haar vermoeide ogen, zag ze er kinderlijk en bang uit.

De oudere vrouw wendde zich tot de chauffeur en pakte zijn kopje om het te vullen. 'Een mens moet goed ontbijten,' zei ze, terwijl ze het met een klap voor hem neerzette.

De chauffeur was een jaar of veertig, zo mager als een lat en kalend. Aan zijn linkerwijsvinger droeg hij een gouden ring. Ontstemd keek hij naar zijn klotsende koffie, maar Mrs. Jorgenson was duidelijk niet in de stemming voor klachten. Hij negeerde haar en gromde tegen het meisje dat ze wat moest bestellen, op zijn rekening. Dankbaar pakte ze de menukaart op.

Mrs. Jorgenson knikte naar de serveerster dat ze de bestelling kon opnemen en liep toen naar Cruz' tafeltje. In het voorbijgaan pakte ze een kopje en een menu van de bar. 'Goeiemorgen. Koffie?'

'Ja, graag,' antwoordde hij. Met gedempte stem vervolgde hij: 'Dat deed u goed.'

De vrouw wierp een blik op het andere tafeltje, waar de serveerster met de paardenstaart bezig was de bestelling van het meisje op te nemen. 'Ik heb die onzin vaker gezien. Jonge meiden die in hun eentje aan het liften zijn en opgepikt worden door ouwe geilbakken als die daar – neem me niet kwalijk dat ik het zeg. Je zou er kotsmisselijk van worden. Die meiden denken dat ze het thuis moeilijk hebben en lopen weg, in de hoop in de grote stad of in Californië het geluk te vinden, maar ze komen er binnen de kortste keren achter dat ze van de regen in de drup beland zijn.'

'Ze lijkt zo jong.'

'Dat zijn ze altijd,' klonk het grimmig. 'Bent u al aan ontbijten toe?'

'Nou en of,' antwoordde Cruz, en hij wierp een blik op het menu. 'Eens even zien... Ik heb best trek. Doet u mij maar de nummer twee speciaal.'

Met een kort knikje pakte ze de kaart van hem aan. 'Komt voor elkaar. U bent toch de man die gisteravond kamer nummer acht heeft geboekt? Hebt u goed geslapen?'

'Prima,' loog Cruz. 'De kamer is uitstekend, dank u.'

'Ik hoorde dat u van de FBI bent? En dat u hier bent in verband met de brand bij Grace Meade?'

'Klopt. Uw man vertelde me dat Jillian Meade bevriend was met uw dochter. U kende haar dus goed?'

'O, goed genoeg, denk ik. Al heb ik Jillian weinig meer gezien sinds Nancy en zij van de middelbare school af zijn. Ik heb Nance gisteravond wel even gebeld om te vertellen wat er hier gebeurd is. Ze woont in Seattle met haar man en haar twee kinderen.'

Cruz knikte. 'Uw man zei al zoiets. Had uw dochter nog contact met Jillian?'

'Nee, nauwelijks. Ze stuurden elkaar wel elk jaar een kerstkaart met een paar regeltjes erop, maar daar hield het wel mee op. Gisteravond vertelde Nance me trouwens dat ze deze keer voor het eerst met kerst niets van Jillian heeft gehoord. Dat viel haar pas op toen ze de kerstkaarten opruimde. Ze was van plan haar even te bellen om te horen of alles in orde was, maar u weet hoe dat gaat als je kinderen hebt, er is altijd wat, en al met al was het er nog niet van gekomen. Dat zat haar natuurlijk helemaal niet lekker toen ze hoorde wat er hier is gebeurd.'

'En Mrs. Meade? Uw man vertelde me dat hij waarnemend burgemeester is, en ik heb begrepen dat Mrs. Meade op lokaal niveau erg actief was, dus u hebt haar vast regelmatig gezien. Wat was ze voor iemand?'

'Eerlijk gezegd had Norbert meer met haar te maken dan ik. Ik ben meestal hier bezig,' vertelde ze, en ze gebaarde om zich heen. 'Ik doe ook wel eens wat voor de kerk, maar wij zijn lutbers, en Grace behoorde tot de episcopaalse kerk, dus onze wegen kruisten elkaar niet zo vaak. Alleen op Onafhankelijkheidsdag, bij trouwerijen, dat soort dingen.'

'Maar dit is zo'n klein stadje,' zei Cruz, herhalend wat hij voortdurend om zich heen hoorde. 'Iedereen kent elkaar. U hebt vast wel een mening over haar.'

Mrs. Jorgenson leunde met een hand op de tafel en fronste haar wenkbrauwen, alsof ze nadacht over een antwoord. 'Ik denk dat u verschillende meningen over Grace Meade zult horen. Het hangt er maar net van af wie u spreekt. Ze was inderdaad erg actief op sociaal gebied, maar ze kon mensen ook erg tegen de haren in strijken. Aan de andere kant moet ik toegeven dat ze bijzonder veel werk verzette. Grace kreeg dingen voor elkaar, wat meer is dan ik kan zeggen van de mopperaars die klaagden dat ze altijd alles naar zich toe trok of andermans prestaties bekritiseerde. En nu ze er niet meer is, zullen heel wat dingen blijven liggen, dat kan ik u verzekeren. Dingen zullen veel minder goed geregeld worden dan in Grace haar tijd, en veel zaken worden helemaal niet meer aangepakt.'

'Maar had ze een lastig karakter, Mrs. Jorgenson?'

Als antwoord trok de vrouw een gezicht. 'Alsjeblieft, zeg. Ik heet Olga – Ollie, zoals iedereen hier zegt. Mrs. Jorgenson is mijn schoonmoeder. Dat was een echte kenau. Ik krijg gewoon de rillingen wanneer iemand me zo noemt.'

Cruz grinnikte en stak zijn hand uit. 'Alex Cruz. Aangenaam. Vertel eens, Ollie, was Grace Meade ook een kenau?'

'Och, dat is misschien wat veel gezegd, al zijn er misschien mensen die er anders over denken.'

'O, ja?'

Ollie Jorgenson keek even om zich heen, maar alles leek onder controle in het restaurant. De jonge serveerster zette net het ontbijt op tafel voor de vrachtwagenchauffeur en zijn liftster, en na Cruz was er niemand meer binnengekomen. 'Pam?' riep Ollie naar haar, 'wil je wanneer je daar klaar bent hier een nummer twee speciaal brengen?'

'Doe ik.'

'Hoe wil je je eieren?' vroeg Ollie aan Cruz. 'En wat voor toast?'

'Hele dooier en bruinbrood.'

'Oké. Hele dooier, Pam, en bruinbrood,' riep ze naar het meisje, dat knikte en naar de keuken liep. Ollie zette de koffiepot op tafel en ging op de stoel tegenover hem zitten. 'Heb je ooit een terriër gehad?'

'Nee, nooit.'

'Nou, Grace had wel iets van een terriër, zoals Norbert placht te zeggen. Vals en kefferig, wat je vaak ziet bij terriërs en kleine vrouwen – volgens Norbert, tenminste. Hij zegt dat hij daarom liever een forse vrouw heeft zoals ik.'

Glimlachend knikte Cruz. Hij begon de vrouw steeds meer te mogen; ze deed hem denken aan zijn tante Luisa.

'Aan de andere kant kon Grace ook heel charmant zijn,' ging ze verder. 'En ze was heel aantrekkelijk. Vroeger was ze beeldschoon. Toen ze in Havenwood kwam wonen, was ze echt een plaatje. Razend populair bij de mannen, gehaat door de vrouwen. Tenminste, totdat ze door hadden dat ze geen belangstelling had voor hun mannen.'

'Heeft ze nooit aan hertrouwen gedacht?'

'Voorzover ik weet niet. Ze zei dat ze nooit meer een man als Joe Meade zou vinden en dat ze met minder geen genoegen nam. Daarom zocht ze afleiding in andere dingen. En om eerlijk te zijn, als je haar eens goed bekeek, kon je je haar gewoon niet voorstellen met een van de mannen hier. Zoals ik al zei, was ze werkelijk een plaatje om te zien. En ook toen ze ouder werd, bleef ze zichzelf goed verzorgen. Ze droeg haar haren altijd in zo'n lage wrong die bij andere vrouwen tuttig leek, maar die Grace prachtig stond... een beetje als Grace Kelly, zal ik maar zeggen. Ik denk dat je haar een vrouw van de wereld zou kunnen noemen. Ze kon inderdaad wat bazig zijn, maar als ze wilde, pakte ze iedereen in met haar charme. De meeste mensen hier hadden groot ontzag voor haar en benaderden haar... Tja, hoe zeg je dat nu?'

'Eerbiedig?'

'Eerbiedig, dat is het. Alsof ze de koningin van Engeland was – en Grace moedigde dat aan. Misschien dat ze ons in haar hart wel als haar onderdanen beschouwde. Ik wil niet zeggen dat ze beter was dan andere mensen, maar in elk geval wel anders. De meeste mensen waren geïntimideerd door haar en lieten haar doen wat ze wilde. Er waren zelfs een paar lui die haar bijna aanbaden. Ze had een kleine schare trouwe volgelingen die haar altijd achterna liep.'

'Hoe zit het met jou, Ollie? Ik heb het gevoel dat jij niet zo makkelijk te intimideren bent.'

'Ik? O, nee, ik was helemaal niet geïntimideerd door Grace. Maar begrijp me niet verkeerd, we konden het goed met elkaar vinden. Niet dat we vriendinnen waren, of zo, maar persoonlijk heeft ze me nooit een strobreed in de weg gelegd. Ik heb mijn eigen leven en dat is druk zat, met deze zaak, vier kinderen en zeven kleinkinderen. Eerlijk gezegd kon het me worst wezen of ik al dan niet de goedkeuring van Grace Meade kon wegdragen. Dat wist ze denk ik wel, maar ze wist ook dat ik geen bedreiging voor haar ambities vormde. Vandaar dat we wel met elkaar door één deur konden, zoals ik al zei.'

'Had ze ook vrienden?'

'Ze had veel vrienden, en ik denk dat veel mensen zich ook als een bijzonder goede vriend of vriendin van haar beschouwden, al is het moeilijk te zeggen of ze echt zo dik met elkaar waren. Grace was er volgens mij namelijk de vrouw niet naar om haar hart bij iemand uit te storten. Dat was misschien die Engelse gereserveerdheid van haar. Maar ik kan je verzekeren dat er heel veel mensen op haar begrafenis zullen afkomen.'

'Wie zou ik het beste voor wat meer informatie over haar kunnen benaderen... over haar en haar dochter?' vroeg Cruz. De eigenlijke reden voor zijn komst was Jillian Meade, maar op de een of andere manier kreeg hij steeds sterker het gevoel dat de sleutel tot de dochter bij de moeder lag.

Terwijl Ollie even nadacht, verscheen Pam met Cruz' ontbijt – een enorm bord met eieren, worstjes, hachee en pannenkoeken, plus een rekje met toast. Een echt arbeidersontbijt.

'Ollie?' vroeg Pam zachtjes aan de oudere vrouw. 'Dat meisje daar? Denk je dat we moeten proberen haar zover te krijgen dat ze hier blijft? Ik krijg de bibbers van die man met wie ze is.'

Ollie keek over haar schouder naar het bewuste tafeltje, waar de man en het meisje in doodse stilte zaten te eten, met de ogen strak op het bord gericht. 'Ik kan het vragen,' zei ze toen, 'maar ik kan haar niet dwingen als ze niet wil.'

'Misschien weet ze niet dat ze nog een andere keus kan maken.'

Even bestudeerde Ollie het meisje, toen knikte ze en hees ze zichzelf moeizaam overeind. 'Wil je me even excuseren, agent Cruz?'

Hij keek haar na terwijl ze naar het tafeltje bij het raam liep. 'Alles in orde hier?' hoorde hij haar vragen.

'Ja, hoor. We waren net klaar,' antwoordde de chauffeur. 'Ik moet er weer vandoor. Breng me de rekening maar.'

'Wil jij hier misschien nog een tijdje blijven, meid?' vroeg Ollie aan het meisje.

'Waarom zou ze dat willen?' De chauffeur wendde zich tot het meisje. 'Schiet op, ik ben toch al aan de late kant.'

'In dat geval moest je maar snel vertrekken,' antwoordde Ollie minzaam, 'maar persoonlijk ben ik van mening dat deze jongedame wel iets beters kan doen dan met jou meegaan.'

'Waar bemoei je je eigenlijk mee? We kwamen hier alleen even een hapje eten, maar ik moet zeggen dat het eten niet echt best is en de bediening ronduit slecht. Ik denk dat ik straks op de weg mijn bakkie maar eens pak en mijn collega's maar eens moest vertellen dat ze hier beter niet meer kunnen komen. Wat zeg je daarvan?'

'Dat moet je zelf weten. Doe wat je niet laten kunt,' zei Ollie, waarna ze zich weer tot het meisje wendde. 'Maar zoals ik al zei, meid, als je wilt blijven, vinden we wel een andere lift voor je, of een baantje, als je daarom verlegen zit. Je mag ook altijd even naar huis bellen, hoor, als daar iemand zit die zich ongerust over je maakt.'

Het meisje wiebelde onzeker op haar stoel. 'Ik weet niet –'

'Flauwekul,' zei de chauffeur boos, en hij stond op. 'Ze gaat met mij mee. Kom mee jij, sta op en laten we maken dat we hier wegkomen.'

Cruz stond al, maar tegen de tijd dat hij bij het tafeltje was, had de chauffeur het meisje stevig bij haar arm vast. 'Laat haar los,' waarschuwde Cruz kalm.

'Bemoei je er niet mee!' De chauffeur wierp hem een nijdige blik toe. 'Meekomen!' herhaalde hij, terwijl hij het meisje overeind sleurde.

'Ik zei dat je haar los moest laten.' Cruz duwde zijn vuist onder de pols van de ander om zijn greep los te maken.

Terwijl het meisje terugzakte op haar stoel, draaide de chauffeur zich woedend om. 'Wie denk je wel dat je bent?' Ze waren ongeveer even lang, en de andere man boog zich naar hem toe. 'Dit gaat jou niets aan, zak, dus rot op voordat ik mijn geduld verlies,' snauwde hij, met zijn wijsvinger in Cruz' misplaatste das prikkend.

Cruz pakte de vinger en draaide die om, terwijl hij met zijn andere hand zijn identiteitsbewijs te voorschijn haalde. 'Cruz, FBI,' antwoordde hij, 'en ik zal het deze keer door de vingers zien, *sir*, maar als u mij weer aanraakt met die vieze vinger, hangt u voordat u het weet geboeid met uw neus in de resten van uw ontbijt.'

'O, shit!' riep de chauffeur uit, die wit wegtrok en tegelijk ineenkromp. 'Au! Dat doet pijn!'

'Mag ik uw rijbewijs even zien?' Cruz liet de vinger van de

man los en duwde hem achteruit. Het was ondertussen muisstil geworden in het restaurant.

'Oké, oké!' De chauffeur stak zijn hand in zijn achterzak en haalde zijn rijbewijs uit zijn portefeuille. 'Ik heb niks gedaan, oké? Ze stond te liften, en ik heb haar meegenomen. Het was ijskoud. Had ik haar dan maar moeten laten verrekken langs de kant van de weg?'

Cruz nam het rijbewijs aan, maar keurde het geen blik waardig. In plaats daarvan keek hij het meisje aan. 'Alles in orde?' Met grote ogen knikte ze. 'Heeft hij je iets gedaan?'

De chauffeur deed een stap naar voren. 'Hoor eens, het spijt me. Het was niet mijn –'

Waarschuwend hief Cruz zijn wijsvinger op. 'Stil. Ik heb het niet tegen u. U doet uw mond pas weer open als u iets gevraagd wordt. Duidelijk?' Toen de chauffeur knikte, wendde Cruz zich weer tot het meisje. 'Was je aan het liften?'

Ze knikte schuldbewust. Het leek of ze elk moment in huilen kon uitbarsten. 'Ik wilde naar vrienden van me in Oregon.'

'Heb je toevallig papieren bij je?'

In paniek keek ze om zich heen, toen knikte ze. De tranen rolden haar over de wangen toen ze opstond en de smoezelige groene rugzak naar zich toe trok. Ze haalde er een roze plastic mapje uit, waaruit ze een rijbewijs van de staat Wisconsin haalde. Cruz zag dat ze Kelly Parkening heette en net zestien was geworden.

'Waar heeft deze man je opgepikt, Kelly?'

'In de buurt van Eau Claire.'

'Eau Claire in Wisconsin. We hebben dus te maken met het passeren van een staatsgrens.' Hoofdschuddend wendde hij zich weer tot de chauffeur, die steeds moeilijker keek. 'Interlokaal transport van een minderjarige voor immorele doeleinden. Dat is een misdrijf, Mr., eh...' Hij keek op het rijbewijs. 'Mr. John Dinelli uit Trenton, New Jersey. Ik zag trouwens dat u nummerplaten van de staat New York hebt.'

'O, toe even, man. Is ze minderjarig? Ik dacht dat ze veel ouder was. Minstens eenentwintig. Zo ziet ze er wel uit.'

'Mr. Dinelli? Kop dicht. Dit is de laatste keer dat ik het zeg.'

Hij wendde zich weer tot het meisje. 'Kelly? Niet huilen. Ik beloof je dat je niet wordt aangeklaagd.'

Sniffend knikte ze.

Ollie haalde een schone zakdoek uit haar zak, gaf die aan het meisje en sloeg toen een arm om haar heen. 'Weten je ouders waar je bent?'

Het meisje schudde haar hoofd. 'Ik heb gezegd dat ik bij een vriendin bleef slapen. Maar ze zullen inmiddels wel weten dat dat niet zo is. Ik had een vriendje en die is naar Oregon verhuisd, naar een boerderij, een soort commune. We misten elkaar heel erg en toen dacht ik...' Opnieuw begon ze te huilen. 'Hoe heb ik zo stom kunnen zijn!'

'Kelly? Kelly, luister even naar me,' zei Cruz, en hij bukte zich, zodat hij haar recht aan kon kijken. 'Het was inderdaad oerstom, maar je kunt het nog goedmaken. Mr. Dinelli hier is volwassen, en hij had beter moeten weten. Als jij bereid bent tegen hem te getuigen, kan hij voor de rechter worden gedaagd.'

'O, heilige moeder,' jammerde Dinelli. 'Ik heb een vrouw en drie kinderen!'

'Dat had u dan wel wat eerder mogen bedenken.'

'Agent Cruz, kan ik u heel eventjes spreken?' vroeg Ollie.

Hij knikte. 'Kelly, wil jij even aan de bar gaan zitten? Tegen Dinelli zei hij: 'En u gaat hier zitten en houdt uw mond.'

Dinelli liet zich weer op zijn stoel zakken, terwijl Pam het jonge meisje meenam en aan de bar neerzette. Beschermend bleef ze naast haar staan. Cruz en de oudere vrouw gingen een paar meter verderop staan.

'Het is een stom kind dat een fout heeft gemaakt,' fluisterde Ollie. 'En begrijp me niet verkeerd, want ik vind dat ze die griezel bij zijn ballen moeten opknopen, maar als je hem aanklaagt en haar dwingt te getuigen, verandert een fout in een nachtmerrie die haar maanden of zelfs jaren blijft achtervolgen.'

'Dat weet ik.'

'Laat het dan verder aan mij over. Als ik haar zover krijg dat ze teruggaat naar haar familie, laat je die viezerik dan met een waarschuwing gaan? Kijk hem daar nu zitten. Hij is zo bang, dat hij het bijna in zijn broek doet.'

Cruz keek naar de chauffeur en toen naar het bedrukte meisje. 'Ze moet terug naar huis en ze moet beloven daar te blijven, in elk geval tot ze klaar is met school. En Ollie?' zei hij, nog zachter. 'Ze moet zo snel mogelijk door een dokter worden onderzocht.'

Grimmig knikte Ollie. 'Ik zal ervoor zorgen. Beloofd.'

'Dan ga ik akkoord.' Samen liepen ze terug naar het meisje. 'Kelly, als jij het voor het zeggen had,' zei Cruz tegen haar, 'wat zou jij dan willen dat er gebeurt?'

'Ik wil naar huis,' antwoordde ze huilend.

'En daar zou je dan ook blijven? Je zou teruggaan naar school en heel erg je best doen?' Ze knikte. 'Weet je dat heel zeker?'

'Ik beloof het,' zei ze snikkend. 'Ik wil naar mijn moeder!'

'Goed. We zullen zien wat we kunnen doen. Maar weet wel dat ik je aan je belofte zal houden.' Hij haalde zijn notitieboekje uit zijn achterzak en schreef haar naam en adres op. 'Ik zal je nu en dan bellen. Zorg dat je er bent, anders maak je me erg van streek. En dat wil je niet, want ik ben een akelige FBI-agent en onze arm reikt heel ver. Begrijp je dat?' Hij gaf haar het rijbewijs terug.

Ze knikte plechtig.

'En wat u betreft,' zei Cruz, terwijl hij naar de chauffeur liep, ondertussen zijn gegevens en die van zijn truck noterend, 'ik denk dat ik uw naam maar eens ga natrekken.'

'Ik heb nooit iets misdaan, dat zweer ik! Dit is de eerste fout die ik ooit heb gemaakt.'

'Mr. Dinelli, de enige fout in uw geval is het besluit van uw moeder u niet meteen na de geboorte te smoren.' Ollie Jorgenson proestte. Cruz gooide het rijbewijs van de man op het tafeltje. 'Mijn advies is dat u zo snel mogelijk teruggaat naar New Jersey en daar een baantje zoekt dichter bij huis en bij dat arme, onwetende gezin van u, moge de hemel hen bijstaan. En zorg dat u nooit meer aangehouden wordt voor een soortgelijk akkefietje, want u blijft geregistreerd staan. Mocht u toch in herhaling vervallen, dan kom ik dat te weten en dan bent u nog niet jarig, dat kan ik u verzekeren.'

'Ik zal het nooit meer doen, *sir*, dat zweer ik.'

'En nu wegwezen.'

'Ja, *sir*. Ik ben al weg.' De man griste zijn rijbewijs van tafel en sprong overeind.

Op hetzelfde moment schoot Cruz iets te binnen. 'Ho eens even!' Hij stak zijn hand uit, zodat Dinelli hard met zijn adamsappel tegen zijn arm knalde. De man uitte een verstikte kreet en greep naar zijn keel. 'Heeft Mr. Dinelli deze twee ontbijtjes wel afgerekend?' vroeg Cruz aan de jonge serveerster.

Die knikte naar het geld dat de chauffeur op tafel had gesmeten.

'Zit er een flinke fooi bij?'

Een gezicht trekkend, schudde ze haar hoofd.

Cruz trok een wenkbrauw op.

Nog steeds stond Dinelli met zijn hand tegen zijn keel, die waarschijnlijk nog dagenlang pijn zou doen. Het leek of hij wilde protesteren, maar toen bedacht hij zich. Hij haalde een briefje van tien dollar uit zijn zak en smeet dat op tafel. Toen Cruz zijn arm liet zakken, was de chauffeur een fractie van een seconde later verdwenen.

Hier en daar werd onderdrukt gelachen en geapplaudisseerd, en Ollie Jorgenson wendde zich tot de beide meisjes. 'Pam, neem jij Kelly maar mee naar huis, dan kan ze daar even bijkomen. Ik kan het hier nu wel in mijn eentje af.' Ze raapte de groene rugzak op en gaf die aan het meisje. 'Ga maar met Pam mee, kind. Ik kom straks ook, en dan zullen we je moeder even bellen om haar te laten weten dat alles goed met je is.'

Het meisje knikte, met haar ogen vol tranen. 'Dank u wel. En u ook bedankt,' voegde ze er met een schuwe blik op Cruz aan toe.

'Geen dank,' zei die. 'Maar vergeet niet wat ik heb gezegd, Kelly. Ik houd contact met je en ik wil horen dat je goede cijfers haalt.'

Opnieuw knikte ze, waarna ze samen met het andere meisje naar de deur liep. Ondertussen klonk op het parkeerterrein voor het wegrestaurant het gebrul van een tientonner die met grote snelheid wegreed.

Ollie Jorgenson wendde zich tot Cruz. 'Nou, agent Cruz –'

'Alex.'

'Alex.' Ze glimlachte. 'Je ontbijt is koud geworden. Ga maar weer zitten, dan krijg je een nieuw ontbijt en verse koffie. Van de zaak. En daarna mag ik je misschien verwijzen naar een paar mensen die je wellicht wilt spreken in verband met die kwestie waar we het over hadden.'

15

Er was zoveel wat ik niet wist over mijn moeder, er ontbraken zo veel stukjes van de puzzel Grace Meade, en dat allemaal door haar weigering over vroeger te praten.

'Te veel droevige herinneringen, kind,' placht ze te zeggen wanneer ik aandrong op details van de spannende verhalen die nooit helemaal werden verteld.

Andere keren schoof ze haar zwijgen af op de wet op de Binnenlandse Veiligheid. 'Er zijn staatszaken waar nooit over gesproken kan worden, schat, hoe lang geleden die ook gebeurd zijn. Ik heb een plechtige eed gezworen en me verplicht mijn hele leven over die dingen te zwijgen.'

Maar mijn dorst naar kennis was te groot – kennis over haar, over mijn vader. Ik moest de krachten begrijpen die hen voor even bij elkaar hadden gebracht, een helder licht in die duistere tijden, en hen daarna meteen weer uiteengescheurd hadden voordat ze een gezin konden vormen. In een poging de leemtes te vullen die mijn moeder niet kon of wilde vullen, las ik elk boek en elk verhaal, onderzocht ik elke verwijzing naar het Europa van de Tweede Wereldoorlog, die ik maar te pakken kon krijgen, op zoek naar de wortels van mijn bestaan. Wie weet wat ik was geworden zonder die drang om de leegte in me te vullen? Nu ben ik in elk geval historicus, door de enorme hoeveelheid tijd die ik in het verleden doorbracht.

De ontmoeting met Nellie Entwistle leverde een paar van de ontbrekende stukjes op van de puzzel die mijn moeder was. Ik had al een vermoeden gehad waarom een jonge vrouw als mijn moeder besloot zich te begraven in clandestien werk, een omgeving waarin de levensverwachting van een achter de vijandelijke linies gedropte agent gemiddeld hooguit een paar weken bedroeg. Miss Entwistle had die vermoedens bevestigd. Ze zei dat mijn moeder veranderde nadat ze mijn grootvader die avond met brandend haar dood op straat hadden aangetroffen. Tot dan was ze een zorgeloze jonge vrouw geweest, die graag mocht flirten en meer belangstelling had voor jongemannen en mooie kleren, dan voor de oorlog. Toen verloor ze echter haar geliefde vader aan een Duitse bom, na eerst haar verloofde al te zijn kwijtgeraakt. Ze had de rest van de oorlog in een hoekje kunnen gaan zitten treuren, maar in plaats daarvan nam ze zich vast voor het kwaad dat verantwoordelijk was voor hun dood te bestrijden.

Miss Entwistle kon ook wat meer inzicht geven in de manier waarop mijn moeder bij de geheime dienst was beland. Kennelijk was ze al een jaar voordat ze naar Londen vertrok benaderd, in het begin van de oorlog dus.

Toen Frankrijk in 1940 door de Duitsers werd veroverd, verwierf de bezetter een prima uitgangspunt om Groot-Brittannië, het laatste bolwerk van verzet tegen Hitlers plannen, in te nemen. Terwijl de nazi's hun invasie planden, trokken de Britten hun eigen geheime plan om Hitlers oorlogsmachine van binnenuit te saboteren. Maar hoe was mijn moeder daarbij betrokken geraakt? Dat wilde ik weten – en Nellie Entwistle kon die vraag beantwoorden.

'Ik weet vrijwel zeker dat het die geheimzinnige heer geweest moet zijn, die op een dag in de haven opdook. Een chique heer, die de meeste mensen amper een blik waardig keurde. Maar onze Grace trok zijn aandacht; hij legde beslag op al haar tijd. Die heer is degene geweest die Grace heeft aangepraat dat ze naar Londen toe moest. In het begin wilde ze niet met hem mee, maar na de dood van haar arme vader... Tja, ik denk dat ze toen besloot dat ze niets te verliezen had.'

'Bedoelt u dat mijn moeder een verhouding kreeg met deze geheimzinnige man?'

Geschrokken keek Miss Entwistle me aan, toen bloosde ze tot

aan de wortels van haar zilverwitte haar. Overhaast nam ze een slokje thee. 'O, nee, kind, dat bedoel ik helemaal niet,' antwoordde ze toen ze wat van de schrik was bekomen. 'Allereerst had ze toen verkering met John Emory, en verder was die heer stukken ouder dan wij.'

'Weet u toevallig nog hoe hij heette?'

'Even denken, hoor. Hij bleek een officiersrang te hebben, al droeg hij geen uniform... hier niet, in elk geval. Maar zijn naam? Hoe was die ook weer? Gordon? Gibbons...'

Mijn hart begon sneller te kloppen. 'Was het misschien Gubbins? Kolonel Gubbins?'

'Ja! Ja, zo heette hij. Kolonel Gubbins! Hoe wist je dat, kind? Heeft je moeder het over hem gehad?'

'Dat niet, maar ik ben zijn naam tijdens mijn onderzoek tegengekomen. Ik werk voor het Smithsonian in Washington,' legde ik uit. 'Ik ben gespecialiseerd in de geschiedenis van de Tweede Wereldoorlog, met name in clandestiene operaties en de diverse verzetsbewegingen die tegen de nazi's vochten. Dat is ook de reden dat ik in Engeland ben. We bereiden een expositie voor, en ik ben hier om wat materiaal te lenen en documenten in te zien die onlangs zijn vrijgegeven.'

'Prachtig. En kolonel Gubbins? Die is zeker beroemd?'

'In sommige kringen wel. Hij is hoofd geweest van de afdeling training en operaties van de SOE, een onderdeel van de geheime dienst. Hij zou verantwoordelijk geweest zijn voor de opleiding van de saboteurs die achter het front werden gedropt – hij leerde ze hoe je berichten in code verstuurt, hoe je treinen laat ontsporen en hoe je met je blote handen moet doden. Dat soort dingen.'

'Och, hemeltje. Deed die keurige man zulke dingen?'

'Nou, misschien niet persoonlijk, maar de mensen die hij aantrok en opleidde wel. Per slot van rekening was het oorlog en vocht Engeland voor zijn vrijheid.'

Miss Entwistle knikte, maar ik zag dat ze eigenlijk weigerde te geloven dat mijn moeder betrokken was bij mensen die met hun blote handen doodden. Het was één ding om de dappere Britse RAF-piloten boven Het Kanaal te zien vechten, maar je de gruwelijke tactieken van een guerrillaoorlog voor te stellen, was iets heel anders. Zelf vond ik het moeilijk voor te stellen dat deze lieve, gezette vrijster voor me daadwerkelijk oog in oog had gestaan met de befaamde kolonel Gubbins van de Britse geheime dienst.

'Wat kwam kolonel Gubbins hier eigenlijk doen?' vroeg ik haar.

'Hij was met andere mensen van de regering meegekomen om de evacuatie van Duinkerken voor te bereiden, geloof ik. Het was een gigantische operatie, die vanuit het kasteel werd geleid. Wist je dat er geheime tunnels zitten onder het kasteel van Dover, kind?'

Dat wist ik inderdaad; die waren in de Middeleeuwen gegraven en sindsdien in elk oorlog gebruikt. Tijdens WO II had het Britse leger er een grote militaire commandopost plus een veldhospitaal in gevestigd, en de evacuatie van de stranden van het Franse Duinkerken was van hieruit geleid.

Juni 1940 was de RAF al de helft van zijn bommenwerpers kwijt. Toen de Duitsers diezelfde maand Frankrijk onder de voet liepen, zaten duizenden Britse manschappen in Duinkerken gevangen tussen Het Kanaal en de oprukkende Duitsers. Dat de Duitsers niet direct doorstootten, maar eerst de tijd namen om zich te hergroeperen, was een godswonder. Het was Hitlers eerste, en misschien wel ergste strategische fout. In die korte adempauze verliet een vloot van meer dan achthonderd Britse vaartuigen, van mijnenvegers tot plezierjachten, de havens van Dover en andere zuidelijke kustplaatsen en zette koers naar Duinkerken. Ze slaagden erin meer dan driehonderdduizend soldaten te redden. Hoewel de terugtocht uit Duinkerken een tactische zet was, bleek het een van de grootste moraalverhogende episodes uit de oorlog, die de dappere Britse troepen de kans boden zich te hergroeperen en verder te vechten.

De evacuatie uit Duinkerken was tevens het begin van mijn moeders carrière als spionne, zo leerde ik die dag.

'Iedereen was in de haven om de soldaten welkom thuis te heten. We probeerden op alle mogelijke manieren te helpen,' zei Miss Entwistle. 'Sommige boten hadden averij opgelopen, en een groot aantal was vernietigd door Duitse mijnen in Het Kanaal, maar de rest ging door en bleef heen en weer varen om maar zo veel mogelijk mannen te redden. Wat zagen die soldaten eruit! Je kunt het je niet voorstellen! Moe en smerig, vaak ook nog gewond. Sommigen hadden hun wapens nog, maar de meesten waren alles kwijtgeraakt in Frankrijk. Toch was het moreel goed. Tenslotte waren ze erin geslaagd aan de klauwen van de moffen te ontsnappen, nietwaar? Als al die dappere mensen met hun boten er niet op uit waren getrokken om de soldaten te redden, zouden die jongens krijgsgevangen zijn gemaakt – of erger.'

'Het was inderdaad een ongelooflijke gebeurtenis,' beaamde ik. 'U zei dat iedereen probeerde te helpen? Op wat voor manier?'

'Op alle mogelijke manieren. Het Rode Kruis had hier zijn tenten opgeslagen om onze arme jongens te verzorgen. Grace en ik boden aan te helpen verband rond te brengen en de jongens van sigaretten en thee en zo te voorzien.'

'En daar zagen jullie kolonel Gubbins voor het eerst?' Het was logisch dat de Britse regering haar beste inlichtingenofficieren had gestuurd; ze waren natuurlijk gespitst op alle informatie die de evacués konden spuien. Hoe de Duitsers waren bewapend, hoe het moreel bij de Fransen was, of die in opstand zouden komen tegen de Duitse bezetter, of er sporen van georganiseerd verzet waren...

'Ja, de kolonel was er al vroeg bij. Er kwamen namelijk ook wat Franse manschappen mee, begrijp je. Dat was me een mooi stel trouwens. Ze bliezen elk meisje kussen toe.' Miss Entwistle bloosde, maar ondanks haar gespeelde verontwaardiging vermoedde ik dat ze had genoten van al die mannelijke belangstelling. Oorlog of geen oorlog, zij, mijn moeder en die soldaten waren jonge mensen geweest, met opspelende hormonen die zich alleen maar feller roerden door de gevaren waarin ze verkeerden.

'Dus de kolonel kwam naar Dover om de Franse soldaten te ondervragen die met de Engelsen waren meegekomen?' vroeg ik, om Miss Entwistles geheugen weer op het juiste spoor te brengen.

Ze knikte. 'Ze moesten allemaal worden ondervraagd. En daar kon je moeder goed bij helpen, want die sprak natuurlijk vloeiend Frans. Ik herinner me de dag nog dat de kolonel de kantine van het Rode Kruis binnen kwam. Grace en ik zaten met een paar van die Franse jongens te kletsen. Ik verstond er natuurlijk geen woord van, maar Grace? Die jongens aten gewoon uit haar hand. Ik zag dat de kolonel naar haar keek. Na een tijdje kwam hij naar ons toe en vroeg Grace of ze met hem mee wilde gaan naar het ziekenhuis om te tolken. Later vertelde ze me dat hij bezig was een paar gewonde Franse soldaten te ondervragen. Na die dag hield hij haar flink aan het werk, en toen de evacuatie was afgerond, vroeg hij of ze mee wilde naar Londen om daar de samenwerking voort te zetten.'

'En op die manier kwam ze bij de SOE terecht?'

'Nee, ze is niet gegaan, toen nog niet tenminste. Ze wachtte namelijk nog steeds op Johns terugkeer. Zijn schip was op konvooi in de Atlantische Oceaan. Hij was te laat, maar ze verwachtte hem elk moment terug. Niet lang daarna kreeg ze bericht dat zijn schip met man en muis was vergaan.' Miss Entwistle schudde haar hoofd en slaakte een diepe zucht. In die zucht meende ik het verdriet van een heel land te horen; verdriet om alle jongemannen van haar generatie die waren gestorven.

'Voordat de kolonel was vertrokken,' vervolgde Miss Entwistle, 'had hij haar een kaartje gegeven, voor het geval ze van gedachten veranderde. Grace liet het me zien. Er stond geen naam of zo op, alleen een nummer dat ze moest bellen als ze ooit besloot toch voor hem te komen werken.'

'Maar ze is toch niet meteen naar Londen gegaan nadat ze had gehoord dat John Emory was omgekomen?'

'Nee, dat niet. Pas een jaar later, nadat haar vader was omgekomen. Grace had besloten te blijven om hem op de drukkerij te helpen. Hij kwam altijd handen tekort, omdat de meeste mannen waren weggegaan om te vechten. Toen die arme Mr. Wickham gestorven was en zijn pers was vernietigd, leek Grace een tijdlang niet te weten wat ze moest doen. Toen herinnerde ze zich het kaartje van de kolonel en belde het nummer dat erop stond. Ze vertelde me dat het er allemaal heel geheimzinnig aan toe ging. Ze moest zich melden bij een appartement in Londen, in Baker Street. Dat weet ik nog, omdat het de straat is die beroemd is gemaakt door Arthur Conan Doyle. Ik herinner me dat ik tegen Grace zei dat ze misschien wel voor Mr. Sherlock Holmes in eigen persoon kwam te werken.'

Ik glimlachte, maar ik wist uit mijn onderzoek al dat er een enorm en uiterst clandestien netwerk was geleid vanuit de twee bescheiden huizen in Baker Street die de Britse regering in de oorlog had gevorderd. En nu wist ik eindelijk ook hoe de mooie drukkersdochter uit Dover verzeild was geraakt in het gevaarlijke hart van die geheime operaties.

Tot mijn ontmoeting met Nellie Entwistle had ik niet precies geweten voor welk onderdeel van de Britse geheime dienst mijn moeder in de oorlog had gewerkt, omdat ze stelselmatig had geweigerd mijn vermoedens te bevestigen of te ontkennen. Maar toen Miss Entwistle me vertelde over de komst van Kolonel Gubbins naar Dover om de uit Duinkerken afkomstige Franse soldaten te ondervragen, over zijn toevallige ontmoeting met mijn moeder en – de laatste aanwijzing – dat hij een adres in Baker Street had genoemd, wist ik dat mijn vermoedens juist waren en dat de SOE inderdaad de afdeling was die haar had gerekruteerd en naar Frankrijk gestuurd.

Nadat ik het rietgedekte huisje van Miss Entwistle die middag had verlaten, besloot ik het spoor van mijn moeder verder te volgen en stapte ik op de trein naar Londen, net zoals zij had gedaan na haar vaders dood in het voorjaar van 1941.

Afgaande op wat ik nu weet en alles wat er sindsdien is gebeurd, lijkt het ongelooflijk dat ik me die dag zo gelukkig voelde, ondanks de grauwe lucht, de ijzige kou en de onophoudelijk vallende regen die me het uitzicht op het voorbijsnellende Engelse platteland benam. Ik kon zelfs wel zingen bij de gedachte dat ik eindelijk het goede spoor naar mijn moeders verleden had gevonden. Ik dacht dat ik haar na mijn onderzoek beter zou kennen dan ooit tevoren. Ook hoopte ik dat ze de moeite die ik me had getroost, zou waarderen, en dat ze besefte dat ik deze reis uit liefde voor haar had ondernomen. Ik hoopte kortom dat we dichter bij elkaar zouden komen dan ooit.

We stonden al een paar jaar op gespannen voet met elkaar. Dat had diverse oorzaken, zowel algemene als voor ons specifieke. Naarmate ik ouder werd, begon ik echter anders over haar te denken en ging ik haar als een eenzame vrouw zien. Ze had in Havenwood natuurlijk altijd bewonderaars genoeg, maar de eerlijkheid gebiedt me te zeggen dat ze er niemand had die haar echt na was. Niemand daar kende haar echt. Hoe kon dat ook? Ze hadden immers geen idee waar ze vandaan kwam en wat ze had doorgemaakt.

Mijn moeder was dus een buitenstaander, maar ze was ook een kameleon, die zich buitengewoon goed kon aanpassen aan haar omgeving. Waarschijnlijk heeft ze daarom haar gevaarlijke bestaan als undercoveragente in de oorlog overleefd. Toen ik opgroeide, dacht ik dat ze haar gedrag en haar gesprekken uit beleefdheid aanpaste aan het simpelere niveau van dat van haar medebewoners.

Anders dan de meesten van haar vrienden, las mijn moeder veel en volgde ze het wereldnieuws op de voet. Een voorbeeld daarvan staat me nog heel helder voor de geest. Toen Israëlitische agenten in 1960 Adolf Eichmann uit Argentinië ontvoerden en hij in Jeruzalem terecht moest staan voor zijn oorlogsmisdaden en daarvoor later werd geëxecuteerd, zat ze aan de radio gekluisterd. Dat was een van de zeldzame gelegenheden dat ze herinneringen ophaalde aan haar verleden. Ze vertelde mijn grootouders en mij dat ze verscheidene collega's van het Franse verzet in de vernietigingskampen van de nazi's had verloren – patriotten die naar Duitsland werden gebracht en daar spoorloos verdwenen.

Toch heeft ze over deze dingen buitenshuis nooit met een woord gesproken, hoe die haar ook bezighielden. Ik heb haar nooit aan iemand in Havenwood horen vertellen dat ze in Londen en Parijs heeft gewoond, laat staan dat ze aan het front heeft gevochten van het grootste treffen tussen goed en kwaad van de twintigste eeuw.

Natuurlijk wisten de meeste mensen wel dat ze veel had meegemaakt. Maar ook al had mijn moeder een ander accent, ze kon zich zo goed aanpassen, dat de mensen in Havenwood op den duur vergaten dat ze daar niet haar hele leven had gewoond. Het kwam er eigenlijk op neer dat Grace Wickham Meade in Havenwood werd geaccepteerd omdat ze Joe Meades weduwe was; Helen en Arthur Meades schoondochter, en de Meades woonden al sinds mensenheugenis in Havenwood.

Ik had mezelf echter de opdracht gegeven haar haar volledige identiteit terug te geven.

Zielig, eigenlijk. Want waar het allemaal om draaide, zoals ik in mijn meelijwekkende onzekerheid dacht, was dat mijn moeder met hervonden respect en bewondering naar me zou kijken, omdat ik dat allemaal voor haar had gedaan. Dat ze me eindelijk als een waardige erfgename zou zien. Dat ze misschien eindelijk van me zou gaan houden zoals ze nog nooit van me had gehouden.

Terwijl ik mijn officiële werkzaamheden in Engeland en Frankrijk verrichtte en tegelijk in mijn moeders verleden dook, had ik bijna het gevoel alsof ik op mijn eigen schreden terugkeerde. Ik had me in mijn werk en mijn verbeelding al jaren zo op deze periode gericht, dat ik me op vertrouwd terrein bevond, al had ik zelf dan geen herinneringen aan Europa in oorlogstijd. In mijn obsessieve drang om de krachten waaruit mijn leven was ontstaan te begrijpen, had ik alles over deze periode gelezen wat ik maar te pakken kon krijgen.

Ik wist dat Engeland zich in de donkere dagen na de val van Frankrijk en de evacuatie van Duinkerken tegenover een massieve muur van door Duitsland bezette landen bevond. Noorwegen, Denemarken, Nederland, België en Frankrijk waren allemaal door de vijand veroverd. Zodra Frankrijk capituleerde, stegen de eerste Duitse bommenwerpers op richting Engeland. Amerika hield zich buiten het conflict en het kwaad waar Hitler voor stond, en dus zetten de Britten zich schrap en bereidden ze zich voor op een eenzame strijd.

De RAF deed zijn best de Duitsers tegen te houden, maar de Britten waren zowel in de lucht als ter land en ter zee veruit in de minderheid. Winston Churchill begreep dat de enige manier om de opmars van de nazi's te vertragen, het aanwakkeren van rebellie en verzet in de bezette landen was. Alleen zo zou hij de Duitsers af kunnen leiden van hun doel: het veroveren van de Britse eilanden. Daarom beval Churchill de vorming van een vrijwillig burgerleger dat 'Europa moest laten branden' door subversieve acties en sabotage – het Special Operations Executive. Dit was de overhaast opgerichte organisatie waarbij kolonel Colin Gubbins, hoofd opleiding en operaties, mijn moeder inlijfde.

Ik wist ook dat de SOE inmiddels niet meer bestond. Het wantrouwen van de Britse militaire inlichtingendienst en de spionnen van MI6 had ertoe geleid dat de organisatie kort na het einde van de oorlog, in 1946, was ontmanteld. Ik hoopte echter via mijn contacten met het Britse Oorlogsmuseum en het ministerie van Buitenlandse Zaken toegang tot de oude SOE-dossiers te krijgen. Er waren inmiddels meer dan dertig jaar verstreken, en ik dacht in mijn naïviteit dat de beperkingen van de wet op geheime stukken niet langer van toepassing zou zijn op de dossiers van een opgeheven organisatie, en dat ik in die dossiers gegevens zou vinden over de inlijving, training en werkzaamheden van mijn moeder.

Helaas.

Al snel kwam ik erachter dat veel SOE-dossiers getroffen waren door nogal verdachte gebeurtenissen en ofwel helemaal vernietigd waren, ofwel zoveel water- en brandschade hadden dat ze vrijwel onleesbaar waren. Andere waren verspreid over diverse departementen die ze niet konden of niet wilden vrijgeven, en al helemaal niet aan een of andere Amerikaanse zonder officiële opdracht. In de grote strategische wereld van de geheime diensten is dertig jaar maar kort en hebben veel spelers nog een vinger in de pap. Ik kreeg te horen dat áls zulke dossiers al bestonden, ze nog steeds topgeheim waren. Daaruit kon ik alleen maar de conclusie trekken dat ze informatie bevatten over bronnen of zaken die nog steeds actueel waren, en dat openbaarmaking ervan mogelijk Britse belangen kon schaden.

Een toevallige ontmoeting met een militair historicus in het Oorlogsmuseum, zelf ook SOE-veteraan (die overigens niets van mijn moeder wist omdat hij bij de Griekse tak had gezeten), leidde me echter naar een levende bron van informatie, die maar al te graag bereid was me te vertellen wat die dossiers waarschijnlijk toch niet onthuld zouden hebben, al had ik ze in handen gekregen.

Miss Vivian Atwater was hoofdassistente geweest van wijlen kolonel Maurice Buckmaster, die de leiding had gehad over training en tewerkstelling van in Frankrijk gedropte saboteurs. Ik herkende zijn naam van mijn onderzoek. Het verhaal ging dat Adolf Hitler persoonlijk had uitgeroepen: 'Wanneer ik Londen bereik, weet ik niet wie ik het eerst laat ophangen, Winston Churchill of die vervloekte Buckmaster!' Toen ik de zeer geslepen en efficiënte Miss Atwater ontmoette, Buckmasters rechterhand, wist ik dat zij er grotendeels de oorzaak van was dat de Führer die bedreiging nooit waar heeft kunnen maken.

Miss Atwater was inmiddels eenenzeventig en gepensioneerd, al had ze nog steeds een klein kantoor in een obscuur hoekje in een nog obscuurder deel van Whitehall; het gedeelte van Londen waar onder andere het Britse ministerie van Defensie is te vinden, de ambtswoning van de premier – Downing Street 10 – en diverse andere regeringsgebouwen. Ik had haar nummer van mijn contact in het Oorlogsmuseum gekregen en belde haar vanuit mijn hotel. Toen ze hoorde dat ik de dochter was van Grace Wickham, stemde ze ermee in me de volgende middag te ontvangen.

Te voet begaf ik me naar haar kantoor, opgewonden omdat ik op het punt stond een vrouw te ontmoeten die op haar beurt een oorlogslegende was. Het adres dat ze me gegeven had, bleek te horen bij een laag bakstenen gebouw aan het eind van een doodlopende straat net buiten Whitehall. Een koperen plaat op de deur droeg het wapen van de Britse kroon en het adres, 24-B Camden Court, maar geen aanwijzing over welk departement hier precies gehuisvest was. Een bel was er evenmin, en dus duwde ik na een korte aarzeling de grote koperen deurklink naar beneden en stapte naar binnen.

Ik belandde in een kleine, met notenhout betimmerde hal, waar een verschrompeld mannetje op een hoge kruk achter een ouderwetse lessenaar zat. Hoewel hij een donkergrijs krijtstreeppak droeg, had het me niets verbaasd als hij een pet en mouwophouders had gedragen, zo sterk deed hij denken aan een nederige klerk uit een verhaal van Dickens. Achter hem zag ik een lange gang met aan weerskanten gesloten deuren. De gang, met zijn zwart-wit geblokte tegelvloer, leek oneindig ver door te lopen.

Ik liep naar de oude man toe, die gebogen zat over wat naar nu bleek een van de sappigere Britse tabloids was. Ik kuchte zacht om mijn aanwezigheid bekend te maken. Het geluid echode door de verlaten gang. De oude man keek verschrikt op, moffelde de krant snel weg onder zijn bureau en legde toen zijn gevouwen handen voor zich neer. 'Kan ik u helpen, *miss*?'

'Ik kom voor Miss Vivian Atwater.'

'Juist. Wordt u verwacht?'

'Ja. Ik heb een afspraak met haar om drie uur. Mijn naam is Jillian Meade.'

Hij haalde een groot boek uit zijn bureau en sloeg het open. Met een vinger, die bruin was van de nicotine, ging hij langs een handgeschreven lijstje. Ik las op de kop mee en zag mijn naam al staan voordat hij hem zag. Het was de laatste op de lijst, en de enige met de datum van vandaag erachter. De naam boven die van mij was van iemand die kennelijk een paar weken eerder op bezoek was geweest. Wat er in dit gebouw ook gebeurde, veel bezoekers kwamen er in elk geval niet.

'Hebt u een identiteitsbewijs bij u, *miss*?'

Ik overhandigde hem mijn paspoort, dat hij bladzij voor bladzij omsloeg.

Aandachtig keek hij van de foto naar mijn gezicht, toen gaf hij me het paspoort terug, keek op zijn horloge en noteerde de tijd achter mijn naam in het boek, dat hij vervolgens omdraaide zodat ik mijn handtekening kon zetten. 'U vindt Miss Atwater in kamer 323. Derde verdieping, eind van de gang links, *miss*.' Hij gebaarde naar een antieke lift met een smeedijzeren hek ervoor. 'Daar is de lift,' zei hij. Zowel de binnen- als de buitendeur bestond uit scharend hekwerk, dat onvoorzichtige vingers onmiddellijk zou afstraffen.

Ik nam de lift naar de derde etage. Van mijn contact uit het Oorlogsmuseum wist ik dat Miss Atwater haar kantoor en enige administratieve ondersteuning te danken had aan haar lange en glanzende dienstverband; een dienstverband dat zelfs de bestrijders van de SOE niet betwistten.

Toen ik op de zware eiken deur van kamer 323 klopte, riep een vrouwenstem: 'Binnen!'

Ik betrad een gelambriseerde kamer. Een van de wanden werd van onder tot boven in beslag genomen door een boekenkast. De kamer baadde in het warme en aangename schijnsel van enkele Tiffany-lampen en een kleine gashaard. Bijna de hele vloer werd bedekt door het rijke weefsel van een rode Pers.

Een nogal preuts ogende, oudere vrouw zat achter een kersenhouten bureau, dat schuin in de verste hoek van de kamer was gezet. Ze had staalgrijs haar, dat bij de slapen krulde in een kapsel dat waarschijnlijk niet veranderd was sinds de jaren veertig. Aan haar lange, magere gezicht was haar leeftijd af te lezen, maar er lag een alerte en intelligente uitdrukking op. De enige frivoliteit die ze zich had veroorloofd, was een felrood gestifte mond. Ze droeg een twinset van grijze wol en een bijpassende tweedrok, zag ik toen ze opstond. Haar vrij grote voeten staken in bruine leren veterschoenen die een piepend geluid maakten toen ze om het bureau heen liep om me te begroeten.

Als ik deze vrouw op straat was tegengekomen, zou ik haar voor een bibliothecaresse of hoofd van een meisjeskostschool hebben aangezien. Zeker niet voor een instructrice van spionnen – waaruit eens te meer blijkt, denk ik, hoe weinig wij gewone mensen weten van de echte spionagewereld, waar anonimiteit waarschijnlijk het grootste goed is.

Miss Atwater was een lange vrouw. Bijna een meter tachtig schatte ik, toen ze voor me bleef staan en een door artritis verwrongen hand uitstak. Ondanks dat omvatte ze mijn hand in een ijzeren greep. 'Dus jij bent de dochter van Grace Wickham! Hoe gaat het met je, kind?' Haar stem kraakte en ze sprak nogal luid, wat me het idee gaf dat ze een beetje doof was.

'Heel fijn dat u me op zo'n korte termijn kon ontvangen, Miss Atwater.'

'Ik vind het geweldig. Geweldig. Laten we bij de haard gaan zitten. Het is hier vandaag verrekte kil.'

Haar manier van doen was bijna bot, vergeleken met de meeste Britse ambtenaren die ik had ontmoet, maar de glimlach op haar gezicht was bijna net zo warm en hartelijk als die van Nellie Entwistle. In haar pientere bruine ogen lag dezelfde oprechte nieuwsgierigheid.

'Of ik me Grace herinner?' baste ze in antwoord op mijn vraag, toen we ons hadden geïnstalleerd in de diepe, versleten groen leren leunstoelen die aan weerskanten van een lage tafel voor de kleine gashaard stonden. 'Natuurlijk herinner ik me haar. We hebben er vierhonderd van F uitgezonden en ik herinner me ze stuk voor stuk.'

Ik wist al dat 'F' stond voor de Franse sectie van de SOE.

'Ik heb ze namelijk allemaal persoonlijk ondervraagd en ingedeeld.'

'Hoe werden uw agenten gerekruteerd, Miss Atwater?'

'O, meestal werden ze door iemand van de organisatie aanbevolen. We hadden mensen rondlopen die op zoek waren naar de juiste personen. De meesten bij de F-sectie waren half-Engels, half-Frans, net als je moeder. Dat kwam door generaal De Gaulle; die wilde per se dat we de echte Fransen aan hem lieten voor zijn leger. Logisch natuurlijk. Zijn mensen deden uiteraard het nodige om de nazi's te ondermijnen, maar zijn uiteindelijke doel was toch Parijs binnen te trekken en het Elysée in te nemen, nietwaar? Wij hadden strategische doelen die niet noodzakelijk de zijne waren, en dus hadden we eigen mensen nodig.'

'Ik heb gehoord dat mijn moeder is ontdekt door kolonel Gubbins zelf,' zei ik. 'In Dover, tijdens de evacuatie van Duinkerken.'

'Is dat zo? Best mogelijk. Als ik me goed herinner, kwam ze hier in de herfst van '41. Ja, na de Blitz hadden we een hoop toestroom.'

'Hoe wist u welke mensen geschikt waren voor het werk?'

Ze kneep haar lippen op elkaar. 'Voornamelijk intuïtie. MI5

moest ze natuurlijk nog wel screenen voordat ze bij ons kwamen. Dubbelagenten konden de zaak behoorlijk in de war sturen, dus we moesten erg oppassen. Soms hadden ze bepaalde vaardigheden die we nodig hadden. Zelf heb ik er tijdens het eerste gesprek heel wat moeten afwijzen. Voor de gesprekken gebruikten we het oude Northumberland Hotel; dat hadden we voor de duur van de oorlog gevorderd, snap je. We zetten de mensen in een kamer met twee stoelen, een tafel en een peertje. We moesten ze op de proef stellen, dat kon niet anders. Ze moesten natuurlijk vloeiend Frans spreken, anders overleefden ze het niet. Ook moesten ze de risico's weten. Ik zei altijd ronduit dat ze een kans van een op twee hadden om gevangengenomen en gefusilleerd te worden. De gemiddelde levensverwachting van onze contactpersonen was zes weken. Ik kan je verzekeren dat dat genoeg was om de meesten af te schrikken.'

'Maar niet iedereen, kennelijk. Er bleven er toch nog zo'n vierhonderd over.'

Miss Atwater knikte plechtig. 'Een prima club was dat; de goede zaak helemaal toegewijd. Verscheidenen van hen hadden, net als je moeder, al geliefden verloren aan de Duitsers. Uiterst gemotiveerd. Wilden het Hitlers mensen betaald zetten.'

'Wat gebeurde er na zo'n eerste gesprek?'

'Dan stuurde ik ze weg.'

'U stuurde ze weg? Waarheen?'

Ongeduldig wapperde ze met haar hand. 'Dat maakte niet uit. Ik stuurde ze weg om na te denken, want hadden ze de oversteek eenmaal gewaagd, dan was er geen weg terug. Ze moesten nadenken over wat we van ze vroegen, en zeker weten dat ze bereid waren dat offer te brengen. En natuurlijk wonnen we zo ook wat meer tijd voor MI5 om hun achtergrond na te trekken.'

'En daarna?'

'Als we ze wilden hebben, volgde er eerst een korte opleiding. Die varieerde natuurlijk naargelang de klus die we voor hen in gedachten hadden. De meesten gingen eerst vier weken naar Wandsborough Manor voor een fysieke training, leren omgaan met wapens, kaartlezen en dergelijke. Daarna gingen ze naar Schotland voor de commandotraining, of naar Thames Park in

Oxfordshire voor radiotelegrafie en geheimschrift. Het hing er maar net vanaf wat ze konden, begrijp je?'

'En daarna gingen ze naar Frankrijk?'

'Nog niet. Wanneer ze eenmaal klaargestoomd waren, moesten we ze nog instructies geven over de gang van zaken in bezet Frankrijk. Ze moesten namelijk precies weten wat de regels waren over de avondklok en de andere dingen die de nazi's hadden ingevoerd. Ze hadden *cartes d'identité* en andere papieren nodig die een inspectie konden doorstaan. Hun kleding moest kloppen, tot en met het kleinste etiketje. Iemand die opgepakt werd in een trui met een stomerijlabeltje van Dorset maakte natuurlijk weinig kans. Hun zakken vulden we met echte kaartjes en reçu's – theaterkaartjes, gebruikte bonboekjes, authentieke brieven en aandenkens. Alles om te zorgen dat ze voor lokale bewoners konden doorgaan.'

In haar hoge voorhoofd verscheen een rimpel. 'Ik hielp ze ook om hun testament te maken voordat ze vertrokken.' Even zweeg ze, en haar blik gleed naar het veelkleurige tapijt. 'Ik was op de startbaan wanneer hun vliegtuig naar Frankrijk vertrok,' vervolgde ze rustig. 'Ik liet hun familie en geliefden weten dat ze veilig waren en nog leefden, wanneer ze dat zelf niet konden.'

'Zo te horen gingen uw agenten u erg aan het hart, Miss Atwater.'

Ze keek weer op en liet haar hoekige, lange lichaam tegen de rugleuning rusten. 'Ja, zeker. Het waren mijn schaapjes. Ik zat over allemaal te piekeren. Ik hield al het radioverkeer in de gaten. Ik hield bij waar ze waren, hoe ze het deden, of ze genoeg te eten kregen. Elke ochtend telde ik de koppen, bang dat ik er eentje kwijt zou zijn.'

Terwijl ik luisterde, begreep ik opeens waarom Miss Atwater op haar eenenzeventigste nog elke dag naar haar kantoortje ging en zo hard werkte om de herinnering aan de SOE levend te houden. Waarom ze, zoals ik van mijn museumcontact had gehoord, interviews gaf en lezingen voor veteranenclubs hield. Waarom ze haar memoires schreef. Ze was nooit getrouwd, had geen kinderen. Dit was haar familie. Die agenten waren haar kinderen, en net als elke moeder die een kind heeft verloren, werd Miss Atwater nog achtervolgd door de gezichten van de mensen die ze in die vliegtuigen richting bezet Frankrijk had zien vertrekken – en ik denk vooral door de gezichten van hen die niet waren teruggekomen.

'Miss Atwater, ik heb gehoord dat u na de oorlog persoonlijk degenen hebt opgespoord die het niet hebben gehaald.'

Ze knikte en zuchtte. 'O, ja. Dat waren we aan ze verplicht, na alles wat ze hadden gedaan.'

'Waren dat er veel?'

'Honderdachttien van de vierhonderd die we naar Frankrijk hebben gestuurd,' antwoordde ze zonder aarzeling. 'Op één na zijn ze allemaal door de nazi's gepakt en of ter plekke doodgeschoten, of overgebracht naar een concentratiekamp waar ze vervolgens zijn vermoord.'

'Op één na? Wat is daarmee gebeurd?'

Haar brede, magere schouders gingen afwerend omhoog. 'Die is in Monte Carlo verdwenen. Verslaafd aan gokken, bleek later. Was trouwens een slechte zaak, moet ik zeggen, om die vent aan te nemen.' Ze maakte een wegwerpgebaar met haar knobbelige hand. 'Maar ja, de verwarring van de oorlog en zo. Dan kan er wel eens een rotte appel doorglippen. Gelukkig heeft hij zijn cel geen echte schade berokkend; daar was hij niet lang genoeg actief voor. Toch is hij met drie miljoen franc van ons geld verdwenen, de rotzak. Wat had ik hem graag in mijn vingers gehad. Maar de rest – daar durfde ik mijn hand voor in het vuur te steken. Helden waren het, allemaal.'

Ik boog voorover. 'Ik heb in een boek over het proces van Neurenberg gelezen dat mede dankzij uw getuigenis een paar van de oorlogsmisdadigers zijn veroordeeld die daar terechtstonden. Dat u persoonlijk naar het Europese vasteland bent gegaan om het spoor van de agenten die u bent kwijtgeraakt te volgen, en degenen die ze hebben gevangen te ondervragen.'

'Och, ja, wie had dat anders moeten doen? Hitler had het decreet uitgevaardigd dat alle gevangengenomen mensen van de Résistance spoorloos moesten verdwijnen. "In Nacht und Nebel", zoals de kreet luidde. Doel was uiteraard de bevolking bang te maken. Mensen verdwenen domweg. Werden opgepakt en in het diepste geheim overgebracht naar Duitsland. Degenen die achterbleven, wisten niet of ze dood of levend waren. Zelfs nadat de nazi's waren verslagen en de geallieerden toegang kregen tot hun dossiers, kregen we niet echt uitsluitsel over het lot van onze eigen SOE-agenten. Die opereerden namelijk onder een fictieve naam en hadden vervalste papieren die hun ware identiteit moesten verhullen. Maar ik kende elk detail van mijn schaapjes – echte namen, codenamen, elke haar op hun hoofd. Daarom kon ik hun spoor volgen, nietwaar?' Met een grimmige voldoening stak ze haar onderlip naar voren. 'Ik heb ze allemaal opgespoord. Gezorgd dat hun moordenaars, als die nog leefden, voor het gerecht kwamen. Thee?'

Ik had zo ingespannen geluisterd dat ik even verbluft was door haar vraag, maar ik knikte en keek naar haar terwijl ze een lange arm uitstak en op een knop aan de zijkant van de lage houten tafel drukte die me nog niet was opgevallen. Niet dat ik echt behoefte had aan nog zo'n kop Engelse melkthee, maar ik was van plan zo lang mogelijk van Miss Atwaters woordenrijke gastvrijheid te genieten. Ergens in de verte hoorde ik een zoemer gaan. Miss Atwater leunde weer achterover en vouwde haar kromme handen in haar schoot. Terwijl we wachtten op de gebeurtenissen die komen gingen – welke wist ik niet – keerde ik terug naar het onderwerp.

'Ik hoorde dat u degene bent die een bekentenis heeft losgekregen van Rudolf Höss, de commandant van Auschwitz. De bekentenis die ertoe heeft bijgedragen dat hij in Neurenberg werd veroordeeld. Hoe was dat?'

Een hand tegen haar wang leggend, schudde ze met felle ogen haar hoofd. 'Afschuwelijk, eerlijk gezegd. Verschrikkelijke man! Ik beschuldigde hem ervan dat hij anderhalf miljoen mensen in Auschwitz heeft vermoord, en weet je wat hij zei, het onmens?'

Ik schudde mijn hoofd, al dacht ik bij mezelf dat hij waarschijnlijk het standaardexcuus had gebruikt van iedereen die een concentratiekamp had geleid – dat hij simpelweg orders uitvoerde.

'Hij was beledigd!' riep Miss Atwater uit. 'Beledigd! Stel je voor! Alsof ik zijn professionaliteit aantastte! Hij zei, heel verontwaardigd: "O, nee, Frau Atwater, alstublieft, geen anderhalf miljoen. We hebben er in Auschwitz twee miljoen driehonderdvijfenveertigduizend uitgeroeid." Zo zei hij dat. Dat is toch onvoorstelbaar? Smerige mof, geen greintje schuldgevoel, en nog trots op zijn verwerpelijke efficiëntie ook!'

Ik was het met haar eens dat het onvoorstelbaar was.

Miss Atwater zweeg even. 'Ik denk nog elke dag aan ze,' zei ze toen. 'Degenen, die vertrokken zijn. Degenen, die niet teruggekeerd zijn. Ik weet nog hoe jong ze waren. Ze hadden een heel leven voor zich. We hebben negenendertig vrouwen naar Frankrijk gestuurd; twaalf van hen zijn gestorven. Eén in Auschwitz vermoorde vrouw had drie kleine meisjes. En toch waren ze allemaal meer dan bereid om te gaan. Ze zijn allemaal als held gestorven, en niet voor niets, dat weet ik wel. Maar toch is het doodzonde.'

Op dat moment werd er op de zware deur van haar kantoor geklopt, en toen er geen reactie kwam nog een keer, nu harder.

'Binnen!' riep Miss Atwater over haar schouder.

Een jonge bewaker in militair uniform kwam binnen met een dienblad, dat hij op de tafel voor ons neerzette. Er stond een theepot op, met daarnaast een zeefje, suikerpot, twee kopjes en een schaaltje met de onvermijdelijke biscuitjes. In de kopjes zat al melk, zag ik.

'Geweldig. Dank je wel, Prescott,' zei Miss Atwater. 'Verder kunnen we het zelf wel af.'

De jongen knikte, en zijn blik gleed vluchtig over me heen toen hij zich omdraaide, waarna hij stilletjes verdween, de deur achter zich dicht trekkend. Toen ik weer naar Miss Atwater keek, zag ik dat ze met een zorgelijk gezicht de kopjes volschonk.

'Zei je niet dat alles goed was met je moeder?' vroeg ze.

'Ja, uitstekend; ze woont in het stadje waar mijn vader is opgegroeid, in Minnesota. Ze is nooit hertrouwd, maar ze heeft veel vrienden en leidt een druk sociaal leven. Ik geloof dat ze het wel naar haar zin heeft.'

'Blij dat te horen. Ik moet toegeven dat ik over haar erg heb ingezeten. Na de oorlog heb ik nog vaak aan haar gedacht, me afgevraagd hoe het met haar zou gaan. Na de herovering van Frankrijk hebben we een paar maanden lang gedacht dat we haar kwijt waren.'

Geschrokken keek ik op. 'Echt waar? Dat wist ik niet. Er is trouwens, eerlijk gezegd, heel veel wat ik niet weet over die oorlogstijd. Ze heeft het bijna nooit over vroeger.'

'Hm.' De rimpel in haar voorhoofd werd dieper. Ze reikte me een van de kopjes en de suiker aan. Ik weigerde de suiker, maar accepteerde wel een koekje.

'Wat herinnert u zich nog van haar, Miss Atwater?'

Ze pakte het andere kopje, liet er twee suikerklontjes in vallen en roerde nadenkend in haar thee. Nadat ze aarzelend een slokje had genomen, zei ze: 'Tja, ze was natuurlijk heel mooi. Mijn eerste indruk toen ze naar het Northumberland Hotel kwam, was dat ze totaal niet geschikt was voor ondergronds werk. Je bent op zoek naar mensen die niet opvallen, snap je, en Grace was absoluut niet onopvallend. Ze had natuurlijk vaardigheden die we konden gebruiken, maar mijn aanbeveling was om haar te weigeren. In feite hebben we dan ook pas... even denken, ja, dat moet laat in het voorjaar van '43 zijn geweest.'

'Maar wanneer werd ze dan gerekruteerd?'

'Eind zomer of begin herfst van 1941, als ik me goed herinner. De ergste bombardementen waren toen al achter de rug, al had Grace wel haar vader bij een bombardement een paar maanden daarvoor verloren.'

Ik knikte. 'Ik ben net in Dover geweest; daar heb ik een vroegere vriendin van mijn moeder gesproken. Die was bij haar op de avond dat mijn grootvader stierf. Ze zei dat dat in juni '41 was. Mijn moeder schijnt toen al een jaar met het kaartje van kolonel Gubbins op zak te hebben gelopen, maar ze gebruikte het pas toen haar vader was omgekomen.'

'Ja, dat is waar. Nu je het zegt, herinner ik me weer dat ze me dat vertelde, en ook dat de drukkerij van haar vader verwoest was. Ik was natuurlijk opgetogen toen ik hoorde dat ze bij haar vader had gewerkt en het drukkersvak kende. Ook zonder haar het veld in te sturen, konden we haar goed gebruiken. In Noord-Londen hadden we een huis van waaruit we valse documenten verspreidden. Zoals ik al zei, hadden onze agenten allerlei papieren nodig – identiteitsbewijzen, reispasjes, werkbriefjes, ga zo maar door.'

Ze nam nog een slokje thee en zette haar kopje vlak bij de rand van de tafel. 'En ik moet zeggen dat je moeder grandioos was. Sprak accentloos Frans, en zelfs een beetje Duits, wat nooit kwaad kon. Maar haar kwaliteiten als vervalser, die waren voor ons van onschatbare waarde.'

'Een vervalser!' Voor het eerst hoorde ik wat mijn moeder in de oorlog had gedaan. Natuurlijk klopte het helemaal. Vervalsers zijn per slot van rekening niets anders dan geschoolde drukkers die hun kunde voor duistere zaken gebruiken.

'Ja, en een verdomd goede ook, zoals ik al zei. We ontdekten al snel dat er weinig was wat Grace, met wat tijd en de goede materialen, niet kon maken. Ze hoefde maar even aan een document te voelen om precies te weten van wat voor papier het was gemaakt. Wist met één blik de gebruikte drukmethode – inkt, lettertype, dat soort dingen. Grandioos! Ze kon een zo perfecte kopie van een document maken, dat zelfs de oorspronkelijke maker moeite had origineel en kopie van elkaar te onderscheiden.'

Ik voelde mijn borst zwellen van trots terwijl ik naar Miss Atwater luisterde. Ik zat me al te verkneukelen bij de gedachte hoe aangenaam verrast mijn moeder zou zijn als ze wist dat iemand als Miss Atwater, zelf een fenomeen, zich haar met zoveel ontzag en bewondering herinnerde. Maar toen verscheen er weer een donkere rimpel op Miss Atwaters voorhoofd.

'Hoe vaak heb ik niet betreurd dat we haar uit die sectie hebben gehaald. Ze wilde naar de overkant. Al vanaf het begin had ze aangedrongen dat we haar zouden uitzenden. Natuurlijk, ze was jong. Rusteloos, zoals alleen jonge mensen dat kunnen zijn, brandend van verlangen naar actie. Maar mijn intuïtie zei dat het geen goed idee was.'

'Vanwege haar uiterlijk?'

'Voor een deel. Ze trok te veel de aandacht, ook wanneer ze daar niet op uit was. De helft van de mannen die ze ontmoette, werd verliefd op haar. Het begon echt hinderlijk te worden. Probeer maar eens werk gedaan te krijgen van een man die zich gedraagt als een verliefde ezel. Belachelijk was het. Met de Fransen hadden we nooit dit soort gedonder. Die copuleren gewoon en dat is dat. Heel verstandig. Maar die domme Engelsen moeten nu eenmaal beslist verliefd worden.'

Ik lachte en werd beloond met een brede glimlach die Miss Atwaters strenge trekken verzachtte. 'Ik begrijp wat u bedoelt,' zei ik. 'Op zo'n complicatie zat u natuurlijk niet te wachten.'

'Klopt,' beaamde ze spijtig.

'Wat gebeurde er? Waarom besloot u haar toch naar Frankrijk te sturen?'

'Omdat ze daar toch veel meer voor ons kon doen dan hier. Er was een cel buiten Parijs die ons al maanden om een kleine drukpers vroeg en om iemand die kon meehelpen een ondergrondse krant op te zetten. De Duitsers begonnen steeds meer tegenslag te krijgen aan het front, en het was belangrijker dan ooit om de manschappen met propaganda te bestoken. Frankrijk telde miljoenen potentiële rekruten voor de Résistance; goede mensen die de Duitse bezetting verafschuwden, die de arrogantie en de wreedheid van de nazi's haatten en de diefstal van schaars voedsel en waardevolle goederen die hun rechtmatig toebehoorden, veroordeelden. Tegelijk waren de mensen ook bang. Ze moesten weten dat het verzet springlevend was en dat er een goede kans was om de nazi's te verslaan en ze het land uit te gooien. We wilden de markt overspoelen met valse bonboekjes en informatie over de zwarte markt – alles om de rantsoenering en de Duitse regels te saboteren. Zorgen dat de Duitsers de voorraden niet kregen die ze nodig hadden om het land bezet te houden, begrijp je. En daar kon Grace, met haar ervaring als vervalser, ons uitstekende diensten bewijzen.'

Haar brede schouders gingen even omhoog. 'Het kwam erop neer dat ze haar broodnodig hadden – en dat Grace zelf dolgraag wilde gaan. Technisch was het geen enkel probleem. Ze sprak perfect Frans, met een licht Normandisch accent. Kende het land op haar duimpje, was bekwaam en vol zelfvertrouwen – misschien zelfs wel te veel, naar mijn smaak.'

'Te veel zelfvertrouwen?'

'Nou en of. Ze was bijzonder strijdlustig, onze Grace. Sterk, vastbesloten koste wat kost te winnen.'

'Niet zo vreemd, na wat de Duitsers haar hadden ontnomen, vind ik. En in de oorlog zijn dat toch zeker goede eigenschappen?'

'In principe wel, maar niet als ze een agent ertoe aanzetten onnodige risico's te nemen.'

'En daar was u bang voor?'

'Het hield me wel bezig, ja. Vanaf het begin al. En helemaal toen ik het met haar over het opstellen van haar testament had. Dat was de standaardprocedure, begrijp je, voor het geval er iets gebeurde.'

'Wat zei ze dan?'

'Dat ze geen familie meer had.'

'Er waren nog wat ooms en een paar neven in Frankrijk.'

'Ja, maar daar had ze weinig mee op; ze had zelfs een hekel aan ze. Uiteindelijk benoemde ze het Rode Kruis tot haar enige erfgenaam. De familie kreeg niets.'

Ik glimlachte spijtig. 'Ze heeft me verteld dat haar neven haar vroeger vreselijk hebben gepest.'

Miss Atwater knikte. 'Zie je, dat was het.'

'Maar waarom zou dat verschil maken voor haar operationele mogelijkheden?'

'Omdat, kind, agenten met een geliefde wel tien keer nadenken voordat ze in actie komen, omdat ze geen onnodige risico's nemen. Maar Grace had niemand; ze had niets te verliezen. En ik heb gemerkt dat dat tot fatale vergissingen kan leiden.'

'Maar in haar geval toch niet? Tenslotte was zij een van degenen die terugkwamen.'

'Ja, maar ze was niet meer dezelfde. Helemaal niet.'

'Is dat dan zo vreemd?'

'Misschien niet.' Miss Atwater pakte de theepot en keek mij vragend aan of ik nog een kopje wilde.

Ik schudde mijn hoofd en was even in gedachten verzonken terwijl zij haar eigen kopje bijschonk. 'U zei dat u haar spoor kwijt was rond de tijd dat Frankrijk door de geallieerden was heroverd,' zei ik toen. 'Dat u dacht dat ze misschien door de nazi's gevangengenomen en vermoord was.'

'Ja. We raakten het contact met haar kwijt in juni 1944. Parijs werd eind augustus bevrijd, maar de mensen die we erheen stuurden om uit te zoeken wat er met haar en enkele andere vermiste agenten was gebeurd, kwamen met lege handen terug.'

'Ik ben geboren op 14 juli 1944,' zei ik.

Met gefronste wenkbrauwen keek Miss Atwater me aan. 'Ja, dat weet ik. *Quatorze juillet*. Maar daar kwamen we natuurlijk pas later achter, toen Grace hier samen met jou opdook. We hadden er geen idee van dat ze daar een kind had gekregen. Het was natuurlijk deels onze schuld, omdat we haar zo lang in Frankrijk hadden laten zitten, maar volgens alle berichten deed ze daar fantastisch werk.' Miss Atwater schudde bedroefd haar grijze hoofd. 'Het was gekkenwerk voor haar om daar te blijven, zwanger en al. Natuurlijk, ze was erin geslaagd ontdekking door de Gestapo te voorkomen, langer dan we hadden verwacht zelfs, maar we zouden haar daar nooit hebben laten blijven als we hadden geweten dat ze zwanger was. Ze heeft het voor ons geheim gehouden; in al haar berichten heeft ze er nooit met een woord over gerept.'

'En toen werd het contact verbroken.'

'Ja. Het verzet in Parijs was net gatenkaas. Toen Grace niet meer uitzond, waren we ervan overtuigd dat ze was verraden – en dat bleek later ook zo te zijn. Ze werd gepakt door de Gestapo en overgebracht naar het hoofdkwartier aan de Avenue Foch. Ook gemarteld, denk ik, al heeft ze daar nooit over willen praten. Uiteindelijk belandde ze in doorgangskamp Drancy.'

'O, mijn hemel!' riep ik geschrokken uit. De naam van die Parijse voorstad stond op mijn officiële papieren. Ik had hem duizend keer gezien, maar het kwartje was nooit gevallen. Pas op dat moment realiseerde ik me dat ik niet alleen in Drancy was geboren, maar in het doorgangskamp van de Duitsers. 'Vanuit Drancy gingen mensen op transport naar Auschwitz!'

Miss Atwater knikte. 'Dat lot stond Grace ook te wachten, alleen lag ze net te bevallen toen de laatste trein naar Auschwitz vertrok. Ze bevond zich nog steeds in het doorgangskamp toen het werd bevrijd door de Amerikanen. Toen Grace vertelde dat de vader van haar kind een Amerikaanse piloot was die was neergehaald en gered door haar Franse cel, boden de Amerikanen haar onderdak – haar en jou, tot de zaken zover tot rust waren gekomen dat jullie terug konden keren naar Engeland.'

'En al die tijd,' zei ik, 'heeft ze geen contact met u opgenomen om u te laten weten dat ze gezond en wel was? En de Amerikanen ook niet?'

'Nee. Later bleek dat Grace niet heeft verteld dat ze een van ons was; alleen dat ze half-Engels, half-Frans was en gedurende de oorlog in Frankrijk voor de Résistance heeft gewerkt. De Amerikanen behandelden haar als een gewone oorlogsbruid. Uiteindelijk is ze met een heel schip vol oorlogsbruidjes naar Amerika gebracht.'

'Maar waarom heeft ze geen contact met u opgenomen?'

'Dat heb ik haar ook gevraagd, toen ik eindelijk te weten kwam dat ze niet dood of gevangen was. Verre van dat zelfs. Ze woonde hier in Londen, in een tweekamerflat, in afwachting van haar vertrek naar Amerika. Ik ben haar gaan opzoeken, maar ze was er vreselijk aan toe. Wilde niet eens met me praten.'

'Waarom niet?'

Miss Atwater slaakte een diepe zucht. 'Omdat ze razend op ons was. Je vader was verraden toen de Résistance hem Frankrijk uit probeerde te smokkelen, begrijp je.'

'Ja, dat heeft ze me verteld.'

'We wisten natuurlijk dat er een neergehaalde Amerikaanse piloot ondergedoken zat bij Grace' cel, maar we wisten niet dat je moeder en hij verliefd waren geworden, laat staan dat ze zijn kind had gebaard. Toen hij werd gepakt, raakte ze ervan overtuigd dat er aan onze kant een lek zat. We denken zelf dat er in het Parijse circuit een dubbelagent was die de Gestapo heeft verteld waar ze hem konden vinden, maar daar kon ik je moeder niet van overtuigen, en ik had uiteraard geen bewijzen. Je vader werd in een erg roerige tijd gedood. Niet lang daarvoor was er namelijk goud gestolen, een flinke buit, die de nazi's bijeen hadden gejat van joodse families die ze hadden gedeporteerd. Ze stonden op het punt de buit naar Berlijn te sturen, toen die verdween. Gestolen door de Résistance. Hitler schijnt buiten zinnen te zijn geraakt en heeft de Gestapo opgedragen alles uit de kast te halen om het verzet op te rollen en het goud te vinden. De mensen in het veld moeten onder enorme druk hebben gestaan. Ik probeerde je moeder duidelijk te maken dat meer mensen hem hadden kunnen verraden.'

'Maar dat wilde ze niet geloven?'

'Nee. Tenminste, ze dacht dat wij van tevoren in elk geval al wisten dat de Duitsers lucht hadden gekregen van je vaders aanwezigheid en bezig waren een val voor hem op te zetten. Ze dacht dat wij daarvan wisten, maar niets hadden gezegd omdat we anders onze bron zouden verraden.'

'Ze dacht dat jullie mijn vader hebben opgeofferd om jullie eigen operaties te beschermen?'

'Daar kwam het in wezen wel op neer.'

'En dus werd hij verraden, gevangengenomen en ten slotte doodgeschoten door de Duitsers,' besloot ik rustig. Ik haalde diep adem en wachtte even voordat ik mijn volgende vraag stelde. 'En was dat ook zo, Miss Atwater? Hebben jullie toegekeken en niets gedaan terwijl de Duitsers de val voor mijn vader voorbereidden?'

Triest schudde ze haar hoofd. 'Nee, kind. Ik kan het natuurlijk niet bewijzen, maar ik zweer bij alles wat mij heilig is – op de herinnering en de ziel van al mijn vermoorde agenten – dat we geen enkele rol, actief noch passief, hebben gespeeld in je vaders dood. Ik wou alleen dat je je moeder daarvan kon overtuigen. En ook van het feit dat mijn hart voor haar bloedde – en nog steeds bloedt – om het vreselijke verlies dat ze heeft geleden.'

16

Havenwood, Minnesota
Vrijdag 12 januari 1979

Een van de voordelen van een carrière die zo nauw is verbonden met onverwachte sterfgevallen – al was 'voordeel' misschien iets te positief uitgedrukt – dacht Cruz vaak, was dat je constant werd herinnerd aan de geneugten van een simpel leven. Het is moeilijk de schijn op te houden als je dood bent. Andere mensen moeten je zaken afhandelen en snuffelen daarom in je persoonlijke bezittingen en onafgehandelde zaken. De hemel sta je bij wanneer je je anders hebt voorgedaan dan je bent, of dingen verborgen hebt gehouden, want na je dood komt de waarheid bijna altijd boven tafel. Als meer mensen alvast wat schaamte voelden over het oordeel dat geveld zou worden wanneer ze hun sporen niet meer konden uitwissen, dacht hij, dan leefden ze misschien op een manier die hen na hun dood niet in diskrediet zou brengen.

Grace Meade had dat probleem deels opgelost door dood te gaan in een vlammenzee die al haar materiële bezittingen had verteerd. Ook had ze voor de nodige rouwenden gezorgd. Kampioenen hieronder waren Tom en Sybil Newkirk. Na een ontmoeting met hen wist Cruz dat die er alles aan zouden doen om Grace' nagedachtenis van een gouden randje te voorzien. Mocht ze vanaf een wolkje toekijken, dan hoefde ze zich alleen maar zorgen te maken over mogelijke oude geheimen. Die hadden namelijk, zo had hij ervaren, de onhebbelijke gewoonte na de dood te voorschijn te komen uit donkere schuilplaatsen, als een slang die na een regenbui de zon opzoekt.

Ollie Jorgenson had hem verteld dat Grace' buren tevens haar beste vrienden in Havenwood waren. Gezien Jillians ongelukkige toestand rustte de taak van het organiseren van de begrafenis en herdenkingsdienst op de schouders van de Newkirks. Bovendien, zei Ollie, deed het gerucht al de ronde dat Tom Newkirk, burgemeester en enige jurist in het stadje, al lang geleden benoemd was tot executeur-testamentair. De lokale aanhang van Grace Meade zag dat laatste nieuwtje als het zoveelste bewijs dat Jillian haar moeder schromelijk had verwaarloosd. Kennelijk had Grace een reden om zo weinig vertrouwen in haar dochter te hebben. Waarom zou ze het anders nodig hebben gevonden een buitenstaander te benoemen tot uitvoerder van haar laatste wil? Degenen met een achterdochtige aard gingen zelfs zover dat ze zich afvroegen of Grace misschien een voorgevoel had gehad dat Jillian haar kwaad wilde doen.

'Denk jij dat ook, Ollie?' vroeg Cruz na het ontbijt. 'Dat Jillian Meade haar moeder haatte? Ik heb haar baas bij het Smithsonian gesproken, en die zei dat ze zich vorig jaar grote zorgen over haar moeders ziekte had gemaakt. Dat klinkt niet als een dochter die haar moeder iets wil aandoen.'

Ollie Jorgenson snoof afkeurend. 'Tuurlijk niet. Jillian is altijd een goed kind geweest.'

'Waarom zijn de meningen over haar hier dan zo verdeeld?'

'Geen idee. Mensen kletsen nu eenmaal graag – en wat ze niet weten, verzinnen ze er wel bij. En wat zei P.T. Barnum ook weer over publiciteit?'

'Bedoel je "Alle publiciteit is goede publiciteit"?'

'Precies. Grace was een wandelende publiciteitsmachine. De grootste klacht over haar was dat ze vrijwel alle topbaantjes bezette en daarmee alle eer en roem die daarmee gepaard gingen voor zichzelf opeiste. Jillian daarentegen was onzichtbaar – uit het oog, uit het hart, zal ik maar zeggen. Zelfs toen ze hier nog woonde, stond ze zo in de schaduw van haar moeder, dat maar weinig mensen haar goed kenden. En het is je vast wel opgevallen dat mensen iemand die ze niet goed kennen snel wantrouwen. Stom, maar ik denk dat de mens nu eenmaal zo in elkaar steekt.'

'Jillian heeft haar baas verteld dat ze de kerstdagen bij haar moeder zou doorbrengen, maar dat is er niet van gekomen. Heb jij enig idee hoe dat kwam?'

'Geen flauw idee. Ik heb Jillian en Grace de laatste tijd niet meer gesproken. Tot de brand wist ik zelfs niet dat ze weer in de stad was, al hoorde ik van Norbert dat ze hier die middag benzine heeft gehaald. Zelf heb ik haar niet gezien. Ik denk dat ik op dat moment in huis bezig was. Wat de kerstdagen betreft... Tja, eerlijk gezegd heb ik geen idee wat er tussen is gekomen. Maak anders eens een praatje met de Newkirks. Als er iemand is die weet waarom ze van gedachten is veranderd, dan zijn zij het wel.'

Toen Cruz dezelfde vraag korte tijd later aan Sybil Newkirk stelde, pakte die eerst een tissue uit de doos naast haar en schudde toen haar hoofd. 'Ik heb geen idee waarom Jillian hier zo onverwacht opdook,' murmelde ze tussen het neussnuiten door. Haar betraande ogen waren roodomrand, haar huid roze, en aan haar slapen kleefden vochtige grijze krulletjes. Ze zag er uit alsof ze een flinke griep had – of, zoals al snel duidelijk werd, de afgelopen twee dagen vrijwel doorlopend had gehuild.

Sybil Newkirk was een kleine, mollige vrouw die Cruz bij haar achterdeur had ontvangen in een appelgroene jumpsuit van stretchstof – een kledingstuk dat een vrouw van haar postuur niet erg flatteerde. Om haar middel droeg ze een brede riem van zwart patentleer. Toen hij zich had voorgesteld had ze geknikt; kennelijk was zijn roem hem alweer vooruitgesneld.

Voordat hij kon uitleggen wat hij kwam doen, werd hij onderbroken door het gerinkel van de telefoon. Mrs. Newkirk slaakte een vermoeide zucht en gebaarde dat hij haar moest volgen, terwijl ze op flapperende sloffen onvast de drie of vier treden van de achterdeur naar de keuken op liep. Binnen hing de doordringende geur van jeneverbessen, ongetwijfeld afkomstig van de struiken die langs de weg en de opritten waren geplant. Cruz bleef achter Mrs. Newkirk staan toen ze puffend van de inspanning de telefoon aannam. Haar riem spande vervaarlijk om haar middel.

Het telefoontje was kennelijk van een bloemist en ging over kransen voor de kerk en de begraafplaats. Mrs. Newkirk herhaalde een paar keer dat Grace witte bloemen zou hebben gewild en niet anders, legde toen neer, sloeg haar opgezette ogen ten hemel en nodigde Cruz uit om aan de keukentafel plaats te nemen.

Die stond in een nis met een raam dat een schitterend panorama bood op het bevroren meer – en de afgebrande puinhopen van het huis van Grace Meade. Mrs. Newkirk had kennelijk aan de tafel zitten werken toen Cruz aanklopte. Er lagen een schrijfblok en een paar volgekrabbelde losse blaadjes naast een doos met tissues, een glas ijswater en de telefoon. Mrs. Newkirk snifte nog een keer en liet haar tissue toen op de hoop naast haar elleboog vallen. Er waren ook al een paar tissues op de grond gevallen.

'Jillian zou dit jaar met de kerstdagen thuis zijn,' zei ze. 'Dat vertelde Grace ons rond Thanksgiving. Ik was er blij om; die meid kwam veel te weinig thuis, zelfs met de feestdagen vaak niet eens. En dat is toch niet zoals het hoort?'

Het was blijkbaar geen retorische vraag, want ze keek Cruz met een opgetrokken wenkbrauw en wijd opengesperde ogen aan, zodat hij elk rood vertakkinkje in de delta van bloedvaten zag in het wat geelachtige wit van haar ogen. Hij knikte vaag, maar kennelijk was dat voldoende voor Mrs. Newkirk.

'Dat vind ik ook. Het was een verwend nest, als je het mij vraagt. Die arme Grace deed haar best, maar in je eentje een kind opvoeden... Kinderen hebben nu eenmaal discipline nodig, nietwaar? En Helen en Arthur... Grace' schoonouders... Joe's ouders? Begrijp me niet verkeerd, het waren goede mensen, maar ze waren al op leeftijd toen Grace met Jillian bij hen introk. Ze konden het kind niet de harde hand geven die het nodig had. Ze waren dol op haar, en ze kon in hun ogen niets fout doen. Maar zo verwen je een kind alleen maar, nietwaar?'

'Wat zei Mrs. Meade toen Jillian niet kwam?'

'O, niets bijzonders,' antwoordde Mrs. Newkirk, terwijl ze haar glas pakte en een slokje water nam. 'Ik weet het niet precies, dat Jillian het te druk had met haar werk, of zo. Maar wat kan nu zo belangrijk zijn dat ze niet eens een paar dagen vrij kon nemen om de kerstdagen bij haar moeder door te brengen?'

'Ik weet het niet,' zei Cruz naar waarheid. 'Hoe zit het met de reis naar Europa die Jillian drie à vier weken eerder heeft gemaakt? Weet u daar iets van?'

'Was Jillian in Europa?'

'Ja. In Engeland en Frankrijk.'

'Echt waar? Daar heeft Grace niets over gezegd. Maar zegt dat eigenlijk niet genoeg? Ze heeft wel tijd voor uitstapjes naar Europa, maar niet om haar moeder op te zoeken.'

'Dus u weet niet of Mrs. Meade op de hoogte was van de reis van haar dochter?'

'Ik weet zeker dat Grace dat niet wist, anders had ze het wel gezegd.' Ze fronste haar wenkbrauwen. 'Ze kreeg ongeveer een maand geleden wel een telefoontje van Jillian. Volgens mij was ze toen nog wel van plan om met kerst thuis te zijn, maar ik weet zeker dat Grace niets heeft gezegd over een reis naar Europa. Jillian kennende, is dat natuurlijk niet zo verwonderlijk. Je wist nu eenmaal nooit wat er in dat meisje omging.'

'Heeft ze –' Hij werd onderbroken door de telefoon.

'O, verdorie. Het spijt me,' zei Mrs. Newkirk. 'Ik moet even aannemen. Morgen is de begrafenis, en er is nog zoveel te regelen.'

'Ik begrijp het.'

Terwijl ze opnam, schonk ze hem een dappere glimlach. 'Hallo? O, Hilda, ja, fijn dat je terugbelt... Ja, zeg dat wel. Ik ben er ziek van.' Sniffend trok ze een verse tissue uit de doos. 'Ja, dat was ik. Ik wilde net naar bed gaan toen ik rook uit Grace' huis zag komen en een vreemde gloed zag schitteren. Een flakkerend oranje licht. Afschuwelijk gewoon. Tom was die avond in Minneapolis, en daarom heb ik Nils Berglund gebeld. Die arriveerde een paar minuten later, en vlak daarna kwam de brandweer ook, maar het vuur greep zo snel om zich heen, daar heb je geen idee van... In elk geval bedankt, meid, ik doe mijn best. Dat ben ik die arme Grace wel verplicht...'

Ze was een tijdje stil en snifte wat, terwijl een blikkerig stemmetje uit de hoorn sussende woordjes sprak. Toen haalde ze diep adem en ging manmoedig verder. 'Dat weet ik wel, Hilda. Bedankt. Ik heb trouwens bezoek, en daarom hang ik zo op, maar ik vroeg me af of ik op jou kan rekenen voor de salade voor de lunch? Je weet wel, die je laatst naar de bijeenkomst meenam. Nee, het maakt volgens mij niet uit of je sinaasappel in plaats van citroen gebruikt. Het is vast heel lekker. Ja, in het souterrain van de kerk. Daar kan iedereen ze kwijt voor de dienst begint. De vrijwilligers zetten het eten dan klaar terwijl wij op het kerkhof zijn. O, prima. Bedankt, meid. Hm-hm. Elf uur. Tot morgen dan maar.'

Mrs. Newkirk nam even de tijd om haar ogen te betten, haar neus weer te snuiten en nog een slokje water te nemen, voordat ze zich weer tot Cruz richtte. 'Het spijt me echt. Zo gaat het al sinds de brand.'

'Nee, het spijt mij, Mrs. Newkirk. Ik zal proberen u niet lang op te houden. Het is vast ontzettend moeilijk voor u om uw vriendin op zo'n manier te verliezen.'

'Ja, dat is ook zo. Weet u dat ik nog steeds niet kan geloven dat ze is heengegaan? Grace en ik waren net zussen. Het is meer dan dertig jaar geleden dat ze naar Havenwood kwam, en we zagen elkaar vrijwel dagelijks.' Weer bette ze haar ogen. 'Ik was zo net bezig een In Memoriam voor de Herald te schrijven,' vervolgde ze, naar de papieren knikkend die op de tafel lagen, 'en ik dacht bij mezelf dat ik maar eens even hiernaast moest aanwippen om te horen wat Grace ervan vindt, en toen keek ik naar dat... Naar dat daar...' Haar stem stierf weg, en ze gebaarde moedeloos in de richting van de zwartgeblakerde puinhoop buiten, terwijl er nog wat tranen over haar ronde wangen druppelden.

'U zult haar vast ontzettend missen.'

'O, ja, zo is het.' Ze drukte de tissue tegen haar mond. 'Twintig jaar hebben we naast elkaar gewoond. Er ging geen dag voorbij dat we niet bij elkaar over de vloer kwamen.'

'Mr. Newkirk is er op het moment niet, hè? Ik had hem eigenlijk ook even willen spreken.'

'Nee. Hij zou vandaag vrij nemen om mij te helpen met de voorbereidingen, maar eigenlijk kan hij hier weinig doen. Hij zou alleen maar in de weg lopen, en op kantoor ligt werk genoeg voor hem.'

'Ik hoorde dat hij executeur-testamentair is.'

'Dat klopt, al weet ik er verder heel weinig van. Tom deed de hele papierwinkel voor Grace.' Ze was even stil en liet haar blik weer naar het buurterrein dwalen. 'Dat terrein is eigenlijk ook van ons. Tom heeft het direct na de oorlog gekocht, tegelijk met dit stuk. We waren helemaal niet van plan er een huis op te zetten, tenminste niet tot onze kinderen groot waren. Eigenlijk heeft hij het op de bonnefooi gekocht; hij wist dat de grond veel meer waard zou worden door stadsuitbreidingen.

We hadden gedacht dat een van onze kinderen er misschien zou willen wonen, maar toen Helen en Arthur waren gestorven, bleven Grace en Jillian helemaal alleen achter in hun huis. Dat lag helemaal aan de andere kant van de stad. Het was een groot, oud huis dat heel wat onderhoud vergde, en Tom dacht niet dat Grace dat in haar eentje aan zou kunnen. Hij deed zijn best haar te helpen, maar hij had het al zo druk op zijn werk. Toen kwam hij op het idee om het stuk grond hiernaast aan Grace te verhuren. Ze hoefde er praktisch niets voor te betalen, een paar dollar per jaar maar. Hij heeft haar geholpen met het vinden van een aannemer en met de bouw van haar nieuwe huis. Ook heeft hij laten vastleggen dat ze er haar hele leven mocht blijven wonen.'

'Dat was bijzonder royaal van hem.'

'Zo is Tom nu eenmaal, en waar het om Grace en Jillian gaat... Joe Meade en hij waren namelijk onafscheidelijk vanaf het moment dat ze konden lopen. Tom vond het zijn plicht een oogje op Joe's vrouw en dochter te houden. En natuurlijk wist hij dat ik het heerlijk zou vinden Grace als buurvrouw te hebben.'

'Uw man lijkt me een goed mens, Mrs. Newkirk.'

'Dat is hij ook. Het spijt me dat u hem bent misgelopen, agent Cruz.'

'Misschien zoek ik hem wel even op zijn werk op,' zei Cruz, en hij knikte naar de telefoon. 'Hoorde ik u nu zeggen dat u de brandweer hebt gebeld?'

Mrs. Newkirk knikte. 'Voordat ik naar bed ging, zette ik nog even een glas in de vaatwasser en toen ik naar buiten keek, zag ik het.'

'Was u eerder die avond al iets ongewoons opgevallen?'

Mrs. Newkirk keek naar haar handen en kneep in de tissue. Opeens stak ze haar hand uit om het glas water te pakken, maar ze greep mis en stootte er zo hard tegenaan, dat een deel van de inhoud op het tafelblad belandde. Met de zijkant van haar hand veegde ze de druppels weg, daarna bracht ze het glas naar haar lippen. Even later zette ze het langzaam en pijnlijk bedachtzaam weer neer. 'Ik heb het Nils Berglund verteld,' zei ze, 'dus het zal wel geen kwaad kunnen als ik het u ook vertel.' Ze haalde diep adem en zakte ineen met haar ellebogen op tafel. 'Ze hadden ruzie.'

'Wie?'

'Jillian en Grace. Ik hoorde ze. Jillian leek bijna hysterisch.'

'Weet u ook wat er aan de hand was?'

'Nee. U moet weten dat ik Jillian vrijwel niet heb gesproken. Grace had me die middag gebeld om te zeggen dat Jillian onverwacht was langsgekomen en om me uit te nodigen. Maar ze moest zelf naar de kapper, en ik had geen zin om daar de hele tijd alleen met Jillian te zitten. Vandaar dat ik zei dat ik na het eten wel even aan zou wippen. Ik was de achterdeur nauwelijks uit, toen ik geschreeuw hoorde.'

'Wie schreeuwde er?'

'Jillian, voornamelijk. Ik hoorde Grace antwoorden en ze klonk van streek, maar schreeuwen deed ze niet. Dat was niets voor Grace. Jillian was eigenlijk degene die ik vooral hoorde.'

'Wat zei ze?'

Mrs. Newkirk haalde haar schouders op. 'Dat zou ik u niet kunnen zeggen. De ramen zaten natuurlijk allemaal potdicht en daarom kon ik er niets van verstaan, ook niet toen ik vlak bij de deur stond.' Verschrikt keek ze op. 'Niet dat ik ze wilde afluisteren of zo. Dat zou ik natuurlijk nooit doen. Alleen vang je soms ongewild wel eens iets op. Maar goed, ik wist alleen dat ze knallende ruzie hadden en dat het waarschijnlijk geen goed moment voor een bezoekje was. Daarom ben ik maar snel teruggegaan naar huis.'

'Dus u hebt geen idee waar die ruzie over ging?'

'Nee. Ik hoorde Jillian alleen een paar keer "vertel het me!" schreeuwen, maar waar dat over ging, weet ik niet.'

'Hebt u ze ooit eerder zo tekeer horen gaan?'

'Nooit. Helemaal nooit,' antwoordde Mrs. Newkirk beslist, terwijl ze heftig haar hoofd schudde. 'Ik kan nog niet geloven dat Jillian zo'n toon tegen haar moeder aansloeg. Het klinkt misschien raar, maar ze was altijd nogal een doetje. En het was helemaal niets voor Grace om zo te ruziën. Ze was een bijzonder gedistingeerde vrouw, moet u weten. Kijk, hier.' Mrs. Newkirk ging rechtop zitten en zocht tussen de paperassen. Even later diepte ze een paar foto's uit de stapel op. 'Ik was bezig een mooie foto voor haar In Memoriam te zoeken. Gelukkig heb ik er een paar gevonden waar zij alleen op staat. Deze vind ik zelf heel mooi, maar die is al jaren geleden gemaakt.'

Ze schoof een zwart-witfoto met een kartelrandje naar Cruz toe. Het was een buitenopname van een erg mooie vrouw. Ze zat aan een picknicktafel, en op de achtergrond was een rij naaldbomen zichtbaar. Met een geamuseerde, directe blik keek de vrouw in de camera. Haar blonde haar werd strak bijeengehouden in haar nek. Haar jurk had de wijde, omlaaggerolde kraag die hij zich nog van tante Luisa herinnerde, al had die in zijn herinnering niet zo'n voluptueuze boezem of zo'n smalle taille gehad. Het parelsnoer om Grace' nek beroerde net de bovenkant van haar sleutelbeen, en haar huid leek wel van porselein. Ze lachte net zo mysterieus in de camera als Mona Lisa had gekeken.

'Iedereen zei al dat ze een mooie vrouw was,' merkte hij op. 'Ik zie nu waarom.'

Mrs. Newkirk knikte. 'Tom heeft deze foto van haar in onze achtertuin gemaakt, ik meen op Onafhankelijkheidsdag in 1955 of 1956.' Een tweede foto naar hem toe schuivend, vervolgde ze: 'Hier heb ik er nog een, maar die is wat minder – ze staat wat verder weg en hij is niet helemaal scherp. Deze is vorig jaar genomen, toen Grace het kerstconcert had georganiseerd voor de bewoners van het bejaardenhuis.'

Op deze foto stond Mrs. Meade op het podium en keek met een warme glimlach in de camera, die pal voor het podium moest hebben gestaan. Met een van haar tengere handen omklemde ze het spreekgestoelte, terwijl ze de andere sierlijk naar opzij strekte, alsof ze om een applaus vroeg voor het onzichtbare koor. Ze droeg een donkere twinset met weer een parelsnoer, zo te zien hetzelfde als op de eerste foto. Ook haar kapsel was bijna gelijk aan dat van de eerste foto, twintig jaar eerder genomen. Het enige verschil was eigenlijk dat haar haren op de tweede foto lichter waren, mogelijk grijs in plaats van blond, en dat ze iets gevulder was. Maar haar huid leek nog net zo glad en zacht. Al met al een erg mooie vrouw, dacht Cruz. 'Deze is ook prachtig,' zei hij.

'Die heeft Tom ook genomen. Hij maakte altijd mooie foto's. En Grace was natuurlijk ook een dankbaar onderwerp. Maar welke moet ik nu naar de krant sturen?'

'Lastig te zeggen. Welke zou ze zelf gekozen hebben?'

'O, hemel,' zei Mrs Newkirk, en ze hief haar handen op. 'Geen van beide. Grace vond het vreselijk haar foto in de krant te zien. Als iemand haar wilde fotograferen, deed ze snel een hand voor haar gezicht en zei ze dat hij maar iemand anders moest zoeken.'

'Wat bescheiden.'

'Zie je? Daaruit blijkt maar weer wat een goed mens ze was. Weet u, agent Cruz, u zult nog allerlei praatjes horen, maar daar moet u niet naar luisteren.'

'Wat voor praatjes?'

Ongeduldig gebaarde Mrs. Newkirk met haar hand. 'O, dat Grace de publiciteit juist opzocht. Maar dat is allemaal jaloerse praat; er is helemaal niets van waar. Grace werkte keihard, en als ze echt bewust de publiciteit had opgezocht, zou ze elke dag in de krant hebben gestaan. Ze organiseerde hier van alles en dat deed ze fantastisch, maar ze deed het niet voor persoonlijk gewin of om in de krant te komen. Dat soort aandacht, daar zat ze helemaal niet op te wachten.' Met trillende lippen en tranen in de ogen keek Sybil Newkirk hem aan. 'Maar ik kan u wel vertellen,' vervolgde ze, 'dat haar foto deze ene keer wél in de krant zal komen.' Ze pakte de twee foto's op en bekeek ze weer. 'Wist ik nu maar welke! Wat vindt u?'

'Nou, als u het echt wilt weten,' antwoordde Cruz, 'dan vind ik dat u de recentste moet nemen. Zoals u al zei, was Mrs. Meade altijd in touw voor de stad, en dat laat die laatste foto heel mooi zien.'

Dankbaar keek Mrs. Newkirk hem aan, en Cruz was even bang dat ze hem om de nek zou vliegen.

'O, natuurlijk. U hebt gelijk! Grace zou precies hetzelfde hebben gezegd.' Opnieuw begon ze in de paperassen op tafel te rommelen.

'Maar goed,' zei Cruz, toekijkend terwijl ze de foto met een paperclip aan een handgeschreven vel papier bevestigde. 'U zei dat het leek alsof Jillian degene was die zo schreeuwde tijdens die ruzie.'

'Dat klopt. Ik wilde zeggen dat je aan die foto's wel kunt zien dat Grace een echte dame was, vindt u niet? Ik geloof niet dat ik haar in al die jaren ooit haar stem heb horen verheffen – dat hoefde ze niet. Je wist precies wanneer Grace iets niet prettig vond, maar haar stem verheffen, zoals Jillian die avond? Nooit. Daarom sloop ik ook weg toen ik ze hoorde ruziën. Grace had het vreselijk gevonden als ze had geweten dat ik ze had gehoord.' Verdrietig schudde ze haar hoofd. 'En trouwens,' vervolgde ze bedroefd, 'ik wist dat Grace me er later toch wel alles over verteld zou hebben. Zoals ik al zei, waren we... net... zussen.'

Bij die laatste woorden begaf haar stem het helemaal en kwamen de tranen weer. Cruz gaf ongemakkelijk klopjes op haar hand en zocht wanhopig naar een afscheidswoord. Veel meer zou hij niet loskrijgen uit deze vrouw, maar hij voelde dat Sybil Newkirk zou blijven doorpraten zolang ze een toehoorder had. Hij wierp een steelse blik op zijn horloge. Elf uur geweest, en hij wilde nog naar Montrose om te zien of het al wat beter ging met Jillian Meade, en om de psychiater over te halen hem een paar minuten bij haar te laten. Anders zou het hem nooit lukken vandaag nog naar huis te vertrekken en was zijn hele weekend naar de knoppen.

Net wilde hij opstaan en weggaan, toen buiten het geluid van autobanden op de oprit klonk, waardoor Mrs. Newkirk verschrikt opkeek. Even later werd een portier dichtgeslagen. Mrs. Newkirk pakte nog een tissue en droogde haar tranen op het moment dat de achterdeur openging en er stappen op de trap klonken. Cruz draaide zich om en zag een man met zilvergrijs haar binnenkomen.

'O, Tom, je bent thuis!' riep Sybil Newkirk uit, en ze sprong op. Een van haar slippers glipte van haar voet en ze struikelde. Cruz kon haar nog net bij de elleboog vastpakken zodat ze haar balans hervond, waarna ze de slipper weer aanschoot en toen haar papieren bij elkaar zocht. 'Dit is die man van de FBI, Tom,' zei ze met een glimlach. 'Je weet wel, eh...'

'Alex Cruz,' vulde Cruz haar aan, terwijl hij opstond en om haar heen liep.

Mrs. Newkirk knikte snel. 'Ja, zo was het. Ik ben ook zo slecht in namen. Dit is mijn man, Tom,' zei ze. 'Tom, agent Cruz kwam langs om je te spreken, maar ik zei dat hij het beter op kantoor kon proberen.'

Newkirk keek van haar naar de troep op de tafel. Het bleef even stil, en een onbestemde spanning leek de kamer te vullen, maar die verdween ook weer zo snel, dat Cruz dacht dat hij het zich misschien had verbeeld, want Newkirk glimlachte vriendelijk en gaf zijn vrouw een zoen op haar wang. Toen wendde hij zich met uitgestoken hand tot Cruz. 'Welkom in Havenwood, agent Cruz. Ik wou alleen dat het onder vrolijker omstandigheden was.'

'Jammer dat u hier problemen hebt,' zei Cruz beleefd. 'Havenwood is een prachtig stadje, edelachtbare.'

'O, alsjeblieft, geen edelachtbare, hoor. De naam is Tom. En bedankt voor je lovende woorden. Havenwood is klein, maar we wonen er allemaal met veel plezier.'

Net als elke politicus die Cruz had ontmoet, hield Newkirk zijn hand iets langer vast dan strikt noodzakelijk. Ook leek hij de aandrang niet te kunnen onderdrukken Cruz joviaal op zijn rug te slaan, hem ondertussen aankijkend met de quasi-oprechte blik die kennelijk bij de opleiding tot politicus hoorde.

Newkirk was even lang en mager als zijn vrouw klein en dik was. Hij was een eindje in de zestig en had een hoog voorhoofd met achterovergekamd, zilvergrijs haar dat modieus over de openstaande kraag van zijn gestreepte overhemd krulde. Verder droeg hij een zwarte wollen trui en een tweekleurig jack, met op de linkerborstzak een uit twee ineengestrengelde H's bestaand embleem. Zijn uiterlijk leek bedoeld om vrouwen en de jongere kiezers te trekken.

‘Wat was je aan het doen, schat?’ vroeg hij aan zijn vrouw, nog steeds glimlachend.

‘Ik was bezig met het voorbereiden van de lunch na de begrafenis en met het stukje voor de krant en de bloemen.’

‘En gaat dat allemaal lukken?’

‘O, ja hoor. Ik heb het er heel druk mee gehad, maar ik geloof dat ik nu zo’n beetje klaar ben. Wil je ook iets eten? Of wil je koffie?’

‘Nee, ik hoef niets, dank je. Ik lunch straks met Charlie Peterson en een paar van de jongens in de Elks. Ik kwam alleen even langs om te zien hoe het met je ging.’

‘O, goed hoor.’ Mrs. Newkirks ogen glansden verdacht.

‘Wil je anders niet liever even gaan liggen?’

Weifelend keek ze van hem naar Cruz en terug. ‘Dat is misschien helemaal niet zo’n slecht idee. De afgelopen twee nachten heb ik bijna geen oog dichtgedaan. Ja, ik denk dat ik dat maar doe. Vergeet je niet dat we om vier uur nog bij dominee Allsop langs moeten om de uitvaartdienst te bespreken?’

‘Nee, dat zal ik niet vergeten. Ik ben ruim op tijd terug. Ga jij maar lekker even liggen, dan trek ik de stekker uit de telefoon zodat je niet gestoord wordt. Ik zal je op tijd wekken.’

Ze knikte en pakte haar glas, en Newkirk stak zijn hand uit om het aan te nemen. Koppig klemde ze het tegen haar royale boezem. ‘Tom, ik heb dit nodig.’

‘Lieverd –’

‘Ik heb het vandaag echt nodig,’ zei ze smekend. ‘Alsjeblieft!’

Cruz hoorde de wanhoop in haar stem, en besefte opeens dat het glas helemaal geen water bevatte. De vreemde geur die hij meteen bij binnenkomst had geroken, was afkomstig van de gin en niet van de struiken, en Mrs. Newkirks verhitte gezicht en gelige ogen waren niet alleen het gevolg van verdriet over haar vriendin. Ongemakkelijk keek Newkirk in zijn richting, toen knikte hij gelaten.

Met een nerveus lachje keek Mrs. Newkirk van de een naar de ander. ‘Nou, dan ga ik maar even liggen. Het was echt een gekkenhuis vanmorgen. Prettig u te ontmoeten, agent, eh... agent. En bedankt voor uw hulp met de foto.’

'Graag gedaan, *ma'am*. En nogmaals gecondoleerd.'

Ze knikte en glimlachte waterig, dribbelde toen naar haar man en hief haar gezicht op voor een kus. Die ontweek haar lippen en kuste haar op de wang. Met een strakke glimlach keek hij haar na toen ze zich omdraaide en wegschuifelde. De hakken van haar slippers klikklakten op de tegelvloer.

Toen het geluid was weggestorven, wendde Newkirk zich tot Cruz. Het pleitte voor hem dat hij geen verklaring gaf en zich niet excuseerde, dacht Cruz.

'Wat bedoelde mijn vrouw met die opmerking over die foto?' vroeg hij.

Cruz knikte naar de papieren op de tafel. Het blaadje met de foto van Grace Meade lag bovenop. 'Uw vrouw wist niet welke foto ze moest nemen voor het In Memoriam in de krant, die daar of een wat oudere foto.'

Met gefronste wenkbrauwen liep Newkirk naar de tafel en zocht in de stapel tot hij de andere foto had gevonden. Hij staarde er lange tijd naar en legde hem toen terug.

'Ze was een erg mooie vrouw,' zei Cruz.

Newkirk knikte. 'Ja. Maar het is nogal zot om in zo'n geval een oude foto te gebruiken, vindt u niet? We weten toch allemaal hoe de betreffende persoon eruitzag?'

'Daar hebt u gelijk in, maar in dit geval had elke foto rustig gebruikt kunnen worden, denk ik.'

'Dat is waar.' Newkirk draaide zich om. 'Sybil zei dat u me een paar vragen wilde stellen?'

'Ja. Ik meen dat u de executeur-testamentair bent?'

'Inderdaad.'

'Kunt u me vertellen wie de begunstigde is?'

'Nou, Jillian Meade krijgt uiteraard een groot deel ervan, al gaat het daarbij grotendeels om de nalatenschap van haar grootouders, Helen en Arthur Meade.'

'Hoe dat zo?'

'Ze hebben haar het grootste deel van hun vermogen nagelaten, maar omdat ze toen nog een kind was, is het in een fonds gestopt. Grace moest daar geld van lenen om het huis hiernaast te laten bouwen, dus het grootste deel van dat geld zit daarin.'

'Mocht Mrs. Meade dat doen? Het geld was toch van Jillian?'

'Ja, dat mocht. Grace mocht er geld aan onttrekken voor Jillians verzorging en onderhoud. Zelf had ze maar weinig inkomsten, een klein weduwepensioentje, meer niet. Van haar vaders erfenis was na de oorlog weinig overgebleven.'

'Hoe zit het met het huis van de grootouders? Bracht de verkoop daarvan niet genoeg op om de bouw van het nieuwe huis te bekostigen?'

'Jawel, maar het huis maakte deel uit van Jillians erfdeel. De opbrengst ervan is dan ook in het fonds gestopt. Ik heb geholpen met het opstellen van de voorwaarden van het fonds, en daarom wist ik dat Arthur en Helen het geen probleem zouden hebben gevonden dat Grace geld leende voor het nieuwe huis. Per slot van rekening was dat ook in Jillians belang. Toen Jillian vijfentwintig werd, kreeg ze zelf de beschikking over het fonds, maar tegen die tijd had ze een eigen leven opgebouwd en ging ze ermee akkoord alles bij het oude te laten. Ze wilde haar moeder natuurlijk niet dakloos maken.'

'Dus het huis hiernaast – of liever gezegd het verzekeringsgeld – maakt geen deel uit van Mrs. Meades nalatenschap?'

'Nee. Die bestaat voornamelijk uit de inkomsten van de beleggingen die ze heeft gedaan van het beetje geld dat uiteindelijk nog overbleef van haar vaders nalatenschap, plus de uitkering van haar levensverzekering.'

'Dus ze was niet rijk.'

'Helemaal niet. Ze kon een prettig leven leiden, maar meer ook niet.'

'En de kavel waarop haar huis stond, is van u, zei uw vrouw.'

'Ja, dat klopt. Nu Grace er niet meer is, valt die mij weer toe.'

'Wie heeft haar volgens u vermoord, Mr. Newkirk?'

Newkirk streek met een hand vol levervlekjes over zijn knappe gezicht. 'Ik weet het niet. Sheriff Lunders denkt dat het een zwerver was die op geld uit was.'

'Nils Berglund is daar geloof ik niet zo van overtuigd.'

'Nee.'

'Maar hij denkt ook niet dat het Jillian was.'

'Ik evenmin. Jillian zou haar moeder nooit ombrengen.' Newkirk keek even naar de gang en toen weer terug. 'Wat sommige mensen ook zeggen.'

'Uw vrouw zei dat ze die avond ruzie hadden.'

'Agent Cruz,' zei Newkirk met gedempte stem, 'dit is een penibele kwestie. Mijn vrouw... is erg in de war. Ze was dol op Grace, en ze is hier behoorlijk ontdaan van. Ik denk dat u haar woorden met een korreltje zout moet nemen. Ze is al een tijdje wat van slag, en soms begrijpt ze dingen verkeerd.'

'Dus u gelooft niet dat ze ruzie hadden?'

'Ik heb geen flauw idee. Ik weet alleen dat het niets voor Jillian was om zich zo te gedragen als Sybil zegt, en ik ben er praktisch zeker van dat zij niet degene is die Grace heeft omgebracht.'

'Onderschrijft u dan Berglunds theorie dat de dader onbekend is en nog ergens vrij rondloopt?'

'Dat kan bijna niet anders, en als Nils dat zegt, dan is dat door wat ik hem heb verteld over die dag.'

'Ik dacht dat u die bewuste dag op zakenreis was.'

'Dat klopt. Ik ben die ochtend al vroeg vertrokken naar Minneapolis. Ik had een afspraak met de gouverneur, die rond de middag naar Washington zou vertrekken. Met een aantal andere mensen heb ik hem op het vliegveld uitgezwaaid, en daar liep ik Jillian tegen het lijf. Ze kwam aan met hetzelfde vliegtuig als waar de gouverneur later mee vertrok.'

'Dus u hebt haar op het vliegveld gezien?'

'Ja, dat klopt.'

'En hebt u haar ook gesproken?'

'Heel kort. Ik was verrast haar daar tegen te komen, maar ook blij. Ze is een bijzonder aardige meid. Je zou kunnen zeggen dat ik altijd al een zwak voor haar heb gehad. Ik vond het sneu dat ze zonder vader opgroeide.'

'Ik heb begrepen dat u goed bevriend was met haar vader.'

Newkirk knikte. 'Al vanaf de kleuterschool waren we onafscheidelijk. We zaten samen in dienst, tot het moment dat hij boven Frankrijk werd neergehaald.'

'Dus u voelde u Jillians plaatsvervangende vader?'

'Dat is te veel gezegd, maar ik voelde me wel geroepen een oogje op haar te houden, dat zeker.'

‘Heeft ze gezegd waarom ze met kerst niet thuiskwam?’

Newkirk fronste zijn voorhoofd en keek op zijn horloge. ‘Vind u het erg als we ondertussen vast naar de deur lopen, agent Cruz? Ik wil Sybil niet storen, en ik moet voor de lunch nog een paar dingen doen.’

‘Nee, geen probleem, hoor. Ik moet er zelf ook weer vandoor.’ Cruz pakte zijn jas van de keukenstoel, wierp een laatste blik op de twee foto’s van Grace Meade met haar beeldschone, mysterieuze glimlach en volgde de oudere man naar buiten. ‘Weet u waarom ze niet kwam?’

Newkirk stak een hand uit om Cruz voor te laten gaan naar de twee auto’s die op de brede oprit geparkeerd stonden: Cruz’ huurauto en een blauwe Oldsmobile. De geur van verbrand hout drong Cruz’ neus binnen, maar hij was er niet rouwig om. Alles beter dan die misselijkmakende ginlucht, dacht hij.

‘Jillian zei dat ze in Europa was geweest om materiaal voor een expositie te verzamelen,’ vertelde Newkirk. ‘Het bleek meer werk te zijn dan ze had verwacht, en aangezien de expositie voor het nieuwe jaar af moest zijn, had ze noodgedwongen in Washington moeten blijven.’

‘Zei ze ook wat ze dan nu kwam doen?’

‘Er was te weinig tijd om daarnaar te vragen. Zoals ik al zei, was ik daar met een paar partijleden om de gouverneur uit te zwaaien, dus meer dan een paar woorden hebben we niet gewisseld.’

‘Na het vertrek van de gouverneur bent u niet meteen naar huis gegaan? Uw vrouw zei dat u dinsdagnacht niet thuis was.’

‘Dat klopt. Ik heb ’s middags een partijvergadering in de stad bijgewoond en ’s avonds was er een werkdiner, vandaar dat ik pas de volgende ochtend ben teruggekomen.’ Hij keek met gefronste wenkbrauwen naar het afgebrande pand. ‘Ik vraag me toch af of het verschil had gemaakt als ik niet naar dat diner was gegaan en ’s avonds nog naar huis was gekomen.’

‘Onmogelijk te zeggen,’ zei Cruz. ‘Leek Jillian op enige manier overstuur toen u haar op het vliegveld zag?’

‘Nee, dat zou ik niet willen zeggen.’

‘En u bent ervan overtuigd dat ze niets te maken had met wat er die nacht gebeurde?’

'Ik kan het me niet voorstellen. Nils zei trouwens dat het leek alsof ze een klap op haar hoofd had gehad, dus...' Hij spreidde zijn armen en haalde zijn schouders op, alsof hij wilde zeggen dat de logica van zijn woorden overduidelijk was.

'En dit hebt u ook tegen hulpsheriff Berglund gezegd? Dat u haar bij aankomst op het vliegveld bent tegengekomen?'

'Nee. Tegen Nils heb ik gezegd dat ze niet alleen was toen ik haar zag.'

'Wie was er bij haar?'

'Een of andere vent. Ze waren in gesprek toen ze het vliegtuig verlieten. Eerlijk gezegd dacht ik eerst dat het iemand was naast wie ze tijdens de vlucht had gezeten, maar toen Jill me zag en bleef staan om me te begroeten, bleef hij ook staan.'

'Heeft ze hem voorgesteld?'

'Dat wel, maar ik heb zijn naam niet goed verstaan. Het was er nogal lawaaierig, en ik was met andere mensen, zodoende.'

'Misschien een nieuwe vriend die ze thuis wilde voorstellen?'

Nils schudde zijn hoofd. 'Dat geloof ik niet. Om te beginnen heeft Grace met geen woord gerept over een vriend, al is dat misschien niet zo vreemd. Maar die man en Jillian leken elkaar eigenlijk helemaal niet zo goed te kennen. Daarom dacht ik eerst ook dat ze hem net in het vliegtuig had ontmoet.'

'Hoe zag hij eruit?'

'Ongeveer uw lengte, denk ik. En uw leeftijd, misschien ietsje jonger. Zwart krulhaar. Snor.'

'Ogen?'

'Zou ik niet weten. Bruin? Het was een vrij donker type. Het leek een Spanjaard of een Italiaan of zo.'

'Had hij een accent?'

'Niet dat ik weet, maar veel meer dan "Hoe maakt u het" zei hij niet, dus ik kan er niets zinnigs over zeggen.'

'Nog meer? Wat droeg hij bijvoorbeeld voor kleding?'

'Ik geloof een leren jack, zwart of donkerbruin. Meer herinner ik me niet.'

'En toen Miss Meade en u elk uw eigen weg gingen –'

'Zij liep richting bagagedepot en hij liep met haar mee.'

'En dit hebt u allemaal aan Berglund verteld?'

'Ja. Zo, agent Cruz, meer kan ik u niet vertellen. En ik ben al aan de late kant, dus ben ik bang dat ik het hierbij moet laten.'

'Geen probleem,' zei Cruz, die zich afvroeg waarom mensen zich vaak zo omslachtig uitdrukten als ze bedoelden: 'Oprotten, man.' Newkirk was kennelijk niet van plan eerder dan hij te vertrekken, dus na een laatste blik op het verwoeste huis van Grace Meade, liep hij naar zijn huurauto en opende het portier. Even keek hij Newkirk nog aan over het dak van zijn auto. 'Mr. Newkirk?'

'Tom is de naam,' zei de andere man, wiens beroepsmatige glimlach inmiddels iets stars had gekregen.

Cruz reageerde er niet op. 'Hoe is Jillian van het vliegveld naar huis gegaan? Heeft ze een auto gehuurd, rijden er bussen, of wat?'

'Hm... Ik heb eerlijk gezegd geen flauw idee. Ik heb wel gevraagd of haar moeder haar kwam afhalen, maar ze zei van niet, ze wilde op eigen gelegenheid naar huis gaan en Grace verrassen. Ik heb er niet aan gedacht om te vragen of ze een auto ging huren.'

'U bent de ochtend na de brand teruggekomen?'

'Dat klopt. Rond elven.'

'En u hebt geen auto op de oprit van de buren zien staan?'

'Nee, maar die had weggesleept kunnen zijn omdat hij de brandweerauto's de doorgang versperde. Ik denk dat Nils dat wel weet.'

Nadenkend knikte Cruz. 'Dat denk ik ook. Ik moet niet vergeten het aan hem te vragen.' En ook, dacht hij, waarom hij niet gezegd had dat Jillian samen met iemand anders op het vliegveld was gezien.

17

Oorlogen brengen het beste en het slechtste in mensen naar boven. In oorlogstijd zijn er extreme voorbeelden van heldenmoed en verraad, van persoonlijke opoffering en uiterste lafheid zichtbaar. Die middag met Miss Atwater ving ik een zeldzame glimp op van een buitengewone groep mannen en vrouwen die vrijheid hoger achtten dan hun eigen leven. De vrijwilligers van de SOE veroordeelden zichzelf tot het front van de strijd tegen een groot kwaad, en werden zelfs niet beschermd door dat flinterdunne laagje dat de spelregels van de oorlog bepaalt. Ze waren geen soldaten in uniform. Er was geen Geneefse conventie die hen beschermde als ze werden gepakt. Desondanks waren ze stuk voor stuk bereid hun leven te geven om op die manier toekomstige generaties te vrijwaren van Hitlers onderdrukkende, waanzinnige en racistische Derde Rijk. Honderdachttien van hen hebben dat offer daadwerkelijk gebracht.

En mijn moeder? Tja, de eerlijkheid gebiedt te zeggen (ik ben en blijf haar dochter en heb daarom nog steeds de neiging haar te verdedigen) dat ze heel jong was, tweeëntwintig pas, toen ze haar leven aan de goede zaak wijdde. Wie van ons kan zweren dat onze moed ons op het laatste moment niet in de steek zou laten? Die vraag is pas op het ultieme moment te beantwoorden.

Ik heb genoeg over de Résistance gelezen om te weten dat degenen die bij het ondergrondse verzet zaten – grotendeels gewone mensen – uitzonderlijke moed en vindingrijkheid aan de dag hebben gelegd. Het waren mensen uit alle lagen van de samenleving: zakenlui, arbeiders, aristocraten, kunstenaars. Sommigen waren jong, anderen weer getekende veteranen uit de Eerste Wereldoorlog en andere schermutselingen. Het enige wat ze gemeen hadden, was een koppige weigering te buigen voor het fascisme. Terwijl ik op die regenachtige middag in Miss Atwaters kantoor zat en luisterde naar haar verhalen over haar 'schaapjes' en dat wat ze hadden bereikt, bewonderde ik hen meer dan ooit – en voelde ik me dichter dan ooit bij mijn moeder.

Miss Atwater had gezegd dat mijn moeder in Engeland ingeschakeld werd bij de sectie Valse documenten. De kracht van deze sectie lag vooral in de lijsten die er werden bijgehouden van de steden in Frankrijk waarvan de archieven door bombardementen waren vernietigd, en die regelmatig werden bijgewerkt op basis van de informatie van de Résistance. Zonder die archieven kon de Gestapo geen valse papieren van echte onderscheiden, omdat de oorspronkelijke documenten niet meer bestonden. De afdeling Valse documenten hield ook de bijgewerkte lijsten bij van Franse burgers die waren gestorven of die het land voor het uitbreken van de oorlog hadden verlaten. Ook op dit gebied werd er grote druk op de Gestapo uitgeoefend om deze valse, maar geloofwaardige identiteiten te ontmaskeren.

'De Duitsers waren bijzonder grondig,' zei Miss Atwater. 'Ongelooflijk gespitst op papieren. Vandaar dat we besloten ze op eigen terrein te verslaan. We beschikten over een werkelijk grandioze verzameling identiteitsbewijzen, pasjes, vergunningen en certificaten, plus rubberen stempels van vrijwel elke prefectuur en elk gemeentehuis in Frankrijk. Er was geen document dat Grace niet kon reproduceren. De houders van haar valse papieren hoefden alleen de personalia ervan maar van buiten te leren tot ze ze beter kenden dan hun eigen gegevens. Ze moesten ze in elke situatie kunnen opdreunen – en dat konden ze ook. Er was vrijwel niemand die bij een marteling doorsloeg.'

'Wanneer is ze precies naar Frankrijk gegaan?' vroeg ik. 'En wat deed ze daar?'

'We lieten haar doorgaan voor het nichtje van de eigenaar van een drukkerij in het noorden van Parijs. Overdag drukten ze bidprentjes en religieuze teksten. 's Nachts vormde de drukkerij een waar fabriekje voor de massaproductie van valse papieren, ondergrondse propaganda en valse bonboekjes.'

'En ze zijn nooit betrapt?'

'Niet op hun drukpraktijken. Veel leden van die cel, inclusief je moeder, zijn diverse keren meegenomen voor ondervraging, maar de Duitsers hebben de ondergrondse werkruimte nooit ontdekt. Die bevond zich trouwens letterlijk onder de grond, in een heel stelsel van gangen en buizen. Het complex is tot na de bevrijding blijven bestaan, al was het toen al niet meer in gebruik.'

'Waarom was dat?'

'Toen er steeds vaker razzia's werden gehouden, kon er steeds minder worden gewerkt. Er waren ook steeds minder mensen om het werk te doen, al waren de Duitsers in Frankrijk toen inmiddels al aan de verliezende hand.'

Miss Atwater bleek een rijke bron van informatie over mijn moeders bezigheden, zowel voor als na haar overtocht naar Frankrijk, tot aan D-Day toe, in juni 1944, het begin van het eind van de Duitse bezetting van Frankrijk. Toch waren er nog grote gaten. Van mijn kant gezien miste ik vooral nog de informatie over de tijd dat mijn ouders samen in Frankrijk waren, en de reden dat mijn moeder nooit tegen haar opdrachtgevers van de SOE had gezegd dat ze zwanger was – al had Miss Atwater over dat laatste punt wel een theorie ontwikkeld.

'Het is in feite heel simpel. Ik denk dat Grace zich terdege bewust was van het feit dat we haar meteen zouden terughalen als we wisten dat ze een baby verwachtte, en ze was te koppig om te vertrekken. Haar inzet was fantastisch, al nam ze dan misschien wat meer risico dan ik graag zag. Ze wilde graag winnen, en omdat de kansen begonnen te keren in het voordeel van de geallieerden, denk ik dat ze er tot het einde bij wilde zijn.'

'U zei dat ze verdween op het moment dat haar cel een plan had bedacht om mijn vader het land uit te smokkelen,' merkte ik op. 'Misschien was ze gewoon bang wat er na haar vertrek met hem zou gebeuren.'

'Dat kan ook een rol hebben gespeeld. Zoals ik al zei, was de Gestapo verwoed naar ze op zoek, na de diefstal van dat goud. Hitler zat te springen om middelen. Het was een ramp voor hem dat goud kwijt te raken, net nu de oorlog zich tegen hem begon te keren. Ze zetten alles op alles om het te vinden; de Gestapo loofde een beloning van een miljoen franc uit voor degene die informatie kon geven over de 'Angelsaksen, joden en bolsjewieken' die de roof hadden gepleegd. En dat lokte natuurlijk allerlei misselijke figuren – mensen die zoiets als een gelegenheid zagen om een persoonlijke rekening te vereffenen. Er werden honderden mensen opgepakt. In die vreselijke weken verloren we tientallen agenten uit het oog, en we vreesden het ergste. Het "Nacht und Nebel"-decreet was van toepassing op een hele reeks overtredingen – niet alleen op de gebruikelijke dingen als spionage, sabotage, hulp aan de vijand, wapenbezit, en zo, maar ook vage categorieën als "frauduleuze handelingen" en "onrust zaaien". Had de Gestapo je eenmaal te pakken, dan wist je nooit waar je eigenlijk van beschuldigd werd. Voor je het wist, kreeg je een nekschot of een enkele reis gaskamer. Maar gelukkig hebben de meesten van onze agenten het overleefd, al hebben veel partizanen in die tijd het leven gelaten.'

'Net als mijn vader,' zei ik somber. 'En waarvoor? Diefstal van goud. Hebben de nazi's het trouwens ooit teruggevonden?'

'Nou,' zei Miss Atwater terwijl ze haar brede wenkbrauwen optrok, 'om je de waarheid te zeggen niet. Het is een van de onopgeloste raadsels van de oorlog.'

'Bedoelt u dat het nooit meer is teruggevonden?'

'Voorzover ik weet niet. Kennelijk zijn degenen die de buit uiteindelijk veilig hebben verstopt, opgepakt en gefusilleerd, in een concentratiekamp of door de Gestapo, en hebben ze hun geheim meegenomen in hun graf.'

'Dat hoeft niet,' zei ik. 'Misschien hebben de daders zich koest gehouden tot na de oorlog en daarna de buit verdeeld.'

Miss Atwater knikte bedachtzaam. 'Ja, dat kan natuurlijk ook. Iemand die er nu van leeft als God in Frankrijk,' zei ze met een zucht.

Ik zag dat ze moe begon te worden, en ik wist dat het tijd was om te vertrekken. Maar er was nog één ding dat ik graag van haar wilde weten. 'Miss Atwater, mijn moeder heeft me verteld dat ze mijn vader voor het eerst hier in Londen heeft ontmoet, al werden ze pas later in Frankrijk verliefd op elkaar. Mijn vader werkte bij de Amerikaanse OSS, maar het is me niet duidelijk hoe het pad van een OSS-agent dat van een SOE-agent heeft kunnen kruisen.'

'O, dat is niet zo moeilijk. De eerste zes OSS-agenten kwamen begin '43 in Baker Street, als ik me goed herinner. Ze kwamen rechtstreeks van de opleiding en brandden van verlangen om aan de slag te gaan.'

'Hebben uw mensen de OSS-agenten dan getraind?'

'Ja, zeker. Dat moest wel. Generaal Eisenhower wilde graag het Franse verzet versterken voordat hij zijn Operation Overlord om Europa te heroveren in gang zette, maar de *yanks* waren nog helemaal niet droog achter de oren. Ze hadden geen idee wat er gaande was. In het voorjaar van 1944 lanceerden wij nog tien keer zoveel operaties als zij.' Hoofdschuddend zweeg ze even. 'Maar toch, ze waren "vers vlees",' voegde ze er bijna schalks aan toe. 'En ze hadden een massa vliegtuigen, waar wij juist om zaten te springen. We hebben toen een overeenkomst gesloten met de OSS. We hebben de jongens van de OSS op dezelfde manier getraind als onze eigen mensen – in Schotland, Milton Hall, Wandsborough en Thames Park. De hele mikmak, zoals de jongens zeiden.'

'Inclusief de sectie Valse documenten, neem ik aan.'

'Precies. En aangezien Grace daar in de zomer van '43 werkzaam was, lijkt het heel goed mogelijk dat ze elkaar daar ontmoet hebben.'

Weer viel een stukje van de puzzel op zijn plaats.

Al met al bracht ik die middag meer dan vier uur met Miss Atwater door. Tegen de tijd dat ik haar kantoor verliet, was de drukke avondspits voorbij. De regen was opgehouden, en de natte straten en gebouwen glinsterden als de kroonjuwelen in het licht van de straatlantaarns. Restaurant- en theaterbezoekers haastten zich naar hun avondje ontspanning. Ik had geen behoefte aan dergelijke verstrooiing; mijn hoofd tolde van alles wat Miss Atwater me had verteld. In gedachten verdiept liep ik langs de Theems, de rivier die in zijn lange leven al zoveel had gezien. Terwijl ik over het Embankment wandelde, begon er een lichte nevel op te komen, voorbode van de onvermijdelijke Londense mist die spoedig zou volgen.

Terwijl de nevel zich verdichtte, dacht ik aan Hitlers decreet dat verzetsstrijders in de bezette gebieden in het diepste geheim opgepakt moesten worden om vervolgens spoorloos te verdwijnen. Ik kon me voorstellen wat een angst die verdwijningen moesten hebben gebracht in de harten en hoofden van degenen die achterbleven. Toen had ik er nog geen idee van hoe goed die term 'Nacht und Nebel' op mijn eigen inspanningen zou slaan, of dat mijn speurtocht een einde voor dit verhaal zou opdreggen wat veel duisterder en smeriger was dan de eerzame Miss Atwater of ikzelf ooit hadden kunnen dromen.

De Duitse grondigheid is geen sprookje, en zoals Miss Atwater al had gezegd, waren de Duitsers kampioen archiveren. Het leek me dan ook niet zo moeilijk in Parijs details te vinden over de diverse keren dat de Gestapo mijn moeder had opgepakt. Miss Atwater was daar niet zo zeker van. Een deel van de nazi-archieven was in en na de oorlog vernield; door boze burgers die wraak kwamen nemen, of door oorlogshandelingen in die laatste onzekere dagen van het conflict.

Ze was zelf na de Duitse overgave tientallen keren in Frankrijk geweest, vastbesloten uit te zoeken wat er was gebeurd met de agenten die niet waren teruggekomen – en al even vastbesloten hun moordenaar voor het gerecht te slepen. Mijn moeders naam had op haar lijst gestaan, maar later had ze gehoord dat ze in Engeland was. Daar had ze haar opgezocht en had ze een verbitterde, boze maar springlevende vrouw aangetroffen, waarna ze haar naam had doorgestreept en was teruggegaan om naar haar andere vermiste agenten te zoeken.

'Ik vond het natuurlijk vreselijk wat haar was overkomen,' had Miss Atwater gezegd. 'Ik wilde dat ik haar duidelijk had kunnen maken dat we, voorzover ik weet, niets te maken hadden met wat uiteindelijk tot het gevangennemen van haar man leidde, maar Grace wilde niet luisteren. Ik besloot het later nog eens te proberen en me eerst om de anderen te bekommeren, maar toen ik hoorde dat ze was vertrokken naar Amerika, besloot ik het te laten rusten. Toch denk ik nog vaak dat ik meer voor haar had moeten doen.'

Arme Miss Atwater, die nog steeds om haar 'schaapjes' treurde. Hoe had ze alle details kunnen weten van wat die hadden doorgemaakt, met name in die laatste oorlogsdagen? Europa verkeerde in een chaos. Miljoenen mensen waren dood, vermist of van huis en haard verdreven. Steden lagen in puin, wetteloosheid regeerde, en in die heksenketel raakten schurken en slachtoffers uit het zicht.

Geen wonder dus dat Miss Atwater weinig wist over mijn moeders laatste weken in Frankrijk – en helemaal niets over de schokkende daad van verraad die ik op het punt stond te ontdekken.

18

Havenwood, Minnesota
Vrijdag 12 januari 1979

De gemoederen over de dood van Grace Meade liepen in Havenwood hoog op, maar het zou pas echt lastig zijn als persoonlijke gevoelens de stem van de rede verdrongen. Wat dat betreft, dacht Cruz, was hij in het voordeel ten opzichte van de hulpsheriff van Havenwood. Om te beginnen was hij nooit verliefd geweest op de hoofdverdachte. Hij was een buitenstaander die het slachtoffer en haar dochter niet persoonlijk kende, maar wel veel meer ervaring met moordzaken had dan Berglund. Ook had hij geen persoonlijk belang bij deze zaak. Het oplossen van de moord op Grace Meade was voor hem geen carrièremaker of -breker, zoals wellicht voor de hulpsheriff. Cruz moest weten wat er was gebeurd tijdens Jillians verblijf in Engeland, maar voor de rest was hij hier slechts een toeschouwer, bereid om te helpen, maar zonder verplichtingen. Hij kon het zich permitteren het hoofd koel te houden.

Dat had hij zichzelf tenminste voorgehouden. Maar waarom draaide zijn maag zich dan om en pompte er adrenaline door zijn aderen steeds als hij Jillian Meade voor zich zag, gewond en verloren in dat ziekenhuisbed? Waarom had hij vanaf het moment dat hij dit dossier had geopend de onmiskenbare geur van het kwaad geroken, een vage, onderliggende stank die deze hele zaak omhulde en die na elk gesprek sterker werd?

Niemand in het stadje leek neutraal in deze gecompliceerde

moeder-dochterrelatie. Zo was Berglund zelf betrokken bij de dochter, maar had hij ook inzichten in de verhoudingen tussen Jillian, haar moeder en de rest van de stad waar Cruz niet aan kon tippen. Zijn medewerking zou van cruciaal belang zijn voor het oplossen van het raadsel Jillian Meade.

Daarom stopte hij na zijn bezoek aan de Newkirks bij het politiebureau om nogmaals een praatje met de hulpsheriff te maken – om vrede te sluiten en zijn hulp aan te bieden bij het verifiëren van Tom Newkirks verhaal dat hij Jillian op het vliegveld van Minneapolis was tegengekomen in gezelschap van een onbekende, die misschien wel of misschien niet bij haar hoorde.

Toen hij het lage gebouw binnen kwam, zat Verna weer achter de balie. Net als de vorige dag was ze verdiept in een detective, maar deze keer was ze haar bril niet vergeten.

'Hé, hallo, Alex,' zei ze, over haar bril heenkijkend toen hij de deur achter zich dichtdeed. 'Je hebt dus nog steeds niet genoeg van ons schone stadje.' Ze schoof een bord in zijn richting. 'Hier, neem een koekje.'

Cruz glimlachte. 'Nee, bedankt, Verna. Ollie Jorgensons chauffeursontbijt ligt me nog zwaar op de maag. Dat de jongens nog in hun surveillancewagens passen, als jij ze zo verwent!'

Grijnzend zette ze haar bril af. Hij zat vast aan een goudkleurig kettinkje om haar nek en toen ze hem losliet, bleef hij comfortabel liggen op haar brede boezem. 'Ik heb vier zonen grootgebracht. Misschien dat ik daarom nog altijd veel te grote hoeveelheden maak, al zijn ze inmiddels het huis al uit. Ach, al dat bakken houdt me tenminste van de straat.'

'Zolang het je maar uit de problemen houdt. Is hulpsheriff Berglund toevallig aanwezig?'

'Hij was er wel, maar hij kreeg net een oproep. Als het dringend is, kan ik hem wel oproepen via de radio.'

'Wanneer verwacht je hem terug?'

'Hij zou voor twaalven contact opnemen. Het is nu kwart voor,' antwoordde ze, na een blik op de klok boven de – zo te zien verlaten – agentenkamer.

'In dat geval blijf ik maar even wachten. Het is niet echt dringend, maar ik wilde even een woordje met hem wisselen.' Hij knoopte zijn jas los en leunde met zijn ellebogen op de balie. 'Mooi boek?'

Ze vouwde een ezelsoortje in haar boek, klapte het dicht en legde het weg. 'Niet zo. Op bladzijde 50 wist ik al wie het gedaan had. Als aan het eind blijkt dat ik inderdaad gelijk heb, smijt ik het door de kamer. Ik lees een stuk of vijf van die dingen per week, en na een tijdje voel je al van mijlenver aankomen hoe het afloopt. Maar ja, de tijd gaat zo wel wat sneller.'

'Vorige keer zei je dat je hier wat hielp. Als vrijwilligster?' Dat zou verklaren waarom ze in feite kon doen en laten waar ze zin in had.

Verna knikte. 'De stad heeft een heel krap budget. Er was een extra agent nodig, maar er was geen geld voor én een surveillant én een baliemedewerker. Daarom hebben ze van die laatste functie vrijwilligerswerk gemaakt. Ik vind het prima. Zo heb ik iets om handen, vooral in de winter, wanneer ik de tuin niet in kan. Zoals ik al zei, ben ik maar alleen. De heer des huizes ging dood toen de jongste twee was.'

'Wat erg voor je.'

'Ach, het is al zo lang geleden; mijn benjamin is nu tweeëndertig. In elk geval ben ik altijd al dol geweest op detectiveverhalen,' zei ze, met een knikje naar het teleurstellende boek. 'Niet dat hier ooit iets spannends gebeurt – in elk geval niet tot de dood van die arme Grace. Ik moet trouwens wel toegeven dat ik het na al die verhalen die ik heb gelezen wel een kick vind om voor de juten te werken.'

Hij keek haar met opgetrokken wenkbrauwen aan. 'De "juten", Verna?' Toen ze bloosde, ging hij verder: 'Ze mogen hun handjes dichtknijpen met een baliejuut die koekjes bakt.'

'O, ga toch weg. Ik weet dat het stom is, maar ik ben het nu eenmaal gewend. Maar ik probeer wel te minderen.' Ze klopte op haar bolle buik, die vandaag werd gecamoufleerd door een roze met wit gestreepte trui die tot halverwege haar in vuurrode stretchbroek gehulde dijen reikte. 'Niet dat ik de calorieën zelf nou zo nodig heb, maar als ik voor de kerk of een goed doel koekjes bak, maak ik automatisch altijd twee of drie keer meer dan ik nodig heb. En de jongens hier zijn fantastisch in het wegwerken van overschotten.'

‘Ja, het is rotwerk, maar iemand moet het toch doen. Sybil Newkirk heeft jou zeker ook gebeld, hè, over een bijdrage aan de lunch na de begrafenis morgen.’

‘Nee, maar dat komt doordat ik al tegen Tom had gezegd dat ik wat mee zou nemen. Het wordt een groots gebeuren, en dan kun je geen eten genoeg hebben.’

‘Was je goed bevriend met Grace?’

‘Dat niet, maar we zaten allebei bij de tuinclub. Grace had echt groene vingers. Maar ja, wat wil je. Engelsen en tuinen, hè?’

‘En Jillian? Hoe goed ken je die, Verna?’

‘Eigenlijk nauwelijks. Of nauwelijks meer, eigenlijk. Mijn op een na jongste zoon ging op de middelbare school met hetzelfde groepje om als zij. Mijn zoon, Jill en Nils Berglund en zo waren allemaal van dezelfde leeftijd. Ze gingen samen dansen en zwemmen en weet ik wat al, maar de laatste jaren heb ik Jill eigenlijk nauwelijks meer gezien.’

‘Heb jij als liefhebber van detectiveverhalen ook een theorie over wat er is gebeurd op de avond dat Grace stierf?’

‘Geen idee. Sheriff Lunders denkt dat een zwerver heeft ingebroken.’

‘En als dat niet zo is? Denk jij dat Jillian een reden had haar kwaad te doen?’

‘Nee, al zullen er vast mensen zijn die er anders over denken. Persoonlijk kan ik me niet voorstellen dat zij zoiets zou doen. Jill is een rustig, welopgevoed persoon, en we hebben het hier wel over haar moeder. Grace heeft alles opgegeven om Jillian een toekomst te geven in Amerika. Nee, ik geloof niet dat Jill iemand die zo’n offer voor haar heeft gebracht, iets zou kunnen aandoen.’

Cruz knikte, al vroeg hij zich af of er iets ergers denkbaar was dan de onwetende reden te zijn voor andermans nobele offer. Hoe vaak was Jillian er in haar leven aan herinnerd welke prijs haar moeder omwille van haar had moeten betalen? Hoe vaak had hij zichzelf dat horen zeggen sinds haar naam hem voor het eerst ter ore was gekomen? Zelfs haar baas, Haddon Twomey, had het gezegd. Maar was dat wat Grace had gedaan niet precies datgene wat elke generatie voor de volgende hoorde te doen? Je verwacht toch geen slaafse dankbaarheid voor iets wat zo hoort? Bovendien had de emigratie voor Grace zelf ook niet verkeerd uitgepakt. Ze was terechtgekomen in een mooi huis, in een mooie omgeving, in een stad waar ze werd gerespecteerd en bewonderd. Toch had hij de indruk dat Jillian de kans niet had gekregen te vergeten welk offer haar moeder voor haar had gebracht. Hoe kotsmisselijk zou ze daar inmiddels van zijn?

'Waren Grace en Jillian het vaak oneens met elkaar?' vroeg hij aan Verna.

'Zijn alle moeders en dochters dat niet? Ik heb alleen jongens en van dochters weet ik dus niet veel, maar moeders en dochters, vaders en zoons, dat is water en vuur – al hebben mijn jongens natuurlijk nooit echt de kans gehad om met hun vader te botsen. Maar een van je ouders vermoorden, dat is natuurlijk heel andere koek.'

'Ik heb gehoord dat ze op de avond van de brand ruzie hadden.'

'Wie zei dat dan? Nee, wacht, laat me raden... Sybil Newkirk?' Cruz gaf geen antwoord, en Verna vatte dat op als een bevestiging. Ze zuchtte, keek om zich heen en boog toen wat naar voren. 'Weet je wat het met Sybil is, Alex?' zei ze met gedempte stem. 'Die is een beetje vreemd. En ik vind het vervelend om het te zeggen, maar je kunt haar niet altijd geloven. Ze heeft een eh, een... probleempje.' Verna kromde haar hand en bracht hem met een veelbetekenend gezicht naar haar mond, voor het geval Cruz haar niet had begrepen. 'In elk geval was Sybil Grace' trouwste volgeling. Waar Grace zich vertoonde, was Sybil nooit ver uit de buurt. Wat voor problemen Grace en Jillian misschien ook hadden – en zoals ik al zei, hebben alle moeders en dochters die – je kunt er donder op zeggen dat Sybil de kant van Grace zou hebben gekozen.'

'Beide Newkirks waren meen ik nogal een fan van haar.'

'Kan zijn,' zei Verna.

'Jij dan?'

'Zoals ik al zei, waren we niet echt close, maar op tuiniergebied lag dat anders. We ruilden vaak stekjes, en ik moet zeggen dat Grace daarin heel vrijgevig was.' Verna klopte op haar omvangrijke boezem. ‘De tuin van deze Noors-Ierse dame mag er trouwens ook wezen, al zeg ik het zelf. Bij de jaarlijkse tuinshow was het altijd een nek-aan-nekrace tussen Grace en mij.’

‘Vriendschappelijke rivalen dan.’

Verna knikte. ‘Zo zou je het kunnen zeggen. En ik voelde me ook verantwoordelijk voor haar.’

‘Hoezo?’

‘Nou ja, omdat ze Joe’s vrouw was,’ antwoordde Verna, alsof dat toch voor de hand lag. ‘Mijn Ed en ik waren goed bevriend met Joe. Net als Tom en Sybil zaten we allemaal bij elkaar in de klas, en later gingen de jongens allemaal tegelijk in dienst. Vlak daarvoor zijn Tom en Sybil getrouwd. Ed en ik waren dat toen al drie jaar. Twee kinderen en een derde op komst, dus hij had makkelijk thuis kunnen blijven, maar toen hij hoorde dat Tom en Joe wel gingen, was er geen houden aan. Tom was trouwens de enige van hun drieën die heelhuids terugkwam. Zoals je weet, is Joe daar gesneuveld, en mijn Ed is ernstig gewond geraakt. Hij is zes maanden na zijn vertrek een onderbeen kwijtgeraakt en is daarna nooit meer de oude geworden. In 1949 kreeg hij een hartaanval. Hij was pas eenendertig toen hij stierf, en ik denk nog steeds dat het te maken had met de verwondingen die hij in de oorlog opliep.’ Een beetje beschaamd wuifde ze haar woordenstroom weg. ‘Ik wil maar zeggen, ik had het gevoel dat Grace en ik allebei oorlogsweduwe waren. Nog iets wat we gemeen hadden.’

‘Tom Newkirk lijkt haar zo’n beetje onder zijn hoede te hebben genomen.’

Verna aarzelde. ‘Hoe bedoel je?’

‘Nou, Mrs. Newkirk vertelde me dat hij Grace land in bruikleen heeft gegeven om een huis op te bouwen, en dat hij haar ook met haar financiën en zo heeft geholpen.’

‘O, dat. Ja, zo is Tom nu eenmaal. Hij heeft mij ook geholpen.’ Ze trok een gezicht. ‘Hij is natuurlijk wel een politicus, en die worden graag als behulpzaam gezien. Maar toch, hij heeft gezorgd dat ik mijn weduwepensioentje kreeg, en mijn jongens geld om te studeren. Joe, Ed en hij waren heel close met elkaar, en Tom zag het als zijn plicht de gezinnen van zijn makkers te helpen.’

'Hebben ze allemaal bij dezelfde eenheid gediend?'

'Tom en Joe wel. Mijn Ed belandde bij de infanterie en kwam eerder naar huis, vanwege zijn been. Tom en Joe zijn tot het einde gebleven. Tom heeft Grace daar trouwens ook al ontmoet, dus toen Helen en Arthur Meade na de oorlog van haar bestaan hoorden, kon Tom ze al iets over haar vertellen. Daarna besloten ze haar uit te nodigen bij hen in te trekken.'

'Heeft Tom Newkirk Grace in de oorlog ontmoet?' Er begon zich een nieuw beeld te vormen in Cruz' wantrouwige geest, nog wel wazig, maar gaandeweg duidelijker. Een beeldschone weduwe. De behulpzame beste vriend van de dode echtgenoot, die regelt dat ze naar Amerika komt en uiteindelijk naast hem komt wonen. Zijn vrouw, te dom en te dronken misschien om te zien wat er opbloeit tussen haar man en haar beste vriendin.

'Heb je al wat gehoord over Grace' oorlogstijd?' vroeg Verna.

Cruz knikte. 'Ik heb begrepen dat ze geheime opdrachten uitvoerde achter het front, of zo.'

'Klopt. De jongens hebben haar in Engeland ontmoet, maar ze werd bijna meteen daarna naar Frankrijk gestuurd. Tom heeft haar pas na de oorlog weer teruggezien. Het was puur toeval dat Joe haar in Frankrijk weer tegenkwam en dat ze toen iets met elkaar kregen. Zo jammer dat hij niet is teruggekomen. Maar Tom en mijn Ed? Die kwamen boordevol verhalen terug. Met een paar biertjes achter de kiezen konden ze de hele nacht oorlogsherinneringen ophalen.'

'En Grace ook? Ik heb begrepen dat die er middenin zat.'

'Nee, Grace niet. Die praatte eigenlijk nooit over de oorlog. Misschien doen alleen mannen dat.'

'Nou ja, het was ook haar land dat aan flarden werd geschoten. Dat zal de glans er wel vanaf halen.'

'Lijkt mij ook. In elk geval had zij het nooit over vroeger.'

Dat kon Cruz zich levendig voorstellen; hij deelde Grace' weerzin tegen oude oorlogsherinneringen. Men zegt dat het geheugen selectief is – dat het de slechte dingen vergeet en de goede onthoudt – maar daar had hij nooit iets van gemerkt. Was het maar waar.

De radio achter Verna begon te piepen, en even later meldde

Berglunds diepe stem zich door de luidspreker.

'Hallo, Nils,' zei Verna, nadat ze de microfoon had gepakt. 'Je hebt bezoek. Onze FBI-man is terug. Over.'

'Ik ben op weg naar Montrose. Wat komt hij doen?'

Vragend keerde Verna zich naar Cruz.

'Mag ik?' vroeg die, met een knikje naar de microfoon.

'Ga je gang,' antwoordde ze. 'Als je iets wilt zeggen, op het knopje drukken.'

Cruz nam de microfoon van haar over. 'Alex Cruz hier, Berglund. Ik kwam langs om te horen of je het bericht al hebt nagetrokken dat Jillian Meade dinsdagochtend samen met iemand op het vliegveld arriveerde. Over.'

Het was even stil. Toen: 'Je hebt Tom Newkirk dus gesproken.'

'Klopt,' beaamde Cruz. 'Als je wilt, kan ik het FBI-kantoor in St. Paul vragen de passagierslijst op te vragen om deze figuur na te trekken.'

Weer een stilte. Berglund had het óf druk met rijden óf hij vond het vervelend dat Cruz zich er weer mee bemoeide – maar hij besloot kennelijk eieren voor zijn geld te kiezen. 'Doe dat maar, en gebruik onze telefoon maar. O, en Cruz? Breng me op de hoogte zodra je wat weet. Begrepen?'

'Ik beloof het. Ga je Jillian opzoeken?'

'Later. Ik ga eerst bij de lijkschouwer langs om de definitieve uitslag van de doodsoorzaak op te halen.'

'Zal ik bij het ziekenhuis op je wachten?'

Weer kwam het antwoord niet meteen. Toen antwoordde Berglund: 'Doe wat je wilt. Over en sluiten.'

'De hulpsheriff mag me geloof ik niet zo,' merkte Cruz op, terwijl hij de microfoon teruggaf.

'O, daar zou ik maar niet over inzitten,' zei Verna. 'Nils is oké. Hij bedoelt het niet onaardig, maar deze zaak vraagt veel van hem, vooral nu de sheriff uit de running is. Het zijn voor iedereen moeilijke dagen.'

'Kan ik me voorstellen. Mag ik hier even bellen?'

'Zeker. Nils zei toch dat het mocht? Loop maar door naar de agentenkamer, daar is op dit moment niemand.' Verna drukte hem de schaal met koekjes in handen. 'Hier,' voegde ze eraan toe. 'Wil je deze daar even neerzetten, voordat ik er zelf aan begin?' Ze pakte haar boek weer op, sloeg het open bij de bladzijde waarin ze een ezelsoor had gemaakt en zette haar bril weer op haar neus. 'Ik ga verder lezen. Geef maar een gil als je nog iets nodig hebt.'

19

Frankrijk was de volgende stop in de reis naar het verleden van mijn moeder. Hier werd het spoor vaag, vochtig en overwoekerd met leugens en halve waarheden. Hier begon ik voor het eerst de tegenstellingen te ontdekken tussen wat ik geloofde en wat door feiten kon worden gestaafd – de onoverbrugbare kloof tussen wat ik voor waar had aangezien en wat de echte waarheid bleek. Dit is het punt waarop ik begon te wensen dat ik deze weg nooit was ingeslagen, maar tegen de tijd dat ik besefte dat ik te ver was gegaan, was ik blindelings over de rand van een afgrond gevallen. Ik bevind me nu in vrije val, voortgestuwd door krachten die ik niet langer kan beheersen.

Ze zeggen dat de geschiedenis door de overwinnaars wordt geschreven. Verhalen van mensen die dood, verraden of verdwenen zijn, komen pas jaren later boven, als dat al gebeurt. Meestal blijven ze begraven. Maar voor degenen die de moeite nemen, zijn ooggetuigenverslagen van kleine voorvallen en het papieren spoor van obscure documenten als de sporen, die oude indiaanse spoorzoekers volgen in de westerns waar we als kind zo graag naar keken. Sporen als gebroken twijgjes, uitwerpselen en platgetrapt gras, die het bewijs vormden van hun prooi.

Mijn prooi was de waarheid over mijn moeders verleden – en mijn verleden – en ik volgde mijn spoor gewapend met meer dan tien jaar ervaring in het natrekken van de onbeduidende historische markeerpunten waar de meeste mensen gewoon aan voorbijgaan.

Zoals iedereen weet, wonnen wij de oorlog en verloren de

nazi's hem. Het is daarom onvermijdelijk dat de verhalen die we onszelf vertellen zich bijna uitsluitend beperken tot heroïsche verslagen van tegen de Duitse oorlogsmachinerie gewonnen gevechten, zowel de heimelijke als de openlijke. Dat geldt vooral voor Frankrijk, dat al snel na het begin van de oorlog viel, toen de Duitsers doodleuk om de zogenaamd onoverwinnelijke Maginotlinie heen wandelden. In juni 1940 gaf Parijs zich onvoorwaardelijk en zonder verzet over. Geen moment om trots op te zijn.

Gelukkig was er een patriottische en ongelooflijk dappere ondergrondse verzetsbeweging, zowel in het noorden als in het collaborerende zuiden van het Vichy-regime. Deze Résistance werd geboren op de dag dat de eerste Duitse tanks Frankrijk binnenrolden en bleef de hele vierjarige bezettingsperiode actief. Er zijn mensen die menen dat het merendeel van de Franse burgers lid was van het verzet of het tenminste steunde, maar uit de verslagen van de Duitse bezetter blijkt het tegendeel. Aan het begin en eind van de oorlog mocht de Résistance op veel sympathie van de bevolking rekenen, maar in de periode daartussen, van de val van Parijs in 1940 tot de bevrijding van de stad in 1944, werden de mensen van het verzet keer op keer verraden door de bevolking. Een bevolking waarvan de meeste mensen om allerlei redenen leken te hebben besloten met de nazi's mee te lopen.

Natuurlijk is het heel gemakkelijk om vanuit de veilige haven van een andere tijd een oordeel te vellen, maar toen de Duitsers in 1940 Frankrijk een wapenstilstand afdwongen, dachten veel burgers opgelucht dat Frankrijk de rest van de oorlog rustig kon uitzitten en dat het land een herhaling van de verschrikkingen van de Eerste Wereldoorlog bespaard zou blijven.

Ook angst speelde een rol; Hitlers beulen waren meesters in de manipulaties van een politiestaat; ze gebruikten geheime dossiers en registers om mensen in de gaten te houden, pasjes en persoonsbewijzen om hun bewegingen te controleren. Kranten en radio werden gecensureerd; alleen propaganda voor het Derde Rijk was toegestaan. Intimidaties, overvallen en moordaanslagen door georganiseerde bendes waren aan de orde van de dag, net als massa-arrestaties, razzia's, wrede verhoren in mensonwaardige gevangenissen. En natuurlijk het 'Nacht und Nebel'-decreet – de geheime, steelse deportaties van de tegenstanders van het regime (echt, potentieel of denkbeeldig) naar de fabrieken en concentratiekampen in het oosten, richting de gaskamers, richting de crematoria. Al deze tactieken bij elkaar hielden bezet Europa in de greep van een verlammende angst.

Volgens psychologen leidt een leven in angst tot inertie, houdt het mensen volgzaam, ook zonder dat ze het regime of zijn doelen steunen. Het wordt makkelijker te gehoorzamen en lippendienst te bewijzen dan om verzet te bieden. We plegen ons terug te trekken in onze innerlijke wereld en houden onze gedachten voor onszelf, terwijl we aan de buitenkant ons gedrag aanpassen aan de eisen van de onderdrukker. We grijpen terug op zelfcensuur en zelfcontrole tot we weinig meer zijn dan makke schapen en laten ons door de grommende honden van de macht in de gewenste richting drijven. Zo bekeken is het ronduit verbazingwekkend dat het de Résistance lukte nog zoveel mensen te mobiliseren.

En mijn moeder? Hoe slaagde zij erin te overleven en verder te gaan onder zo'n intense fysieke en psychologische druk?

Mijn onderzoek, inclusief het doorwerken van de oude dossiers en mijn gesprek met Miss Atwater, had tot dat moment de volgende waarheidsgetrouwe feiten opgeleverd. Grace Wickham was in september 1941 gerekruteerd door de SOE en opgeleid als documentenvervalser, iets waar ze in uitblonk. Ze had VS-piloot Joe Meade ergens halverwege 1943 voor het eerst ontmoet in Engeland, toen de Britse SOE en de Amerikaanse OSS een samenwerkingsverband sloten om het Franse verzet te ondersteunen. Augustus 1943 werd ze gedropt boven bezet Frankrijk. Ze was in het bezit van valse papieren op naam van Sylvie Fournier, de naam van wijlen haar moeder. In een maanloze nacht landde ze op een open plek aan de rand van een bos bij de stad Beauvais, zo'n vijfenzeventig kilometer ten noorden van Parijs. Hetzelfde vliegtuig dropte ook enkele ronde blikken, met daarin diverse soorten papier, inkt, blanco stempels en een kleine handpers. Ze werd opgevangen door een lokale cel van de Franse Résistance met de codenaam 'Ekster', die haar een paar weken liet onderduiken in verschillende huizen in Beauvais, tot het veilig leek haar en haar kostbare last over te brengen naar Parijs, waar ze zaten te springen om iemand met haar vaardigheden. Toen de kust veilig leek, droeg 'Ekster' haar over aan een andere cel met de naam 'Dadelpruim', die haar weer overdroeg aan een volgende, en die ook weer aan een volgende, tot ze uiteindelijk belandde bij een oude Franse drukker met de naam Viau, die in de Parijse voorstad Gentilly woonde.

Viau, een weduwnaar van een jaar of zeventig, had meer dan vijftig jaar religieuze traktaten gedrukt voor lokale parochies. Zijn werkplaats was al diverse malen doorzocht door de bezetter, maar zijn leeftijd, zijn tere gestel en zijn voorraad religieuze geschriften overtuigden de Gestapo kennelijk van zijn onschuld. Toen mijn moeder bij hem introk, werd ze bij de buren geïntroduceerd als Viaus twintigjarige nichtje uit Normandië, dat wees was geworden door een verdwaalde Britse bom die zijn militaire Duitse doelwit had gemist en was beland op de kantoorboekhandel van haar ouders.

Miss Atwater had me verteld dat dit verhaal bedacht was door een slimme SOE-medewerker. Het was een goed verhaal; het bleef dicht bij haar echte achtergrond, en zo kon ze een overtuigend beeld schetsen van Normandië, waar ze haar vakanties zo vaak had doorgebracht, en het bombardement op de winkel, inclusief details over de felle brand en de verschrikking van de vondst van haar dode vader met zijn haar in brand. Ook kon ze zo mooi een anti-Britse houding veinzen, wat van pas kon komen als ze ooit werd ondervraagd door de Gestapo.

Maar misschien was haar verhaal ook wel te mooi. Ze viel op in de buurt; vanwege haar schoonheid, en omdat ze nieuw was. Logisch dat ze werd opgepakt en meegenomen voor verhoor. Dat hoorde inmiddels bij het dagelijks leven. Elke dag werden er willekeurig mensen van de straat geplukt. Het was een beproefde methode om de bevolking angstig en onzeker te houden.

Het is mogelijk dat mijn moeder na een paar keer verhoord te zijn zelf in haar verzonnen verhaal begon te geloven. Ze leek zo'n ongelooflijk sterke vrouw, dat sommige mensen misschien moeilijk kunnen geloven dat ze onder druk doorsloeg. Maar ze was zo jong, pas tweeëntwintig, en ze had sinds het begin van de oorlog al heel veel meegemaakt. Wie weet wat er precies met haar is gebeurd in de tijd dat ze gevangen zat. Hoe groot de druk was die ze op haar uitoefenden. Wat ze met haar hebben gedaan.

Ik weet dat het klinkt alsof ik haar gedrag probeer te rechtvaardigen. Maar wie van ons kan zeggen dat hij sterker in zijn schoenen had gestaan? Want één ding staat inmiddels vrijwel vast: eenmaal afgesneden van de voortdurende steun en morele ondersteuning van haar makkers van de SOE, begon mijn moeders loyaliteit te wankelen – erg te wankelen.

Het was een enorme schok voor me toen ik dat ontdekte, al snap ik nu, terugkijkend, niet dat het nooit eerder bij me opkwam dat de waarheid veel grilliger zou blijken dan de simpele legende die mijn moeder altijd was geweest. Onze helden blijken bijna altijd op lemen voeten te staan, en er is geen reden om aan te nemen dat dat bij haar anders zou zijn. Behalve...

Behalve dat het haar gelukt was mij – en iedereen – ervan te overtuigen dat zij uit beter hout was gesneden dan de meeste stervelingen.

Lang geleden, toen ik nog heel klein was, had ik mijn moeder iets vreemds horen zeggen. Het was op een feestje ter gelegenheid van Onafhankelijkheidsdag. Ik weet nog dat er allerlei mensen om haar heen stonden, en al weet ik niet meer waar het gesprek over ging, de herinnering aan de woorden die ze sprak, is me al die jaren bijgebleven... door de verachting waarmee ze zei. 'Jullie Amerikanen zijn zo ongelooflijk naïef.' Wat lag er een ongelooflijke minachting in haar stem.

Daar moest ik nog niet zo lang geleden aan denken, en omdat ik inmiddels ouder was en meer van het leven wist, kwam ik tot de conclusie dat ze gedoeld moest hebben op het kinderlijke enthousiasme van onze natie. Een natie die was vergeten hoe het was om de verschrikkingen van een oorlog op eigen bodem mee te maken. Nu weet ik dat ze meer dan dat bedoelde. Wat moet ze ons allemaal onnozel hebben gevonden!

Ik zei dat haar loyaliteit wankelde, misschien zelfs brak onder de druk van de verhoren, maar zelfs nu vraag ik me af of de schuld geheel en al bij de vijand ligt. Misschien zat er een fataal weeffoutje in haar karakter, een foutje dat er onvermijdelijk toe leidde dat ze op het kritieke moment zou breken. Per slot van rekening zijn er mensen die verder gaan dan het kwaad passief aanvaarden – mensen die het willens en wetens omhelzen. Die op zijn minst de filosofie accepteren van degene die de macht heeft, omdat ze wanhopig graag in het winnende team willen meespelen. Die een pact sluiten met de sterken, al betekent dat de andere kant kiezen – soms meer dan eens, naargelang de luimen van het lot.

Ik heb mijn hele leven geloofd dat ik erfgename was van een nobeler traditie; dat mijn moeder al vroeg de kant van het fatsoen had gekozen en liever alles opofferde dan die keuze te betwijfelen. Hoe slecht ik haar voor mijn gevoel ook kende, ik heb altijd gedacht dat ik wist waar ze voor stond.

Nu weet ik dat ik me zelfs daarin heb vergist. Ze heeft me beetgenomen. Erger, vele malen erger naar mijn mening, is dat ze mijn grootouders heeft beetgenomen. De mensen die ons liefhadden en ons onderdak boden, en die ik aanbad. Ze zette een hele stad voor schut, een stad die haar verwelkomde, haar volgde en haar bewonderde. Heb ik nog meer van haar geërfd dan een mooie familietraditie van verraad, bedrog en moord?

20

Montrose, Minnesota
Vrijdag 12 januari 1979

Cruz belde het FBI-kantoor in St. Paul, waar de dienstdoende agent de details van Jillians vlucht vanuit Washington noteerde en beloofde hem binnen vierentwintig uur een kopie van de passagierslijst te telegraferen. Daarna vertrok hij naar Montrose voor zijn ontmoeting met Berglund, om het definitieve autopsierapport over Grace Meade in te zien en erachter te komen hoe groot de kans nu was op een gesprek met hun verdachte/slachtoffer/patiënt.

Van de tegengestelde meningen over Jillian Meade die hij had gehoord, kreeg hij onderhand een mentale whiplash, maar het overheersende beeld was toch wel dat van de vorige dag, toen Berglund en hij voor het raampje in haar deur hadden gestaan. Hij merkte dat de neiging om haar eerder als slachtoffer dan als verdachte te zien steeds groter werd, een neiging die versterkt werd door Tom Newkirks mededeling dat hij haar op de luchthaven in gezelschap van een onbekende had gezien. Klampte hij zich aan een strohalm vast en zocht hij naar een onbekende dader omdat hij onduidelijke gevoelens van medeleven voelde voor een aantrekkelijke vrouw in nood?

De aanblik die ze de vorige dag had geboden, kon hij maar niet uit zijn hoofd krijgen. Ze leek weinig meer op de knappe vrouw in de mooie rode jurk op de foto in Haddon Twomeys kantoor. In plaats daarvan had hij een gedesoriënteerd, haveloos, zielig ogend wezen in foetushouding gezien. Haar lange haar had in de knoop gezeten, haar diepbruine ogen hadden hol gestaan en waren overschaduwd geweest door angst en uitputting. Af en toe was er een siddering door haar lichaam gegaan, al leek ze zich niet bewust van enig ongemak en ging ze volkomen op in het koortsachtig geschrijf dat haar psychiater had vergeleken met een daad van zelfexorcisme, terwijl haar vrije hand als bezeten de dekens had gekneed. Ze bood een aanblik die het hardste hart nog vermurwd zou hebben, en zelfs Cruz, met zijn aangeboren achterdochtige aard, had moeten toegeven dat ze er ernstig getraumatiseerd uitzag en dat een psychiatrische afdeling heel goed de beste verblijfplaats voor haar zou kunnen zijn.

Het was dat beeld dat hem in zijn slapeloze nacht in het Whispering Pines motel had geplaagd, realiseerde hij zich, en dat hem ertoe had bewogen vrede te sluiten met Berglund. Het was immers ook geen wonder dat de hulpsheriff het moeilijk had. De aanblik die Jillian bood, was voor een buitenstaander al moeilijk te verteren – laat staan voor Berglund, die haar zijn hele leven al kende en die haar eens genoeg had liefgehad om met haar te willen trouwen.

Toen Cruz in het ziekenhuis van Montrose arriveerde, zag hij zich echter gedwongen zijn mening over Jillian Meade opnieuw te herzien.

Op de tweede verdieping trof hij dokter Kandinsky. Ze was net klaar met haar ochtendzittingen en stond op het punt de psychiatrische afdeling te verlaten. Berglund was er nog niet, maar de dokter zegde toe haar vertrek nog even uit te stellen, zodat Cruz kon zien hoe het haar patiënte verging. De geriatrische gevallen verbleven weer in het dagverblijf, waar weinig leek te gebeuren. Er zaten een paar patiënten met lege blikken voor de televisie. Een oude man schuifelde door de kamer. Toen hij de overkant had bereikt, bleef hij staan en keek verward om zich heen. Daarna keerde hij zich onzeker om en slofte terug naar de andere kant van de kamer. Zijn pyjama slobberde om hem heen, alsof hij met elke stap een beetje kromp. Nog even, dacht Cruz, en de oude man was helemaal verdwenen in zijn gekreukelde nachtkleding, als een oude schildpad die zich in zijn schild terugtrekt. Aan de andere kant van de kamer zat een oude vrouw in een piepende schommelstoel voor het raam. Ze neuriede een slaapliedje voor de lappenpop die ze in haar armen wiegde en keek naar de besneeuwde prairie met de blik van iemand die geduldig op de lente wacht.

'Alles goed met u, agent Cruz?'

Cruz keek verschrikt op en merkte dat de dokter hem aandachtig stond op te nemen. 'Met mij? O, ja. Ik dacht alleen bij mezelf dat dit me allemaal bekend voorkomt.'

'Hebt u eerder met dementie te maken gehad? Misschien bij een familielid?'

'Nee. Ik doelde op de psychiatrische afdelingen van de militaire ziekenhuizen waar ik ben geweest. Het enige verschil is dat deze mensen veel ouder zijn. Maar de tics zijn hetzelfde.'

'Bent u lang in die ziekenhuizen geweest?'

Hij lachte grimmig. 'Vraagt u of ik zelf opgenomen ben geweest, dokter?'

'Bent u dat?'

'Nee. Wel een beetje doorgezaagd door collega's van u, maar meestal was ik in die ziekenhuizen in verband met een moordzaak. Sommige mensen die ik ondervroeg, waren zo geflipt als een deur door drugs of een oorlogsshock.'

'Bent u een Vietnamveteraan?'

'Ja. Hebt u daar problemen mee?'

'Niet met de veteranen zelf. Wel met die oorlog en een regering die onze jongens erheen heeft gestuurd,' antwoordde ze. 'Maar,' voegde ze er toen vermoeid aan toe, 'dat is gelukkig allemaal voorbij.'

'Nee, dokter. Niet voor iedereen. Was het maar zo.'

Ze knikte. 'Daar hebt u gelijk in. Goed, zullen we nu gaan kijken hoe het met Miss Meade is?'

De enorme verandering die de patiënte in de laatste kamer had ondergaan, deed hem versteld staan. Hij stond samen met de dokter voor de glazen afscheiding en merkte dat hij hoe langer hoe geïrriteerder raakte. Wellicht was deze zogenaamd getraumatiseerde, maar verder intelligente, gereserveerde (volgens sommigen koele) vrouw dan toch een van de geslepener manipulators die hij in al die jaren te midden van het ergste van het ergste was tegengekomen.

'Wat hebt u met haar gedaan?' vroeg hij aan de dokter. 'Ze lijkt een volslagen andere vrouw.'

Het rommelige bed waarop Jillian de vorige dag had gelegen was nu netjes opgemaakt, en zelf zat ze op de hoge stoel ernaast. Ze zag er kalm en ontspannen uit in een hooggesloten witte badjas. Ze had haar lange benen zedig gekruist bij de enkels, en haar voeten staken in badstofslippers. Haar haren waren gewassen en gekamd en golfden nu als een donkere massa over haar schouders, glanzend in het zonlicht dat door het hoge raampje viel. Het dikke zwarte schrift lag op haar knie, en ze was ook nu aan het schrijven, maar deze keer rustig en weloverwogen. Ze leek het schrift voor zo'n tweederde vol te hebben. Terwijl de dokter en hij naar haar keken, pauzeerde ze even en keek ze even peinzend in de verte, alsof ze naar een woord of een herinnering zocht. Toen richtte ze haar ogen weer op het schrift en schreef verder – even emotieloos als wanneer ze een boodschappenlijstje of een brief aan een oudtante aan het schrijven was, dacht Cruz.

'Niet veel, ben ik bang,' antwoordde dokter Kandinsky. 'Voor een deel is de verandering te danken aan de medicijnen die hun uitwerking verliezen; voor de rest is het haar eigen verdienste.'

'Heeft ze al iets gezegd?'

Kandinsky knikte. 'Iets voor achten vanmorgen. Ze heeft even met de zuster gepraat en toen naar mij gevraagd.'

'Wat zei ze precies? Iets over de brand of over haar moeder, misschien?'

Kandinsky schudde haar hoofd, waardoor er een grijs lokje aan haar kapsel ontsnapte. Ze pakte het tussen duim en wijsvinger vast, draaide er een strengetje van en stopte het tussen de losse knot op haar hoofd, voordat ze haar handen weer in de zakken van haar vest stopte. 'Nee, dat niet. Meer over hoe ze zich voelde en wat ze nodig had. En ik wilde haar ook niet onder druk zetten of te lang laten praten. Ze heeft er dagen over gedaan om haar stem terug te krijgen, zowel fysiek als psychologisch. Verder is ze van de zuurstof af en beginnen haar longen zich eindelijk te herstellen van alle rook die ze heeft binnengekregen. Mentaal en emotioneel toont ze echter minder verbetering, al zit ook daar vooruitgang in.'

'Hebt u al een blik in dat schrift kunnen werpen?'

Een beetje geïrriteerd keek de psychiater hem aan. 'Ik wil niet vervelend doen, agent Cruz, maar er is zoiets als beroepsgeheim. Ik weet dat u midden in een onderzoek zit en dat u uw werk moet doen; per slot van rekening is een vrouw om het leven gekomen. Maar tegelijk moet u ook begrijpen dat het mijn taak is om voor mijn patiënten te zorgen en niet om te fungeren als doorgeefluik tussen haar mond en uw oren.'

'Dat weet ik en dat respecteer ik ook. En trouwens, petje af voor uw aanpak, dokter. Als iemand me gisteren had verteld dat ze er vandaag zo goed uit zou zien, zou ik gedacht hebben dat hij uw hulp nog harder nodig had dan zij. Ik ken heel wat doktoren die een voorbeeld aan u zouden kunnen nemen.'

'Heel vriendelijk van u, maar zoals ik al zei, heeft ze het grotendeels zelf gedaan.' Met een glimlach wendde dokter Kandinsky zich weer naar het raam. 'Het initiatief is van haar uitgegaan, zoals ik u al vertelde. Ze heeft het in haar eigen tempo en volgens haar eigen schema gedaan.'

'En wat zou dat kunnen inhouden, denkt u?'

Kandinsky haalde haar schouders op. 'Op de lange termijn weet ik dat niet.'

'En op korte termijn? Wat was er deze ochtend anders? Waarom heeft ze haar stilzwijgen verbroken?'

'Ze had iets nodig.'

'Wat dan?'

'Meer viltstiften. Ik hoorde van de nachtdienst dat ze heeft doorgeschreven tot het licht gisteravond uitging en dat ze toen met het schrift onder haar kussen is gaan slapen. Kennelijk is het verhaal dat ze opschrijft erg belangrijk voor haar. Zodra het licht werd, is ze verdergegaan, maar tegen de tijd dat ze haar ontbijt brachten, waren alle viltstiften leeg.'

'En daarom wilde ze u spreken? Omdat ze meer viltstiften moest hebben?'

Kandinsky trok een gezicht en knikte. 'Dat zegt wel wat over mijn therapeutische kwaliteiten, hè? Eerlijk gezegd vroeg ze om een pen. Ze schrijft kennelijk niet graag met een viltstift. Ik kreeg de indruk dat ze die te vrolijk vindt, al zei ze dat niet met zoveel woorden. In elk geval was de verpleging, gezien haar voorgeschiedenis, niet bevoegd haar een puntig voorwerp te geven, en dat hebben ze haar min of meer ook verteld. Toen heeft ze dus naar mij gevraagd.'

'Wat bewijst dat ze zich gisteren terdege bewust was van uw aanwezigheid en verkoos u te negeren,' merkte Cruz op. Nogal berekenend, dacht hij bij zichzelf. Een manier om tijd te winnen om een verklaring voor haar daden te bedenken, misschien.

'Ik weet dat ze zich op een bepaald niveau van mijn aanwezigheid bewust was,' beaamde Kandinsky. 'Zoals ik gisteren al zei, wist ik dat ze hoorde wat ik zei, al kon ze er niet op reageren.'

Kon ze dat niet, of wilde ze dat niet, vroeg Cruz zich af. Hij liet het passeren. 'Wat was uw antwoord toen ze om een pen vroeg?'

'Ik heb haar uitgelegd dat ik haar geen scherp voorwerp kon geven voordat ik zeker wist dat ze zich daar niet mee zou verwonden.'

'Ik neem aan dat ze dat meteen beloofde.'

'Nee, dat deed ze niet. Niet dat ik zo'n belofte serieus zou hebben genomen. Ze leek geen zin te hebben het over haar drang tot zelfvernietiging te hebben. Ze herhaalde simpelweg dat ze iets nodig had om mee te schrijven, liefst niet in kleuren als zuurstokroze en appeltjesgroen, als dat zou kunnen. Mocht dat echter het enige zijn wat er was, dan graag. Uiteindelijk heb ik haar een paar zwarte fijnschrijvers gebracht. Daar leek ze blij mee te zijn.'

'En dit?' vroeg Cruz met een knikje naar het raam. 'Zo opgefrist? Was dat ook op eigen initiatief?'

'Nee. Dat was mijn voorwaarde. Ik heb tegen haar gezegd dat ze meer schrijfbenodigdheden kreeg als ze een douche nam en wat at. Ik kan u verzekeren dat ze daar bijzonder weinig voor voelde, maar ik hield voet bij stuk. Het was in elk geval nodig dat ze wat vocht binnenkreeg. Toen ze wilde weigeren, heb ik gezegd dat ik haar dan een infuus zou geven. Uiteindelijk koos ze eieren voor haar geld. Ze knikte, stond op en zei: "Goed, laten we dat dan maar snel doen." ' Even keek Kandinsky opzij. 'Ik kreeg de indruk dat onze Miss Meade precies weet wat ze wil,' voegde ze er droogjes aan toe.

'U meent het. Had u trouwens niet de neiging even een blik in dat schrift te werpen toen ze onder de douche stond?'

'Nee. Zoals ik gisteren al zei, heb ik beloofd dat ik dat niet zou doen. Als ik mijn woord breek, win ik haar vertrouwen nooit. Ze gaf me trouwens de kans ook niet; ze heeft het de hele tijd bij zich gehouden, en als ze het mee had kunnen nemen onder de douche zonder het te ruïneren, had ze dat zeker gedaan. Nu heeft ze de zuster die haar begeleidde, laten beloven het met geen vinger aan te raken. Ze heeft zichzelf gewassen, een schone nachtpon aangedaan, haar haren gekamd en haar tanden gepoetst. Toen ik haar later de fijnschrijvers bracht, pakte ze die aan, ging zitten en schreef weer verder. En ze zit daar nog steeds.'

'Hoe lang al?'

De dokter keek op haar horloge. 'Al zo'n tweeënhalf uur. Een paar minuten geleden werd haar lunch gebracht en toen is ze even gestopt om een kop thee te drinken. Jammer genoeg heeft ze vrijwel niets gegeten. Daarna ging ze weer door met schrijven. Ik wil even afwachten hoe het vanmiddag met haar gaat, en het dan later nog een keer proberen.'

'Morgen wordt haar moeder begraven. Vindt u niet dat ze dat moet weten? Misschien wil ze er wel naar toe. Onder begeleiding uiteraard, maar toch.' Of ze nu schuldig of onschuldig is, dacht Cruz. 'Ze lijkt inmiddels sterk genoeg om het aan te kunnen.'

'Schijn kan bedriegen, maar misschien hebt u gelijk. Ik zal het in overweging nemen. Ik was toch al op zoek naar een gelegenheid om over haar moeder te beginnen en te kijken hoe ze daarop reageert, voordat ik vertel dat ze dood is. Wat er ook is gebeurd die nacht, agent Cruz, de kans is groot dat ze zich schuldig voelt omdat zij leeft en haar moeder dood is.'

'Tenzij zij haar dood op haar geweten heeft.'

'Richt het onderzoek zich daar nu op? Denken jullie dat zij het heeft gedaan?'

'Het is een van de mogelijkheden.'

'Hoe verklaart u dan dat ze zelf een hersenschudding heeft? Dat is toch zeker het werk van degene die daarvoor haar moeder heeft omgebracht? De hulpsheriff die Jillian uit het huis heeft gehaald, zei dat hij haar praktisch bewusteloos heeft aangetroffen.'

'Ze kan inderdaad door een onbekende derde zijn neergeslagen,' erkende Cruz. 'De moeder is door een vuurwapen omgekomen, en ik zal dus in elk geval moeten vragen waarom die wel is gedood en Jillian niet. Aan de andere kant, als Jillian wél de dader is, dan heeft de moeder misschien uit zelfverdediging teruggeslagen. Of misschien is Jillian uitgegleden en gevallen toen ze het huis uit probeerde te vluchten. Afgaande op de verwondingen van de moeder moet er flink wat bloed zijn geweest, en het ambulancepersoneel heeft gezegd dat Jillian blootsvoets was toen ze haar oppikten. U moet gisteren het bloed op haar handen en haar voeten hebben gezien. Het weinige bewijs dat er is, wijst in diverse richtingen,' besloot Cruz. 'Ik houd alles open.'

'U houdt alles open? Meent u dat?'

'Hebt u reden om daaraan te twijfelen?'

'Tja, begrijp me niet verkeerd, maar dat zou een hele verfrissing zijn na de politiemensen met wie ik tot nu toe te maken heb gehad.' De zolen van haar schoenen piepten toen ze zich naar hem toedraaide. 'U hebt me nog steeds niet verteld waarom de FBI zo geïnteresseerd is in deze zaak. Zei u niet dat Jillian informatie kon geven over een andere zaak waar u aan werkt? Gaat het om een moord?'

'Een dubbele moord zelfs, op twee oudere dames in Engeland.' Hij knikte naar de vrouw in de kamer. 'Ze heeft hen vlak voor hun dood bezocht.'

De rimpels in Kandinsky's voorhoofd werden dieper. 'Wat was haar relatie met die vrouwen? Ik meen dat Jillian historicus en schrijfster is. Hoe kan zij dan in vredesnaam betrokken zijn geraakt bij een meervoudige moord? Dat lijkt me heel vergezocht.'

'Als ik dat eens wist, dokter. Ik kan u wel vertellen dat het in deze zaak om veel meer gaat dan om twee vrouwen in een geïsoleerd huis die door een zwerver zijn overvallen. Maar voor de rest heb ik geen flauw idee wat er precies gaande is of hoe Miss Meade in het geheel past.'

In de kamer ging Jillian iets verzitten, kruiste haar enkels andersom en schreef weer verder. Na enkele ogenblikken stopte ze, fronste haar wenkbrauwen en keek naar de fijnschrijver in haar hand. Ze schudde hem heen en weer, probeerde hem nog een keer, schudde weer en keek er toen verstoord naar. Met een zucht legde ze het schrift op bed, stond daarna op en drukte op de zoemer die aan het hoofdeinde was bevestigd. Meteen daarna ging er boven een raam een lamp branden en hoorde Cruz in de hal aan het eind van de gang een belletje rinkelen.

'Zo te zien heeft ze een nieuwe pen nodig,' zei hij.

Kandinsky knikte. 'Ik ga even een praatje met haar maken.'

'Laat mij meegaan.'

'Dat lijkt me geen goed idee.'

'Alstublieft, dokter Kandinsky. Er zijn drie vrouwen dood. Ik zeg niet dat Miss Meade daarvoor verantwoordelijk is, maar ik denk dat ze iets weet wat ons verder kan helpen. En als zij niet verantwoordelijk is voor het lot van deze vrouwen, dan denk ik dat ze ons graag wil helpen de dader te vinden.'

Hij gebaarde naar de kamer, waar Jillian met toenemende irritatie op de knop stond te drukken. 'Kijk dan, dokter. Dit is niet dezelfde vrouw die hier twee dagen geleden werd binnengebracht. Zelfs ik zag hoe ze er gisteren aan toe was, en daarom heb ik toen ook niet aangedrongen. Het was goed van u dat u haar de kans gaf om tot zichzelf te komen. Geef mij dan nu de kans om mijn werk te doen. Ik beloof u dat ik haar met fluwelen handschoenen zal aanpakken en haar niet van streek zal maken. Zoals ik al zei, heb ik eerder met heel labiele mensen te maken gehad, en volgens mij kan ze een paar vragen best aan.'

'Hallo?' klonk Jillians stem vanuit de kamer. Ze had haar hand nog op de drukknop, en uit de richting van de balie kwam een herhaald gebel. Jillian staarde naar het glas; ze moest zich gerealiseerd hebben dat het een doorkijkspiegel was. 'Is daar iemand?'

Aan het begin van de gang riep een mannenstem: 'Dokter

Kandinsky?' Toen de dokter en Cruz zich omdraaiden, zagen ze een bewaker staan. 'O, hallo. U bent er dus nog. Dan weet u dus dat Miss Meade heeft gebeld?'

Kandinsky knikte. 'Ja, dat weet ik, Bob. Het is goed, ik regel het verder wel.' Even keek ze naar Jillian, toen naar Cruz. 'Goed dan, misschien kan ze vandaag best een paar vragen beantwoorden,' zei ze. 'Maar,' vervolgde ze, 'geen confronterende vragen. En verder moet u stoppen als ik dat vraag.'

Nu was het Cruz' beurt om te knikken. 'Afgesproken.'

'Ik meen het. We gaan samen naar binnen en we houden het kort. Ik zal u voorstellen en dan wacht ik even haar reactie af. Ze is vandaag goed vooruitgegaan, maar als ze dreigt terug te vallen, moet ik u vragen om te vertrekken. Is dat allemaal duidelijk?'

'Helemaal.'

De dokter aarzelde nog. 'Misschien kunt u uw overjas en jasje uitdoen. Dat staat wat minder politieachtig.'

Cruz trok zijn jas uit en hing die over de leuning die langs de muur was bevestigd. Toen hij zijn sportjasje wilde uitdoen, dacht hij aan de holster aan zijn riem. Hij was niet van plan het wapen onbewaakt in de gang achter te laten, waar elke gek die langskwam het kon pakken. 'Mijn jasje houd ik aan,' zei hij.

'Kunt u dan misschien uw das losmaken? Of in elk geval proberen er niet zo dreigend uit te zien?' Ze keek even toe terwijl hij zijn best deed vreedzaam over te komen en zuchtte toen. 'Laten we maar naar binnen gaan.'

Hij ging opzij om haar te laten passeren, zodat ze de deur links van het raam open kon doen, en volgde haar toen naar binnen. De deur onttrok hem aan het oog, en Jillian leek hem eerst niet op te merken.

'O, dokter, blij dat u er nog bent.' Haar stem was laag en hees, misschien nog als gevolg van de rook, maar ze articuleerde duidelijk, zoals een lerares of een zangeres.

'Ik hoorde je bel. Hoe gaat het ermee?'

'Deze stiften zijn op. Ik heb andere nodig. Ik kan niet...'

Toen Cruz achter de openstaande deur vandaan kwam, bevroor ze. Hij sloot de deur zacht en leunde zwijgend tegen de muur, wachtend op een seintje van de dokter.

'Je kunt zoveel krijgen als je wilt, Jillian. Deze kwamen van de balie, en ik denk dat ze al bijna leeg waren. Het spijt me, ik zal zo meteen nieuwe voor je halen. Maar eerst wil ik je voorstellen aan Mr. Cruz. Die wil je een paar vragen stellen. Vind je dat goed?'

Nerveus keek Jill van de dokter naar Cruz en weer terug. Toen griste ze het schrift naar zich toe en drukte het tegen haar borst. 'Ik moet aan het werk.'

'Dat weten we wel,' zei de dokter geruststellend, terwijl ze achter haar rug naar Cruz gebaarde dat hij uit de buurt moest blijven.

Hij keek of hij ergens kon zitten, maar de kamer was leeg, op het bed en de stoel na, en hij wilde niet te dichtbij komen. Dat zou de nerveuze patiënte vast niet op prijs stellen, dacht hij. Daarom deed hij een stap opzij en installeerde zich op de smalle rand van het raamkozijn, strekte zijn lange benen uit, kruiste zijn enkels en deed zijn handen in zijn broekzakken. Het was de beste niet-bedreigende positie die hij onder de omstandigheden kon aannemen.

Jillian keek hem tersluiks aan. 'Wie bent u?'

Hij keek de dokter vragend aan en ze knikte, wat hij uitlegde als toestemming om de waarheid te zeggen. 'Mijn naam is Alex Cruz, Miss Meade. Ik ben van de FBI.'

'De FBI?'

'Dat klopt. Ik weet dat u een zware tijd achter de rug hebt, en ik voel met u mee.'

Onzeker keek ze naar de dokter.

'Waarom ga je niet zitten, Jillian?' zei die.

Jillian aarzelde en ging toen op het puntje van de stoel zitten. Het notitieboek nog steeds stevig vast klemmend, sloeg ze haar ogen neer. De dokter posteerde zich op het bed, als een scheidsrechter – of een beschermengel. 'O, heerlijk, even zitten,' zei ze glimlachend. 'Ik ben de hele ochtend al in touw. En, hoe voel je je, Jillian? Ik zie dat ze je de lunch hebben gebracht, maar je hebt niet veel gegeten. Jammer.'

'Ik heb geen honger.'

'Misschien niet, maar je voelt je vast beter als je wat eet. Hoe gaat het met ademhalen? Nog pijnlijk?'

Jillian haalde haar smalle schouders op, en hield haar ogen nog steeds neergeslagen. 'Een beetje. Het maakt niet uit.'

'Ik zal het toch in de gaten houden. Er moet geen infectie bij komen.' Jillian bleef zwijgen. 'Ik zie dat je druk bezig bent geweest,' vervolgde Kandinsky. 'Als je zo doorgaat, moet ik je een nieuw schrift brengen.'

Jillian keek op en vestigde haar ogen toen op het schrift. 'Ik denk niet dat dat nodig is. Ik ben bijna klaar. Dit schrift is genoeg.'

'Genoeg waarvoor, Miss Meade?' vroeg Cruz. 'Wilt u misschien zeggen waar u mee bezig bent?'

Ze kromp ineen, maar gaf geen antwoord. Haar vingers streelden de bobbelige kaft en ze wiegde bijna onmerkbaar heen en weer op het puntje van haar stoel. Ze was tijd aan het rekken, dacht Cruz, die steeds geïrriteerder raakte door haar hulpeloze houding, maar dat niet liet merken.

'U bent hier eerder geweest,' zei ze uiteindelijk.

'Pardon?'

'U bent hier geweest. Ik hoorde u op de gang met de dokter en Nils Berglund. Die spiegel is aan de andere kant zeker doorzichtig?' Ze keek naar de dokter.

'Ja, dat klopt, Jillian,' antwoordde die. 'Het spijt me, ik had het je moeten vertellen, maar voor mij is dat zo gewoon, dat ik het glad vergeten ben. Het is voornamelijk bedoeld om te kijken of alles in orde is met een patiënt zonder hem of haar te hoeven storen. Dat begrijp je vast wel.'

Met een flauw knikje richtte Jillian haar ogen weer op de vloer voor Cruz' voeten, alsof er een code in het gespikkelde linoleum stond. 'Dat was u toch, gisteren... Ik neem aan dat het gisteren was?'

'Ja, *ma'am*, dat klopt.'

'Wat komt u doen?'

'Ik wilde u een paar vragen stellen.'

'Vragen?'

'Ja. Maar eerst,' zei Cruz met een blik op de dokter, waarna hij de sprong waagde, 'wil ik graag weten of u ons kunt vertellen waarom u hier bent, Miss Meade.'

'Omdat... Omdat er iets is gebeurd. Ik ben gewond geraakt. Dit is een ziekenhuis.'

'Herinnert u zich nog wat er is gebeurd?'

Het wiegen werd sterker. Ze hield haar blik op de vloer gevestigd, maar Cruz zag een traan over de zachte welving van haar wang rollen. Ze was verrekte goed, zei de cynicus in hem.

Hulpeloos keek ze naar de dokter. 'Ik moet werk afmaken,' zei ze smekend.

'Dat weet ik, Jillian, en we houden je niet lang op. Maar kun je agent Cruz antwoord geven? Weet je wat er is gebeurd voordat je hier kwam?'

Ze sloeg haar ogen weer neer en knikte langzaam. 'Er was brand,' fluisterde ze.

'Dat klopt,' zei de dokter. 'Nog meer?'

'Mijn moeder is dood,' zei ze, waarna ze haar lippen op elkaar kneep. Er rolden meer tranen over haar wangen.

'Ik wil u mijn deelneming betuigen, Miss Meade,' zei Cruz.

Ze wierp hem een steelse blik toe en knikte toen.

'Kunt u ons vertellen wat er die nacht is gebeurd?'

Haar opeengeknepen lippen waren bleek en bloedeloos. Ze schudde haar hoofd.

'Kunt u het niet vertellen of wilt u er niet over praten?'

'Nu niet. Ik moet dit afmaken. Alstublieft,' zei ze, hem smekend aankijkend. 'Ik moet dit afmaken.' Haar ogen waren groot en hulpeloos boven haar bleke, betraande wangen.

Bij de gedachte alleen al dat hij haar het liefst aan een derdegraadsverhoor had willen onderwerpen, voelde hij zich schuldig. Voor kerels die elkaar in een bar de strot afsneden en pooiers die zich uitleefden op hun hoeren, draaide hij zijn hand niet om, maar hoe had hij ooit kunnen denken dat hij dit kon? 'Het is goed,' zei hij. 'Natuurlijk mag u uw werk afmaken. Maar niet huilen... alstublieft.'

'Het spijt me.'

'Misschien kunnen we ergens anders over praten?' opperde de dokter, die hem met een opgetrokken wenkbrauw veelbetekenend aankeek.

'Ja, natuurlijk,' zei Cruz meteen. 'De eigenlijke reden voor mijn komst, Miss Meade, is dat ik u wat wilde vragen over de reis die u vorige maand naar Engeland hebt gemaakt.'

Ze keek op. Haar ogen waren nog vochtig, maar stonden ook nieuwsgierig. 'Dat klopt. Ik was in Engeland en Frankrijk.'

'Wilt u mij misschien vertellen wat u daar deed?'

'Ik was... Ik heb voorwerpen en informatie verzameld voor een expositie in het museum waar ik werk.'

Terwijl ze met de rug van haar hand over haar wangen ging, knikte Cruz haar bemoedigend toe. De dokter haalde een tissue uit de doos op haar nachtkastje en gaf die aan haar.

'We kregen materiaal van diverse archieven aangeboden,' vervolgde Jillian, nadat ze haar tranen had gedroogd. 'We zetten een tentoonstelling op over geheime Amerikaanse hulp aan het Franse verzet in de Tweede Wereldoorlog. Dat is... Dat is een specialisme van me, vandaar dat ik de leiding kreeg.'

'En terwijl u daar was, hebt u alleen materiaal voor deze expositie verzameld? Meer niet?'

Onzeker wendde ze haar blik af.

'Miss Meade?'

'Ik heb ook wat privé-onderzoek gedaan.'

'Wat voor onderzoek?'

Haar smalle schouders gingen omhoog. 'Naar familie.'

'Ik weet inmiddels een klein beetje over uw ouders,' zei Cruz. 'Uw vader was oss-piloot. Hij voerde bevoorradingsvluchten uit voor de Résistance, zeggen ze.'

Jill knikte. 'En mijn moeder was in bezet gebied aan het werk.'

'En daar hebben ze elkaar ontmoet?'

'Ja.'

'En toen u daar vorige maand was, hebt u...'

Ze haalde diep adem; het leek op een zucht. 'Ik probeerde hun gangen na te gaan. Kijken waar ze geweest zijn, praten met mensen die hen mogelijk hebben gekend.'

'Zegt de naam Vivian Atwater u iets?'

Nadenkend fronste ze haar wenkbrauwen. 'Ja. Zij heeft mijn moeder gerekruteerd.'

'Voor wie werkte uw moeder?'

'Voor de SOE, een speciale afdeling van de Britse geheime dienst. Miss Atwater was een van haar contactpersonen toen ze in bezet Frankrijk verbleef.'

Nu was het Cruz' beurt om zijn wenkbrauwen te fronsen. Het opsporingsverzoek van Scotland Yard had alleen gerept van een gepensioneerde ambtenares. Hij had het kunnen weten. Typisch de ontwijkende taal van een inlichtingendienst om te zorgen dat iedereen die nader onderzoek wilde doen, uiteindelijk op een dood spoor belandde. 'En hebt u deze Miss Atwater tijdens uw verblijf in Engeland ontmoet?'

'Ja. Ik ben een middag bij haar geweest. Op kantoor.'

'Weet u nog wanneer dat was?'

'Ik... ik geloof het niet. Een donderdag... geloof ik. Half december, de datum weet ik niet precies. Die staat wel in mijn agenda, kijkt u het daarin maar na. Hij zit in...' Ze verstijfde en keek op. 'In mijn tas, in het huis. Maar die is zeker –'

'Het doet er nu niet toe,' zei Cruz. 'Dat zoeken we later wel uit. Dus u hebt haar op kantoor opgezocht? Hoe vaak?'

'Eén keer.'

'En hebt u haar daarna nog een keer gezien? Bij haar thuis, misschien?'

'Nee, alleen die ene keer. Al met al ben ik zo'n vier uur bij haar geweest. We hebben thee gedronken en over de oorlog gepraat.'

'En dat was dat. Daarna hebt u haar niet meer gezien? Ze heeft u niet uitgenodigd haar te bezoeken in haar flat in Bloomsbury?'

Verward fronste Jillian haar voorhoofd. 'Nee. Ik heb haar alleen op kantoor gesproken. Ik heb me bij de balie aan- en afgemeld en we hebben thee gedronken en gepraat. Waarom vraagt u dat allemaal?'

'Weet u ook iets van een andere vrouw, ene Margaret Ellen Entwistle, Miss Meade?'

'Nellie Entwistle?'

'Werd ze zo genoemd? Was zij ook bij de SOE?'

'Nee. Zij was een jeugdvriendin van mijn moeder. Ze zijn samen opgegroeid in Dover en...' Plotseling keek ze op. 'Hoe bedoelt u, "werd"?'

'Hebt u haar ook opgezocht toen u in Europa was?'

'Ja, inderdaad. Hoezo? Wat is er gebeurd?'

'Wanneer hebt u Miss Entwistle bezocht?'

'Een paar dagen voor mijn ontmoeting met Miss Atwater. Maar waarom vraagt u dat eigenlijk allemaal?'

'Dus als u Miss Atwater op een donderdag hebt bezocht, dan was dat dus op een... maandag? Dinsdag?'

'Ik denk dinsdagmiddag. Ik heb thee bij haar gedronken, in haar huis in Dover.'

'Vertel daar eens iets over.'

'Wat moet ik vertellen? Het is een lief oud dametje dat in een met rozen begroeid huisje woont. Ze heeft me verteld over haar jeugd in Dover en over mijn moeder. Ze was bij haar toen mijn grootvader stierf en ze kon me dingen over hem vertellen die ik nog niet wist. Hij is omgekomen bij een Duits bombardement tijdens de Slag om Engeland.'

'Dat was alles?'

'Nou, nee, ze wist ook veel andere dingen, over de begintijd van de oorlog en Duinkerken en –'

'Ik bedoelde eigenlijk of u haar gezond en wel hebt achtergelaten.'

'Ik heb haar maar eenmaal gezien, en ze leek niet ziek, of zo.' Jillian keek van Cruz naar de dokter en weer terug, zichtbaar van haar stuk. 'Hoezo? Is er iets met haar gebeurd?'

'Wie was er bij u toen u deze beide vrouwen bezocht?'

'Niemand.'

'Weet u dat zeker?'

'Ja, natuurlijk. Dat zou ik wel geweten hebben, denkt u niet?'

Cruz negeerde haar sarcasme. 'Hebt u het met anderen over deze bezoekjes gehad? Zaken gedaan met iemand die geïnteresseerd was in deze twee vrouwen?'

'Nee. Zoals ik al zei, dit was strikt privé.'

'Was Miss Atwater in leven toen u haar verliet?'

'Ja, natuurlijk was ze...' Jillian sprong op. 'Vertel op! Wat is er gebeurd!'

'Weet u dat niet?'

'Hoe moet ik dat weten? Wat moet ik weten? Wat is er met ze gebeurd? Waarom bent u hier?'

'Agent Cruz,' onderbrak de dokter hem, 'dit is niet –'

'Ze zijn dood, Miss Meade. Vermoord. Allebei.'

'Maar... Hoe dan?'

'Hier kunnen we het beter bij laten,' zei dokter Kandinsky. 'Agent Cruz, ik geloof dat Jillian voorlopig genoeg vragen heeft beantwoord en...'

Jillian gebaarde dat ze stil moest zijn en keek weer naar Cruz. 'Vertel me wat er is gebeurd. Hoe kunnen ze vermoord zijn? Dat is onmogelijk.'

'Miss Atwater is vastgebonden, mishandeld en doodgeschoten aangetroffen in haar flat in Bloomsbury. Miss Entwistle is op dezelfde manier omgebracht. Vervolgens is hun woning in brand gestoken. Komt u dat bekend voor?'

'Agent Cruz!' zei de dokter scherp. 'Dit was niet de afspraak!'

'Wat is er gebeurd, Jillian?' drong Cruz aan. 'Waarom werden ze vermoord?'

'Ik heb geen idee! Waarom zou iemand dat doen? Het slaat nergens op. Het waren gewoon twee lieve oude dames! Ze wisten niets!'

'Wat bedoelt u, ze wisten niets?'

'Agent Cruz, zo is het wel genoeg!'

Maar hij was al overeind gekomen. Met twee grote passen was hij bij Jillian, waarna hij zijn handen op haar smalle schouders legde, zodat ze wel gedwongen was hem aan te kijken. 'Wat wisten ze niet, Jillian? Het is heel belangrijk dat je me dat vertelt, anders gaat hun moordenaar vrijuit.'

'O, nee, alstublieft...'

'Zo is het genoeg!' snauwde dokter Kandinsky. Ook zij was overeind gekomen, maar voordat ze bij hem was, klonk achter hen een klap en werd Cruz bij zijn jasje gepakt, opgetild en opzij geslingerd alsof hij niets woog.

'Donder op!'

Cruz kwam naast de openstaande deur neer en greep de deurpost vast om zijn evenwicht te bewaren. Toen hij zich had hersteld, draaide hij zich om en zag Berglund tussen hem en Jillian staan. De hulpsheriff keek hem met een van moordzucht vertrokken gezicht aan. 'Donder op, zei ik!' beet de man hem opnieuw toe.

Toen Cruz niet snel genoeg reageerde, kwam Berglund op hem af, schoof hem de gang op en smeet de deur achter hem dicht. Cruz zocht steun bij de leuning aan de overkant van de gang en was net op tijd bij het raam om te zien dat Jillian door haar knieën dreigde te gaan. Berglund kon haar nog net opvangen en op het bed neerleggen. Dokter Kandinsky, die naast hem stond, gaf een klap op de knop van de intercom aan de muur en snauwde een opdracht. Meteen daarna hoorde Cruz hollende voetstappen aankomen. Berglund boog zich over Jillian heen, en Cruz zag dat hij haar voorhoofd streelde en iets mompelde. Een zuster met een afgedekt blad kwam aanrennen en liep de kamer in. Dokter Kandinsky stak een hand op om haar tegen te houden en sprak even met Berglund. De hulpsheriff knikte met tegenzin en liep weg bij het bed, waar Jillian dodelijk bleek met gesloten ogen lag. Ze was dan misschien flauwgevallen, dacht Cruz, maar haar handen omklemden nog wel steeds dat verrekte notitieboek. Terwijl Berglund naar de deur liep, ging de verpleegster naast de dokter staan.

Cruz zette zich schrap toen Berglund de deur uit stormde en zich met een snelheid die verbazend was voor een man van zijn postuur op hem stortte. Hij greep Cruz bij zijn revers en duwde hem woest tegen de muur. 'Wat had dat verdomme te betekenen?'

'Ik stelde haar een paar vragen, meer niet! De dokter had toestemming gegeven. En blijf met je poten van me af, Berglund,' waarschuwde Cruz, terwijl hij de hulpsheriff wegduwde. Het was alsof hij een muur omver probeerde te duwen, maar Berglund gromde nijdig en liet hem toen los.

'De dokter kan wel meer zeggen. Ik zei dat je haar met rust moest laten. Je ziet toch hoe ze eraan toe is?'

Cruz wierp een blik in de kamer, waar dokter Kandinsky een deken over de stille gedaante op het bed legde. Daarna wendde hij zich weer tot de hulpsheriff. 'Je had haar tien minuten geleden moeten zien. Vervloekt nog aan toe, Berglund, ze houdt iedereen voor de gek! Ze is de grootste oplichtster die ik ooit heb gezien! Het was niet te geloven, zo koel als ze erbij zat toen ik hier kwam. Ik weet best dat je haar al heel lang kent en dat jullie vroeger iets hebben gehad, maar je moet er ook rekening mee houden dat ze al heel lang weg is en misschien niet meer het meisje van vroeger is. De dokter zei zelf dat Jillian een duidelijk doel voor ogen heeft en dat ze weet hoe ze moet krijgen wat ze wil. Ze vroeg vanmorgen om nieuwe viltstiften, en toen de dokter als voorwaarde stelde dat ze zich eerst zou opfrissen, deed ze dat zonder problemen. Ze hangt alleen het zielige vrouwtje uit wanneer ze denkt dat ze zo onder lastige vragen uitkomt.'

'We hadden afgesproken dat je vragen konden wachten.'

'Nee, dat had jíj afgesproken. Ik was bereid het rustig aan te doen. Toen ik hier kwam, was ze wel toe aan een paar vragen, dat vond de dokter ook. Jij was er niet en ik wel, zo simpel ligt het. En even voor de goede orde, we hebben haar eerst gevraagd wat ze zich nog herinnerde van de brand.'

'Wat zei ze? Weet ze dat Grace dood is?'

'Ja, dat weet ze, maar erover praten kan ze nog niet. Prima. Ik wilde haar niet van streek maken. De dokter was het met me eens dat ik haar wel wat kon vragen over haar reis naar Europa, en dat heb ik dus gedaan. Ze flipte pas toen ik haar vertelde dat die twee vrouwen zijn vermoord. Maar ze weet iets,' zei Cruz. 'Ze is niet zo onschuldig als jij denkt, Berglund, dat weet ik zeker.'

'Ze is niet tot moord in staat! Ik ken haar toch! Zij kan dit nooit gedaan hebben.'

'Misschien heb je gelijk. Misschien heeft ze niet zelf geschoten en niet zelf de lucifer afgestreken. Dat geef ik meteen toe, maar ik durf er een eed op te doen dat ze weet waarom die vrouwen zijn vermoord, en als we ons steeds laten misleiden door die houding van hulpeloosheid, komen we nergens.'

Berglund schudde zijn hoofd. 'Je gaat wel erg ver.' Hij draaide zich abrupt om en liep naar het raam aan het einde van de gang – een man die worstelde om zijn emoties onder controle te krijgen. Het duurde even. 'Kom mee, we gaan,' zei hij toen. 'Rijd maar achter mij aan.' Hij was al op weg naar de uitgang.

'Waar gaan we heen?' vroeg Cruz toen hij hem had ingehaald.

'Naar het bureau. Je moet je contact in St. Paul bellen. Verna meldde via de radio dat hij twintig minuten nadat je vertrokken was, al terugbelde.'

'Wat zei hij?'

'Alleen dat je hem zo snel mogelijk moest terugbellen. Verna zei dat het klonk alsof hij op hete kolen zat. Ik heb zo het vermoeden dat hij meer weet over de man die Tom Newkirk laatst op het vliegveld zag.'

'Nu al?'

Bij de deur naar de hal bleef Berglund staan. 'Nou, wat denk je, agent Cruz? Zou het kunnen dat we een echte slechterik te pakken hebben? Iemand op wie je je grote, valse honden kunt afsturen zodat ze dat arme kind daar met rust laten?'

'Misschien,' antwoordde Cruz. 'Ik ben er inmiddels achter dat in deze zaak niets is wat het lijkt. Vergeet niet dat Tom Newkirk zei dat deze knaap, wie hij dan ook is, samen met "dat arme kind daar" uit het vliegtuig stapte. Ze kende hem, Berglund. Ze heeft hem aan Newkirk voorgesteld.'

'Ja? En wat zou dat?'

'Als deze man, wie hij dan ook is, iets te maken heeft met de dood van Grace Meade, hoe groot schat je dan de kans in dat Jillian Meade slechts een onschuldige toeschouwer is? Ik weet het niet, hoor, maar ik denk dat die kans heel klein is.'

21

Mijn tijd raakt op. Er kwam een man van de FBI die vragen stelde, maar die sloegen nergens op. Over Miss Atwater en... O, mijn hemel! Nellie Entwistle! Alles is wazig, maar ik weet zeker dat hij zei dat ze dood waren. Hoe kan dat? Dat slaat nergens op! Hij liegt, dat kan niet anders. Hij wilde me vast laten bekennen dat ik... Wat? Mijn moeder heb vermoord, natuurlijk. Maar waarom haalt hij er dan twee andere vrouwen bij?

Ik had kalm moeten blijven. Waarom lukte me dat niet? Ik had hem ook vragen moeten stellen. Zeggen dat hij zijn leugens voor zich moest houden en zeggen wat hij echt kwam doen. Hem zijn zegje laten doen en dan wegsturen, zodat ik weer aan het werk kon. In plaats daarvan heb ik me uit mijn tent laten lokken. Domme, domme Jillian!

En toen? Wat gebeurde er toen? Ik geloof dat Nils binnenkwam en... toen? Ze hebben me weer een kalmeringsmiddel gegeven toen Nils en die afschuwelijke FBI-man weg waren. Arme Nils. Hij zag er vreselijk uit.

Ik heb de dokter gevraagd me geen medicijnen meer te geven. Ik heb haar verteld dat ik er niet tegen kan en dat ik dit moet afmaken, maar óf ze begreep me niet, óf ze negeerde me domweg. Ik heb geen idee van de tijd meer. Ik heb weer geslapen, maar ik weet niet hoe lang, en ik ben de draad van mijn verhaal kwijt. Nu weet ik niet of ik tijd genoeg heb om het af te maken.

Waarom laten ze me dan ook niet met rust, zodat ik dit kan afmaken? Waar heb ik dit aan verdiend?

Kom, kom, Jillian, dat weet je best. Ontsnappen is onmogelijk. Deze bloedprijs moet worden betaald.

Zoveel bloed.

Ik doezel steeds weer weg, en elke keer kom ik weer terecht in de keuken van mijn moeder. Haar lichaam ligt badend in glanzend bloed op de zwart-witte tegelvloer. Haar porseleinblauwe ogen zijn open en staren me beschuldigend aan. Mijn keel zit dicht en mijn gezicht is nat van tranen, maar ondanks de dichte rook in huis kan ik me niet verroeren. Mijn moeders woedende ogen houden me vast.

Vlammen likken aan de vloer, pauzeren even bij de plas bloed waarin ze ligt. Terwijl het bloed begint te sissen en te bruisen, komen de vlammen dichterbij en likken aan haar lichaam. Hulpeloos en verstijfd van afschuw zie ik dat haar zachte, roze huid begint te branden. Haar huid krimpt en krult en barst dan open en ik zie de rode, vlezige spieren, pezen en organen daaronder. Ze worden zwart en vallen uiteen in brandende repen. Langzaam wordt het kale, gebleekte gebeente eronder zichtbaar. De botten zijn klein, als van een vogel, ongelooflijk fragiel, en terwijl ik in gefascineerd afgrijzen toekijk ontstaat er een spinnenweb van haarscheurtjes. En dan vallen de beenderen stuk voor stuk uiteen tot een fijn, grijs poeder dat opdwarrelt en wordt meegevoerd in de helse vlammenzee.

Tot as zult gij wederkeren.

En met elke schil van mijn moeders lichaam die bloot komt en vervolgens verteerd wordt in dat crematorium van mijn nachtmerrie, worden al onze geheimen voor het oog van de wereld geopenbaard. Het enige verschil met de werkelijkheid is dat mijn moeders geheimen – en de mijne – daar nog steeds worden bedekt door de mantel van leugens die ze weefde. Nu ze er niet meer is, zal niemand achter de waarheid komen. Tenzij ik die vertel.

De waarheid...

Al wekenlang, al sinds ik de eerste glimp ervan opving in het moeras van halve waarheden en bedrog dat ons leven omgeeft, worstel ik met de vraag wat er gewonnen wordt door er nu, na al die jaren, weer over te beginnen. Wie ermee is gediend. Wie erdoor wordt geschaad. Mijn moeder zou natuurlijk alles hebben gedaan om te voorkomen dat de waarheid boven tafel kwam –

om allerlei redenen, maar vooral, denk ik nu toch, uit trots.

Haar reputatie zal onvermijdelijk worden geschaad, maar ze hoeft er tenminste zelf geen getuige van te zijn. Misschien zou ze dankbaar zijn geweest voor die kleine gunst. Ik moet toegeven dat het voor mij een opluchting is dat haar die schande bespaard blijft. Ik denk dat zelfs nu, na alles wat ik heb ontdekt, het kind in mij zich nog steeds vastklampt aan de herinnering van de mama die ik aanbad. Ik had niet gewild dat ze haar openbare vernedering moest meemaken.

Ik heb weer geslapen, en mijn hoofd is iets minder stoffig. Ik moet verder. Ik moet het afmaken. Waar was ik ook weer...

De data en gebeurtenissen brachten me als eerste aan het twijfelen – die wilden maar niet op hun plaats vallen. Dat gebeurt wel vaker in mijn vakgebied. De geschiedenis wordt geschreven, vervolgens herschreven en opnieuw herschreven als er nieuwe feiten aan de dag komen. Als feiten niet kloppen, trekken we ze in twijfel, maken we nieuwe interpretaties, en uiteindelijk (veel te vaak, moet ik tot mijn schande bekennen) kneden we ze net zo lang tot ze passen in onze vooringenomen versie van de waarheid. Maar cijfers liegen niet, en het waren de cijfers die me als eerste op het spoor zetten.

Terwijl ik de gescheiden gangen van mijn moeder en vader in Frankrijk tot hun hereniging in 1943 naging, begon ik me af te vragen hoe vaak en wanneer hun paden elkaar hadden gekruist tot het uiteindelijke resultaat: mijn geboorte een jaar later.

Bij mensen bedraagt de tijd tussen conceptie en geboorte om en nabij de veertig weken. Ik heb zelf nooit een kind gekregen, maar ik weet dat eerstgeboren kinderen vaak wat later zijn. Daarom heb ik daar in mijn berekeningen rekening mee gehouden, al heeft mijn moeder nooit laten doorschemeren dat ik later (of eerder) was geboren dan zij was uitgerekend. Ze zei dat ik op 14 juli 1944 ben geboren, exact zes weken voordat Parijs werd bevrijd. Ik schijn een normale, gezonde baby te zijn geweest. Ze wist niet precies hoeveel ik woog, omdat ze niet over een weegschaal beschikte. Ze zei dat ik misschien een tikje aan de kleine kant was, maar aan de andere kant lijken alle baby's klein. En zonder weegschaal kun je niet weten of een baby te licht is.

Ik weet niet of er bij mijn geboorte een dokter of een vroedvrouw aanwezig was. Ik weet niet of de bevalling lang of kort duurde, moeilijk of makkelijk was. Ik weet niet of ze liever een jongetje had gehad. Er zijn zoveel dingen die ik niet weet, en ik heb ze nooit kunnen achterhalen, omdat ik altijd heb geweten dat deze periode de zwartste was uit het zwartste stuk van haar geschiedenis, een periode waar ze absoluut niet meer aan wilde terugdenken. Het enige wat ik wel weet, is dat mijn komst haar verdriet over de dood van mijn vader, enkele weken daarvoor, nauwelijks verzachtte.

(Dit is geen poging om medelijden op te wekken, maar louter een verklaring waarom ik misschien een tikje dwangmatig bezig was met het invullen van al die leemtes.)

Hoe dan ook, omdat ik op *Quatorze juillet* was geboren, moest ik volgens mijn berekening eind september of begin oktober 1943 verwekt zijn. En daar beginnen de problemen. Want na mijn ontmoeting met Miss Atwater en haar formidabele geheugen weet ik dat mijn moeder begin augustus 1943 in bezet Frankrijk is gedropt. En Joe Meade, zo wist ik uit de oss-dossiers in mijn kantoor, voerde zijn eerste clandestiene bevoorradingsvlucht pas op 16 oktober 1943 uit – een gat van twee maanden, waarin ze onmogelijk bij elkaar hadden kunnen zijn. Toch was dat precies de tijd waarin ze druk bezig geweest moeten zijn om mij te verwekken.

Er was nog iets. Ik weet ook dat Joe's vliegtuig begin februari, bij zijn achtste vlucht, neergehaald werd, waarna hij zich noodgedwongen bij de Résistance moest verbergen – en volgens de verhalen die ik mijn leven lang heb gehoord, is dat natuurlijk de periode waarin ze verliefd werden en in het geheim met elkaar trouwden. Dat betekent dat ik óf een vijfmaandskindje ben óf, en dat lijkt mij logischer, dat ze 'het' hebben gedaan lang voordat zijn vliegtuig werd neergehaald. En waarom ook niet? Ze waren jong, bruisend van leven en betrokken bij uiterst riskante operaties waarbij elke toevallige intieme ontmoeting voor een welkome afwisseling zorgde. Het maakte me eigenlijk ook niets uit. Ik was dus een buitenechtelijk kind. Nou, en?

Niettemin blijft het datumprobleem bestaan. Ik kan natuurlijk niet verwekt zijn voordat mijn moeder naar Frankrijk vertrok, want dan zou ik uiterlijk in mei, en niet in juli, geboren moeten zijn. Laten we dus aannemen dat Joe bij zijn eerste landing achter vijandelijke linies in bezet Frankrijk (zoals gezegd op 16 oktober) niet simpelweg zijn vracht heeft gelost en snel weer is opgestegen, de normale procedure voor deze piloten om ontdekking door de Duitsers of de Franse militie te voorkomen. Dat hij in plaats daarvan zijn vertrek uitstelde om wat tijd door te brengen met 'zijn meisje' (over wie hij zijn ouders al had bericht, zij het in uiterst vage bewoordingen in verband met het geheime karakter van hun werk). En dat ik tijdens dat korte oponthoud ben verwekt.

Dat zou geleid kunnen hebben tot mijn geboorte op 14 juli, krap achtendertig weken later, in het doorgangskamp van Drancy, waar mijn moeder volgens Miss Atwater de laatste twee maanden van de bezetting heeft verbleven. Dat zou betekenen dat ik wat vroeg was, maar ondanks de barre omstandigheden, de slechte hygiëne en de karige hoeveelheid voedsel erin slaagde in leven te blijven tot het kamp eind augustus werd bevrijd.

Dat kan allemaal – áls mijn moeder en Joe Meade de nacht na zijn eerste vlucht samen zijn geweest.

Maar dat waren ze niet.

In Parijs ontdekte ik namelijk dat mijn moeder in de nacht van de 16e oktober vrijwel onmogelijk honderddertig kilometer ten noorden van Parijs had kunnen zijn – en wel omdat ze volgens de Duitse archieven van 12 tot 20 oktober 1943 gevangen heeft gezeten in het Gestapo-hoofdkwartier aan de Avenue Foch. Ze was een van de twintig mensen die bij een razzia in Gentilly zijn opgepakt en twee weken zijn vastgehouden in opdracht van een net gearriveerde Obermeister van de Gestapo, die berucht was om zijn meedogenloze pogingen het Parijse verzet te infiltreren en te breken.

Hoe dieper ik in de archieven dook, des te meer ik de taak betreurde die ik op me had genomen, bang voor de dingen die ik zou ontdekken. Ik werd misselijk bij de gedachte aan de dingen die mijn moeder mogelijk had moeten doorstaan in handen van de Gestapo. Doodsbang te denken waar ze misschien toe was gedreven.

Het was echter al te laat. De doos van Pandora was geopend, en ik moest het nu weten. Want als mijn moeder ten tijde van mijn verwekking niet samen met Joe Meade was geweest, wie was dan mijn echte vader? En wanneer – en waarom – had ze besloten daarover te liegen tegen mijn grootouders, tegen mij, en tegen de hele wereld?

22

Havenwood, Minnesota
Vrijdag 12 januari 1979

Cruz en Berglund reden in konvooi terug naar Havenwood. De hulpsheriff reed voorop, langs waarschijnlijk dezelfde weggetjes als de vorige avond, toen Cruz het onprettige gevoel had gehad dat ze door een zwarte leegte langs de rand van de wereld reden. Nu scheen de zon en zag hij dat er geen onverwachte afdalingen, geen maagomdraaiende verrassingen waren in deze vlakke, met sneeuw bedekte prairie. Alleen maar wegen die zich oneindig uitstrekten onder een immens blauwe lucht. Het kostte hem trouwens moeite genoeg om de zwart-witte surveillance-auto van Berglund bij te houden; de hulpsheriff reed met het gemak van iemand die deze opgevroren wegen zijn hele leven al kende.

Toen ze op het politiebureau van Havenwood arriveerden, troffen ze Verna achter de balie aan in gesprek met een jongere, tengere vrouw in een kobaltblauw ski-jack, een spijkerbroek en bruinleren bergschoenen. Ze droeg haar rossige haar in een paardenstaart, die met een stukje leer met een stokje erdoor was vastgezet.

Beide vrouwen keken om toen de deur openging, en het gezicht van de jongste begon te stralen bij het zien van de hulpsheriff. 'O, daar is de verstrooide professor al,' zei ze vrolijk.

Ze was niet echt mooi, dacht Cruz, maar ze had de onbevangen uitstraling waar een man zich bij thuis voelde. Haar huid was zacht en nodigde uit tot aanraken. Haar blauwe ogen waren groot en oprecht als de hemel boven de prairie, en de kleine lijntjes om haar ogen en mond vertelden dat de warme glimlach op haar gezicht daar vaker te zien was.

Berglund leek even van zijn stuk gebracht door haar aanwezigheid, maar bukte wel om de kus in ontvangst te nemen die ze hem op haar tenen gaf. 'Wat is er?' vroeg hij. Dit was vast zijn vrouw, dacht Cruz, die belangstellend toekeek.

Ze knikte naar een thermosfles en een papieren zak op de balie. 'Je was je lunch vergeten. Ik moest toch boodschappen doen, en ik besloot om het even langs te brengen.'

'Ik had haast vanmorgen.' Berglund keek om zich heen. 'Waar is de baby?'

'Thuis, bij mijn moeder. Die past even op terwijl ik boodschappen haal. Ik wilde haar niet meeslepen nu ze zich niet zo lekker voelt.'

'Alles goed met haar?'

'Jawel, maar ik ben vanochtend toch maar even met haar bij de dokter langs geweest. Volgens hem heeft ze weer een oorontsteking. Ik heb bij de apotheek al oordruppels en dat roze spul gehaald.'

Berglund knikte en keek over zijn vrouws hoofd naar Verna. 'Nog gebeld?'

'Alleen door die FBI-man uit St. Paul.'

'Wil je die even terugbellen? Agent Cruz kan de telefoon in het kantoortje van de baas wel gebruiken.'

'Dus,' zei zijn vrouw, terwijl ze langs hem heen naar Cruz glimlachte, 'dit is de mysterieuze FBI-agent.'

Wat onwillig stelde Berglund hen aan elkaar voor. 'Agent Cruz... mijn vrouw, Sharon.'

'Prettig kennis te maken. Alex was het, hè. Ik hoorde dat je aardig kunt sjoelen.'

O, natuurlijk, dacht Cruz. Een van de vrouwen uit het café was haar zus. Sharon Berglund was kleiner en ook jonger dan haar zus, zo te zien, maar voor de rest was de gelijkenis overduidelijk. Zelfde kleur haar, zelfde ogen, zelfde vriendelijke houding. De zussen waren even extrovert als Berglund introvert was. Het type vrouw dat loyaliteit en warmte uitstraalde, en de belofte van een innig vertrouwen.

'Beginnersgeluk,' zei hij. Sharon vlijde zich tegen Berglund aan, zag hij, die afwezig een arm om haar heen sloeg terwijl hij met zijn vrije hand door de stapel post op de balie ging. Cruz voelde een steek van eenzaamheid. Kennelijk waren ze al lang bij elkaar, met hun... hoeveel? Drie kinderen, toch? Drie kinderen, en dan deze vanzelfsprekende intimiteit die hij nooit met een vrouw had. Lag dat aan hem, of was hij eenvoudig de ware nooit tegengekomen?

Hij negeerde het verlangen dat de kop opstak toen hij zich realiseerde dat hij eenzaam was. 'Ik geloof dat ik voor jou inviel,' zei hij. 'Je zus en haar vriendinnen kwamen een man tekort.'

Sharons glimlach werd breder. 'Ik kreeg het idee dat ze dat geen slechte ruil vonden. Je hebt heel wat indruk gemaakt. Ik hoorde dat Carla zelfs aanbood voor je te koken.'

Cruz voelde zijn gezicht warm worden en keek naar Berglund voor hulp, maar de frons op het gezicht van de hulpsheriff werd alleen maar dieper terwijl hij de post aandachtig bestudeerde.

'Ik kon gisteravond niet omdat onze kleine meid niet lekker was, en Nils had het druk.' Ze glimlachte naar Berglund, plukte iets onzichtbaars van zijn groene jack en liet het op de grond dwarrelen. Een pluisje? Een stofje? Of een lange bruine haar?

Onwillekeurig moest Cruz denken aan de reactie van Sharons zus toen Jillian als voormalige verloofde van Berglund ter sprake was gekomen. Had Sharon enig idee van de rauwe gevoelens die haar man voor de vrouw in Montrose koesterde? Was dat de echte reden dat ze vandaag naar het bureau was gekomen? Om hem te controleren? Zo ja, dan leek dat Berglund weinig uit te maken.

Hij had de man wel een schop willen geven om hem bij de les te houden. Berglund was even onverstoorbaar en moeilijk te doorgronden als altijd. Niets in zijn houding wees erop dat hij zich een uur geleden zo had laten gaan, dat hij zijn professionele houding had laten varen en zijn carrière op het spel had gezet door een FBI-agent te mishandelen. Niets wees erop dat hij diezelfde FBI-agent bijna in stukken had gescheurd omdat die Jillian van streek had gemaakt. Al vroeg Cruz zich nog wel steeds af of ze werkelijk zo van haar stuk was geweest, of dat ze simpelweg een kaart had uitgespeeld. Een kaart die zijn effect niet zou missen op een ex-minnaar die kennelijk nog steeds naar haar pijpen danste.

Hij had medelijden met de arme echtgenote. De twee vrouwen verschilden als dag en nacht van elkaar. Hoe kon Berglund zich emotioneel zo betrokken voelen bij Jillian Meade, terwijl er thuis zo'n lief ding op hem wachtte om zijn leven te delen, zijn kinderen groot te brengen en zijn bed te warmen? Hoe kon een man zo boffen en tegelijk zo stom zijn?

'Ik kan dat telefoontje nu doorverbinden, Alex, als je zover bent,' onderbrak Verna zijn gedachten.

'Ik ben zover, Verna, bedankt,' zei hij. 'Prettig kennis te maken, Mrs. Berglund,' vervolgde hij met een knikje, voordat hij naar de agentenkamer liep, zoekend naar een uitweg voor zijn frustratie. Dat de FBI zo snel al terugbelde, betekende dat ze iets hadden over Jillian Meade, over haar reisgenoot, of over beiden. Hoe sneller hij hoorde wat dat was, hoe sneller hij verder kon met zijn onderzoek naar dat verrekte mens. En hoe sneller dat gebeurde, des te sneller Jillian Meade kon maken dat ze wegkwam uit deze stad, uit de levens van deze mensen.

Toen Sheen, het hoofd van het FBI-kantoor in Minneapolis-St. Paul, hoorde dat Cruz aan de telefoon was, kwam hij even uit een vergadering om hem te woord te staan. 'Blij dat u zo snel terugbelt, agent Cruz.'

'Natuurlijk, *sir*. Ik ben meteen teruggekomen zodra ik uw boodschap kreeg.'

'We hebben een naam bij de man die dinsdagochtend met de vlucht uit Washington kwam.'

'Dat is heel snel.'

'Een van mijn mensen was al voor een andere zaak op het vliegveld,' vertelde Sheen. 'Na uw telefoontje heb ik hem gevraagd of hij meteen de passagierslijsten van de dinsdagvluchten wilde nalopen. Daaruit bleek dat uw Miss Meade stoel 14-A had op die vlucht, en dat er op stoel 14-B ene Simon Edelmann zat. Ik denk dat dat uw man is.'

'Simon Edelmann.' Cruz zocht in zijn zakken naar pen en papier en ging toen aan het bureau van de sheriff zitten om de naam te noteren. 'En u denkt dat dit onze man is?'

'De beschrijving die u gaf, klopt. Mijn mannetje op het vliegveld heeft iemand gesproken die hem en een vrouw heeft zien praten met iemand uit het gevolg van de gouverneur,' antwoordde Sheen. 'Edelmann is een Israëliër,' vervolgde hij. 'Hij is zes dagen geleden het land binnen gekomen met een vlucht van Parijs naar New York, op een visum dat door onze ambassade daar is verstrekt. Probleem is alleen dat hij dat visum nooit had mogen krijgen, maar op een of andere manier is hij overal doorheen geglipt. Per ongeluk, of omdat iemand de andere kant opkeek.'

'Waarom moest hij geweerd worden?'

'Hij is een tijdje geleden op onze waarschuwingslijst gezet. Dat wil zeggen dat de Immigratie- en Naturalisatiedienst eerst contact met ons moet opnemen voordat ze hem een visum verstrekken. Gewoonlijk gaat zo'n verzoek door naar de ambassade en vervolgens terug naar het FBI-hoofdkwartier. Dat is in dit geval niet gebeurd. Ze hebben het visum gewoon afgegeven, zonder bij ons te checken.'

'Enig idee hoe dat kan?'

'Ik kreeg net een telefoontje uit New York. Het blijkt dat het visum is getekend door iemand die als undercover op de ambassade werkt.'

'Iemand van de CIA?'

'Precies. Ik veronderstel dat het voor die club een kwestie van collegiale hoffelijkheid was. Als ze de waarschuwingslijst hadden gecheckt, hadden ze gezien dat deze knaap taboe was, maar óf ze namen de moeite niet óf ze wisten het wel, maar trokken zich er niets van aan.'

'Collegiale hoffelijkheid? Wilt u zeggen dat deze Simon Edelmann van de Israëlische inlichtingendienst is?'

'Daar ziet het wel naar uit. Het is niet helemaal helder, geen idee wat de afspraak is. Ik heb onze eigen contraspionagejongens om opheldering gevraagd. Ze bevestigden dat de man te boek staat als Mossad, maar verder wilden ze telefonisch geen mededelingen doen.'

'Maar zowel de FBI als de CIA werken regelmatig samen met de Mossad,' zei Cruz met gefronste wenkbrauwen. 'Ik heb zelf ook wel eens met ze samengewerkt, toen ik in het leger zat en in West-Duitsland was gestationeerd. We staan vaker wel dan niet aan dezelfde kant, dus ik snap niet wat die man op de waarschuwingslijst doet. Wat heeft hij uitgespookt?'

'Geen flauw idee. Ik denk dat hij er op verzoek van Justitie op is gezet, maar daar houden ze hun mond stijf dicht. In ieder geval komt het erop neer dat het hoofdkwartier wil weten waar hij is en wat zijn plannen zijn. Laat je hem in de gaten houden?'

'Was het maar waar. Zoals ik vanmorgen al zei, heb ik alleen een ooggetuige die zegt dat deze man dinsdagochtend samen met de vrouw voor wie ik hier ben op het vliegveld arriveerde. Aanvankelijk leek zij iets te maken te hebben met die moorden in Engeland, maar daar begin ik inmiddels aan te twijfelen.'

'Wat had ze te zeggen over de man die bij haar was?'

'Niets, of liever gezegd, nog niets. Ik heb het haar nog niet kunnen vragen. Haar moeder is namelijk de avond van haar aankomst vermoord.'

'Allemachtig. Hebben we hier te maken met de engel des doods, of zo? Heeft zij het gedaan?'

'Geen idee, en ze zegt ook niets. Ik gok erop dat ze het op ontoerekeningsvatbaarheid gaat gooien. Ze heeft naar verluidt zelfmoord proberen te plegen, twee keer zelfs. Dat mislukte natuurlijk. Maar ze komt zo overtuigend over, dat ze haar maar op de psychiatrische afdeling hebben opgenomen.'

'En Edelmann? Is die nog in de buurt?'

'Niet dat ik weet.' Vanuit zijn ooghoeken zag Cruz iets bewegen in de agentenkamer. Berglund beende in zijn richting, met de bruine zak en de thermoskan die zijn vrouw had gebracht in een enorme hand geklemd. 'Ik laat het weten als we hem ergens zien,' vervolgde hij tegen Sheen. 'Zijn er verder nog dingen die ik moet weten?'

'Nee. Ik heb mijn contact op het hoofdkwartier ingeschakeld om te zien of ze daar iets meer weten over deze Edelmann; daar is het wachten nu op. Ze zouden ook een foto van hem opsturen. We hebben instructies hem zo snel mogelijk te lokaliseren en aan te houden.'

'Gaan er bij de CIA nog koppen rollen over die visumverstrekking?'

'Misschien, maar ik betwijfel het,' antwoordde Sheen. 'Het kan ze gewoon niks schelen. Die lui varen hun eigen koers, en mijn ervaring is dat ze doen wat ze willen, wat anderen er ook van zeggen. Hoe lang ben je daar nog bezig?'

'Dat weet ik niet. Ik had gehoopt een verklaring over die zaak in Engeland te krijgen en dan later vandaag terug naar huis te gaan, maar dat zit er nu niet in. Ik denk dat ik nog minstens een dag langer moet blijven.'

'Bel me aan het eind van de dag nog maar even, dan heb ik misschien wat meer voor je. Ik zal het ook aan de weekendploeg doorgeven en zeggen dat ze me bellen zodra er nieuwe informatie binnenkomt. Mocht deze Edelmann opduiken, dan moet je de plaatselijke politie vragen hem in hechtenis te nemen en vervolgens contact opnemen met ons en met Immigratie. Het hoofdkwartier laat een landelijk opsporingsbevel uitgaan, en ik heb te horen gekregen dat ik er ook wat mannetjes op moet zetten. We zullen proberen zijn spoor op te pikken vanaf het vliegveld – navraag doen bij de autoverhuurbedrijven hier in de buurt, hotels, dat soort dingen. Mocht hij jouw kant zijn opgegaan, dan kun je extra mankracht krijgen.'

'Bedankt voor het aanbod, maar eerlijk gezegd geef ik jullie weinig kans. Hij is meer dan tweeënzeventig uur geleden voor het laatst gezien, en er zijn geen spionnen die beter in hun omgeving kunnen opgaan dan die lui van de Mossad. Ik denk dat Edelmann al lang en breed is verdwenen en misschien zelfs alweer achter een biertje in Tel Aviv zit.'

'Dat lijkt mij ook, maar we hebben die opdracht nu eenmaal. Mocht je verder niets van me horen, meld je dan weer om zeventienhonderd uur.'

'Zal ik doen, *sir*.'

Toen Berglund het kantoortje binnen kwam, dacht Cruz dat hij zijn stoel eigenlijk aan de hulpsheriff moest afstaan. Hij was van gebarsten nepleer, piepte en zat niet echt lekker, maar het was wel de stoel van de sheriff, de stoel van degene die het hier voor het zeggen had. En zolang de sheriff in de lappenmand was, kwam de stoel de hulpsheriff toe. Alleen was Cruz niet echt in de stemming om dat schamele voordeel op te geven. Wat hij voor een routinezaak had gehouden, bleek een verraderlijk moeras in een steenkoud, verlaten oord. Er was geen enkele kans dat hij vandaag nog het vliegtuig naar huis kon nemen, en voorzover hij wist, zou hij hier het hele weekend nog vastzitten. Zijn schone overhemden waren op, net als zijn geduld. Jillian Meade was aan het tijdrekken en Berglund, die zijn voornaamste bondgenoot had moeten zijn, was als was in haar handen – en voor het onderzoek van nul en generlei waarde meer.

Vandaar dat hij niet opstond toen Berglund zijn lunchzak en thermoskan op het bureau zette. 'Ga zitten,' zei hij met een knikje naar de rechte, metalen stoel aan de andere kant van het bureau.

Na een korte aarzeling liet Berglund zich met een donker gezicht op de stoel zakken. 'Nou, bedankt. Doe alsof je thuis bent. Wil je misschien iets eten?'

'Pardon?'

'Eten,' herhaalde Berglund met een knikje richting zak. 'Dat ken je toch wel?'

'O, maar ik pieker er niet over om de lunch op te eten die je vrouw voor jou gemaakt heeft.'

'Er is meer dan genoeg. Ze blijkt ook op jou gerekend te hebben.'

'Heeft ze ook brood voor mij gemaakt?'

'Ja.'

'Wat een aardige vrouw heb jij.'

'Dat klopt.'

'Nou, bedank haar maar namens mij. Ik wacht nog even, want ik heb nogal stevig ontbeten.'

'Dat heb ik gehoord, ja,' bromde Berglund.

'Wat wil je daarmee zeggen?'

'Ik hoorde dat Ollie Jorgenson je bij het ontbijt de oren van het hoofd heeft gekletst. Wat is dat toch met jou en de vrouwtjes, Cruz? Eerst die vrouwen gisteravond, toen Ollie, daarna Sybil Newkirk. En onze Verna lijkt ook al op goede voet met je te staan. Zelfs mijn eigen vrouw maakt een lunch voor je.'

'Vriendelijke mensen hier,' zei Cruz schouderophalend. 'Maar wat ik me afvraag, houd je me soms in de gaten, of zo?'

'Ik hoor dingen, meer niet. Al is het misschien geen gek idee om een oogje op jou te houden – of om al die vrouwen op te sluiten. Je hebt zelfs die psychiater overgehaald je bij Jillian te laten, terwijl ze dat mij al had geweigerd. Je bent zeker een echte *lady-killer*, hè? Wat is je geheim precies? Die FBI-penning, je figuur, of die zuidelijke uitstraling van je?'

'Dat moet zeker een grapje voorstellen?'

Berglund leunde achterover en vouwde zijn handen op zijn buik, terwijl hij achterover wipte. 'Hoe kom je erbij? Ik maak aantekeningen. Als plattelandsdiender kan ik van een gelikte FBI-man als jij nog heel wat leren over omgang met vrouwelijke getuigen.'

'O, alsjeblieft, Berglund, kap daarmee, wil je? Je hebt een geweldige vrouw, een gezin, en een stad die kennelijk tegen je opziet en je respecteert. Je hebt geen aanwijzingen nodig, en al helemaal niet van mij.'

Berglund zweeg even en nam Cruz op. 'Ben je zelf ook getrouwd?' vroeg hij toen.

'Niet meer.'

'Maar wel geweest?'

'Heel kort. Het werd niks. De dame in kwestie kwam er al snel achter dat het gras elders groener was.'

'Ze heeft je verlaten voor een ander?'

'Ja. Een van mijn voormalige kameraden. Ik kwam op een dag eerder thuis dan verwacht en trof ze samen in bed aan.'

'En is ze toen met die andere man getrouwd?'

'Dat was wel de bedoeling. Ik weet niet of het is doorgegaan, want veel contact hadden we daarna niet meer, zoals je wel kunt voorstellen.'

'Rot voor je.'

Opnieuw haalde Cruz zijn schouders op. 'Het was niet alleen haar schuld. Ik ging te veel op in mijn werk, en ik ben waarschijnlijk niet de makkelijkste om mee samen te leven. Jij, daarentegen, lijkt het goed voor elkaar te hebben. Je hebt een knappe vrouw, en zo te zien is ze dol op jou en jullie kinderen.' Ook hij leunde nu achterover en vouwde zijn handen. 'Daarom begrijp ik ook niet goed –'

Waarschuwend hief Berglund een hand op. 'Ik weet wat je wilt gaan zeggen. Ik weet dat ik te ver ben gegaan in het ziekenhuis. Dat was stom van me en niet erg professioneel. Mijn excuses.'

'Oké. Misschien oefende ik ook wel wat te veel druk uit, maar Jillian leek het aan te kunnen,' gaf Cruz op zijn beurt toe. 'Alleen,' voegde hij er met een grimas aan toe, terwijl hij de telefoon terugschoof naar de rand van het bureau, 'hebben we er een nieuwe complicatie bij.'

'O, ja? Hoorde je dat net van het kantoor in St. Paul?'

Cruz beantwoordde zijn vraag met een tegenvraag. 'Wat weet jij van de politieke voorkeur van Grace Meade?'

'Politieke voorkeur?'

'Ja. Was ze actief in een politieke partij? Probeerde ze mensen warm te maken voor bepaalde standpunten?'

Berglund schudde zijn hoofd. 'Niet dat ik weet. Toen Tom Newkirk vorige jaar campagne voerde voor zijn herverkiezing, liep ze wel met een button rond, maar dat was meer uit vriendschap dan wat anders, omdat ze zelf niet op hem kon stemmen.'

'Waarom niet?'

'Omdat ze geen Amerikaans staatsburger was.'

'O, nee? Ik dacht dat ze hier al woonde sinds de oorlog.'

'Dat klopt. Al meer dan dertig jaar.'

'Maar ze heeft zich nooit laten naturaliseren?'

'Blijkbaar niet.'

'Waarom niet?'

'Geen idee. Het is er denk ik nooit van gekomen. Ze betaalde belasting, droeg haar steentje bij aan de gemeenschap, maar had geen actief of passief kiesrecht. Veel mensen vonden dat jammer, want die hadden haar graag in de gemeenteraad gezien. Maar ze zei altijd dat politiek haar niet interesseerde. Nu je het zo zegt, is de politiek eigenlijk het enige waar Grace geen bemoeienis mee had.'

'En internationale politiek?'

'Hoe bedoel je?'

'Even denken... Het Midden-Oosten, bijvoorbeeld. Arabieren en Israëli's, Palestijnse vluchtelingen, de bezette gebieden, dat soort dingen? Had ze daar ook een mening over?'

Afgaande op Berglunds gezicht, had hij net zo goed kunnen vragen of Grace Meade in groene marsmannetjes geloofde. 'Niet dat ik weet,' antwoordde de hulpsheriff. 'We hebben hier niet veel belangstelling voor die dingen. We hebben al genoeg aan ons hoofd met die lage graanprijzen en dure olie. Hoezo?'

'En Jillian?'

'Wat bedoel je?'

'Die is wel Amerikaans staatsburger,' verduidelijkte Cruz. 'Ze heeft zelfs twee nationaliteiten, al reisde ze over het algemeen op een Amerikaans paspoort. Wat weet je van haar politieke opvattingen?'

Berglund haalde zijn brede schouders op. 'Niets.'

'Is ze ooit naar het Midden-Oosten geweest?'

'Geen idee. Wat is dit trouwens allemaal?'

'Heb je haar nooit iets horen zeggen over de situatie daar? Steunde ze misschien de Palestijnse strijd voor burgerrechten, of de teruggave van het Arabisch grondgebied dat Israël na de Zevendaagse Oorlog heeft bezet?'

'Niet dat ik weet, maar ze is hier al zeventien jaar weg, en ik heb haar in die tijd maar af en toe gezien – nooit lang genoeg om het over andere dingen te hebben dan het weer en het reilen en zeilen van oude bekenden. Vroeger was ze in elk geval niet in politiek geïnteresseerd, behalve dan in de Tweede Wereldoorlog, maar dat was vooral omdat haar ouders elkaar toen hebben ontmoet. Maar waarom vraag je dat allemaal?'

Cruz knikte naar de telefoon. 'Dat telefoontje van net? De man die Tom Newkirk in gezelschap van Jillian op het vliegveld zag, blijkt een agent van de Mossad te zijn.'

'De Mossad?'

'Mossad LeAliya Bet, ook wel bekend als het Instituut voor Inlichtingen en Speciale acties, ook wel bekend als het Instituut, ook wel simpelweg de Mossad genoemd. waarschijnlijk de efficiëntste inlichtingendienst ter wereld – de Israëlische CIA. Houdt zich voornamelijk bezig met zaken die de veiligheid van Israël bedreigen en antiterroristische operaties.'

'Wil je daarmee zeggen dat zij iets met terroristen van doen heeft?'

'Ik weet het niet, maar ik weet geen andere reden waarom de Mossad belangstelling voor haar heeft. Kun je je dat incident van een paar jaar geleden nog herinneren, toen een paar terroristen een vliegtuig vol Israëlische toeristen kaapten en het dwongen te landen op het vliegveld van Entebbe in Oeganda?'

'Ja, vaag. Ik kan me geloof ik nog herinneren dat er een overval was op dat vliegtuig en dat alle kapers daarbij om het leven kwamen, zoiets.'

'Klopt. Die commando's waren van de Mossad. En herinner je je ook nog de Olympische Spelen van 1972 in München, toen de Zwarte September elf Israëlische atleten vermoordde? Die lui ontkwamen, maar niet voor lang. De Mossad spoorde ze de een na de ander op en rekende op alle mogelijke manieren met ze af; met uzi's, autobommen, weet ik wat allemaal. Ik meen dat ze ze nu op een na hebben gepakt, maar die ene komt ook nog wel aan de beurt. Dat is de organisatie waarover we het hier hebben, Berglund. Ze hebben geduld, gaan methodisch te werk, hebben een uitstekend geheugen en een lange arm. Geen mensen om tegen je in het harnas te jagen.'

'Ik snap wat je bedoelt, maar wat heeft dat met Jillian te maken?'

'Dat wil ik ook graag weten,' antwoordde Cruz, en hij knikte naar de telefoon. 'Mijn collega zei dat de man die Tom Newkirk laatst in gezelschap van Jillian op het vliegveld zag, van de Mossad is. Zijn naam is Simon Edelmann, en hij is zes dagen geleden van Parijs naar New York gevlogen. Dat is op zich niet zo heel ongewoon; Amerika en Israël worden vaak door dezelfde terroristische groeperingen bedreigd, en onze inlichtingendiensten onderhouden nauwe banden met elkaar. Maar deze Edelmann stond om een of andere reden op de waarschuwingslijst van de FBI. Hij had geen visum mogen krijgen, maar kreeg dat wel. Kennelijk weet Edelmann niet dat hij op onze lijst staat, anders had hij vast niet onder zijn echte naam gereisd. Mijn mensen willen graag weten wat hij hier komt doen, en ik ook. En wat moet Jillian met hem?'

'Het slaat nergens op. Jillian zou nooit bij zulke zaken betrokken raken.'

'Hoe komt het dan dat ze deze knaap kent? En ze kende hem, want ze heeft hem aan Newkirk voorgesteld.'

'Tom zei dat hij dacht dat ze elkaar misschien aan boord hadden ontmoet. Misschien dat deze figuur... Hoe heet hij ook weer?'

'Edelmann. Simon Edelmann.'

'Deze Edelmann moet haar om een of andere reden hebben aangesproken.'

'Kan zijn. Maar waarom?'

Berglund liet zijn stoel weer op vier poten neerkomen en boog zich voorover, zijn ellebogen op zijn knieën en zijn vingertoppen tegen elkaar, terwijl hij met diepe denkrimpels in zijn voorhoofd naar de vloer staarde. 'Ik weet het niet, hoor, maar het zou kunnen dat dit verklaart wie hier de avond van de brand rondliep.'

Nu was het Cruz' beurt om naar voren te buigen. 'Was hij hier? Hoe weet je dat?'

Berglund trok een gezicht. 'Ik weet dat je denkt dat ik hier maar wat uit mijn neus zit te eten, maar ik weet heus wel een beetje van politiewerk. Sybil Newkirk zei dat ze dinsdagnacht een vreemdeling in het bos meende te hebben gezien. Ik besteedde er toen niet veel aandacht aan, omdat het er wemelde van de brandweerlieden en ik dacht dat ze misschien wat in de war was. Bovendien ziet Sybil na een paar drankjes wel vaker vreemdelingen in de bossen rondhangen. Ik ben al ik weet niet hoe vaak bij haar geweest om haar ervan te overtuigen dat er echt geen gestoorde verkrachter op de loer lag om haar te pakken. Toen ik die avond haar telefoontje kreeg, dacht ik eerst dat het weer zo'n verzinsel was, alleen trof ik het brandende huis van Grace aan toen ik arriveerde.'

'En de man in het bos?'

'Misschien was het deze keer dan geen vals alarm. De volgende dag ben ik teruggegaan om rond te kijken. Alles was natuurlijk flink vertrapt door de brandweerlieden, en het had die nacht ook nog gesneeuwd, maar toch vond ik een paar sporen in de buurt van Grace' steiger.'

'Voetsporen?'

'Bandensporen van een sneeuwscooter, tussen het bos en de oever. Die banden maken hele diepe sporen, en daarom waren ze ondanks de sneeuw nog steeds zichtbaar. Het leek alsof iemand via het meer was gekomen en diezelfde weg weer was teruggegaan. Voetsporen waren lastiger te vinden, omdat de scooter tot in het bos was doorgereden en het struikgewas daar zo dicht is, dat het elk spoor verbergt. Maar aan de andere kant van het bos, tussen de bomen en het huis, vond ik op een beschut plekje toch enkele voetsporen. Een volledige afdruk van een laars en een gedeeltelijke afdruk.'

'Heb je een afgietsel gemaakt?'

'Nee, maar ik heb ze gefotografeerd en naar het SBI in St. Paul gestuurd; daar hebben ze afdrukken van de meest voorkomende laars- en schoenafdrukken. En vanmorgen belden ze terug.'

'En?'

'Ze hadden de afdruk niet in hun archief. De man die belde, zei dat ze afdrukken hadden van elke laars en schoen die in Noord-Amerika wordt verkocht, maar deze hadden ze niet. Het was een bergschoen, maat vierenveertig, meer kon hij me niet vertellen. Alleen dat de schoen niet in dit land was gekocht. Hij zou de foto's doorsturen naar zijn collega's van de FBI. Kennelijk wordt er bij jullie een archief bijgehouden van de meeste Europese en Aziatische merken, alleen kan het wel ik weet niet hoe lang duren voordat er iets uitrolt. Ondertussen ben ik ook bezig geweest met de bandensporen.'

'Dat zal niet eenvoudig zijn. Ik geloof dat er hier bijna net zoveel sneeuwscooters als mensen zijn, vooral met de komende viswedstrijd.'

Berglund knikte. 'Dat is zo, maar de meeste deelnemers zijn pas gisteren gearriveerd. De sporen die ik bij de steiger van Grace aantrof, moeten ergens tussen zondagnacht en woensdagochtend zijn gemaakt.'

'Hoe weet je dat ze niet van daarvoor zijn?'

'Omdat hier in het weekend heel veel sneeuw is gevallen. Zondagochtend moest iedereen zijn auto uitgraven om naar de kerk te kunnen gaan. Als de sporen van vóór zondag zouden dateren, zouden ze helemaal verdwenen zijn onder de sneeuw, maar er lag maar een heel dun laagje op. Daarom denk ik dat ze gemaakt zijn tussen zondag en dinsdagnacht, toen er wat motsneeuw is gevallen. Ik heb ze aan Arne Olsen laten zien, dat is de man die hier sneeuwscooters verkoopt en repareert. Ik dacht dat hij misschien zou weten welke scooter zulke banden heeft.'

'En wist hij dat?'

'Zo ongeveer. Volgens hem gaat het om een vrij nieuwe Bombardier Ski-Doo. Kennelijk hebben die een ander bandenprofiel. Ik schat dat er hier in totaal zo'n vijftig Bombardiers rondrijden. Mijn mannen zijn momenteel bezig om uit te zoeken of iemand die in het bezit is van zo'n scooter, onlangs nog bij Grace is geweest.'

'En hoe zit het met de hotels en restaurants? Is daar iemand gezien die beantwoordt aan het signalement van Edelmann?'

'Zoals ik al eerder zei, zijn in deze tijd van het jaar alleen het Lakeside en het Whispering Pines open, en daar heeft zich dinsdagavond niemand ingeschreven. Restaurants zijn lastiger. Vooral bij Ollie Jorgenson komen heel wat vrachtwagenchauffeurs langs. Ze zegt dat ze zich niemand met zo'n signalement kan herinneren. Een van mijn mannen is nu in de omliggende plaatsen bezig uit te zoeken of daar iemand is die overeenkomt met de beschrijving van de man die Tom met Jillian zag. Als jouw Israëliër dezelfde man is die met de Ski-Doo naar Grace is gereden, zou hij het ding de laatste paar dagen moeten hebben gekocht of gehuurd, en ik denk dat iemand zich dat wel zou herinneren.'

Cruz leunde achterover en knikte waarderend. 'Ik denk dat je gelijk hebt, en ik merk dat je het druk hebt gehad. Het was natuurlijk beter geweest als je me dit van tevoren had verteld.'

'Er viel niet veel te vertellen voor dat telefoontje over die voetafdruk kwam. Het was de bedoeling dat ik je vandaag in het ziekenhuis op de hoogte zou brengen, alleen liep dat even anders.'

'Maak daar maar geen punt van.'

'Nee,' zei Berglund. 'Het punt is dat jullie – jij en iedereen in deze stad die niet weet hoe snel hij deze moord in Jillians schoenen moet schuiven – het bij het verkeerde eind hebben.'

Daar was Cruz niet zo zeker van. 'Hoor eens, ik weet dat jullie samen wat hadden –'

'Je weet niet waar je het over hebt, dus bespaar je de moeite,' onderbrak de hulpsheriff hem dreigend.

'Allemachtig, man, is ze het echt waard? Je hebt een leuke vrouw, kinderen –'

'Daar gaat het niet om. Ik hou van mijn vrouw en kinderen. Dit heeft niets met ze te maken.'

'Waarom maak je je dan zo verschrikkelijk druk om die vrouw?'

'Omdat ik haar iets schuldig ben, nou goed?' Berglund staarde naar de vloer en tikte een ongeduldig ritme op het gespikkelde linoleum met zijn grote voeten. Ten slotte slaakte hij een diepe zucht. 'Ik heb haar al een keer teleurgesteld, en dat gebeurt me geen tweede keer. Jij kent haar niet, Cruz. Ze is een goed mens, maar het heeft haar nooit meegezeten. Om te beginnen al niet met die moeder van haar. Wat anderen je ook vertellen, Cruz, Grace was geen heilige. Ze had iets heel vals over zich. Ze hield het goed verborgen, maar o, jongens! Het was er beslist. En als ouder?' Hij snoof. 'Ze was gewoon niet normaal. In het openbaar hing ze de perfecte, liefdevolle moeder uit, maar eerlijk gezegd denk ik dat ze er weinig van moest hebben. Ze zeggen dat Jill Grace in de steek liet, want dat is het zielige verhaaltje dat Grace altijd heeft opgehangen. Maar in feite was het net andersom. Grace wilde Jillian uit huis hebben zodra ze achttien werd, en ze heeft Jill goed duidelijk gemaakt dat haar aanwezigheid niet langer op prijs werd gesteld.'

'Waarom?'

'Zo was ze nu eenmaal. Grace wilde alles, haar mooie positie, haar mooie huis – en ze wilde alles voor zich alleen.'

'Zeg eens,' zei Cruz, achteroverleunend in de piepende stoel. 'Was ze de minnares van Tom Newkirk?'

Berglund trok zijn wenkbrauwen op. 'Dat is min of meer publiek geheim. Heb je dat helemaal zelf uitgevogeld?'

'Bedoel je dat iedereen dat weet?'

'Ik denk het wel. Het is al zo lang bekend dat niemand het er meer over heeft. Tom is heel populair, en Grace lette goed op haar eigen imago. Ze waren heel discreet. Je zag ze nooit samen – en daarom besloten de meeste mensen hun verhouding maar te negeren.'

'En Sybil? Is dat de reden dat ze drinkt?'

Berglund schokschouderde. 'Wat was er eerder, de kip of het ei? Haar drankprobleem, haar wankele huwelijk – wat is oorzaak en wat is gevolg? Je hebt haar ontmoet. Ze is niet echt een groot licht, maar ze had snel door dat ze meer kans had als ze Grace' zijde koos dan wanneer ze haar probeerde te verslaan. Als ze geen heibel schopte, kon ze én de vrouw van de burgemeester blijven én de trouwe secondante van Grace. Iets beters had ze onder de omstandigheden niet kunnen krijgen.'

'Dus al die jaren hadden ze een kleine *ménage à trois*. En Jillian? Die moet ervan geweten hebben.'

'Die wilde er niet over praten. Realiseer je wel dat het voor een kind, en vooral voor een tiener, ongelofelijk gênant was.' Grimmig schudde Berglund zijn hoofd. 'Ze had het zwaar. De hele stad was zo betoverd door Grace, dat niemand het meisje zag dat in haar schaduw stond. En ik? Ik was het ergst van allemaal, omdat ik het zag en geen vinger uitstak. Als ik het benul had gehad, of een beetje fatsoen, zou ik haar geholpen hebben haar koffers te pakken en zo snel mogelijk te vertrekken.'

'Misschien moet je het jezelf niet zo kwalijk nemen. Je was nog maar een kind.'

'Dat is geen excuus. We hadden kunnen trouwen voordat ik in dienst ging. Ze had met mij mee kunnen komen naar San Diego en daar naar school kunnen gaan, of een baan zoeken, of wat dan ook. Ik had kunnen weten dat er niets goeds van zou komen als ze achterbleef. Het probleem is alleen dat ik een jongen van het platteland ben. Ik zou niet kunnen aarden in de grote stad, en daarom vroeg ik haar op me te wachten. Maar Grace zette haar verder onder druk om te zorgen dat ze zo snel mogelijk zou vertrekken, en tegen de tijd dat ik me realiseerde wat een idioot ik was om Jill daar te laten, was het al te laat.'

'Uiteindelijk is ze toch zonder jou vertrokken,' merkte Cruz op. 'En ze lijkt zich prima gered te hebben.'

'Tot nu,' antwoordde Berglund. 'En tegen welke prijs? Ik heb altijd gehoopt dat ze iemand anders zou vinden om haar gelukkig te maken, maar hoe had ze iemand nog kunnen vertrouwen? Ze heeft dit allemaal niet verdiend. En zoals ik al zei, heb ik haar zwaar teleurgesteld. Maar dat zal geen tweede keer gebeuren.'

23

Nadat ik Miss Atwater alleen had gelaten, las ik mijn aantekeningen door, ter voorbereiding op het doorspitten van de archieven in Parijs. Ik was veel nerveuzer dan ik voor Londen was geweest. Mijn Frans is lang zo goed niet als dat van mijn moeder (ook hierin was ze me de baas), maar ik kan me in gesprekken aardig redden, en lezen lukt ook goed. Ik moest alleen iemand vinden die me door het moeras van oude dossiers en vervagende herinneringen kon loodsen.

Pas toen ik de aantekeningen van mijn gesprek met Miss Atwater nog eens doorlas en die combineerde met de dossiers van het Oorlogsmuseum, het ministerie van Defensie en andere Britse en Amerikaanse bronnen die ik had doorgenomen, viel het me op dat data en gebeurtenissen niet zo naadloos op elkaar aansloten als ik had verwacht. Hoe meer feiten ik ontdekte, des te minder ze klopten. Tegen de tijd dat ik in Parijs aankwam, was ik niet langer blij bij de gedachte aan het kerstgeschenk voor mijn moeder. Ik kreeg steeds sterker het idee dat ik een rechtvaardiging moest vinden – voor haar daden en voor mijn bestaan.

Hoe meer ik aan de weet kwam, des te meer onbeantwoorde, soms verontrustende vragen er oprezen. Wat was er met mijn moeder gebeurd na haar arrestatie door de Gestapo? Als Joe Meade mijn vader niet was, wie dan wel? Had ze nog een andere minnaar gehad of was ze tijdens haar detentie verkracht? Dat overkomt talloze vrouwen in oorlogstijd, dus waarom mijn moeder niet? Was dat de reden dat ik altijd het gevoel had gehad dat haar liefde voor mij niet zo onvoorwaardelijk was als die van andere moeders voor hun kind? Arme moeder, dacht ik. Ik had haar bijna alles kunnen vergeven als mocht blijken dat dit de oorzaak was van onze slechte relatie.

Ik wilde ook weten onder welke omstandigheden ze Joe Meade weer had ontmoet en waarom ze met hem was getrouwd. Had hij geweten dat ze zwanger was van een ander, zoals ik nu vrijwel zeker weet? Ik wilde geloven van wel, en ik dacht dat dat ook niet anders kon. Tegen de tijd dat ze trouwden, had ze haar zwangerschap onmogelijk nog kunnen verbergen, maar ik hoopte dat hij genoeg van mijn moeder had gehouden om me als zijn kind te accepteren. Ik moest kunnen geloven dat hij wilde dat we een gezin vormden.

Maar ik wilde vooral weten dat mijn moeder mijn grootouders niet schandelijk had bedrogen – dat Joe Meade zijn zegen had gegeven aan mijn intrede in zijn familie en goedkeurend had geglimlacht toen mijn moeder me ten slotte naar Amerika had gebracht. Want de echte warmte en vreugde die ik me uit mijn kindertijd herinner, hangen samen met de tijd die ik met dat geweldige oude paar heb doorgebracht. Ik kan me niet voorstellen hoe mijn leven zou zijn geweest zonder mijn grootouders. Ik kon niet geloven dat hun liefde voor mij een vergissing was geweest.

Mijn relatie met mijn moeder was eerder koel dan slecht. Toen ik opgroeide, kende ik meisjes met overbezorgde en verstikkende moeders, moeders die hun dochters voor altijd klein wilden houden. Die van mij had daar geen last van. Voor haar kon ik niet snel genoeg groot zijn, en zelfs als tanden wisselende zesjarige verwachtte ze van mij enig decorum.

Ik had ook vriendinnen met moeders die hun beste vriendin wilden zijn en al hun geheimen wilden delen – de eerste verliefdheid, de eerste kus, het eerste gebroken hart. Heather Pilsky's moeder vertelde haar zelfs over de eerste keer dat ze seks had (op de hooizolder van haar vader, met een jonge soldaat die later op Sicilië is gesneuveld). Maar mijn moeder was niet zo vertrouwelijk... of hartelijk.

Mijn grootmoeder was degene die mijn moeders gebrek aan moederlijke instincten probeerde te compenseren en die het me zo probeerde uit te leggen dat ik niet meer zo het gevoel had dat het aan mij lag.

'Je moet goed begrijpen, Jill, dat ze Engelse is,' zei ze, toen ze me een keer huilend op mijn bed aantrof. 'Zo is ze nu eenmaal opgevoed. Ze tonen hun gevoelens daar niet zoals wij dat doen. Maar ze houdt heel veel van je.'

'Nietes. Ze haat me.'

'Ze haat je niet.'

'Welles. Ze noemde me een blok aan haar been. Ze zei dat ze haar leven voor mij heeft opgeofferd.'

Ik zag dat mijn grootmoeder schrok, al deed ze haar best dat niet te laten merken. 'O, schatje, dat meende ze niet,' zei ze, terwijl ze me in haar armen nam. 'Ze was van streek. Misschien had ze wel heimwee. Het is ook niet niks, om als weduwe met een klein baby'tje duizenden kilometers te reizen om bij schoonouders te gaan wonen die ze niet kent, in een land waar ze niemand kent.'

'Waarom is ze hier dan naar toe gekomen?'

'Als ze dat niet had gedaan, zou jij een heel zwaar leven hebben gehad, engel,' antwoordde mijn grootmoeder vriendelijk. 'En er gaat geen dag voorbij dat ik God niet op mijn blote knieën dank dat je moeder jou bij ons heeft gebracht.'

Ik nestelde me dicht tegen haar aan, deed mijn ogen dicht en ademde haar vertrouwde geur diep in – Ivory Snowzeep en Evening in Paris, het parfum dat grootvader haar elke kerst gaf. En daar bovenuit rook ik de verrukkelijke geur van de kaneelbroodjes die ze net had gemaakt en die onder een theedoek op de bakplaat lagen te rijzen.

Ze kuste mijn kruin en zei, een tikje schor: 'Jij bent alles wat ik nog van mijn kleine jongen heb, Jilly.'

Ik besloot dat ik in Parijs het beste kon beginnen bij een advocaat die luisterde naar de naam Bernard Cohn-Levy en die naar verluidde de grootste informatiebron over de Duitse bezetting vormde. Iedereen die een beetje geïnteresseerd was in de Tweede Wereldoorlog en regelmatig de krant las, zal de naam van deze beroemde Franse nazi-jager zijn tegengekomen. Cohn-Levy is al meer dan dertig jaar bezig met de opsporing, ontmaskering en vervolging van oorlogsmisdadigers, met name degenen die verantwoordelijk waren voor de deportatie naar Duitse concentratiekampen van de bijna zeventigduizend joodse burgers en vluchtelingen.

Ik hoopte dat hij ook een bron van informatie zou blijken over het Franse verzet, de Résistance. Het meeste wat we daarvan weten, is gebaseerd op verhalen en herinneringen van verzetsmensen met verschillende achtergronden – mensen die beter overweg konden met subversieve acties dan met wetenschappelijke documentaties. Bovendien schieten herinneringen na al die jaren vaak tekort. Maar de *Endlösung*, Hitlers zieke poging om Europa van zijn joodse bewoners te ontdoen, heeft in Frankrijk zijn onwelriekende sporen nagelaten, net als elders. Zodra de nazi's een land hadden bezet, werden er anti-joodse wetten uitgevaardigd, werden de gevangenneming en deportatie van joodse burgers stelselmatig opgezet, uitgevoerd en in twee- en drievoud beschreven, zodat de 'successen' van het beleid plichtsgetrouw aan Berlijn konden worden gerapporteerd. Een van de nobelste acties van de Résistance – en een van de smerigste en lafste acties van de collaborateurs – betrof het helpen onderduiken van mensen die op de lijst stonden voor deportatie. Vandaar dat ik het mogelijk achtte dat de dossiers van Cohn-Levy enig licht konden werpen op de donkere hoeken van de geschiedenis van de Résistance waar mijn onderzoek zich op richtte.

Een paar dagen later ontmoette ik hem vroeg in de avond op zijn kantoor in het zesde arrondissement. Hij was natuurlijk een drukbezet man, maar tot mijn geluk bleken mijn referenties van het Smithsonian een grote hulp bij het maken van een afspraak. Toen ik arriveerde, was Cohn-Levy net terug van een rechtszaak; hij had het lange, zwarte gewaad dat de meeste Europese advocaten in de rechtbank dragen, nog aan. Cohn-Levy was een lange man van in de zestig met een imposante buik, een bos dik, wit haar en woeste, theatraal zwarte wenkbrauwen boven misschien wel de mooiste bruine ogen die ik ooit bij een man heb gezien. Zijn kantoor, de meest chaotische werkruimte die je je maar kunt voorstellen, was bezaaid met papieren, maar desondanks stond ik die avond en de volgende dag keer op keer versteld van zijn vermogen steeds weer feilloos het juiste papier te pakken in deze bijna totale anarchie.

Toen de Duitsers Frankrijk in 1940 binnenvielen, was Cohn-Levy midden twintig, een potige, knappe jonge advocaat aan het begin van een carrière op zijn vaders alom gerespecteerde advocatenkantoor. Hij was getrouwd en had een zoontje van twee. Aan het eind van de oorlog bevond hij zich in Auschwitz, als een van de weinige overlevenden. De nazi's waren voor de naderende Russische troepen gevlucht, met medeneming van bijna alle gevangenen, een wisse dood tegemoet. Cohn-Levy behoorde tot degenen die ongeschikt waren bevonden voor evacuatie.

'De achtergebleven ss'ers hadden orders gekregen ons dood te schieten,' vertelde hij, 'maar ze waren zo bang voor de Russen, dat ze ervandoor gingen zodra de kampcommandant zijn hielen had gelicht. Alleen daarom leef ik nog.'

Hij woog toen nog amper vijfendertig kilo, vervolgde hij, en hij was zo verzwakt en uitgeput, dat de Russische soldaten die Auschwitz bevrijdden en die de levenden van de doden moesten scheiden, hem bij de doden legden. Pas toen hij begon te kreunen, bemerkten ze hun vergissing. Later kwam hij onder de hoede van de geallieerden, en toen hij weer op krachten was gekomen, ging hij terug naar Parijs. Daar hoorde hij van ooggetuigen dat zijn hele familie, inclusief zijn ouders, zijn vrouw en zijn zoontje, plus een zus en een paar tantes, in de kampen waren omgekomen. Van de meer dan 75000 Franse joden die tijdens de bezetting werden gedeporteerd, zijn er slechts 2500 teruggekomen. Cohn-Levy was een van hen, en sindsdien was zijn leven gewijd aan het documenteren van de verschrikkingen van de holocaust en het voor de rechtbank brengen van de verantwoordelijke mensen – zowel nazi's als collaborateurs.

Zijn Engels was even goed als mijn Frans slecht was, vandaar dat ons gesprek in het Engels plaats had. Ik was behoorlijk nerveus bij de gedachte zo'n imponerende figuur uit te moeten leggen wat mijn bedoeling was, en ik had besloten mijn vragen te beperken tot de activiteiten van de Résistance in de Parijse voorstad Gentilly. Ik wist dat Cohn-Levy een omvangrijke verzameling oude Duitse dossiers bezat, vandaar dat ik hoopte dat hij ook verslagen had van het Gestapo-hoofdkwartier aan de Avenue Foch – verslagen die de data dat mijn moeder daar gevangen had gezeten, zouden bevestigen. Verder was ik er vrij zeker van dat in zijn archief ook gegevens waren te vinden over het doorgangskamp Drancy, ten noordoosten van Parijs, de laatste halte in Frankrijk voor de mensen die op transport werden gezet – alle 'joden, bolsjewieken en agenten van het Angelsaksische kapitalisme' die de nazi's voor vernietiging hadden aangewezen. Ik was benieuwd of in die verslagen ook melding werd gemaakt van mijn geboorte.

Ik was absoluut niet van plan hem mijn grootste angst te onthullen – dat ik misschien verwekt was door een of andere nazi. Maar tijdens het vriendelijke kruisverhoor van deze geslepen oude vos merkte ik tot mijn ontzetting dat ik het hele verhaal van mijn onderzoek er in tranen uitgooide.

Cohn-Levy's reactie bevreemdde mij. Hij stond op uit zijn grote, roodlederen bureaustoel, liep om zijn bureau heen, kwam naast me zitten en pakte mijn handen vast. 'U hoeft zich helemaal nergens voor te schamen, Miss Meade. Kinderen kiezen hun ouders niet uit.' Ik wilde iets zeggen, maar hij kneep zacht in mijn handen om me tot zwijgen te manen. 'Iedereen begint zijn leven in onschuld. We worden beoordeeld op onze eigen handelingen, niet op die van degenen voor ons.'

'Dat kan wel zijn,' zei ik weifelend, 'maar u begrijpt toch wel dat dit alles verandert? Hoe zit het met mijn grootouders – Joe Meades ouders? Ze zijn gestorven met het idee dat ik hun kleindochter was.'

'Ja, en wat dan nog? Het is natuurlijk heel erg dat ze hun zoon hebben verloren, maar hun laatste jaren waren vreugdevol dankzij een mooi klein meisje. Denk je eens in hoe verdrietig en leeg hun leven zonder jou zou zijn geweest.'

'Maar als ik niet echt hun kleindochter –'

'Voor hen was je dat wel. Denk je nu heus dat ze aan je DNA hebben gedacht toen ze je handjes vastpakten? Ik niet. Ik denk dat ze van je hielden en trots waren op alles wat je deed.'

'Dat weet ik nog zo net niet. Mijn grootmoeder zei altijd dat ik haar zo herinnerde aan mijn vader... aan Joe. Inmiddels weet ik dat ze zich dat natuurlijk verbeeld heeft.'

'Is dat dan zo belangrijk? Haar kind was ze kwijt, maar jij hebt geholpen de herinnering aan hem levend te houden.'

Cohn-Levy was zo overtuigend, en zijn warme bruine ogen waren zo mild, dat ik onwillekeurig moest glimlachen. 'U bent heel vriendelijk,' zei ik tegen hem, 'en ook heel wijs. U had rabbi moeten worden in plaats van advocaat.'

Met een schelmse grijns schudde hij zijn witte hoofd. 'Ik ben veel te dol op wereldse zaken om een man van God te zijn, ben ik bang.' Toen werd zijn gezicht weer ernstig. 'Maar in dit geval, lieve kind, weet ik waar ik het over heb. Ik heb ook een zoon verloren, en een vrouw en nog meer familie.'

'Dat wist ik,' zei ik. 'Ik vind het vreselijk voor u.'

'Ik vind het ook vreselijk, nog steeds. Maar na de oorlog ontmoette ik in het vluchtelingenkamp een dame die haar man en twee kinderen had verloren. Er was ook een klein meisje, een wees van net tien jaar. Haar verhaal was ongelooflijk. Haar familie had tot halverwege 1944 ondergedoken gezeten, maar was toen ontdekt en op transport gezet naar Auschwitz. Onderweg zag haar moeder echter kans haar van de trein te duwen. Ze dook onder op een boerderij in België en heeft zo de oorlog overleefd.'

'Haar moeder heeft haar van de trein geduwd?' herhaalde ik ongelovig.

'Nou, niet echt van, eerder uit... via een losse plank in de bodem, toen de trein vaart minderde. Er zijn nog meer gevangenen ontsnapt, maar de meesten werden weer gepakt. Het was een wonder dat Miriam het overleefde, want kinderen werden meestal als eerste vergast na aankomst in de kampen. Maar ze had geluk, en zo kwamen we haar tegen in het vluchtelingenkamp.'

'En de dame en u hebben haar geadopteerd en een gezin gevormd, hè?'

'Precies. En nu is dat ongelooflijke meisje zelf advocate en moeder, en ik grootvader van twee fantastische jongens. Daarom weet ik ook wat je grootouders moeten hebben gevoeld, snap je? Miriam noch mijn twee kleinzoons kunnen de plaats van mijn arme zoontje innemen, maar ik hou erg veel van ze en ze maken mijn leven rijk.'

Ik kon alleen maar hopen dat hij gelijk had en dat mijn grootouders het me vergeven zouden hebben dat ik iemand anders bleek te zijn dan ze dachten.

Op dit punt in het gesprek was ik natuurlijk een emotioneel wrak. Het was trouwens al laat en Cohn-Levy had nog een afspraak, dus nam ik afscheid van hem. Maar voordat ik vertrok, nodigde hij me uit de volgende middag terug te komen, dan zou hij proberen de informatie te krijgen die ik zocht.

Ik vond het vreselijk om zijn kostbare tijd te verspillen en zei tegen hem dat ik bereid was zelf zijn archief te doorzoeken, als hij daar geen bezwaar tegen had. Maar hij gebaarde met een knoestige hand naar zijn kantoor, dat oogde alsof er een bom was ontploft, en glimlachte spijtig.

'Dat zou je jaren kosten, ben ik bang. Ik kan het aantal secretaresses en assistenten niet meer bijhouden die gefrustreerd ontslag hebben genomen na hun vergeefse pogingen me te hervormen. Maar geloof me, er zit een zeker systeem in, en meestal vind ik precies wat ik zoek. Voor een ander zou dat een onmogelijke opgave zijn. Kom morgen om halfeen maar terug, dan trakteer ik je op een lunch en zullen we eens zien welke diamanten we voor je onderzoek kunnen opdiepen.'

24

Havenwood, Minnesota
Vrijdag 12 januari 1979

Toen Cruz en Berglund in het kantoortje van de sheriff hun aantekeningen zaten te vergelijken en de boterhammen verorberden die Berglunds vrouw had gebracht, riep Verna door de intercom: 'Nils, ben je daar?'

Berglund leunde over het bureau heen, draaide de telefoon een halve slag en gaf een tikje op de luidsprekerknop. 'Wat is er?'

'Kenny meldde net via de radio een vechtpartij in de haven,' klonk Verna's stem krakend. 'Er schijnen een paar mensen van buiten de stad dronken te zijn, en die maken stennis met de organisatie over de plaats van de vishokjes. Kennelijk heeft Pete Seldon ze duidelijk proberen te maken dat de afstand ertussen minimaal veertig meter moet bedragen, in verband met de gewichtsverdeling over het ijs, en om te voorkomen dat de vislijnen in elkaar verward raken, snap je?'

Met een vermoeid gezicht keek Berglund naar Cruz. 'Ja, dat snap ik. Wat is het probleem dan?'

'Nou, Kenny zegt dat deze jongens denken dat de plaatselijke deelnemers de beste plekjes hebben ingepikt en dat ze van plan zijn een paar van de hokjes omver te duwen als Pete ze hun zin niet geeft. Kenny denkt dat het goed zou zijn als jij hier even orde op zaken kwam stellen.'

'O, alsjeblieft zeg...' Berglund zuchtte. 'Oké, Verna, zeg maar dat ik eraan kom, wil je?'

'Komt in orde.'

'Ik moet er even heen om het te regelen,' zei de hulpsheriff tegen Cruz, terwijl hij vermoeid overeind kwam. Hij zag bleek, er waren donkere kringen zichtbaar onder zijn ogen, en hij keek als een bokser die uitgeput in de touwen hangt en de definitieve klap afwacht.

'Ga maar snel,' zei Cruz. 'Vind je het goed als ik nog even naar de plaats van de brand ga om die sporen te bekijken waar je het over had?'

'Je gaat je gang maar,' antwoordde Berglund. Voor de zoveelste keer hees hij zich in zijn groene parka. 'Alleen weet ik niet of er nu nog veel te zien is. De sporen van de sneeuwscooter lopen naar de zuidkant van Grace' steiger. Als je ze in een rechte lijn door de bomen heen naar de andere kant volgt, kom je bij die voetafdruk. Al zal die nu inmiddels wel ondergesneeuwd zijn.'

'Ik wilde je nog iets anders vragen. Heb je enig idee hoe Jillian dinsdag van het vliegveld hierheen is gekomen?'

'Ik ging er eerst vanuit dat ze met Tom was meegereden, maar toen bedacht ik me dat die in de stad bleef die nacht. Ik ben er toen maar van uitgegaan dat Grace haar had opgehaald.'

'Newkirk zegt van niet. En Carla van de kapsalon en nog iemand... wie was dat ook maar weer...' Cruz bladerde in zijn aantekeningen en knipte toen met zijn vingers. 'O, ja, een oude man die met de man van Ollie Jorgenson aan het praten was. Die zeiden allebei dat Grace geen idee had dat Jillian zou komen.'

'Ja, dat heb ik ook gehoord. Uiteindelijk bleek dat ze een auto heeft gehuurd. Die stond in de nacht van de brand op de oprit, en ik heb hem ook wel zien staan, maar er verder niet op gelet. We hebben hem weg laten slepen op verzoek van de brandweer. Ik dacht dat het die van Grace was. Pas toen we die later uitgebrand in de garage aantroffen, heb ik de weggesleepte auto eens beter bekeken, en toen pas zagen we dat het om een huurauto ging.'

'Waar is die auto nu?'

'Staat hierachter. We hebben Hertz gebeld – het bedrijf waar Jillian de auto heeft gehuurd. Ze komen hem dit weekend ophalen.'

'Dat zou ik maar afzeggen, als ik jou was.'

'Hoezo?'

'Volgens mij moet hij gecheckt worden op vingerafdrukken.'

'Waarom... O, ik snap het al. Om te zien of die Edelmann erin heeft gezeten.'

Cruz knikte. 'Dat lijkt me van belang. Ik zal proberen een kopie van zijn vingerafdrukken te krijgen.'

'Oké, dan zal ik zorgen dat iemand die auto onder de loep neemt. Niemand heeft het er trouwens over gehad dat Jillian bij aankomst een man bij zich had.'

'Klopt,' beaamde Cruz. 'Sybil Newkirk heeft me verteld dat Grace haar belde om te zeggen dat Jillian er was, en als die iemand bij zich had, zou ze dat wel hebben gezegd. We zouden het nog even kunnen navragen.'

'Dat doe ik wel,' zei Berglund.

'Best.' Dan hoefde hij zelf gelukkig geen tweede bezoek aan Sybil af te leggen, dacht Cruz opgelucht. 'De FBI-jongens lopen ook de autoverhuurbedrijven na, dus we horen snel genoeg of Edelmann zelf ook een auto heeft gehuurd – tenzij hij natuurlijk een medeplichtige heeft, of onder een andere naam opereert.' Hij stond op, pakte zijn jas en handschoenen en volgde Berglund het gebouw uit.

De hulpsheriff vertrok richting steiger, terwijl Cruz Lakeshore Road afreed. Zo langzamerhand begon hij al een aardige indruk van de plattegrond van het stadje te krijgen. De mensen met geld leken zich te hebben gevestigd in de optrekjes aan de stadskant van Lost Arrow Lake, een lange weg met grote, luxe woningen op ruime kavels. Tussen de foto's van Sybil Newkirk had Cruz er ook eentje gezien van het huis van Grace Meade voor de brand. Een namaak-Tudor huis met een schuin dak van zwarte dakspanen, ramen met glasroeden en wit stucwerk waartegen halve balken waren bevestigd, waarschijnlijk in navolging van de pittoreske huizen in Stratford-upon-Avon – een klein stukje Engeland in het hart van Amerika. Aardig, dacht Cruz droogjes, dat Tom Newkirk had geregeld dat Grace dankzij haar dochters fonds zo prettig dichtbij kon wonen.

Aangekomen bij het afgebrande pand aan de Lakeshore Road,

zag hij een jonge moeder met een paar kleuters op een slee onder aan de oprit staan kijken naar de puinhopen. Bij het horen van zijn auto draaide ze zich verschrikt om, lachte toen wat verlegen en wuifde enigszins gegeneerd. Ze liep verder, gevolgd door een zwart-witte bordercollie, die op haar fluitsignaal uit het bos te voorschijn sprong. Cruz keek hen even na.

Hij parkeerde zijn auto zo dicht mogelijk bij de zwartgeblakerde restanten. Nog steeds werd alles afgebakend door touw en bordjes met 'Politie' erop. De oprit van de Newkirks was leeg en er leek niemand thuis te zijn. Óf Sybil was nog niet op en Tom was nog aan het lunchen, óf ze waren bijtijds vertrokken voor hun afspraak met de dominee. Het was eigenlijk overal heel stil, dacht hij opeens, getroffen door de afwezigheid van geluiden die stadsmensen niet eens meer opvielen – getoeter, sirenes en het constant aanwezige verkeersrumoer. Zo nu en dan blafte er een hond of liet een vogel zich horen. De stilte was bijna griezelig.

Hoofdschuddend stapte hij de auto uit en ademde intuïtief door zijn mond om de stank van verkoolde vernietiging die als een lijkwade over het terrein lag, niet te ruiken. Hij kende veteranen die de pest hadden aan regen, omdat dan de herinneringen terugkwamen aan het sjokken door tropische hoosbuien en ze half-en-half verwachtten het gefluit te horen van de vijandelijke kogel die een einde zou maken aan hun leven. Zelf betwijfelde Cruz of hij ooit weer bij een kampvuur of een open haard kon zitten zonder het gezicht van Darryl Houghton voor zich te zien, smeltend als een wassen beeld dat te lang in de zon was blijven liggen.

Billy Kennedy was degene die de vlammenwerper richtte op het lichaam van de luitenant, dat ineengezakt tegen de palmboom lag. Kennedy was amper droog achter de oren en kwam vers van de boerderij. Cruz was reserve-commandant geweest van het infanteriebataljon dat werd geleid door Houghton, een arrogante Yale-man wiens rijke papa hem beter een baantje bij de nationale garde had kunnen bezorgen.

In zijn eentje was Cruz die bewuste ochtend achter de sluipschutter van de Vietcong aangegaan die hen de afgelopen uren een paar keer onder vuur had genomen. Ze waren al een man kwijt, en de resterende vier van het groepje – allemaal jongens als Kennedy, puisterig en met vriendinnen die ze nog nooit hadden gepakt – durfden niet verder te gaan. Maar de luitenant, roekeloos, oerstom en belust op promotie, dreef hen voort. Hij nam niet de moeite een verkenner vooruit te sturen en zorgde niet voor dekking, in zijn heethoofdige streven om als eerste door de vijandelijke linies heen te breken – zelfs al betekende dat de dood van zijn mannen.

Eindelijk had Cruz Houghton weten te overtuigen dat ze pas op de plaats moesten maken terwijl hij achter de sluipschutter aanging. Hij was bijna een uur weg en was erin geslaagd de Vietcong, die nota bene een jongen van amper vijftien bleek te zijn, van achteren te besluipen. De loop van zijn pistool lag al tegen de slaap van de jongen voordat die wist wat er gebeurde. Cruz leidde zijn gevangene, geboeid en gekluisterd, terug naar zijn eenheid, toen het verre geluid van een M-16 zijn bloed deed bevriezen – drie salvo's snel achter elkaar en toen, twintig of dertig seconden later, een vierde. Hij wist het. Ook zonder dat hij erbij was, wist hij dat dat laatste schot het genadeschot was.

Meteen had hij het op een lopen gezet, de jongen voor zich uit duwend, zichzelf verwijtend dat hij de anderen alleen had gelaten. De jongens hadden zo onder druk gestaan, dat hij wist dat er iets zou knappen als die idioot van een Houghton ook maar iets verkeerds zou doen, maar hij had gehoopt dat het opruimen van de sluipschutter de spanning wat zou verminderen. Toen hij de anderen bereikte, was de luitenant dood. Drie keer in de buik geschoten, en een nekschot om het af te maken. Billy the Kid had de vlammenwerper ingezet om het bewijs van de moord weg te werken. Cruz en zijn gevangene waren net op tijd uit de bosjes gekomen om het gezicht van de luitenant als was te zien wegsmelten.

Ze hadden het te goed willen doen. Als ze niet zo de pest aan Houghton hadden gehad dat ze deze extra gruwelijke maatregel hadden genomen, hadden ze kunnen zeggen dat hij door een sluipschutter was gedood. Alle kans dat ze daarmee waren weggekomen. Ze hadden alleen maar een simpel, geloofwaardig leugentje hoeven te vertellen en onderling moeten afspreken hun mond te houden. In plaats daarvan hadden ze er een puinhoop van gemaakt en vervolgens Cruz gesmeekt het recht te breien. Hun laatste vergissing. Hij had voor hen willen sterven, en dat wisten ze, maar voor hen liegen kon hij niet. En dus waren de vier mannen voor de krijgsraad gekomen en was Cruz vrijuit gegaan. Al had ook hij een prijs betaald.

De herinneringen van zich af schuddend, liep hij om de zwartgeblakerde puinhopen van Grace Meades huis naar de andere kant van de tuin, waar een glooiend grasveld naar een groepje bomen voerde, en eromheen naar een kleine steiger. Het grasveld in haar achtertuin ging over in dat van de Newkirks, zodat er een grote gemeenschappelijke achtertuin was ontstaan, die aan twee kanten werd afgeschermd door een bosperceel met groenblijvers en zilverberken, en aan de achterkant door het meer.

Cruz liep richting steiger en bleef aan de zuidkant ervan, tot hij de sporen zag waar Berglund het over had gehad – een bandenspoor van een kleine meter breed, dat vanaf het meer via de besneeuwde oever verdween in de strook bos die de hoek van het terrein besloeg. Omdat hij niets van sneeuwscooters wist, besloot hij Berglunds bevindingen over het merk scooter maar voor waar aan te nemen. Als dit spoor werkelijk was gemaakt door de moordenaar van Grace Meade, dan had hij beslist de minst opvallende route genomen. De dichte bebossing langs de percelen zou hem niet alleen onzichtbaar hebben gemaakt vanuit het huis van Grace en dat van de Newkirks, maar ook voor nieuwsgierige ogen vanaf het bevroren meer.

Hij volgde het spoor van de oever tot tussen de bomen, waar het leek op te houden. De begroeiing was weliswaar vertrapt, maar was ook zo dicht, dat er onmogelijk afzonderlijke voetsporen te ontdekken waren. Op de open plek aan de andere kant van de bomen echter, dichter bij het huis, vond hij een kring van vertrapte sneeuw, waarschijnlijk waar Berglund om de voetafdruk was heengelopen om die te fotograferen. Jammer genoeg was er inmiddels zoveel sneeuw overheen gewaaid, dat de afdruk niet meer duidelijk te onderscheiden was. Onbruikbaar als bewijs.

Uit de richting van het meer klonk opeens een jankend geraas, dat de stilte als een roestige kettingzaag doorsneed. Geschrokken draaide Cruz zich om. Een paar honderd meter verderop zag hij drie sneeuwscooters over het ijs scheuren. Er stak een gure, bijtende wind op, en huiverend trok hij de kraag van zijn overjas hoger op, kruiste zijn armen voor zijn borst en sloeg met zijn gehandschoende handen op zijn armen in een vruchteloze poging warm te worden. De dik ingepakte scooteraars maakten ondertussen een wijde U-bocht en zigzagden terug richting stad. De glijders bokten bij elke onregelmatigheid in het ijs. Als motorrijder had Cruz vaak genoeg over slechte wegen gereden om nu ineen te krimpen bij elke afstraffende hobbel.

Boven het meer was de zon al aan het zakken. De bomen en de verspreide huisjes aan de overkant staken scherp af tegen de lucht en creëerden een idyllisch watertafereel. Had de moordenaar dinsdagavond vanuit een van die huisjes het huis van Grace Meade in de gaten gehouden, wachtend op het juiste moment om toe te slaan? En hoe zat het met die twee vrouwen in Engeland? Wat was de schakel? Nu kwam er nog meer verwarrende informatie bij – het leken stukjes van verschillende puzzels.

Jillian Meade en haar moeder hadden geen beste relatie gehad, dat stond in elk geval vast. Sommige mensen vonden Jill maar een ondankbare, liefdeloze dochter, maar Berglund had gezegd dat Grace een onnatuurlijke moeder was. Waarschijnlijk hadden beide vrouwen elkaar verdiend, dacht Cruz, al bleef het vreemd dat Jillian onaangekondigd naar huis kwam in gezelschap van een agent van de Mossad. Voornaamste doelwit van de Israëlische inlichtingendienst waren groeperingen die uit waren op de vernietiging van de staat Israël, en Jillian noch haar moeder leek een bijzondere interesse te hebben voor politiek in het algemeen en het Midden-Oosten in het bijzonder. Grace Meade had niet eens prijs gesteld op haar stemrecht, terwijl Jillian kennelijk vooral in het verleden leefde en al haar aandacht richtte op haar onderzoek naar de Tweede Wereldoorlog. Cruz had geen informatie waaruit bleek dat een van de betrokken vrouwen het type was om verwikkeld te raken in het wespennest van de moderne Midden-Oostenpolitiek.

Toen kwam er opeens een gedachte bij hem op. Hij kon zichzelf wel voor de kop slaan dat hij het niet direct had gezien. Sheen had gezegd dat Edelmann op de waarschuwingslijst van de FBI stond vanwege informatie die in een niet-openbaar dossier van justitie stond. De Mossad. Het ministerie van Justitie. De Tweede Wereldoorlog. Dat was het verband!

Het ministerie van Justitie had een afdeling die zich bezighield met het opsporen van mensen die verdacht werden van het plegen van gruwelijkheden in de Tweede Wereldoorlog, in het bijzonder leden van de Nazi Partij en anderen die hadden meegewerkt aan oorlogsmisdaden. Dertig jaar na de oorlog kwam er nog steeds informatie boven over oorlogsmisdadigers die hun straf waren ontlopen door hun verleden te vervalsen, misdadigers die waren opgegaan in de vluchtelingenstroom naar landen als de Verenigde Staten, Canada, Zuid-Amerika en Australië. De afdeling Oorlogsmisdaden van het ministerie van Justitie onderhield, zoals bekend, nauwe banden met de Mossad, die eveneens samenwerkte met bekende nazi-jagers als Wiesenthal, Cohn-Levy en Klarsfeld. Het was de Mossad die Adolf Eichmann uit Argentinië had ontvoerd en overgebracht naar Israël, waar hij werd berecht, veroordeeld en opgehangen voor zijn rol als hoofdarchitect van de *Endlösung*. Het was de Mossad die nu al meer dan dertig jaar achter dokter Joseph Mengele aanzat, met de bedoeling hem voor de rechter te brengen voor zijn pseudowetenschappelijke medische experimenten op concentratiekampbewoners, waaronder kinderen. En het was de Mossad die niet ophield voormalige hooggeplaatste nazi-officieren en collaborateurs uit hun schuilplaats te roken.

Behoorde Edelmann soms tot een van de selecte, zeer goed getrainde, zeer geheime Mossad-eenheden? Was hij een van die nazi-jagers? Maar als dat zo was, en hij was in de ogen van Justitie een persona non grata, dacht Cruz, dan kon dat alleen betekenen dat men hem verdacht van het uitvoeren van 'niet-goedgekeurde' operaties. Justitie was wettelijk verplicht alles volgens het boekje te doen. Als ze het contact met Edelmann hadden verbroken, dan kon dat alleen betekenen dat de man in het verleden alle procedures had genegeerd, het traject van uitlevering en aanklacht had overgeslagen en direct was overgegaan tot de fase van de veroordeling en executie.

En Grace Meade? Hoe kon zij de aandacht van zo'n man hebben getrokken? Volgens de verhalen had ze vooropgelopen bij het bestrijden van de nazi's, had ze aan de goede kant gestaan. Maar was dat wel zo? Of was ze soms een collaborateur geweest? Had ze daarom nooit met een foto in de krant gewild, was ze daarom zo publiciteitsschuw, dat ze haar foto uit de drukproeven van een plaatselijk sufferdje als de Havenwood Herald had laten verwijderen? Was daar op de bewuste avond de ruzie tussen Grace en Jillian over gegaan? Was Grace eindelijk ingehaald door haar verleden? Had haar Petrus bij de hemelpoort de vorm aangenomen van een dochter c.q. historica, c.q. executeur, geholpen en opgehitst door een van de beulen van de Mossad?

Hoe moest hij daar ooit achter komen?

Jillian Meade was op dit moment taboe, maar er was wel iemand anders die hem wellicht wat meer kon vertellen over deze Edelmann. En terwijl hij de sneeuw van zijn doorweekte schoenen stampte, bedacht hij dat er in Havenwood zelf ook nog iemand was die misschien wat meer kon vertellen over het oorlogsverleden van Grace Meade.

Vastbesloten keerde hij het meer de rug toe en liep terug naar zijn auto.

De blauwe Oldsmobile van Tom Newkirk stond voor een kerk van rode baksteen. Op het grasveld ervoor stond een bordje dat aangaf dat dit de episcopaalse kerk van de Heilige Johannes was en dat Stewart Allsop er voorganger was. Newkirk was een van de ouderlingen, en Grace' naam stond er ook bij, zoals Cruz had kunnen weten. Achter haar naam stond de titel 'Voorzitster van de vrouwenvereniging van de Heilige Johannes'.

Cruz parkeerde zijn auto aan de overkant van de straat, voor een warenhuis, en draaide de achteruitkijkspiegel zo, dat hij zowel de kerk als Newkirks auto in de gaten kon houden. Hij zette de motor uit, dook ineen op de voorbank en probeerde niet aan de kou te denken toen de aangename warme lucht van de autoverwarming wegebde en zijn adem als kleine, witte wolkjes zichtbaar werd. Het begon schemerig te worden, en hij was vrijwel onzichtbaar in de donkere auto, wat een voordeel was, gezien de drukte op straat. Kennelijk wilde iedereen voor het begin van het weekend nog wat boodschappen in huis halen.

In de etalage van de winkel hing een poster die reclame maakte voor de jaarlijkse wedstrijd ijsvissen. Volgens het afgedrukte schema zou het gebeuren die avond klokslag zes uur beginnen met een optreden van de fanfare van Havenwood, gevolgd door een welkomstwoord van burgemeester Tom Newkirk, het officieel ontsteken van een groot vreugdevuur door de pas gekozen Miss Havenwood (ene Ainsley Gustavsen) en een straatfeest.

Cruz keek op zijn horloge: net vier uur geweest. Tegen de tijd dat de Newkirks hier klaar waren en Newkirk zijn vrouw naar huis had gebracht, zou het bijna tijd zijn voor de openingsceremonie. (Op een of andere manier kon hij zich Sybil Newkirk, met haar drankprobleem en flappende muiltjes, niet voorstellen bij de festiviteiten.) Dat hield in dat er weinig kans was op een rustig en diepgaand gesprek met Newkirk voordat die zich van zijn taken als burgemeester had gekweten.

Er passeerde een grote vrachtwagen, en Cruz' auto schudde heen en weer in de slipstroom. Cruz huiverde. Als hij hier nog langer wilde blijven, moest hij zorgen voor warmere kleren, dacht hij bij zichzelf. Hij stapte uit en liep de winkel binnen, waar hij de verleiding weerstond zijn opvallende, stadse overjas te verruilen voor een van de kleurige ski-jacks. In plaats daarvan stelde hij zich tevreden met een gewatteerd vest dat hij onder zijn overjas kon dragen, wollen werksokken en een paar noordpoolbestendige bergschoenen, die ongeveer de helft kostten van wat hij er in een of andere trendy buitensportzaak in de stad voor betaald zou hebben. Hij negeerde de nieuwsgierige blikken van andere klanten en van de caissière en besloot terug te gaan naar het motel om te ontdooien. Daarna zou hij zijn nieuwe aankopen aantrekken, een paar telefoontjes plegen en Newkirk opwachten na de openingsceremonie.

Hij zat al in zijn auto en wilde hem net starten, toen er op het raam werd getrommeld. Toen hij opzij keek, zag hij het stralende gezicht van Carla. 'Eh, hallo, Carla,' zei hij, en hij draaide het raampje naar beneden.

'Ha die Alex! Ik hoorde dat je nog in de stad was, en ja hoor. Ik zag je toevallig net uit de winkel komen,' zei ze, terwijl ze knikte in de richting van een laag wit gebouw met een kappersuithangbord iets verderop, dat Cruz nog niet was opgevallen. Blijkbaar was ze naar buiten gerend zonder een jas aan te trekken. Ze droeg een gebloemd jasschort, met daaronder een laag uitgesneden roze angoratrui. Toen ze zich bukte en haar armen op het open raampje legde, bood ze Cruz een royaal uitzicht op haar weelderige boezem. Waarom had hij het idee dat dat niet toevallig was?

'Ik had een paar dingen nodig,' zei hij.

'Dus je blijft het weekend ook nog? Leuk! Vanavond is er een straatfeest en morgenavond een groot feest in het cultuurcentrum. Allemaal in het kader van het ijsvissen, snap je? Morgen zijn er live optredens en –'

Snel schudde Cruz zijn hoofd. 'Dan ben ik waarschijnlijk al vertrokken.'

Haar gezicht betrok. 'Echt waar? Verdorie! Waarom blijf je niet een dagje langer?'

'Ik denk niet dat dat lukt.'

'Dat etentje wel? Ik heb een paar flinke biefstukken in de koelkast liggen, een lekkere fles wijn –'

'Nee, bedankt Carla, maar ik kan echt niet,' zei hij, met zijn hand op de contactsleutel.

'Je moet toch eten.'

'Dat is zo, maar ik eet wel een hapje op mijn kamer. Ik moet nog allerlei telefoontjes plegen en mijn papierwinkel bijwerken. Dat gaat me de hele avond kosten.'

'Altijd aan het werk, hè?'

'Daar word ik voor betaald.'

'Ik hoorde dat je met Sybil Newkirk hebt gepraat,' zei Carla grinnikend en ze bracht haar gekromde hand naar haar mond. Toen Cruz niet reageerde, knikte ze. 'Nee, je zou het natuurlijk niet zeggen als je had gezien dat ze teut was. Geheimhouding voor alles. Ik denk trouwens dat deze hele zaak Tom en Sybil niet onberoerd laat. Ik zag ze een tijdje geleden de kerk binnen gaan. Ze regelen de uitvaartdienst, heb ik gehoord.'

'Ik geloof het ook.'

'Is Tom al bij Jillian in het gekkenhuis op bezoek geweest?'

'Zou dat dan moeten?'

Carla haalde haar schouders op. 'Dat leek me logisch, aangezien hij toch een soort plaatsvervangende papa voor haar was – al is hij er misschien niet zo kien op haar te helpen als ze Grace echt om zeep heeft gebracht.'

'Je kunt nu echt beter naar binnen gaan, Carla, voordat je kou vat.'

'O, ik heb helemaal geen last van de kou. Ik ben hier geboren en getogen. De winter heeft niet zo'n vat op ons als op jullie warmbloedige mannen.' Ze grinnikte en gaf hem speels – pijnlijk – een stomp tegen zijn schouder.

Inwendig mopperend, wreef Cruz de gevoelige plek. 'Goeie rechtse heb je.'

'Dat krijg je als je alleen maar broers hebt. Maar er zijn meer dingen waar ik goed in ben, als je begrijpt wat ik bedoel.' De dunne streepjes van haar wenkbrauwen gingen suggestief op en neer. 'Zal ik dan toch die biefstuk maar voor je bewaren? Voor vanavond na het werk?'

'Bedankt voor het aanbod, Carla, maar een van onze ijzeren regels is dat we werk en plezier strikt gescheiden dienen te houden.'

'Ik zou je niet verraden, hoor.' Toen hij geen antwoord gaf, zuchtte ze. 'O, oké, saaie piet. Je weet niet wat je mist.'

'Ik heb wel een idee. Maar misschien kun je die biefstukken nog kwijt bij een van de deelnemers aan de wedstrijd. Ik denk dat het hier dit weekend wemelt van de hongerige mannen.'

'Dat is zo. Weliswaar geen knappe FBI-mannen, maar wie weet welke verrassing me nog te wachten staat.'

'Precies.' Cruz draaide de contactsleutel om. 'Goede jacht, Carla.'

'Ja, jij ook, Alex.' Ze ging rechtop staan en gaf een klap op het dak van de auto. 'Vang maar veel boeven.'

Terug op zijn motelkamer, trok hij de gekochte kleren aan, liet zich op de rand van het bed zakken en zette de telefoon op zijn schoot. In de la van het nachtkastje vond hij een gidsje van het motel, en na enig bladeren ontdekte hij eindelijk hoe hij interlokaal moest bellen. Niet lang daarna beschikte hij over het nummer van de Israëlische ambassade. Hij keek op zijn horloge. In Washington was het bijna zes uur. Als het geen vrijdag was geweest, zou hij een redelijke kans hebben gehad nog mensen aan het werk te treffen. Helaas was het wel vrijdag, en als de zon in Minnesota al onderging, zou die in Washington al onder zijn, en was dus de joodse sabbat al begonnen. Toevallig wist hij dat Z'ev Mindel niet erg gelovig was en al helemaal niet erg orthodox, maar het was niet gezegd dat er op dit uur nog iemand op de ambassade was die hem kon doorverbinden.

Gelukkig had een telefoniste kennelijk dispensatie gekregen om de regels van de sabbat te schenden. Mr. Mindel was weliswaar niet op zijn plaats, zei ze, maar ze zou ervoor zorgen dat hij de boodschap ontving. Toen hij zei dat er haast bij was, beloofde ze extra haar best voor hem te doen. Hij ging met zijn rug tegen het hoofdeinde van het bed zitten en zette de televisie aan voor het nieuws. Dat was nog maar een paar minuten bezig, toen de telefoon ging.

'Alex! Ben jij dat, ouwe jongen?'

'Hé, Z'ev! Hoe gaat het, man?'

'Zijn gangetje. Waar hang je trouwens uit? Ik herken dat netnummer niet.'

'Minnesota.'

'Minnesota! Voel je je wel lekker? Weet je niet dat mensen 's winters op vakantie naar Florida gaan?'

'Ik ben hier voor mijn werk. Anders zou ik hier echt niet zitten, hoor. Weet je trouwens dat er op dit moment mensen bezig zijn met ijsvissen?'

'Dat bevestigt wat ik altijd al heb gedacht – jij bent niet goed bij je hoofd. En hoezo, voor je werk? Ik dacht dat je in Californië zat om die motorfiets op te knappen die je me voor een zacht prijsje hebt beloofd.'

'Ho eens even. Over de prijs hebben we het helemaal niet gehad. Ik zei dat ik wilde overwegen hem te verkopen – als ik die Triumph vond waar ik al tijden naar op zoek ben. Hoe dan ook, ik heb het te druk gehad om achter een nieuwe motor aan te gaan, en de Harley staat nog steeds bij mijn ouweheer in de garage. Die overigens commentaar heeft op elk schroefje dat ik losdraai. Vandaar dat het allemaal niet zo vlot.'

Mindel grinnikte. 'Hebben jullie het nog steeds niet bijgelegd?'

'Laten we zeggen dat we het erover eens zijn dat we het oneens zijn.'

'Nou, dat is een begin. Het zou trouwens fijn zijn als je wat opschoot. Ik word er ook niet jonger op, weet je. Maar even wat anders, is het waar dat je bij de federalen bent gegaan?'

'Ik beken schuld.'

'Ik ben een paar dagen weg en je gaat zomaar iets anders doen, zonder je wijze adviseur te raadplegen?'

'Je was een jaar weg, Z'ev, en het aanbod kwam onverwacht. Hoe voel je je, trouwens?'

'Kon slechter. Misschien kun je een keer aan mij komen sleutelen in plaats van aan die Harley.'

Cruz grijnsde. Mindel was achtenvijftig. Hij had twintig jaar in het Israëlische leger gediend, voordat hij als technisch adviseur bij de Israëlische inlichtingendienst was gekomen. Cruz had hem in Duitsland leren kennen, bij het onderzoek naar de moord op de elf Israëlische atleten tijdens de Olympische Spelen in München. Ze hadden altijd contact gehouden. Een jaar eerder had Mindel een beroerte gehad die bijna een eind aan zijn carrière – en zijn leven – had gemaakt. Een paar dagen geleden had Cruz toevallig gehoord dat Mindel was benoemd tot verbindingsofficier op de Israëlische ambassade in Washington. Het had hem verrast – en toch ook weer niet. Mindel was als een achttienjarige jongen met een vlijmscherpe geest die gevangen zat in een taai, klein lichaam; een lichaam dat na jaren hard werken begon te haperen.

'Ik hoor dat je een mooi baantje hebt versierd,' zei Cruz.

'Poe. Wat je mooi noemt. Ik schuif papieren heen en weer. Ik vergader. Ik sta op cocktailparty's te glimlachen tot mijn kaken pijn doen. Waar is de lol? Waar is mijn uzi? Waar is die verrekte motor die je me beloofd hebt? Ik dacht dat we de Sleazy Riders zouden zijn.'

'Goed, goed, ik zal zien wat ik kan doen. Misschien kan ik hem naar Washington laten brengen. Kun jij aan mijn kop zeuren over schroefjes en kabeltjes.'

'Zo mag ik het horen. Maar vertel eens, wat doe je voor werk bij de FBI?'

'Net zoiets als jij; internationale verbindingen. Alleen heb ik contact met politiemensen uit andere landen en niet met spionnen.'

'Aha. Maar volgens mij hoort Minnesota nog steeds bij Amerika. Kon je geen smerissen op de Bahama's vinden om een praatje mee te maken? Misschien ben je toch niet zo slim als ik altijd dacht.'

'Tja, wat moet ik daar nou op zeggen? Maar even serieus, Z'ev, ik moet wat weten voor de zaak waarvoor ik hier ben. De officiële kanalen doen hun best, maar ze werken zo langzaam, dat ik op zijn vroegst volgend jaar iets hoor. Daarom hoopte ik dat jij me kon helpen.'

'Ik kan het altijd proberen. Waar gaat het om?'

'Ooit gehoord van een zekere Edelmann? Simon Edelmann?'

'Moet dat?'

'Ik heb gehoord dat het een van jullie mensen is.'

'Dat is nieuw voor me, maat, maar ik kan het uitzoeken. Ik herken de naam niet, maar dat zegt niet zoveel. Er lopen hier zat mensen rond van wie ik nog nooit heb gehoord. Weet je verder nog iets van hem?'

'Nee, alleen dat hij hier in de VS is – dat wil zeggen, afgelopen dinsdag nog wel. Meer niet. Ik moet weten waarom hij hier is.'

'Denk je dat hij op problemen uit is?'

'Geen idee. Ik weet dat hij is gezien met iemand die getuige is bij een paar zaken –'

'Moorden, zeker, Alex, als jij je ermee bezighoudt?'

'Klopt. Wat denk je? Kun je hem natrekken en mij laten weten wat het resultaat is?'

'Ik kan het proberen. Het is natuurlijk wel sabbat, en sommige mensen nemen dan de telefoon niet op, maar ik zal zien wat ik kan doen. Kan ik je op dit nummer terugbellen? Ben je daar morgen ook nog?'

'Helaas wel. Ik zit in een motel en de lijn is niet beveiligd, maar we moeten het er maar mee doen. Mocht ik er niet zijn als je belt, laat dan een nummer achter waar ik je kan bereiken, oké?'

'Ik ga aan de slag zodra we zijn uitgepraat. O, en Alex?'

'Wat?'

'Denk aan sleutelen. Denk aan de Mojave in april. Ze zeggen dat dat de mooiste tijd is om de woestijn te zien en dat een motor de enige manier is om er te komen.'

'Ik zal het onthouden.'

25

De volgende dag – een ongewoon warme en zonnige dag, voor Parijs in december – ontmoette ik Bernard Cohn-Levy weer, deze keer bij café Aux Deux Magots, het literaire trefpunt dat beroemd is gemaakt door Ernest Hemingway en tal van andere schrijvers, dichters en musici. We zaten in de luwte van een windscherm op het terras en genoten van de laatste mooie dag van het jaar, terwijl we knapperige baguettes en salade niçoise aten en dat alles wegspoelden met goede Franse chablis en sterke espresso toe. Ondertussen keken we naar de oude parochianen die na de mis de kerk van St. Germain-des-Prés verlieten.

Het was zo'n pittoresk decor, dat ik me nauwelijks kon voorstellen dat er Gestapo-officieren in lange leren jassen bij ditzelfde café hadden gezeten. De oude foto's uit de oorlog leverden echter ontegenzeglijk het bewijs. Foto's waarop kelners met witte voorschoten nerveus te zien waren naast Duitsers met glimmend gepoetste laarzen en geperste grijze uniformen, die de passerende menigte minachtend bekeken, wrede heersers van het Derde Rijk. Parijs was het kroonjuweel van Hitlers machtige rijk geweest, een rijk dat zich lange, verdrietige jaren uitstrekte van de Atlantische Oceaan tot de rivier de Wolga. De gezichten van alle nazi-bezetters die ik op oude foto's had gezien waren vooral trots geweest.

Ik kon alleen maar raden naar de duistere herinneringen die de geest van Cohn-Levy bevolkten. Toen de nazi's arriveerden, werd zijn familie, die al generaties lang in Parijs woonde, plotseling geconfronteerd met meer dan honderd anti-joodse statuten en decreten die hen van hun rechten, bezittingen, vrijheid en uiteindelijk, in de meeste gevallen, hun leven beroofden. Aan deze ultieme wandaad hadden duizenden Franse gendarmes, plaatselijke autoriteiten en gewone mensen meegedaan. Vandaar dat ik me moeilijk kon voorstellen dat iemand als Cohn-Levy, die bijna alles had verloren, teruggekomen was en de draad van zijn leven zomaar weer had opgepakt, wetende dat talloze medeburgers en overheden het fatsoen in die vreselijke tijd de rug hadden toegekeerd.

Natuurlijk waren er ook mensen die dapperheid en grote moed hadden getoond. De aanblik van een paar nonnen die zich met wapperende habijten over de Boulevard St. Michel haastten, bracht Cohn-Levy terug naar het onderwerp waarvoor ik was gekomen. 'Gisteravond lag ik in bed na te denken over wat je vroeg,' zei hij.

'Waarover precies?'

'Over de verzetsactiviteiten in Gentilly.'

Ik knikte. 'Er was een oude man, een drukker met de naam Viau. De SOE heeft mijn moeder bij hem ondergebracht. Ze had het drukkersvak van haar vader geleerd, vandaar. Hebt u ooit van deze man gehoord?'

'Ik meen me te herinneren dat die naam opdook in verband met een incident op een kloosterschool in de buurt van Gentilly.'

'Viau was, geloof ik, katholiek. Hij drukte religieuze traktaten.'

Cohn-Levy knikte. 'Precies. Hij schijnt bidprentjes en dergelijke aan de school te hebben geleverd. Ergens halverwege 1944, geloof ik, maar dat kunnen we straks op kantoor nog nakijken, werd ontdekt dat de kloosterschool onderdak bood aan vier joodse meisjes en hun lerares. De moeder-overste werd door de Gestapo gearresteerd en verdween spoorloos – ongetwijfeld afgevoerd naar Duitsland, volgens het "Nacht und Nebel"-principe. Klooster en school werden gesloten en de nonnen voor de rest van de oorlog vastgezet.'

'En de vier meisjes?' vroeg ik, al wist ik het antwoord eigenlijk al. In de verschrikkelijke logica van de Endlösung was maar één antwoord mogelijk.

'Die werden naar het doorgangskamp van Drancy gebracht. Het was een bijzonder trieste zaak, herinner ik mij, omdat ze op 31 juli 1944 op transport werden gesteld naar Auschwitz, op de allerlaatste trein. En omdat het kinderen waren...' Zijn stem stierf weg en hij wendde zich hoofdschuddend af.

Mijn keel was dik geworden, maar als hij zonder tranen over het onderwerp kon praten, zou het mij ook lukken. Ik schoof mijn bord opzij; mijn eetlust was verdwenen.

Een vork viel op de grond, en Cohn-Levy bukte zich om hem op te rapen. Toen hij weer overeind kwam en mijn gezicht zag, klopte hij troostend op mijn hand. 'Ik heb ook gehuild, Jillian,' zei hij kalm, 'maar daar schieten we niets mee op. De doden kunnen niets met onze tranen. Ze willen alleen dat we hen herinneren en dat we getuigen van wat hun is aangedaan. Dat we actie ondernemen tegen de verantwoordelijke mensen en zorgen dat zoiets nooit weer kan gebeuren.'

Ik knikte verdrietig. 'En Viau, de drukker? Is hij degene die de kinderen en hun lerares aan de Gestapo heeft verraden?' Nog voordat ik was uitgesproken, had zich een donkerder vermoeden in mijn geest gevormd. Was het de oude man geweest, of misschien een jonge, Engels-Franse vrouw die bij hem woonde? Mijn moeder had heel goed op de hoogte kunnen zijn van het geheim van de kloosterschool, en ik wist dat ze meermalen door de Gestapo was opgepakt en onderworpen aan God mag weten welke kwellingen. Was ze doorgeslagen? Of had ze de informatie vrijwillig gegeven om haar eigen huid te redden?

'Dat weet niemand,' antwoordde Cohn-Levy. 'Het is heel goed mogelijk dat ze helemaal niet verraden werden, maar domweg ontdekt toen de Gestapo huiszoeking deed. Niet lang daarvoor had het verzet een belangrijke slag geslagen, moet je weten. Diefstal van –'

'Goud?' vroeg ik, wanhopig zoekend naar iets wat mijn moeder zou vrijpleiten.

'O, daar weet je van?'

'Ik heb zoiets gehoord. Complete cellen van de Résistance werden weggevaagd na diefstal van een lading nazi-goud. Maar het fijne weet ik er niet van.'

'Wie wel? Wat we weten, is gebaseerd op ooggetuigenverslagen en documenten die we van de Parijse prefectuur hebben gekregen. Het goud was afkomstig van de mensen die werden gedeporteerd naar de kampen – alleen al vijfenzeventigduizend joden, plus duizenden anderen. Al hun bezittingen werden afgenomen in doorgangskampen als Drancy. De meeste mensen waren niet rijk, maar het ging om grote aantallen mensen, en de meesten hadden wel een trouwring, oorringen, een armband of een ander sieraad.'

Ik knikte. 'Bij elkaar is dat een flinke hoeveelheid. Zelfs als iedereen maar één gram goud inleverde, was dat bij elkaar –'

'Duizenden en duizenden grammen. Ik heb gehoord dat de geschatte waarde van het gestolen goud in 1944 meer dan twee miljoen dollar bedroeg.'

'En met de huidige goudprijzen zou dat vandaag de dag een veelvoud daarvan zijn.'

'Tien keer zoveel, denk ik,' beaamde Cohn-Levy. 'Maar zelfs in 1944 vertegenwoordigde dat goud een gigantische koopkracht. Ook andere waardevolle dingen werden in beslag genomen, zoals horloges, juwelen, enzovoort. Alles werd geïnventariseerd en vervolgens opgeslagen in een kluis in de Banque de Paris. De officiële lezing is dat het bewaard werd om later teruggegeven te worden wanneer de rechtmatige eigenaars niet langer een bedreiging voor het regime vormden. Maar aangezien de nazi's geloofden dat deze bedreiging pas uit de wereld zou zijn als wij allemaal dood waren, is het de vraag hoe ze zich die teruggave precies hadden voorgesteld.'

Hij lachte schamper en nam toen een grote slok wijn. 'In elk geval, toen de oorlog was afgelopen en de kluis werd geopend, lagen de horloges, pennen en juwelen en zo nog netjes in de kluis. Maar al het goud was verdwenen.'

'Ik heb gehoord dat het op bevel van Hitler persoonlijk naar Berlijn is vervoerd.'

'Klopt. Hij had het nodig om wapens te kopen. De munten

werden ongemoeid gelaten, maar de sieraden moesten omgesmolten worden voordat ze konden worden verhandeld.'

'Gebeurde dat hier, of in Duitsland?'

'Hier. We zijn erachter gekomen dat het gebeurde in een metaalgieterij ten noordwesten van Parijs, door een klein groepje Franse arbeiders, dat onder toezicht stond van de Gestapo. Het goud werd gesmolten en in staven gegoten, in totaal zo'n duizend stuks. De staven plus de kisten met munten werden vervolgens op een zwaarbewaakte goederentrein geladen en geparkeerd op een rangeerspoor bij Gentilly, in afwachting van een trein die een dag later naar Berlijn zou vertrekken.'

'En daar is het verdwenen?'

'Dat is mogelijk. Niemand weet het zeker. De wagon werd namelijk op de gieterij verzegeld, en pas bij aankomst in Berlijn werd de diefstal ontdekt. Het goud was ergens tussen de gieterij en Berlijn verdwenen. Het was vervangen door met goudverf bestreken bakstenen, voor het geval iemand door het kijkgaatje de inhoud van de wagon zou inspecteren.' Cohn-Levy's brede schouders gingen omhoog in een typerend Gallisch schouderophalen. 'Misschien hebben ze gekeken, misschien ook niet. Wie zal het zeggen? We weten alleen dat de schuifdeur pas in Berlijn werd geopend, en dat er toen alleen maar bakstenen werden aangetroffen.'

'Wat een slag hebben ze geslagen,' zei ik ademloos.

'Dat is waar. Helaas namen de nazi's gruwelijk wraak. Het was gebruikelijk dat ze op grote schaal strafmaatregelen tegen de burgerbevolking troffen wanneer de Résistance actie tegen het Reich ondernam. Alle arbeiders van de gieterij werden meteen gearresteerd, ondervraagd, gefolterd en geëxecuteerd. Daarna hield de Gestapo razzia's, waarbij iedereen werd opgepakt die ze ook maar verdachten van connecties met het verzet. Ze doorzochten elk huis en elk gebouw, in de hoop de plaats te vinden waar het goud was verstopt.'

'Maar ze vonden het niet?'

'Voorzover we weten niet. Er werden honderden mensen gearresteerd, maar een operatie van dit kaliber zal niet bij meer dan een of twee mensen tot in de details bekend zijn geweest.

En die hebben het geheim meegenomen in hun graf. Of,' zei Cohn-Levy terwijl hij zijn schouders weer ophaalde, 'een of andere ondernemende geest heeft het goud gevonden, het tot na de oorlog verborgen en daarna een leven geleid als God in Frankrijk.'

Ik keek met gefronste wenkbrauwen naar het koffiedik op de bodem van mijn kopje. 'Dus de school en het klooster werden doorzocht toen de Gestapo op zoek was naar het goud.'

'Ja. Toen de Gestapo kwam, werden alle kinderen naar de kapel gebracht. De bevelhebber in die tijd was een bijzonder onplezierig heerschap dat luisterde naar de naam Kurt Braun. Hij schijnt een neef te zijn geweest van Hitlers minnares, Eva Braun. Deze kolonel Braun was zelf, net als Hitler, van huis uit katholiek, dus zodra alle meisjes bijeen waren in de kapel, ging hij ze een voor een langs en stelde een vraag uit de catechismus. Toen hij bij de vier joodse meisjes kwam, konden die natuurlijk niet het goede antwoord geven, waarop ze werden meegenomen. Hun lerares meldde zich vrijwillig toen ze zag wat er gebeurde en stond erop met hen mee te gaan. En dat,' besloot Cohn-Levy grimmig, 'was het eind van het liedje.'

We dronken onze koffie op, en Cohn-Levy vroeg de rekening. Hij wilde niets weten van mijn aanbod mee te betalen. Een paar minuten later wandelden we over de Boulevard St. Michel, toen ik opeens ergens aan moest denken. 'Hoe kwam hij op dat idee?'

'Wie?'

'Die Gestapo-man, kolonel Braun. Hoe kwam hij op het idee om die meisjes de catechismus te gaan overhoren?'

'Ik weet het niet. Men zegt dat hij een wreed man was, met een neiging tot theatrale dramatiek. Misschien speelde hij de rol van de wijze catechismusleraar, net zoals Marie-Antoinette speelde dat ze een herderinnetje was – alleen stuitte Braun bij toeval op vier zwarte schaapjes in de kudde.'

'Of misschien wist hij dat die kinderen en hun lerares daar ondergedoken zaten, omdat iemand hem dat had verteld,' zei ik ongemakkelijk.

Ik was weer terug bij af. Mijn duistere vermoedens over mijn moeder staken opnieuw de kop op – maar ik kende nog niet het hele verhaal van wat er die dag op de kloosterschool was gebeurd. De grootste schok moest nog komen.

26

Havenwood, Minnesota
Vrijdag 12 januari 1979

Toen Cruz die avond terugkeerde naar de stad voor de openingsceremonie van het wedstrijdvissen, was Tom Newkirk in geen velden of wegen te bekennen. De schoolband van Havenwood speelde het thema van The Bridge On The River Kwai, begeleid door het valse gefluit van tientallen stampvoetende hengelaars en andere feestgangers, die met papieren zakken met flessen erin en thermoskannen met – naar Cruz' idee – verrijkte koffie zwaaiden. Hij liep naar het kleine podium op de heuvel die uitkeek over de haven om te zien of hij de burgemeester ergens zag, maar in plaats daarvan liep hij Nils Berglund tegen het lijf.

De hulpsheriff knikte naar hem. 'Zocht je mij?'

'Nee, Tom Newkirk. Ik hoopte dat hij na de openingsceremonie even tijd had voor een paar vragen.'

'Waarover?'

'Over de man die hij op het vliegveld bij Jillian zag. En ook om te vragen wat hij over het oorlogsverleden van Grace Meade weet. Iemand vertelde dat hij samen met haar overleden man heeft gediend, en ik dacht dat hij haar daar misschien ook al had ontmoet en dat hij me iets meer kon vertellen over die tijd.'

'Waarom wil je dat weten?'

'Ik probeerde alle stukjes die we hebben in elkaar te passen. Die Mossad-man kon ik niet plaatsen, tot het opeens bij me opkwam dat het misschien iets met de oorlog te maken had – met iets wat Grace daar heeft gezien of gedaan.'

'Ga toch weg. Dat is meer dan dertig jaar geleden.'

'Zoals ik al zei, vergeten die lui van de Mossad niet snel. Hoe dan ook, een andere gemeenschappelijke factor is er volgens mij niet, dus ik wil er toch even induiken. Maar terug naar Newkirk, weet jij waar hij is?'

'Hij heeft afgezegd.'

'Dat meen je niet.'

'Jawel. Hij heeft zijn aantekeningen aan Norbert Jorgenson gegeven.' Berglund knikte richting podium. Iets opzij daarvan stond Ollies man nerveus op een stuk papier te kijken, terwijl de schoolband verder speelde. 'Jorgenson is loco-burgemeester.'

'Dat heb ik gehoord. Waarom heeft Newkirk afgezegd?'

'Hij zei dat hij niet in de stemming was voor een feestavond, niet nu Sybil zo overstuur is door Grace' dood en ze al die dingen voor de begrafenis moeten regelen.' Berglund verplaatste zijn gewicht. 'Ik denk dat hij er ook kapot van is.'

Dat zal best, dacht Cruz, vooral omdat Newkirk en Grace hoogstwaarschijnlijk meer dan buren waren geweest. 'Dus ik kan hem thuis vinden?'

'Ik denk het. Maar vind je dit echt een geschikt moment?'

'Morgen zal het vast niet beter uitkomen.'

'Nee, daar heb je ook wel weer gelijk in,' beaamde Berglund. 'Trouwens, een van mijn mannen heeft de vakantiehuisjes aan de overkant van het meer geïnspecteerd. Er was er eentje bij met sporen van braak, en toevallig heb je van daaruit vrij zicht op het huis van Grace Meade. We hebben de eigenaar in Minneapolis gebeld, en die vertelde ons dat er een Ski-Doo in de schuur staat, maar toen we daar gingen kijken, was die leeg. Er waren wel sporen, en die lijken identiek aan die bij Grace.'

'Ga je in dat huisje naar vingerafdrukken zoeken?'

Berglund knikte. 'Zorg jij dat ik zo snel mogelijk kan beschikken over die van Edelmann?'

Cruz trok een gezicht. 'Ik heb al gebeld, maar ik denk niet dat ze deze week nog komen.'

'Kijk, daar heb ik wat aan.'

De schoolband besloot zijn voorstelling en marcheerde onder luide toejuichingen weg. Norbert Jorgenson beklom het podium, gevolgd door een jonge vrouw. Dat zou Miss Havenwood wel zijn, dacht Cruz.

'Er is nog iets,' ging Berglund op zachte toon verder. Hij leek de openingsplechtigheid aandachtig te volgen, maar aan de diepe rimpels in zijn voorhoofd zag Cruz dat hij ver weg was. 'Ik heb vanmiddag nog even met dokter Kandinsky gesproken. Ik wilde weten hoe het met Jill ging na die commotie vanmorgen.'

'Hm. En wat zei ze?'

'Dat ze rustig werd toen ze haar een licht kalmeringsmiddel hadden gegeven. Ik heb gevraagd of ze vond dat Jill moest weten over de begrafenis morgen.'

'En?'

'Ze vond van wel. Ze weet immers dat haar moeder dood is, en de dokter zegt dat ze de gelegenheid moet hebben om erheen te gaan, mits ze het aan lijkt te kunnen.'

'Vindt zij dat Jillian erheen moet gaan?'

'Nee, dat niet. Ze zou vanavond weer proberen even rustig met haar te praten en haar te polsen. Een begrafenis schijnt sommige mensen te helpen om iets af te sluiten, of zo. Ik vind het een stom idee, maar wie ben ik?'

'Dus de kans bestaat dat ze morgen hier is?'

'Ja, dat klopt. Volgens dokter Kandinsky is er lichamelijk geen enkele reden dat ze niet een paar uurtjes weg zou kunnen, en als het haar nou helpt bij de verwerking...' Berglunds stem stierf weg en hij propte zijn handen in zijn jaszakken. Jorgenson had ondertussen de microfoon gepakt en was begonnen aan Newkirks welkomsttoespraak.

De wind stak op en voerde de geur van petroleum mee. Op de oever van het bevroren meer waren een paar inwoners van Havenwood bezig een metershoge stapel houtblokken te prepareren voor het grote vreugdevuur. Cruz voelde de vertrouwde knoop in zijn maag. Tijd om ervandoor te gaan.

Toen werd het hem opeens duidelijk wat de hulpsheriff hem had willen vertellen.

'Berglund, je was toch niet van plan om haar zelf op te halen voor de begrafenis, hè?'

Er gleed een koppige uitdrukking over het gezicht van de

hulpsheriff. 'Als ze mag van de dokter, haal ik haar op.'

Fijn. Wat zou zijn vrouw daarvan vinden? Nog meer koren op de roddelmolen van dit stadje. 'Waarom moet jij dat doen? Tom Newkirk kan haar toch ophalen?'

'Die heeft zijn handen vol aan Sybil, en ik denk dat jij er ook niet aan moet denken wat die Jillian kan aandoen.'

'Ben je daar echt bang voor?'

'Met Sybil weet je het maar nooit. Bij veel mensen lopen de emoties op dit moment hoog op. Moeilijk te zeggen hoe iemand zal reageren. Zoals ik al zei, weet ik niet eens of het wel zo'n goed idee is dat Jillian hier komt, maar het gaat wél om haar moeder. Als ze erbij wil zijn wanneer die wordt begraven, dan is dat haar goed recht.' Hij keek Cruz recht aan. 'Het probleem is dat ik mijn handen vol zal hebben als ze hier komt, en dan wil ik me niet druk hoeven te maken dat jij haar weer zo van streek brengt. Het zal al moeilijk genoeg worden om die ouwe vriendinnen van Grace in toom te houden.'

'Ik stelde haar alleen een paar vragen. Je dacht toch niet dat ik haar op een begrafenis aan een kruisverhoor zou onderwerpen?'

'Dat niet, maar ik denk eigenlijk dat het beter is als ze jou helemaal niet ziet. Het is niet persoonlijk bedoeld, Cruz, maar je hebt hier aardig wat aandacht getrokken. Ook zonder dat de vrouwen over elkaar struikelen in hun haast om bij jou te komen, wordt die begrafenis al een echte poppenkast. Zoals ik zei, het is niet persoonlijk bedoeld. Ik zeg niet dat het jouw schuld is. Er gebeurt hier nu eenmaal niet zoveel, en wanneer er dan vers vlees op de markt komt, tja...'

'Wil je zeggen dat ik maar helemaal weg moet blijven?'

'Dat lijkt me wel het beste. Ik ben bang dat het uit de hand gaat lopen als Jillian en jij allebei aanwezig zijn.'

'Goed, dan blijf ik wel weg,' zei Cruz met tegenzin. 'Maar ik wil toch even zeggen dat het mij ook een slecht idee lijkt om Jillian hierheen te halen.'

'Daar ga ik niet over.'

'Want hoe je ook wendt of keert,' ging Cruz verder, 'zolang het onderzoek naar haar moeders dood nog niet is afgerond, blijft ze onder verdenking staan – om nog maar te zwijgen over de moorden die mij hierheen hebben gevoerd. Ze moet in elk geval goed bewaakt worden als ze komt.'

'Reden te meer voor mij om haar op te halen.'

'Misschien, maar jij hebt natuurlijk je handen vol aan al die mensen met hun hoog oplopende emoties. Ik hoop dat je extra mannen hebt om je daarbij te assisteren.'

'Jammer genoeg veel te weinig. Ik haal ze van het ijsvissen af – omdat de begrafenis om elf uur 's ochtends is en de feestvierders dan nog op een oor liggen, moet dat wel goedkomen. Maar onze afspraak staat, hè?'

'Als een huis.'

'Ik heb je woord dat je de dingen niet nog ingewikkelder maakt door naar de begrafenis te komen en Jillian van alles te vragen?'

Cruz knikte. 'Je hebt mijn woord.'

Er klonk weer gejuich op uit de menigte, en toen ze opkeken zagen ze Jorgenson en Miss Havenwood met een brandende fakkel naar de brandstapel lopen. Berglund zette de kraag van zijn jack op. 'Ik ga er maar eens heen. Straks leggen die clowns de hele stad nog in de as.'

'Dan ga ik maar eens even met Newkirk praten.'

Berglund aarzelde even. 'Het lijkt me beter om hem nu niet te hard aan te pakken.'

'Begrepen.'

Nog even keek de hulpsheriff hem onderzoekend aan, toen knikte hij en wandelde weg.

Cruz liep naar zijn auto en stapte in. Even later had hij het feestgedruis achter zich gelaten en reed hij door de verlaten straten. Toen hij Lakeshore Road insloeg, werd hij verblind door de koplampen van een tegenligger, die recht op hem afkwamen. Hij wilde net het stuur omgooien en er maar het beste van hopen, toen de andere auto plotseling uitweek, hem rakelings passeerde en richting stad verdween. Geschrokken minderde Cruz vaart, waarna hij nog eens omkeek naar de snel verdwijnende achterlichten, maar het was te donker om de auto te herkennen. Zeker iemand die niet kon wachten om feest te vieren.

Bij de oprit van de Newkirks dimde hij zijn koplampen – hij

wilde geen aandacht trekken – en zag opeens dat Tom Newkirks kobaltblauwe Oldsmobile er niet stond. Door het grote raam van de woonkamer zag hij Sybil Newkirk opgekruld op de bank zitten. Het enige licht kwam van het televisietoestel in de hoek. Het flikkerende blauwe schijnsel weerkaatste in het glas dat ze naar haar mond bracht. Ze nam een slok, zette het glas neer en veegde met haar hand langs haar neus.

Cruz zette de motor uit, opende zacht het portier en glipte naar buiten. Eerst liep hij naar de dubbele garage, maar een blik door het raam vertelde hem dat daar alleen een Kever stond. Even dacht hij na over zijn volgende stap. Hij kon aanbellen en Mrs. Newkirk vragen waar hij haar man kon vinden, maar dat zou kunnen uitmonden in een lange huilpartij, en daar was hij nou niet bepaald voor in de stemming. Daarom stapte hij maar weer in zijn auto en reed voorzichtig achteruit naar de weg. Hij deed de lampen pas aan toen hij weer goed en wel op Lakeshore Road was. Het centrum van Havenwood telde niet meer dan een stuk of zes straten, en daaromheen konden het er niet veel meer zijn. Het kon niet echt moeilijk zijn de man te vinden.

Na twee rondjes door het centrum, waar het vreugdevuur bij de haven nu hoog oplaaide en het feest in volle gang was, had hij nog steeds geen spoor gezien van de blauwe Olds. Hij had net besloten een laatste rondje te rijden en zijn zoektocht dan te verbreden naar de omliggende straten, toen hij de auto die hij zocht op een parkeerplaats zag staan, achter een gebouwtje van rode baksteen, dat zich naast de Lakeside Inn bevond. Newkirk zat dus waarschijnlijk in de kroeg. Cruz aarzelde. Al die rook was wel het laatste waar hij zin in had, om nog maar te zwijgen van dat kabaal en die beschonken vrolijkheid. Het was geen plaats om even rustig te praten. Maar aan de andere kant, zoals hij ook tegen Berglund had gezegd, zou het morgen helemaal een opgave worden om Newkirk te spreken.

Omdat alle parkeerplaatsen in de buurt bezet waren, moest hij zijn auto noodgedwongen drie straten verderop parkeren. Hij wandelde terug, en onwillekeurig pikten zijn voeten het ritme op van de muziek die uit de luidsprekers bij de haven denderde – het onvermijdelijke 'Stayin' Alive'. In het café was het nog lawaaiiger dan de vorige avond. Hij had gedacht dat iedereen wel bij het grote feest in de haven zou zijn, maar ook hier was het afgeladen vol. De jukebox schetterde boven alles uit. Newkirk was nergens te bekennen.

De blonde serveerster die hem de vorige avond had bediend, passeerde hem met haar dienblad en lachte naar hem. 'Je bent er weer!' riep ze boven het kabaal uit.

'Ik zoek de burgemeester,' riep hij terug.

Vragend legde ze een hand achter haar oor. 'Wie?'

'Tom Newkirk! Weet je waar ik die kan vinden?'

Ze schudde haar hoofd. 'Die is hier niet geweest.'

Cruz knikte en fronste zijn wenkbrauwen. Toen hij om zich heen keek, realiseerde hij zich dat het publiek te jong was om een man van Newkirks leeftijd te trekken, zelfs als die alleen maar kwam om zijn verdriet te verdrinken. Hij glipte de deur uit en overwoog even terug te gaan naar het vreugdevuur om te zien of Newkirk daar toch naar toe was gegaan. Maar toen hij weer naar het bakstenen gebouwtje achter het café keek, zag hij er licht branden. Hij liep erheen en vond naast de deur een koperen naamplaat waarop stond dat dit het advocatenkantoor was van Thomas Newkirk, Esq. Hij probeerde de voordeur, maar die zat op slot. Vastbesloten liep hij door naar de achterkant van het gebouw, waar de Oldsmobile geparkeerd stond. Boven de achterdeur brandde een veiligheidslamp. Toen hij aan de klink voelde, bleek de deur open. Dat kon alleen in een klein stadje.

Achter de deur bevond zich een opslagruimte. Van daaruit gaf een deur toegang tot een gang, die weer uitkwam in een receptie. Een van de deuren aan de zijkant stond open, en een zachtgouden licht viel op het tapijt. Cruz liep erheen en keek in een kantoor dat de hele diepte van het pand besloeg. Een groot houten bureau stond schuin voor een van de hoeken. De hoge rugleuning van de bureaustoel was half van het bureau weggedraaid, in de richting van de lage kast daarachter. Een paar in dure schoenen gestoken voeten rustten op de kast.

Zacht klopte Cruz op de deurpost. 'Pardon? Mr. Newkirk?'

Hij wist dat de man daar zat, maar toch schrok hij toen Newkirks stem de stilte verbrak. 'Kom verder, agent Cruz. Ik zag u al bij de voordeur. U hebt me dus weten te vinden.' De schoenen verdwenen uit zicht en de stoel maakte een halve draai. 'Ik dacht wel dat ik u zou terugzien.'

Newkirk had zijn overjas en jasje over een andere stoel gegooid en zat in hemdsmouwen achter zijn bureau, met zijn das losgetrokken en zijn boordje losgeknoopt. Hij had wallen onder zijn ogen, en de baardstoppeltjes op zijn kaken gaven hem een verwilderde en naargeestige aanblik. Zijn haar zat nog glad achterover dankzij de hulp van een of andere haarcrème, maar er waren een paar slierten losgeraakt, die slordig over zijn voorhoofd hingen. Net als zijn vrouw had hij een glas in zijn hand. Een bijna leeg cognacglas.

'Het spijt me dat ik u moet storen, *sir,*' zei Cruz. 'Ik wilde eigenlijk nog even met u praten. Ik ben bij u thuis geweest, maar ik zag dat uw auto er niet stond en ik wilde uw vrouw niet lastigvallen.'

'Ik meende al dat jij het was in die andere auto.'

'Ja.'

'Mmm... Dat heb je in een klein stadje. Er gaat niet veel onopgemerkt voorbij.'

'Nee, *sir,* dat denk ik ook niet.'

'Kom verder, pak een stoel.' Newkirk leegde zijn glas, ging toen rechtop zitten en stond op. 'Ik wilde mezelf net nog eentje inschenken. Jij ook?'

'Dat is misschien niet zo'n gek idee,' antwoordde Cruz, terwijl hij zich installeerde in een fauteuil aan de andere kant van het bureau.

'Ik neem zelf cognac, maar misschien dat jij liever whisky of –'

'Cognac is prima, *sir.*'

'Een goede keuze.' Newkirk schoof een van de deurtjes van het kastje open, haalde er een tweede cognacglas uit, vulde beide glazen uit de fles op zijn bureau en gaf het nieuwe glas aan Cruz. 'Tijdens de oorlog heb ik de smaak ervan te pakken gekregen. Proost.'

Cruz hief zijn glas even op, nam een slokje en voelde het vocht zoet branden in zijn keel. Newkirk ging weer in zijn stoel zitten en legde zijn voeten op het bureau.

'Was u ook bij de bevrijding van Frankrijk, *sir*?'

'Zeg maar Tom.' Newkirk was en bleef een politicus, zelfs in de staat waarin hij nu verkeerde. 'Ja, inderdaad. Dat was een hele belevenis, de intocht in Parijs. Duizenden mensen op de been die ons toejuichten, ons bloemen en kushandjes toewierpen, flessen champagne en cognac in onze jeeps gooiden. Die hadden ze al die tijd voor de Duitsers verborgen gehouden, maar jongens, er kwam wat te voorschijn toen we de moffen eenmaal hadden verjaagd. Ik had toch gauw een stuk of tien flessen helemaal voor mij alleen.'

'Echt waar?'

Newkirk pakte de fles bij de hals. 'Het meeste heb ik daar soldaat gemaakt, maar dit is mijn laatste fles. Courvoisier 1939.'

Met grote ogen keek Cruz van de fles naar zijn glas. 'Veertig jaar oud? Ongelooflijk.'

'Ik heb hem al die jaren bewaard, al weet ik niet waarom. Misschien voor een bijzondere gelegenheid. Vanavond heb ik hem opengemaakt.'

'Om op Grace Meade te drinken?'

Newkirk wachtte even en knikte toen. De gevlekte hand waarmee hij het glas ophief trilde, zag Cruz. 'Op Grace,' zei Newkirk. Zijn adamsappel schoot op en neer terwijl hij zijn glas leegde.

Cruz zweeg even en nam nog een slokje. 'Vertel eens iets over haar,' zei hij toen.

'Wat wil je weten?'

'Nou... dat ze mooi was, dat weet ik al.'

'Ja, je hebt foto's van haar gezien, hè. Al deden die haar niet echt recht. Ik geloof niet dat ik ooit een mooiere vrouw heb gezien. Ze had een huid als zijde en ogen waar je in kon verdrinken. En haar stem – ze had een lage stem. Verrassend laag voor een vrouw. Een stem waar je een wee gevoel van in je buik kreeg. Als het spinnen van een kat of zo, ik weet het niet. Om de rillingen van te krijgen. Ik heb mannen de gekste dingen zien uithalen, alleen om haar stem maar te horen.'

'Je hield van haar.'

Newkirk deed niet eens moeite het te ontkennen. 'Het was onmogelijk niet van haar te houden.'

'Dat moet pijnlijk zijn geweest, aangezien je getrouwd was.'

Ook daar deinsde hij niet voor terug. 'Dat was het ook,' zei hij instemmend. 'Je vindt het misschien gek dat ik het zeg, maar het kon me geen moer schelen. Grace was het waard. Ik was verkocht vanaf het moment dat ik haar voor het eerst zag, en mijn gevoelens zijn nooit veranderd. Zelfs op oudere leeftijd was ze meer waard dan tien andere vrouwen.'

'Wanneer heb je haar ontmoet?'

'Op 11 mei 1943, niet lang nadat ik in Engeland was aangekomen. Op een opleidingsinstituut net buiten Londen.'

'Je was bij de OSS?'

Newkirk knikte. 'Joe Meade en ik voerden vluchten voor ze uit. Zijn pa had voor de oorlog een gewasbeschermingsbedrijfje, en hij heeft ons leren vliegen. Ben je zelf ook in dienst geweest, Cruz?'

'Ja, zeker. Twaalf jaar.'

'Infanterie?'

'In eerste instantie wel. Later kwam ik in het opsporingswerk terecht.'

'Ik snap het. Dus zo ben je in je huidige werk gerold.' Toen Cruz knikte, vervolgde Newkirk: 'Joe en ik zijn ook bij de infanterie begonnen, maar toen de OSS langskwam op zoek naar piloten, hebben we ons opgegeven. Het klonk spannend, voorraden en mensen droppen achter de vijandelijke linies. Gevaarlijk werk ook, maar beter dan met de andere soldaten door drassige weilanden ploeteren.'

'Hebben jullie Grace tegelijkertijd ontmoet?'

'Ja, tijdens de opleiding. British Special Operations had vanaf het allereerste begin al mensen achter de linies, dus daar konden wij een hoop van leren toen wij uiteindelijk gingen meedoen. Grace werkte bij de sectie Vervalste documenten. Ze voorzag de mensen die naar de overkant gingen, van valse papieren.'

Cruz fronste zijn wenkbrauwen. 'Ik dacht dat ze zelf ook in Frankrijk had gezeten.'

'Dat klopt, maar pas later. Ze was jong en smachtte naar avontuur. Net als wij allemaal. En nadat ze zo veel mensen had geholpen, wilde ze daar ook haar steentje bijdragen. Haar moeder was

Française, en ze sprak de taal dan ook vloeiend. Verder beschikte ze over vaardigheden die de Résistance goed kon gebruiken. Na lang aandringen, stemden de Britten toe haar in Frankrijk te droppen. Dat was een paar maanden nadat ik haar had ontmoet. Ik was trouwens degene die haar heeft overgevlogen. Ik vond het vreselijk haar te zien springen. Zoals ik al zei, was ik bezeten van haar. Ik wilde niet dat haar iets overkwam.'

'En Joe?'

'Wat is er met hem?'

'Ik hoorde dat jullie boezemvrienden waren.'

'Al sinds we klein waren.

'Maar wat Grace betreft, waren jullie rivalen.'

Newkirk zuchtte diep. 'Niet echt. Ik was toen al getrouwd, en dat wist Grace ook, dus ik was niet echt in de running, hoe graag ik dat ook had gewild. Sybil en ik waren vlak voor mijn vertrek in het huwelijk getreden. Het was een moetje.'

'Dus Joe en Grace kregen iets met elkaar.'

'Niet meteen. Grace voelde ongeveer hetzelfde voor Joe als ik voor haar, maar hij niet – niet meteen, tenminste. Al had Grace niets te klagen, met al die kerels die achter haar aanliepen.'

'Joe deed dat niet?'

Newkirk schudde zijn hoofd. 'Hij is nooit iemand geweest die achter iets aanging wat iedereen wilde hebben. Hij vroeg bijvoorbeeld altijd de stille meisjes en de meisjes met een bril ten dans, zodat die ook een leuke avond hadden.'

'Aardige vent, zo te horen.'

'Zo was hij nu eenmaal. Altijd opkomen voor de *underdog*. Ik zal je een voorbeeld geven. Toen we tien waren, mocht hij van zijn ouders een hond. We fietsten naar een boerderij waar ze een nestje hadden. En Joe koos natuurlijk het grootste scharminkel van het hele stel uit. Elderchuk, de boer, probeerde het hem uit zijn hoofd te praten, maar Joe wilde er niets van horen. Zelfs zijn ouders verklaarden hem voor gek om zijn keuze. Maar het scharminkel groeide uit tot de beste hond die je je maar kunt wensen. Ze volgde hem waar hij maar ging. Hij noemde haar Queenie, om haar zelfvertrouwen op te vijzelen, zoals hij zei. En kijk nu eens naar de honden in Havenwood. Minstens de helft ervan stamt af van Queenie, omdat iedereen dol was op die hond en graag een pup van haar wilde. En nog iets.'

'Wat?'

'Ze is gestorven op dezelfde dag dat Joe in Frankrijk om het leven kwam. Zijn ouders zeiden dat ze op een ochtend ziek werd, ging liggen en niet meer opstond. Pas na de oorlog hoorden ze dat Joe op die dag was neergeschoten door de Duitsers.'

'Dat is vreemd,' zei Cruz. 'En Grace? Hoe ging het verder met Joe en haar?'

'Ze ontmoetten elkaar weer in Frankrijk.'

'Was u niet verbaasd toen u hoorde dat ze waren getrouwd? Hij was toch niet in haar geïnteresseerd?'

Newkirk nam een lange slok. 'Je hebt geen idee hoe verbaasd ik was.'

'Hoezo?'

'Nou, om te beginnen had Joe inmiddels een meisje leren kennen. Pas nadat Grace naar Frankrijk was gegaan, maar ik kreeg het idee dat het hem menens was. Ik heb haar overigens nooit ontmoet. Ik kreeg geelzucht en belandde in het ziekenhuis, maar Joe vertelde me bij een van zijn bezoekjes dat hij een Frans meisje had leren kennen. Ze maakte deel uit van de vrije Fransen van generaal De Gaulle en stond op het punt terug te keren. Ik weet alleen dat ze Isobel heette, verder niets. Nadat ze in bezet Frankrijk was gedropt, hoorden ze niets meer van haar.'

Newkirk zweeg even, en zijn vinger gleed over de rand van zijn glas. In gedachten leek hij weer terug te zijn in die tijd. 'Om je de waarheid te zeggen,' zei hij ten slotte, 'heb ik, toen ik hoorde dat Joe was neergeschoten, wel eens gedacht dat hij zijn kist zelf aan de grond heeft gezet om haar persoonlijk te gaan zoeken, maar misschien dat ze toen ook al door de Duitsers gepakt was. Een van die duizenden verdwenen vrijheidsstrijders. Slachtoffers van de oorlog.'

'Denkt u echt dat hij dat gedaan heeft?'

'Ik zou het echt iets voor hem vinden om zoiets te doen, maar we zullen er wel nooit achter komen.'

'En dus trouwde hij met Grace in plaats van met Isobel. Geen wonder dat u verbaasd was.'

Newkirk knikte. 'Grace zei dat een van haar contactpersonen bij de Résistance op een dag met Joe kwam aanzetten. Hij werd toevertrouwd aan de Parijse cel waar Grace ook bij hoorde. Ik denk dat Joe onderdook in het huis waar zij woonde, en dat van het een het ander kwam. Grace zei dat ze in de echt werden verbonden door een priester van de plaatselijke parochie, en dat Joe niet lang daarna bij een razzia van de Gestapo werd opgepakt. De moffen zullen wel snel hebben ontdekt dat hij geen Fransman was. Als piloot had hij in een krijgsgevangenkamp moeten belanden, maar hij was niet in uniform en maakte geen deel uit van een officieel leger. Daarom hebben de Duitsers hem de standaardbehandeling gegeven.'

Aandachtig bestudeerde Cruz de andere man, probeerde tussen de regels door te lezen wat hij nu eigenlijk vertelde. 'Waarom klinkt dat alsof u dit zelf niet helemaal gelooft?' vroeg hij.

Newkirk slaakte een diepe zucht. 'Ik twijfel er niet aan dat Grace en Joe elkaar in Parijs hebben ontmoet. Ze vertelde me dat ze van Joe had gehoord dat een van onze kameraden een been was kwijtgeraakt en net was teruggekeerd naar de vs. Dat was Ed Rasmussen – Verna's man. Verna werkt op het politiebureau.'

Cruz knikte.

'Nou, Ed is niet lang voordat Joe's vliegtuig neerstortte, teruggegaan naar huis, dus Grace kon die informatie alleen maar van Joe hebben.'

'Toch zat er nog een luchtje aan Grace' verhaal, nietwaar?'

'Ja. Dat met dat huwelijk zit me niet lekker. Er waren maar weinig mensen die afwisten van Joe's Franse liefde, maar ik wel, en ik vond het merkwaardig dat hij zo kort na dat verlies met Grace trouwde. Natuurlijk had Grace toen ook moeilijke tijden achter de rug, en een vrouw in nood maakte in Joe nu eenmaal zijn beschermersinstinct wakker.'

'Zou Grace toen misschien al zwanger zijn geweest van Jillian?'

Newkirk keek naar de gouden vloeistof die hij in zijn glas liet walsen. 'Ja, dat zou best kunnen. Het is heel goed mogelijk dat Joe daarom met haar is getrouwd.'

'Omdat ze zwanger van hem was?'

'Van hem?' Newkirk nam nogmaals een lange teug en schudde toen zijn hoofd. 'Onmogelijk. Zoals ik al zei, was Joe een geweldige vent, en hij kan heel goed met Grace zijn getrouwd omdat hij wist dat ze onmogelijk kon trouwen met de echte vader van haar kind.'

Cruz hoorde weer een stukje van de puzzel op zijn plaats vallen. 'Dus Joe Meade is niet de vader van Jillian? Weet u dat zeker? Heeft Grace dat gezegd?'

Newkirk haalde zijn schouders op. Hij leek opeens gekrompen. Het was een vreemde gewaarwording. 'Dat was niet nodig. Ik kan tellen. Ik wist dat Joe de vader niet kon zijn, omdat hij niet bij Grace in de buurt was in de tijd dat het kind verwekt moet zijn.'

Er kwam een andere gedachte bij Cruz op. 'Was u het dan misschien?'

Newkirk trok een wenkbrauw op. 'Grappig dat je dat vraagt. Vorige week belde Jillian uit Washington op, en die wilde precies hetzelfde weten.'

'Ze heeft u gebeld? Voordat ze hierheen kwam?'

'Ja. Kennelijk had ze de hand weten te leggen op onze oude oss-dossiers. Ze had data vergeleken en uitgepuzzeld dat Joe en Grace op het... eh, *moment suprême* helemaal niet bij elkaar waren. Dat heeft haar blijkbaar aan het denken gezet.'

'Wat hebt u tegen haar gezegd?'

'Wat ik ook tegen jou heb gezegd. Dat ik er trots op zou zijn haar vader te zijn. Jillian is een lieftallige, intelligente jonge vrouw, en ik hield van haar moeder met heel mijn hart. Als Grace het me had gevraagd, zou ik meteen van mijn vrouw zijn gescheiden. Helaas heeft ze dat niet gedaan.' Hij kneep zijn ogen samen. 'Je hebt inmiddels vast wel horen fluisteren dat zij en ik... nauwe banden onderhielden. Dat ontken ik niet. Daar zie ik de zin niet van in, nu ze er niet meer is. Ik wil mijn gevoelens voor haar niet verloochenen. Dat zou haar onrecht doen. Onze verhouding begon kort na de oorlog, en voor het geval het je je afvraagt, Sybil wist ervan. Ik heb mijn echtelijke plichten nooit verwaarloosd, en ze leek vrede te hebben met mijn relatie met Grace. Die, haast ik mij te zeggen, een volwassen en discreet karakter had. Al kan het me op dit moment eerlijk gezegd geen donder schelen wat anderen ervan denken.'

'En Grace had er ook vrede mee?'

'Dat geloof ik wel. Ik ben blij en dankbaar dat ik kan zeggen dat ze – bij mijn weten – na haar komst in Havenwood nooit meer naar een ander heeft gekeken. Toch wilde ze niet dat ik voor haar van Sybil ging scheiden. Ze wilde geen schandaal en geen schuldgevoel, zei ze. Dus gingen we op de oude voet verder. Als dat de enige manier was waarop ik haar kon hebben, dan moest dat maar. Maar om op je vraag terug te komen, nee, Jillian is niet mijn dochter.'

'En ook niet die van Joe Meade?'

'Nee, hoewel het het beste leek iedereen maar in die waan te laten, ook Joe's ouders. Hij was hun enige kind, moet je weten. Ze waren kapot toen ze hoorden dat hij dood was, maar het vooruitzicht van een kleinkind... Je kunt je wel voorstellen dat dat voor hen een reden was om verder te gaan. Toen ik na de oorlog in Engeland wachtte op de overtocht naar huis, kreeg ik een brief van Art Meade. Hij had een brief gekregen van Grace, en nu wilde Helen dat zij en de baby naar Amerika kwamen. Hij vroeg me of ik een en ander wilde uitzoeken om te zien of dat een goed idee was.'

'Denkt u dat hij vermoedde dat het niet Joe's kind was?'

'Ik denk het niet. Joe had geschreven dat hij een meisje had leren kennen, dus het bericht dat hij getrouwd was, kwam niet helemaal uit de lucht vallen. Art en Helen wisten niets van Joe's meisje, alleen dat ze buitenlandse was. Art was bang dat ze hier misschien niet zou kunnen aarden en wilde Helen niet blij maken met een dooie mus. Daarom vroeg hij of ik Grace wilde opzoeken, voordat ze hun aanbod deden.'

'Dus het was in feite aan u om dat te beslissen.'

'Daar komt het denk ik wel op neer.' Newkirk pakte de fles en schonk eerst Cruz bij en toen zichzelf. 'En ik weet wat je nu denkt.'

'O, ja?'

'Dat ik er belang bij had dat Grace naar Amerika kwam. Ja, dat is natuurlijk ook zo. En misschien denk je ook wel dat ik Grace onder druk heb gezet – dat ik zei dat ik voor haar wilde instaan in ruil voor seksuele gunsten.'

'Was dat ook zo?'

Opnieuw haalde Newkirk geïrriteerd zijn schouders op. 'Ze had me niet echt nodig. Ze had een huwelijksacte van een Parijse parochie, waaruit bleek dat Joe en zij getrouwd waren. En voor de Amerikaanse overheid was dat voldoende.'

'Een huwelijksacte, juist ja,' merkte Cruz droogjes op. 'Wist de Amerikaanse overheid dat ze in de oorlog als vervalser had gewerkt?'

Er speelde een flauw glimlachje om Newkirks dunne lippen. 'Dat weet ik eerlijk gezegd niet. Vergeet niet dat alles in die tijd erg chaotisch was. Landen moesten worden wederopgebouwd, er waren miljoenen mensen dood, ontheemd en vermist. Men had belangrijkere dingen aan het hoofd dan een jonge weduwe en haar baby.'

'Maar u wist hoe het zat, nietwaar? U geloofde niet echt dat Joe met haar was getrouwd, en toch stond u bij zijn ouders voor haar in.'

Newkirk zuchtte. 'Dat is ongeveer hetzelfde waar Jillian me van beschuldigde toen ik zei dat ik haar vader niet was. Ik begrijp best dat ze overstuur was. Wie zou dat in zo'n geval niet zijn?'

'Kon u haar vertellen wie haar vader dan wel was?'

Met vooruitgestoken onderlip schudde Newkirk zijn hoofd. 'Nee. Maar al had ik het geweten, dan had ik het nog niet verteld. Ik heb tegen haar gezegd dat ze dat beter met haar moeder kon bespreken.'

Cruz fronste zijn wenkbrauwen. Wat had Sybil Newkirk ook weer gezegd over de avond voor de brand? Dat ze ruzie hadden gemaakt. Dat Jillian iets had geschreeuwd. "Vertel het me!" Was dat het wat ze zo wanhopig graag had willen weten? 'U zei dat u het niet wilde zeggen. Betekent dat misschien dat u wel een idee hebt wie haar echte vader is?'

'Ik weet alleen wat Grace me heeft verteld toen ik haar na de oorlog had opgespoord. Ze was na de bevrijding samen met haar baby opgepikt door onze troepen. Toen ze de huwelijksacte liet zien om haar bewering dat ze Joe's vrouw was te staven, hebben ze vervoer naar Engeland geregeld en gezorgd dat haar brief bij Joe's ouders terechtkwam. Tegenover mij gaf ze toe dat Jillian niet van Joe was, maar volgens haar had hij wel geweten dat ze zwanger was. Ik wilde haar geloven, en eerlijk gezegd zou het echt iets voor Joe geweest zijn om haar uit de brand te helpen, na alles wat ze had doorgemaakt, en dat arme kindje een naam te geven.'

'En wat had Grace volgens haar dan allemaal doorgemaakt?'

'Gebruik je fantasie, Cruz. Ze was gearresteerd door de Gestapo. Je moet toch een idee hebben wat die met hun vrouwelijke gevangenen deden. Een blonde schoonheid met blauwe ogen als Grace? Die verrekte nazi's met hun obsessie voor het arische ras? Wat denk je dat er is gebeurd? Ze moeten een meisje als Grace als een perfect fokdier voor hun ras van *Übermenschen* hebben beschouwd.'

'Dus u denkt dat ze is verkracht en dat Jillian het kind is van een of andere nazi?'

Newkirk knikte. 'Dus nu begrijp je wel waarom Grace het verleden wilde vergeten en een rustig leven in Havenwood wilde leiden.'

Juist, ja, dacht Cruz, om nog maar te zwijgen over de oorzaak van hun slechte moeder-dochterrelatie. Toen dacht hij aan Simon Edelmann. Wist Edelmann soms iets? Iets wat Grace kennelijk niet had verteld toen Joe Meades beste vriend na de oorlog de weg naar Amerika voor haar had geplaveid?

'Weet u zeker dat het verkrachting was? Of zou het ook kunnen zijn dat ze een Duitse minnaar heeft genomen en dat na de oorlog moest verbloemen? U weet toch wat er na de oorlog met zulke vrouwen gebeurde als ze in handen van de meute vielen, nietwaar? Hun hoofd werd kaalgeschoren en ze werden op karren door de straten gereden, zodat iedereen ze kon bespotten en bespuwen. En wie weet heeft ze ook mensen verraden. Als agente van de Britten zou ze dubbel schuldig zijn bevonden als ze had gecollaboreerd. Ze had de doodstraf wegens verraad kunnen krijgen.'

Newkirk leegde zijn glas en zette het op zijn bureau. 'Ik weet het werkelijk niet, Cruz. Maar het is nu allemaal historie. Grace is er niet meer. Ik weet alleen dat ze me heeft verteld dat ze verkracht is – en ik had geen reden haar niet te geloven. Ik wist dat de huwelijksacte mogelijk een vervalsing was, maar ze had mijn hulp nodig en ze was dankbaar dat ik die gaf. Voor mij was dat genoeg.'

27

Waar was ik gebleven?

Ik had het over Bernard Cohn-Levy en over zijn aanbod me te helpen zijn dossiers door te nemen. En over dat ik, in het gefilterde zonlicht onder de kastanjebomen op het terras van Aux Deux Magots, me de foto's uit de oorlog herinnerde van diezelfde plek, waar kelners in voorschoten nerveus naast een aantal Gestapo-mannen stonden die met hautaine voldoening neerkeken op de verslagen Parijzenaars.

Het beeld van die in leer geklede nazi's moet me zijn bijgebleven, want in de verwarde nachtmerries die ik gisteren had nadat ze me hadden bedwelmd, maakte zich een haarscherpe herinnering los uit de duistere krochten van mijn geest, een bizarre maar ware herinnering aan mijn moeder en een leren jas die opeens, in het licht van wat ik nu weet, een nieuwe betekenis leek te krijgen.

Voor de goede orde moet ik even opmerken dat ze niet het soort moeder was dat drukte van kinderen accepteerde. Toen ik klein was, mochten er dan ook zelden vriendjes komen spelen, tenzij zij uit was en mijn grootouders alleen met me waren. Naarmate we ouder werden – en dus interessanter in mijn moeders ogen – werd ze iets verdraagzamer. Maar toen begon ik er al een hekel aan te krijgen dat ze er dan altijd weer in slaagde het middelpunt van de belangstelling te vormen.

Ik geloof niet dat mijn moeder zich ooit heeft neergelegd bij het idee van oud worden. Schoonheid, charme en een ijzeren wil, dat waren haar handelsmerken. Toen mijn vrienden en ik de volwassenheid naderden, leek ze het steeds meer nodig te hebben om met de jongens te flirten en met de meisjes te concurreren, alsof ze zichzelf of ons wilde bewijzen dat ze nog steeds mooier en betoverender was dan de rest. Nog steeds de onbeschaamde femme fatale die in de oorlog haar charme en talenten met zo'n verwoestende uitwerking had gebruikt. Zelfs haar eigen dochter zag ze als een concurrente.

Nils was mijn eerste vriendje, de enige die ik in Havenwood ooit heb gehad. We kenden elkaar zo ongeveer ons hele leven al, maar we vielen pas op elkaar in de zomer dat ik zestien en hij zeventien was. Twee jaar lang waren we onafscheidelijk. Ik denk dat mijn moeder dat verschrikkelijk heeft gevonden. Toen ze geen smetten kon vinden op zijn familie, zijn uiterlijk of zijn vooruitzichten (in mijn ogen allemaal dik in orde), begon ze verhalen op te hangen dat hij met een veel knapper of intelligenter meisje dan ik was gezien, en begon ze de onvermijdelijke bons die ik ongetwijfeld elk moment zou krijgen alvast te betreuren.

'Ik weet dat het niet eerlijk is, schat. Niemand kan zeggen dat je niet het beste van jezelf probeert te maken, maar je weet hoe mannen zijn. Ze vallen zo gemakkelijk voor een knap gezichtje. Trek het je maar niet persoonlijk aan.'

De middag dat ze vroeg terugkeerde van een middagje winkelen in Minneapolis en ons slapend in elkaars armen aantrof in bed, wees ze Nils met een ijzige opmerking de deur. Daarna richtte ze haar kille, blauwe blik op mij. 'Nou! Jij voelt je zeker heel wat, hè? Wat ben je eigenlijk een zielig, onnozel wicht,' beet ze me toe, voordat ze zich omdraaide en wegliep.

Nog weken daarna zei ze alleen het hoogstnodige tegen me. Ik dacht dat ze Nils verafschuwde, en dus ook het idee dat haar dochter met iemand als hij omging, maar ik piekerde er niet over hem op te geven. Op den duur ging het haar vervelen al die moeite te doen om verontwaardigd te blijven. De situatie verbeterde in die mate, dat Nils zich weer bij ons thuis durfde te vertonen.

Op een dag waren we samen bezig met een project voor school. Ik had zijn leren jack aan de kapstok gehangen, en op een gegeven moment liep ik daar even heen om iets uit mijn jaszak te halen. Toen ik de hoek omsloeg, zag ik mijn moeder staan. Ze had Nils' jack tegen haar borst geklemd en een van de mouwen naar haar gezicht gebracht. Ze hoorde me niet aankomen. Haar ogen waren dicht en ze had haar neus in het zachte leer gedrukt, en ze keek erbij alsof ze een erotische ervaring had.

Ik was toen zeventien, en meisjes van zeventien zien hun moeder niet als een seksueel wezen, hoe mooi ze ook is, dus natuurlijk was het een enorme schok voor me haar zo aan te treffen – en nog wel met het jack van mijn vriendje. Gloeiend van schaamte sloop ik weg, zonder dat ze me zag. Wat ik had gezien, sloot ik weg in het diepste hoekje van mijn geest. Pas nu, na al die jaren, is de herinnering eraan bovengekomen, en vraag ik me af wat het werkelijk te betekenen had.

Men zegt dat de reuk het krachtigste zintuig is dat we hebben, dat geuren het vermogen hebben ons terug te voeren naar een andere plaats, een andere tijd. Wat was er met dat leren jack? Hunkerde ze naar Nils, of bracht de geur van het leer weggestopte herinneringen boven? Dacht ze eraan hoe het was geweest om in de armen te liggen van een knappe, Amerikaanse piloot in zijn leren pilotenjack? Of, dacht ik vanmorgen plotseling, was het die andere in leer geklede man in mijn moeders leven die zulke erotisch getinte herinneringen opriep?

28

Havenwood, Minnesota
Zaterdag 13 januari 1979

Cruz had Berglund beloofd zich niet te laten zien bij de begrafenis van Grace Meade, maar dat wilde niet zeggen dat hij zich niet in de buurt zou posteren om de zaak in de gaten te houden. De hulpsheriff kwam per slot van rekening mensen tekort, en dus was elke hulp welkom, was zijn redenering. De uitvaartdienst zou om elf uur 's ochtends plaatsvinden. Hij was van plan al vroeg naar de stad te gaan en zijn auto ergens te parkeren waar hij de kerk en de treurenden ongezien kon observeren.

Natuurlijk was hij vooral benieuwd naar Jillian. Hij wilde vooral zien hoe zij zich zou gedragen te midden van de mensen met wie ze was opgegroeid, mensen die allemaal naar haar zouden kijken en zich zouden afvragen wat er zich afgelopen dinsdag precies had afgespeeld. Zijn onvermogen om het raadsel van die nacht – en van die vrouw – op te lossen, begon hem steeds meer te irriteren. En hoe zat het met Simon Edelmann? Als hij inderdaad degene was die in het vakantiehuisje aan de overkant had ingebroken en de sneeuwscooter had gestolen om daar dinsdagnacht heen te gaan, wat was zijn motief dan? En wie was eigenlijk het doelwit geweest, Grace of Jillian... of allebei? Nee, Jillian niet, dacht Cruz. Als die op het lijstje van de Mossad had gestaan, was ze allang dood geweest... en dan had ze zelf geen poging hoeven te doen.

Om ongeveer halftien slenterde hij van zijn motelkamer naar

het restaurant om een hapje te eten. De ruimte was verlaten; alleen Ollie Jorgenson was er, druk bezig taarten af te dekken met cellofaan.

'Hallo, Alex,' zei ze opgewekt. 'Ik vroeg me net af of je nog zou komen. Ik dacht dat mijn ontbijt je misschien niet goed bekomen was.'

'Dat had je gedroomd,' verzekerde hij haar. 'Ik was vanmorgen wat later, en toen moest ik eerst ook nog een paar telefoontjes plegen.'

Het eerste telefoontje was naar het privé-nummer van Z'ev Mindel geweest, maar de huishoudster had gezegd dat hij niet thuis was. Op zijn kantoor in de Israëlische ambassade had hij ook geen geluk gehad. Daarom besloot hij te wachten tot Mindel zelf contact met hem zou opnemen over de geheimzinnige Simon Edelmann.

Het volgende telefoontje was naar Gordon Kessler, hoofd van de afdeling Internationale zaken en betrekkingen van de FBI – Cruz' baas. Kessler had de vorige avond gebeld en een boodschap achtergelaten waarin hij Cruz in niet mis te verstane bewoordingen opdroeg hem de volgende ochtend meteen te bellen, zaterdag of geen zaterdag.

'Mag ik weten wat je daar allemaal uitvoert?' bulderde hij toen Cruz hem aan de lijn kreeg. 'Deze zaak was een kwestie van naar het noorden vliegen, die vrouw opzoeken en ondervragen en de volgende dag weer terugvliegen. En opeens krijg ik bericht van het regiokantoor in St. Paul dat jij achter een of andere Mossad-agent aanzit!'

'Het bleek toch wat gecompliceerder dan ik eerst dacht,' begon Cruz, waarna hij zijn baas in het kort op de hoogte bracht van de gebeurtenissen sinds woensdag.

'Oké,' zei Kessler. 'Zo te horen voert dit allemaal veel verder dan simpelweg een verzoek beantwoorden van een buitenlandse politiemacht. Ik roep je terug. We laten de ondervraging van die vrouw over aan het regiokantoor.'

'Het is een gecompliceerde zaak, *sir*, een zaak die lastig over te dragen is.'

'Niemand van ons is onmisbaar, Cruz, hoe graag we dat ook

denken. Ik zal navraag doen over dat visum dat onterecht verstrekt is en contact opnemen met de inlichtingenofficier van de Israëlische ambassade om te zien of ze daar wat meer over deze man weten. Maar ik heb jou hier voor een andere zaak nodig, dus pak je spullen en kom terug.'

'Eh, dat heb ik al gedaan, *sir*.'

'Wat?'

'Contact gehad met Mindel, hun verbindingsman. Ik wacht op zijn telefoontje.'

'Mag ik weten wie jou toestemming heeft gegeven contact op te nemen met een buitenlandse ambassade?' Cruz hoorde het al te bekende geluid van een hele diepe zucht. 'Luister, Cruz, je werkt nog niet zo lang bij ons en je kent de procedures nog niet zo goed. Gezien je staat van dienst zal ik het deze keer door de vingers zien. Maar laat het niet weer gebeuren, begrepen? We werken hier volgens bepaalde regels. Formele contacten met een buitenlandse verbindingsofficier lopen via mij.'

'Begrepen, *sir*. Alleen was het een informeel contact. Z'ev Mindel is een oude vriend van me.'

'Pardon?'

'Ik ken hem al sinds de Olympische Spelen van München. We hielden ons allebei bezig met het onderzoek naar de Zwarte September.'

'Hoe ben jij bij zo'n grote zaak betrokken geraakt?'

'Ik was in die tijd in Duitsland gelegerd in verband met een onderzoek naar een neonazistische beweging die in een van onze legeronderdelen was opgekomen. Toen de Israëlische atleten werden vermoord, kwam ons ter ore dat de moordenaars door Amerikaanse soldaten in het Olympisch Dorp zouden zijn gelaten. Achteraf bleek dat een groepje Amerikaanse atleten dat was wezen stappen in München en stomdronken terugkwam, niet heeft gemerkt dat zich gewapende terroristen in hun gezelschap bevonden die mee naar binnen zijn geglipt.'

'En Mindel hield zich namens de Mossad met die zaak bezig?'

'Ja, *sir*. Sindsdien hebben we contact gehouden.'

'Dat had je wel eens eerder mogen zeggen.'

'Ik was me er niet van bewust dat contact met de Mossad dezelfde meldingsplicht meebrengt als contact met een agent van achter het IJzeren Gordijn.'

'Niet zo betweterig,' snauwde Kessler. 'Dat is niet zo, dat weet je best. Niettemin zul je de regels moeten volgen nu hij hun verbindingsofficier is.'

'Ja, *sir*. Ik zal het onthouden.'

'Goed. Verder draag je de afwikkeling van de zaak met deze Meade over aan het regiokantoor en vlieg je daarna terug naar huis. De situatie in Iran dreigt uit de hand te lopen, en ik wil iedereen op zijn post hebben. Ik verwacht je maandagochtend achter je bureau te zien. Is dat duidelijk?'

'Ja, *sir*.'

Cruz hing op en dacht bij zichzelf dat het nog twee dagen duurde voordat het maandagochtend was – en dat er nog heel wat vluchten tussen Minneapolis en Washington zouden plaatsvinden. Hij zag dan ook geen reden om zijn plannen te veranderen – om te beginnen met het ontbijt.

In het restaurant ging hij op een kruk aan de bar zitten. Het rook er heerlijk. Zijn maag rammelde door de geur van spek, appel, kaneel en broodjes en het water liep hem in de mond, maar hij was de enige die ervan genoot. 'Waar is iedereen?' vroeg hij. 'Ik dacht dat jullie kamers bijna allemaal verhuurd waren.'

'Ha!' Ollie scheurde nog een stuk cellofaan af en drapeerde dat over een goudbruine taart met een vlechtwerkje bovenop, zo te zien bosbessentaart.

Cruz keek spijtig toe toen ze de taart daarna wegzette. Hij had best een stuk willen hebben.

'Wat ben je ook een diplomaat,' vervolgde Ollie. 'Je hóórde dat ze allemaal verhuurd waren, bedoel je. Die ellendige lawaaischoppers hebben me de halve nacht wakker gehouden. Ze zijn hier zogenaamd voor het vissen, maar niemand heeft ze zeker verteld dat die vissen 's ochtends het beste bijten. De serieuze deelnemers halen hun lijn straks alweer in, maar die feestneuzen die hier gisteren hebben geboekt, liggen bijna allemaal nog op één oor.'

Hij grinnikte. 'Dus de grote winnaar logeert hier niet.'

'Dat heb je goed gezien. Ik hoop dat je niet te veel last van ze hebt gehad.'

'Ik ben zelf ook een nachtmens, dus ook zonder de herrie was ik de halve nacht op geweest.'

'Maar goed, je komt ontbijten.' Ollie zette een kop met een lepeltje voor hem neer, pakte de glazen kan uit de koffiemachine en schonk het kopje tot de rand toe vol. 'Ik ben even vergeten of je room gebruikt.'

'Nee, *ma'am*, sterk en zwart, zo drink ik het graag.'

'Alsjeblieft, dan. Begin hier maar mee, dan ga ik aan je ontbijt beginnen zodra ik hiermee klaar ben.'

'Ben je alleen vanmorgen?' vroeg hij, met een blik op haar keurige kapsel en de nette kleren die ze onder haar schort droeg.

'Op het moment wel.'

'Waar is je kleindochter dan?'

'Mijn kleindochter?' vroeg ze verbaasd. 'O, je bedoelt Pam, het meisje dat hier gisteren was.' Toen Cruz knikte, ging ze verder: 'Dat is mijn kleindochter niet. Ze helpt me af en toe. Straks komt ze hierheen om de lunchklanten te bedienen terwijl ik naar de begrafenis ben.'

Cruz knikte naar de taarten. 'Zijn die voor de bijeenkomst na de begrafenis? Heeft Sybil Newkirk jou ook aan het werk gezet?'

'Ja. Ga jij er ook heen?'

'Nee. Dat had hulpsheriff Berglund liever niet.'

'Waarom niet?'

'Hij denkt dat Jillian misschien van streek raakt als ze me daar ziet.'

'Is het heus? Heb je gisteren dan kans gezien met haar te praten? Ik wilde ook even bij haar langs, maar Nils zei dat ik nog beter even kon wachten. Maar jij bent wel bij haar geweest?'

Cruz knikte. 'Donderdagmiddag, en gisteren heb ik even heel kort met haar gesproken.'

'Hoe was het met haar?'

'Gisteren leek ze een stuk beter dan de dag ervoor. Tenminste, het ging beter tot ik langskwam.'

'Dat was geen succes?'

'Laten we zeggen dat het wel eens beter is gegaan.'

'Oeps. Dus Nils vindt dat je je gedeisd moet houden, hè? Kan ik me ook wel voorstellen. Alles op zijn tijd. Dit is per slot van rekening de begrafenis van haar moeder.' Ollie zette de taarten weg en deed de bakplaat aan. 'Nou, wat kan ik voor je maken?'

'Hetzelfde als gisteren? Het houthakkersontbijt?'

Grinnikend pakte Ollie een koekenpan en eieren en begon zijn ontbijt te maken. 'Ik mag dat wel, een man met een gezonde eetlust.' Over haar schouder vervolgde ze: 'Zei je dat Jillian bij de begrafenis zal zijn?'

'Hangt ervan af hoe ze zich voelt – en of haar dokter het groene licht geeft. Lichamelijk is ze veel beter, zoals ik al zei, dus als de dokter denkt dat ze de spanning aan kan, dan zie ik niet in waarom ze er niet zal zijn.' Opeens schoot hem iets te binnen. 'Zeg, Ollie, hoe is het eigenlijk afgelopen met die liftster van gisteren?'

Ollie wilde net een paar sneetjes brood in de broodrooster doen, maar draaide zich om en sloeg met haar hand tegen haar voorhoofd. 'O, verdorie! Dat is waar ook. Ik had je nog willen laten weten hoe het is afgelopen.' Ze liet het brood zakken en drukte de hendel van de broodrooster naar beneden. Toen ging ze verder met de eieren. 'Tegen de avond arriveerden haar ouders hier. Aardige mensen. Ik heb ze verteld dat jij Kelly hebt gestimuleerd naar huis te gaan en haar opleiding af te maken. Ze waren zo dankbaar. Ik heb ook gezegd dat je van plan was te bellen om te horen hoe het met haar gaat. Meende je dat trouwens?'

'Absoluut. Ik wilde haar even de tijd geven om weer te wennen thuis en dan volgende week eens even bellen.'

'Dat vind ik geweldig van je, Alex. Volgens mij heeft ze haar lesje wel geleerd. Ik hoop het in elk geval. Voordat ze gisteravond vertrokken, heb ik nog naar je kamer gebeld. Kelly wilde afscheid van je nemen en je nogmaals bedanken, maar je was er niet. Ik heb gezegd dat ik het tegen je zou zeggen.'

'Ik deed het met genoegen.'

'Volgens mij was ze blij dat ze weer naar huis ging,' zei Ollie, terwijl ze zijn eieren omdraaide. 'We hebben trouwens afgesproken dat we tegen haar ouders niet te veel zouden zeggen over die episode met die vrachtwagenchauffeur. Dan weet je dat, wanneer je daarheen belt. We zijn nog met haar naar de dokter geweest, en Pam heeft haar de hele middag gezelschap gehouden.'

'Goed van Pam dat ze aan de bel trok toen ze die twee gisteren zag.'

Ollie trok een gezicht. 'Ja, ze is heel erg gespitst op die dingen.'

'Wat bedoel je?'

Voor Ollie antwoordde, liet ze zijn eieren op een bord glijden, haalde het deksel van een grote warmhoudschaal om er een grote schep gebakken aardappelen met spek uit te halen, pakte bestek en ving toen, met een timing die een circusacrobaat waardig zou zijn, de toast precies op het moment dat die uit de broodrooster schoot.

'Twee jaar geleden is zij ook van huis weggelopen,' zei ze, terwijl ze zich omdraaide en zijn ontbijt voor hem neerzette. 'Het enige verschil tussen haar en Kelly is dat zij geen ouders had die zich thuis zorgen zaten te maken en bereid waren honderden kilometers te rijden om haar op te halen. Verre van dat. Ze was hier stukken beter af.'

'Wat was het probleem dan? Werd ze misbruikt?'

Na een korte aarzeling, knikte Ollie wat onwillig. 'Ja. Door haar stiefvader. Als hij haar tenminste niet alle hoeken van de kamer liet zien. Ze heeft me het hele trieste verhaal trouwens pas een paar maanden geleden verteld. We zagen op een dag zijn naam in de krant staan. Hij was gearresteerd omdat hij een vrouw in Florida had verkracht. Toen knapte er iets bij Pam en kwam het hele smerige verhaal eruit.'

'Ze zal je wel dankbaar zijn dat je haar onder je hoede hebt genomen,' zei Cruz, een eerste hap van zijn ontbijt nemend en goedkeurend knikkend.

'Ach ja, iedereen doet wat hij kan, nietwaar?' Ze pakte een doos en zette haar taarten erin.

'We doen ons best. Lekker is dit, zeg.'

'Fijn. Maar nog even over Jillian. Je zei dat het lichamelijk beter ging? En voor de rest? Dat arme kind, dat ze zichzelf toch wat probeerde aan te doen, dat is toch niet te geloven?'

Dat was Cruz met haar eens.

'Denk je dat ze zich nu wat beter voelt?' vroeg Ollie.

Cruz keek even om zich heen. Ze waren nog steeds alleen.

Door de openstaande deur, die naar het kantoortje leidde waar hij zich had ingeschreven, zag hij Ollies man, Norbert, in een wit overhemd met een losjes geknoopte stropdas staan. Waarschijnlijk was hij in afwachting van het moment dat hij met Ollie naar de begrafenis kon gaan, maar hij was druk in gesprek met een klant en leek geen belangstelling te hebben voor wat zich in het restaurant afspeelde.

Ollie leek te weten wat hij dacht. 'Ik vraag het niet uit nieuwsgierigheid, Alex, maar omdat ik haar graag mag. Zoals ik al zei, waren mijn Nancy en zij vroeger goede vriendinnen en kenden Norbert en ik haar vader en zijn ouders ook goed. Je hebt geen idee hoe vaak Jillian hier heeft geslapen, vooral na de dood van Art en Helen. Ik vind het vreselijk dat het zo slecht met haar gaat. Het is net of die familie te veel verdriet heeft gekend.'

'Dat is misschien wel zo, maar om je de waarheid te zeggen, kan ik geen hoogte van haar krijgen.'

'Je denkt nu toch niet meer dat ze iets te maken heeft met de dood van Grace?'

'Nou, afgezien van hun gespannen verhouding, de jerrycan die Jillian die dag met benzine heeft gevuld en de knallende ruzie die ze volgens zeggen die avond hadden, nee, natuurlijk niet. Ze hadden een perfecte moeder-dochterrelatie.'

Ollie keek hem even geschrokken aan. Toen trok ze een gezicht. 'Je houdt me voor de gek.'

'Nee, *ma'am*, echt niet. Ik zou niet durven. Maar Jillian komt wel over als een problematisch type. Was ze altijd al zo in zichzelf gekeerd?'

'Hoe bedoel je?'

'Zo oogklepperig? Zo gesloten?'

'Nou,' zei Ollie, met haar heup tegen de bar geleund, 'ze was altijd wel heel stil. O, heel vriendelijk en nooit te beroerd om een hand uit te steken, maar je wist eigenlijk nooit goed wat ze dacht en voelde. Dat hield ze allemaal voor zich.' Bedroefd schudde ze haar hoofd. 'Misschien had ze een goede reden om zo te zijn. Er zijn meer vormen van misbruik, weet je.'

'Denk je dat ze als kind misbruikt werd?'

'Nou, dat is misschien te sterk uitgedrukt, maar Jillian leek altijd zo... Ik weet niet, zo... Altijd een beetje treurig, snap je?' Ze ging rechtop staan en veegde haar handen af aan een theedoek. 'Maar ik weet het natuurlijk niet zeker. Ik heb alleen het idee dat ze er na de dood van Helen en Art alleen voor stond. Niet dat Grace haar verwaarloosde, of zo, maar ze was altijd zo druk met haar eigen dingen dat... Ik weet niet... Jillian was zo vaak alleen. Norbert en ik hebben gedaan wat we konden. Zoals ik al zei, was ze hier heel vaak, maar we hadden zelf vier kinderen en een zaak die we aan de gang moesten krijgen en... Nou ja, je weet hoe dat gaat. Maar toch voel ik me een beetje schuldig tegenover haar, net of we meer voor haar hadden kunnen doen.'

'Zo te horen heb je heel wat gedaan. Ik denk niet dat je jezelf iets hoeft te verwijten.' Nadenkend prikte Cruz in zijn eieren. 'Ik zou dit niet moeten doen.'

'Vind je ze niet lekker? Ik dacht dat je ze gisteren ook zo had en daarom –'

'Wat? O, ik had het niet over het eten. Dat is heerlijk.'

'Wat dan?'

'Ik wilde zeggen dat ik jou hier niet bij zou moeten betrekken, maar ik kom er zelf niet uit.'

'Wat bedoel je?'

Cruz ging rechtop zitten. 'Berglund en haar. Wat is er gebeurd? Waarom ging het uit tussen hen?'

'Heb je Nils daarnaar gevraagd?'

'Min of meer.'

'En wat zei hij?'

'Hij zei dat hij haar heeft teleurgesteld. Dat hij haar had moeten meenemen uit Havenwood, weg van haar moeder, toen hij in dienst ging. Maar omdat hij hier na zijn diensttijd weer terug wilde komen, heeft hij dat niet gedaan, maar haar gevraagd op hem te wachten.'

'En dat was het?'

'Zo ongeveer. Daarom snap ik het niet. Hij barst duidelijk van de schuldgevoelens, maar ik snap niet waarom. Iedereen heeft wel een oude vlam. Je gaat niet je hele leven gebukt onder het feit dat het niets werd.'

'Denk je dat dat invloed heeft op Nils' oordeel of de manier waarop hij zijn werk doet?'

'Eerlijk gezegd weet ik dat niet. Hij is zo onkreukbaar als maar kan, maar ik weet niet of hij wat haar betreft objectief kan zijn.'

Ollie begon druk de al brandschone bar te poetsen. Duidelijker ontwijkingsgedrag had Cruz zelden gezien. Hij wist dat het onprofessioneel en onethisch was om de plaatsvervangend politiechef van Havenwood te bespreken met een burger, maar na alles wat hij had gezien, vertrouwde hij op Ollies oordeel. Bovendien bood zij de beste aanknopingspunten.

'Je dochter moet iets geweten hebben van wat zich tussen die twee heeft afgespeeld,' drong hij aan. 'Kun jij een reden bedenken waarom hij zo overgevoelig is op dat punt?'

Hoofdschuddend legde Ollie haar armen op de bar. 'Ik weet het niet, Alex. Ik weet dat je het goed bedoelt, maar het is allemaal zo lang geleden dat ik me niet kan voorstellen dat dat veel te maken heeft met wat er nu is gebeurd. Zelfs toen hoorde ik al dingen die ik moeilijk kon geloven. Sommige verhalen zijn nu eenmaal ongeloofwaardig. Ik zie niet in wat voor nut het heeft die nu weer op te rakelen.'

De koekoeksklok aan de wand boven de kassa sloeg tien keer. Het deurtje boven de wijzerplaat ging open en een poppetje met blonde vlechtjes en een groen dirndlrokje kwam naar buiten en draaide pirouettes op de pingelklanken van 'Lili Marleen'. Ollie keek ernaar en glimlachte. 'Die heeft mijn jongste broer meegebracht uit Duitsland. Daar was hij in de jaren vijftig gelegerd.'

'Echt waar? Ik ook.'

Het muziekje was afgelopen en het meisje verdween weer in haar huisje. Ollie begon weer te poetsen, tot Cruz een hand op haar arm legde om haar tegen te houden. 'Ik denk dat Jillian grote problemen heeft. En ik denk dat Nils ook niet lang meer tegen de druk bestand is. Dat hij misschien iets stoms gaat doen waar hij zijn hele leven spijt van heeft.'

'Grote problemen? Denk je dat echt?'

'Ja, dat denk ik. Ik heb nog niet alle stukjes van de puzzel, maar ik denk dat Jillian betrokken is geraakt bij iets heel gevaarlijks. En ik kom er niet achter wát, als ik niet weet wat er vroeger is gebeurd, laat staan dat ik haar kan helpen. Ik tast volledig in het duister wat dat betreft, en een beetje hulp zou bijzonder welkom zijn.'

Ollies schouders zakten naar beneden, toen knikte ze met tegenzin. 'Zoals ik al zei, heb ik haar lange tijd niet gezien, Alex, dus wat er de laatste tijd in haar leven speelt, weet ik niet. Maar ik weet wel dat als Nils Berglund zich schuldig voelt... Ik wil maar zeggen, als het verhaal waar is dat mijn Nancy heeft gehoord, dan heeft hij daar alle reden toe.'

29

Mijn hoofd is eindelijk helder en ik wil niets liever dan mijn verhaal afmaken, maar dokter Kandinsky zegt dat Nils zo komt om me op te halen voor de begrafenis, als ik me tenminste in staat voel daarbij te zijn. Ik voelde dat ze me probeerde te peilen, dat ze wilde weten of ik normaal genoeg ben om de buitenwereld in te gaan, zij het tijdelijk en onder begeleiding van een politieman. Ik ben denk ik geslaagd, want ze liet de beslissing aan mij over.

Hoe kan ik niet gaan? Ik ben de enige nabestaande. Ik moet er toch bij zijn om mijn moeder ten grave te dragen, nietwaar? Wat zou ze beledigd zijn als ik wegbleef. Aan de andere kant, zou ze niet even geschokt zijn als ze wist dat haar begrafenis publiek vermaak was? Eerlijk gezegd zie ik er als een berg tegenop al die mensen die er zullen zijn, onder ogen te komen. Ik kan wel raden wat die zullen denken. Ze hebben geen idee dat de waarheid nog erger is dan hun verbeelding.

Ik zou door de zure appel heen moeten bijten en gewoon moeten gaan, maar ik moet dit verslag afmaken. Ik ben kwaad dat ik zoveel tijd heb verspild. Nadat die vreselijke man van de FBI gisteren bij me was geweest, heb ik de halve dag doorgebracht in een akelige roes van kalmeringsmiddelen. Ik wil niet denken aan wat hij zei over Nellie Entwistle en Miss Atwater, want dan word ik nog gekker dan ik kennelijk al ben. Nu hebben we ook hun bloed aan onze handen, mijn moeder en ik.

Als ik heel eerlijk ben – en dat is mijn bedoeling in dit verhaal – dan moet ik toegeven dat ik degene ben die de dood naar hun deur heeft geleid. Als ik deze zoektocht niet was begonnen, zouden die twee vrouwen nog leven. Het was wellicht beter als ik deze weg nooit was ingeslagen, maar als ik nu ophoud, is hun dood nog verdrietiger, omdat ze dan voor niets zijn gestorven. Ik kan dus alleen maar verdergaan met mijn verhaal.

Ik heb gezegd dat mijn moeder meermalen door de Gestapo is gearresteerd. Elke actie van het Parijse verzet, of die nu wel of niet geslaagd was, werd onvermijdelijk gevolgd door represailles als massa-arrestaties en andere bestraffende maatregelen. Maar het was zinloos om de Résistance op die manier te willen breken. De leden van het verzet verspreidden zich in alle richtingen en zochten haastig nieuwe onderduikadressen, van waaruit ze hun operaties tegen de bezettingsmacht konden hervatten.

Cohn-Levy's dossiers verschaften me de informatie over de arrestatie en detentie van mijn moeder in het hoofdkwartier van de Gestapo. In hun onberispelijke administratie kwamen we de naam 'Sylvie Fournier' tegen, mijn grootmoeders meisjesnaam en de naam die mijn moeder aannam toen ze bij het verzet kwam. Hij dook voor het eerst op in een lijst met personen die waren gearresteerd op 12 oktober 1943 tijdens een razzia in de Parijse voorstad Gentilly. Die dag werden er tweeëntwintig mensen opgepakt. Er was recentelijk een nieuwe *Obermeister* in Parijs aangekomen, een ondergeschikte, maar niettemin machtige functionaris met de naam kolonel Kurt Braun. Braun had kennelijk opdracht het noordelijk deel van Parijs te zuiveren van verzetsmensen en sympathisanten. Dit gedeelte van de stad werd beschouwd als de toegangspoort tot de stad, mochten de geallieerden vanaf de Kanaalkust aanvallen.

Braun had zich voorgenomen meedogenloos op te treden om zijn superieuren in Berlijn, de Résistance en de bevolking te imponeren – alsof het land de afgelopen drie jaar nog niet genoeg had geleden onder de Duitse bezetting. Ik heb een foto van deze kolonel Braun gezien. Hij ziet er lang en slank uit in zijn strak gesneden Gestapo-uniform, donker haar weggestopt onder zijn stijve pet, met donkere, harde ogen.

Objectief bekeken zou hij knap te noemen zijn, maar wel met een wrede mond. Voordat de nazi's in de jaren '30 aan de macht kwamen, was hij volgens Cohn-Levy boekhouder geweest in Beieren. Zijn ster begon te rijzen toen hij de lokroep volgde van een megalomane huisschilder die droomde van een Duizendjarig Rijk – een fanaticus die Brauns nicht tot minnares had genomen en, op het laatst, tot zijn vrouw. Van Kurt Braun zelf werd gezegd dat hij een vrouw in Beieren had, maar in Parijs had hij de reputatie dat geen vrouw veilig voor hem was. Hij had een zwak voor lekker eten, goede wijn en mooie vrouwen – drie dingen waarover de bezetter in ruime mate kon beschikken.

Niet dat er altijd dwang nodig was. Het was voor een man in zijn positie zelfs helemaal niet moeilijk om te krijgen wat hij wilde, inclusief de vrijwillig gegeven aandacht van mooie vrouwen. Bij mijn onderzoek naar deze periode verbaasde het me elke keer weer hoeveel moeite gewone mensen moesten doen om aan eten te komen. De rantsoenering is in oorlogstijd altijd een probleem, maar in het door de nazi's bezette Europa had de geknechte bevolking het wel bijzonder zwaar. Tenzij ze op de zwarte markt de hand wisten te leggen op wat extra voedsel, dreigde er ernstige ondervoeding, zo karig was het rantsoen dat de bezetter hun had toebedeeld. Een half broodje extra. Een half onsje thee of surrogaatkoffie. Suiker. Melk. Een ei.

In tegenstelling tot de rest van de bevolking hoefden mooie, jonge vrouwen geen honger te lijden – niet als ze voldoende meewerkten. Ze hadden een lichaam en een glimlach die ze konden ruilen voor toegang tot de vrijwel onuitputtelijke voorraad in de pakhuizen van de bezetter: vlees, wijn, chocolade. Etentjes in de beste restaurants. Champagne en een warm, zacht bed. Geld om kleren, kousen of een nieuwe jas te kopen. Honger maakt zwak. Een constant gebrek aan alles is dé manier om het moreel te ondermijnen.

Als deze vrouwen na de oorlog werden gepakt, betaalden ze een verschrikkelijke, vernederende prijs voor hun heulen met de vijand. Ze werden uitgekleed, kaalgeschoren en door een boze, spuwende menigte door de straten gevoerd. Maar tijdens de bezetting hadden ze het misschien een verstandige zet gevonden om hun lot met de overwinnaar te verbinden.

En mijn moeder? Die was ook jong en mooi. Hoe groot was de kans dat ze na haar arrestatie zou ontsnappen aan het oog van een vrouwengek als Braun? Nihil, bleek later. Het was precies datgene waar Miss Atwater zo bang voor was geweest toen ze de beeldschone, blonde, blauwogige drukkersdochter had gerekruteerd – Grace Wickham viel meer op dan goed voor haar en voor iedereen was.

Ik twijfel er niet aan dat mijn moeder met de beste bedoeling naar het bezette Frankrijk vertrok, maar ze was haar hele leven al gewend om bewonderd en in de watten gelegd te worden. Ze was niet toegerust om de vernederingen van een bestaan aan de onderkant van de samenleving lang vol te houden. Hoe groot was de kans dat ze de verleiding van een leven in luxe zou kunnen weerstaan? Eveneens nihil, zo bleek. Ze was eenvoudig niet in staat zich langdurig op te offeren.

Bij haar eerste arrestatie werd ze twee weken vastgehouden, op uitdrukkelijk bevel van de Obermeister. Niemand weet wat er in die tijd precies is voorgevallen, maar er is niet veel fantasie voor nodig om de gebeurtenissen te reconstrueren. De Gestapo probeerde de wil van hun gevangenen te breken door een kwistig gebruik van vernedering, pijn en omkoping – om nog maar te zwijgen over verleiding.

Wat Braun ook met haar deed, kennelijk heeft het gewerkt. De arrestantenlijsten van de Avenue Foch geven alleen de datum van aanhouding en vrijlating, maar Cohn-Levy en ik stuitten in een ander dossier op een veel meer belastende context op de naam 'Sylvie Fournier'. Op de avond van de 18e oktober 1943 noteerde een chauffeur in zijn rittenboekje dat hij kolonel Braun plus gaste naar Maxim's had gereden, en van daaruit naar hotel Georges V. Een dag later noteerde hij dat hij werd teruggestuurd naar het hotel om een handtas op te halen die daar was vergeten door de gaste van de kolonel... ene 'Mlle. Fournier'.

Mijn hart brak toen ik die triviale, terloopse notitie vond, al wees die ons in elk geval in de goede richting. We vlooiden de rittenboekjes na van de dagen daarna en vonden maar liefst elf verwijzingen naar uitstapjes. Uitstapjes naar de Galeries Lafayettes en winkels langs de Boulevard Faubourg-St. Honoré, het Lido, de Moulin Rouge, Maxim's (opnieuw) en diverse andere Parijse nachtclubs, die allemaal eindigden in hetzelfde hotel, met steeds ene 'Mlle. Sylvie Fournier' onder de gasten van de kolonel. Terwijl haar kameraden van het verzet werden lastiggevallen, opgejaagd, gemarteld en vermoord, had mijn moeder het druk met truffels eten, nachtclubs bezoeken, champagne drinken en de liefde bedrijven onder de kristallen kroonluchters van hotel Georges V.

Op oktober 26 werd ze volgens de verslagen vrijgelaten en teruggestuurd naar haar cel in de noordelijke voorstad. Het klopt inderdaad, zoals Miss Atwater al zei, dat Sylvie Fournier volgens de dossiers daarna nog diverse keren gedurende korte tijd is vastgehouden, maar Miss Atwater keek niet ver genoeg. Toen ze er eenmaal achter was dat mijn moeder gezond en wel was en zich weer in Londen bevond, had ze simpelweg niet verder gezocht naar verwijzingen naar 'Sylvie Fournier'. Had ze dat wel gedaan, dan was ze misschien net als ik op de waarheid gestuit, en was mijn moeder misschien wel gearresteerd en aangeklaagd wegens verraad. Geen wonder dat mijn moeder van streek was en niet wilde meewerken toen Miss Atwater haar in die tweekamerflat in Noord-Londen aantrof.

Arme, gewetensvolle Miss Atwater, die zo naar haar vermiste 'schaapje' zocht. Ze had geen tijd om het web van leugens te ontrafelen, maar bijna niets van de voorstelling die ze zich had gemaakt van mijn moeders laatste maanden in bezet Frankrijk wordt gestaafd door de onbekende administratieve gegevens die ik in Cohn-Levy's doolhof van dossiers aantrof. Die dossiers geven aan dat mijn moeder steeds weer met kolonel Braun op stap was terwijl ze verondersteld werd in een onderaardse kerker te zuchten.

Hadden haar collega's bij het verzet geen idee wat er speelde? Ze bezocht besloten nachtclubs ver van Gentilly, dus de kans dat ze gezien werd door de drukkers, timmerlieden en winkeliers uit die buurt, was te verwaarlozen. En de Résistance was om veiligheidsredenen opgedeeld in afzonderlijke cellen, zodat een lid van de afdeling Parijs-Centraal dat haar met Braun zag, waarschijnlijk niet eens wist dat zij zogenaamd aan de kant van het verzet stond.

Of wisten ze het wel? Had ze haar kameraden misschien wijsgemaakt dat ze als dubbelspionne kon werken? Had ze inmiddels zo'n greep op kolonel Braun, dat dat aannemelijk was? Misschien, maar Cohn-Levy en ik hadden al snel door dat dat moeilijk te bewijzen zou zijn. Er waren maar weinig leden van haar cel die de oorlog hadden overleefd...

Hoe dan ook, op dat moment was het voor mij bijna bijzaak of ze de Résistance al dan niet had verraden. Al wilde ik het nog steeds niet geloven, ik leek per ongeluk te hebben ontdekt wie mijn vader was.

Vanaf dat punt waren al mijn wanhopige, doelloze inspanningen erop gericht mijn ongelijk te bewijzen.

30

Havenwood, Minnesota
Zaterdag 13 januari 1979

Tien minuten voor de begrafenis waren Nils Berglund en Jillian Meade nog steeds niet komen opdagen. Zoals verwacht, puilde de kerk uit. Cruz had het idee dat heel Havenwood op deze schitterende koude winterdag was uitgelopen om Grace Meade ten grave te dragen. Hij zag de mensen zich verdringen op de brede trappen van het kerkgebouw in een poging een zitplaats te bemachtigen voor het gebeuren en vroeg zich onwillekeurig af hoeveel van hen waren gekomen om te zien of de gekke, moordzuchtige, scandaleuze dochter het waagde haar gezicht te laten zien.

Ineengedoken achter het stuur van zijn auto, probeerde hij de naamloze vrees in zijn binnenste te temperen toen hij de menigte uiteen zag wijken voor de Newkirks. Sinds de vorige avond, toen Cruz hem het grootste deel van zijn veertig jaar oude fles cognac soldaat had zien maken, leek de burgemeester het laatste restje van zijn politieke vernislaagje te hebben afgestroopt. Hij was in één nacht oud geworden en oogde breekbaar, zoals hij door de menigte schuifelde en de trap beklom, met zijn vrouw aan zijn arm. Sybil was geheel in het zwart gekleed en wankelde naast hem voort op onmogelijk hoge hakken. Over haar dophoedje was een lange, zwarte sluier gedrapeerd, misschien om de herinnering aan Jackie Kennedy na Dallas op te roepen.

Na de Newkirks volgden Ollie en Norbert Jorgenson, die niet

lang na Cruz uit het Whispering Pines moesten zijn vertrokken, met Verna van het politiebureau, allemaal op hun paasbest gekleed. De knappe Lydia, die van de Singapore Slings en met de verlegen glimlach, was er ook, zag Cruz, samen met haar potige vriend die, zoals Ollie al had gezegd, de bewaker was die een paar dagen geleden de met lucht gevulde injectiespuit uit Jillians arm had getrokken. De held trok een belangrijk gezicht terwijl hij de treden naar de kerk besteeg, links en rechts naar de verzamelde menigte knikkend alsof hij een beroemdheid was – al was dat misschien de jaloezie die sprak, dacht Cruz, terwijl hij Lydia aan de arm van de grote lummel door de neogotische poort naar binnen zag verdwijnen.

Met een zucht knoopte hij zijn overjas los, die knelde omdat hij er zoveel kleren onder aan had, trok zijn holster recht en maakte zich daarna op voor de lange zit.

Een paar minuten later arriveerden Sharon Berglund en haar zus, Shelli. Toen Cruz hen samen zag, werd hij opnieuw getroffen door de overeenkomst in hun warme glimlach en vlotte manier van doen. De zussen werden op het trottoir opgewacht door Carla de amazone, die zwarte leren laarzen met plateauzolen droeg en een lange, tomaatrode jas die openhing en waaronder een zwartleren minirok en een laag uitgesneden, witte blouse met ruches te zien was. Ze liepen gedrieën gearmd de trap op. Bovenaan bleef Sharon Berglund staan, zei iets en bleef toen aan de kant wachten. Shelli en Carla verdwenen de kerk in.

Om vijf voor elf moest heel Havenwood zich in en om de kerk verzameld hebben voor de uitvaart van Grace Meade, op de hulpsheriff en de dochter van de overledene na. Te oordelen naar de manier waarop Sharon Berglund zoekend van links naar rechts keek en op haar lippen beet, maakte Cruz op dat Berglund zijn vrouw had verteld dat hij van plan was Jillian op te halen. Maar waar bleven ze toch?

Er verstreken nog vijf minuten. Het werd stil op straat. Uit de kerk dreven de klanken van orgelspel door de openstaande deuren naar buiten en vanaf het meer drong vaag het hoge, gierende geluid van sneeuwscooters door. Toen zweeg het orgel. Sharon Berglund wierp een laatste bezorgde blik op de straat en ging toen naar binnen. De deuren werden achter haar gesloten. Grace Meades uitvaartdienst begon zonder haar enige nabestaande.

Cruz bleef nog een paar minuten zitten. De voorruit besloeg terwijl hij wachtte of Berglunds zwart-witte surveillancewagen toch nog op kwam dagen. Ten slotte zag hij in dat het niet meer zou gebeuren, startte de motor en veegde de ruit schoon. Daarna verliet hij Havenwood en reed naar Montrose om te horen wat er tussen gekomen was.

Toen hij twintig minuten later bij het ziekenhuis arriveerde, was het daar een drukte van belang. Bij een hoek van het gebouw stond een aantal politiewagens met het zwaailicht in werking schots en scheef geparkeerd. Overal klonk het statische geruis van politieradio's. Een stuk asfalt achter het hoofdgebouw was afgezet – een soort pleintje dat werd omzoomd door struikgewas en dat onzichtbaar was vanaf de parkeerplaats. Er stonden verscheidene politiemensen bij om nieuwsgierigen op afstand te houden. Toen Cruz erheen liep, werd hij tegengehouden door een politieman, maar nadat hij zijn penning had laten zien, kon hij zonder problemen doorlopen.

Heel even hield hij in. 'Wat is er gebeurd?'

De agent wees met een duim over zijn schouder. 'Een van de patiënten is uit het raam gesprongen.'

Cruz' blik werd getrokken door een openstaand raam op de tweede verdieping. Het moest dus iemand van de psychiatrische afdeling zijn geweest. 'O, shit.'

'Pardon?'

'Wie heeft hier de leiding?'

'De inspecteur daar, achteraan,' antwoordde de jonge agent.

Cruz knikte, trok het lint omhoog, liep eronderdoor en ging op zoek naar Berglund. Die was echter nergens te vinden. Op het asfalt was iemand van de technische recherche bezig iets op te meten, terwijl een ander door de struiken liep en foto's maakte. Toen Cruz dichterbij kwam, zag hij natte vlekken op het asfalt, en zijn maag draaide om. Bij de personeelsingang was een man in uniform bezig de riemen van de brancard over een met een laken bedekt lichaam vast te gespen. De gestalte onder het met bloed bevlekte laken leek uitgemergeld, net als de vrouw die

Cruz de afgelopen dagen door de doorkijkspiegel had bekeken was geweest. Zijn schuldgevoel werd aldoor groter terwijl hij toekeek. Had hij dit gedaan? Had hij haar met zijn genadeloze vragen over de rand geduwd?

Net wilde hij vragen of hij het lichaam mocht zien, toen hij dokter Kandinsky bij de zij-ingang zag staan. Onze Lieve Vrouwe van het Eeuwige Vest, dacht hij toen hij zag dat ze haar armen om haar bovenlichaam sloeg als bescherming tegen de gure wind. De aanwezigheid van de psychiater bevestigde zijn ergste vermoedens. Ze was in gesprek met een man in een gekreukeld pak, die de vermoeide uitdrukking had die alle inspecteurs hadden. Cruz liet zijn penning zien aan een toesnellende agent en kon toen doorlopen.

'Dokter Kandinsky?'

Ze beschermde haar ogen met haar hand tegen de felle zon. 'O, agent Cruz.'

'Wat is er gebeurd?'

Ze schudde bedroefd haar grijze hoofd en negeerde de losgesprongen plukjes die voor haar ogen hingen. 'Een raam van een van de gewone kamers stond open. Die zijn gewoonlijk vergrendeld zodat ze niet verder dan een paar centimeter opengaan, maar op de een of andere manier... Ik weet het niet... De schroeven zijn in de loop van de tijd losgeraakt of iemand heeft ermee geknoeid. En 's winters halen we de horren altijd weg...' Haar stem stierf weg terwijl ze machteloos met haar hand gebaarde.

'Neem me niet kwalijk,' zei de inspecteur, 'maar wie bent u eigenlijk?'

'Agent Alex Cruz, FBI.'

De inspecteur bekeek zijn penning. 'Wat komt u doen?'

'Het slachtoffer was een belangrijke getuige in een zaak die ik onderzoek.'

'Wat?' zei dokter Kandinsky snel. 'O, nee, agent Cruz, het is Jillian niet, maar iemand anders. Het spijt me, ik dacht dat u dat wel wist.'

'Wie was het dan wel?'

'De verslaafde jongen die hier aan het afkicken was.'

Cruz haalde zich de slungelige, langharige jongen van zestien voor de geest, die ze in de kamer naast die van Jillian hadden gezien bij hun eerste bezoek aan de afdeling.

'O, wat een vervelend misverstand,' zei hij. 'Maar toen ik u met de inspecteur zag praten, ging ik ervan uit dat het om Miss Meade ging, gezien haar voorgeschiedenis.'

'Nee, het was Stephen,' zei dokter Kandinsky bedroefd. 'Zo ontzettend jammer. Hij was al bijna een week clean. Het was voor het eerst sinds zijn komst dat hij van zijn kamer was. Ik heb hem verteld dat het ergste voorbij was. Als hij het nog even had volgehouden, zou hij er helemaal vanaf gekomen zijn.' Haar blik gleed naar de brancard, die net in een ambulance werd geschoven, en ze schudde haar hoofd. 'Zijn ouders zullen gek zijn van verdriet.'

'De lijkschouwer vond een theelepeltje in zijn zak,' zei de inspecteur. 'De punt ervan was afgesleten, alsof hij het als schroevendraaier had gebruikt. Die jongen was ten einde raad, dokter.'

'Reden te meer om hem beter in de gaten te houden.'

'Wat ontzettend vervelend dat dit is gebeurd,' zei Cruz. Hij had eerder junkies met een drang tot zelfvernietiging gezien, vroeger fatsoenlijke kerels die verslaafd waren geraakt aan de kick en die uiteindelijk het punt hadden bereikt waarop ze walgden van zichzelf, omdat ze hun moeder nog verkocht zouden hebben voor een shot. Het punt waarop ze zich van kant maakten. 'Maar sommige verslaafden zijn niet meer te helpen.'

Haar uitdrukking liet hem weten dat ze zichzelf niet zo makkelijk vrijpleitte. 'Ik dacht dat we vorderingen maakten.'

Cruz knikte meelevend. 'Dus Miss Meade is nog steeds boven? U vond het toch beter haar niet te laten gaan?'

'O, maar ze is wel degelijk naar de begrafenis. De hulpsheriff heeft haar een tijdje geleden opgehaald. Ik was eerst van plan om mee te gaan, maar dat lukte niet. Het was een heksenketel vanmorgen. Een van onze oudere patiënten heeft een heel onrustige nacht gehad, en daar moest ik eerst naar toe. Anders had ik misschien een verpleegster gestuurd, maar we kampen met te weinig personeel. Twee leden van mijn staf hebben zich ziek gemeld. Bovendien wilde Jillian noch de hulpsheriff daar iets van weten.' Ze slaakte een diepe zucht. 'Het was vanochtend al een chaos en toen gebeurde dit...'

'Maar u achtte haar wel in staat om te gaan?'

'Ja,' antwoordde Kandinsky afwezig. 'Ze was vanmorgen een heel stuk beter. Ik had wat kleding voor haar gevonden en ze wilde het proberen, zei ze. Als ze er alleen heen had gemoeten, had ik haar niet laten gaan, maar hulpsheriff Berglund is een oude vriend, geloof ik, en hij heeft een kalmerende invloed op haar.'

'Dat heb ik gemerkt,' zei Cruz, enigszins geïrriteerd. Hoe kwam het toch dat die Meade-vrouwen mannen zo makkelijk tot stommiteiten aanzetten? 'Ze zijn trouwens niet bij de kerk aangekomen. Ik heb daar een tijdje gestaan en ze niet gezien.'

De dokter fronste haar wenkbrauwen. 'Dat is vreemd. Ze zijn hier bijtijds vertrokken. Misschien zijn ze via een achterdeurtje naar binnen gegaan toen de dienst al bezig was? Jillian had vast geen zin in al die starende mensen.'

'Dat is mogelijk,' zei Cruz, die zichzelf wel kon schoppen dat hij daar niet aan had gedacht. 'Of misschien durfde ze op het laatste moment niet.'

De dokter zag zijn ergernis kennelijk aan voor bezorgdheid. 'Ik weet zeker dat het wel goed komt. Misschien heeft de hulpsheriff haar meegenomen om een eindje te rijden, om haar zo wat afleiding te bezorgen. In elk geval heeft hij beloofd haar om twee uur weer terug te brengen, dus dan horen we wel wat er was.'

'Eh, als ik er even tussen mag komen,' zei de inspecteur, 'ik was nog niet klaar. We zitten per slot van rekening nog altijd met een dode knul.'

'Ja, natuurlijk. Het spijt me, inspecteur,' zei de dokter.

'Goed, dan laat ik u nu maar alleen.' Cruz knikte naar de psychiater en wilde zich al omdraaien, maar ze hield hem tegen.

'Agent Cruz, u laat Jillian vandaag toch wel met rust, hè?'

'Absoluut,' antwoordde hij. Zodra hij wist waar ze was en wat voor spelletje ze speelde.

Langs de favoriete route van Berglund keerde Cruz naar Havenwood terug, voor het onwaarschijnlijke geval dat ze autopech hadden. Maar in dat geval had de hulpsheriff dat natuurlijk gewoon via de radio gemeld, dacht hij, terwijl de lege kilometers tussen beide plaatsen onder zijn wielen doorgleden.

In Havenwood stonden de straten nog steeds vol met auto's, maar ze leken zich te hebben herschikt, wat duidelijk maakte dat de uitvaartdienst was afgelopen en dat degenen die de kist naar de begraafplaats begeleidden, waren vertrokken – waaronder de Newkirks, aangezien hun kobaltblauwe Oldsmobile nergens te zien was. Er stopten een paar andere auto's voor de kerk. De mensen die eruit stapten, betraden de kerk via een zijdeurtje. Cruz besloot hen te volgen en even binnen te kijken.

In het souterrain van de kerk was alles in gereedheid gebracht voor het begrafenismaal. Er klonk luid geroezemoes en het rook er naar eten. Berglund en Jillian waren nergens te bekennen. Ollie Jorgenson stond bij een tafel en hielp mee het eten uit te stallen, maar verder zag Cruz geen bekende gezichten. Toen hij zich omdraaide, botste hij echter bijna tegen Verna van het politiebureau op.

'Hallo, Alex,' zei ze. 'Ik heb je gemist in de kerk.'

Cruz keek om zich heen, pakte haar toen bij de elleboog en nam haar mee naar een rustig hoekje om even te babbelen. 'Het leek me beter om maar wat op de achtergrond te blijven. Ik ben op zoek naar de hulpsheriff, Verna. Heb jij hem gezien? Hij zou samen met Jillian de dienst bijwonen.'

Ze keek om zich heen, dempte toen haar stem en knikte. 'Dat heb ik ook gehoord, maar ze waren niet in de kerk en ook niet op de begraafplaats. Ik kom er net vandaan.'

'En zijn vrouw heeft ook niets van hem gehoord?'

'Nee. Ze vroeg zelfs of ik wist of Nils zich gemeld had. Ze had de oppas al gebeld om te vragen of hij misschien thuis was geweest, maar dat was niet zo. Die arme Sharon weet wat dat aangaat niet meer dan wij.'

'Wie heeft vandaag dienst?'

'Iedereen. Niemand is dit weekend vrij, met al die drukte van de begrafenis en het ijsvissen. Als dit afgelopen is, ga ik zelf ook weer naar het bureau.'

'Weet jij of een van de andere agenten iets van hem heeft gehoord?'

'Nou, Kenny – Kenny Wahlberg? Ken je die? Die is na Nils de hoogste in rang. Kenny dus heeft de stoet begeleid naar het kerkhof. Ik heb daar eventjes met hem gepraat, en die zei dat Nils om kwart voor tien doorgaf dat hij onderweg was naar Montrose om Jillian op te pikken. Daarna heeft hij niets meer van hem gehoord. We hebben toen geprobeerd hem op te roepen via de radio, maar hij antwoordde niet. Misschien dat Kenny inmiddels contact met hem heeft gehad? Je kunt hem vinden in de haven. Hij is in uniform en heeft wit haar – net een albino. Kan niet missen.'

'Ik denk dat ik dat maar doe,' zei Cruz knikkend. 'Bedankt.'

'Er is vast geen reden om ongerust te worden.' Het klonk alsof ze zichzelf daarvan moest overtuigen.

'Dat zal wel niet.'

Ze keken naar de drukte in de zaal, waar zich al een rij begon te vormen voor een lange buffettafel die bijna bezweek onder het gewicht van al het eten. 'Aan de andere kant,' ging Verna verder, 'heb ik toch eigenlijk niet zo'n honger, en ik krijg koppijn van het lawaai hier. Ik denk dat ik maar naar het bureau ga om een tijdje bij de radio te zitten.'

Cruz glimlachte. 'Je bent een goed mens, Verna.'

'Ach ja... O, verdorie! Ik bedenk opeens dat ik geen vervoer heb. Zou jij me een lift naar het bureau kunnen geven?'

'Tuurlijk.'

'Dan ga ik maar even tegen Ollie en Norbert zeggen dat ik wegga. Ik ben samen met hen hierheen gekomen, en als ik wegga zonder iets te zeggen, lopen ze me straks te zoeken.'

'Ik wacht wel even.'

'Wil je nog iets eten voor we gaan?'

'Nee, beter van niet.'

'Ha! Je durft je gezicht zeker niet te laten zien omdat je bang bent dat Carla je een klap op je kop geeft en je meesleept naar haar hol, hè? Ik zie je wel blozen, Alex Cruz,' zei ze grinnikend. 'Ik heb gehoord dat je al een paar harten hebt gebroken. Volgens mij denkt Ollie Jorgenson er sinds jouw komst hard over om Norbert in te ruilen.'

'Ja, nou, Ollie is ook oké, maar de berichten over mij zijn

zwaar overdreven. Ik ben onschuldig, dat zweer ik.'

'O, schat, dat weet ik toch wel.' Ze lachte. 'Vergeleken met ons verdorven boertjes ben je zo onschuldig als een pasgeboren baby. Nou, wacht hier dan maar. Ik ben zo terug.'

'Zal ik anders buiten op je wachten?'

'Heb ik je soms nerveus gemaakt? Nou, maak dat je wegkomt dan.' Nog na grinnikend liep ze weg, en Cruz ging naar buiten, vastbesloten verdere ontmoetingen te ontlopen, vooral met de vervaarlijke Carla.

Onderweg naar het politiebureau, zocht hij naarstig naar een subtiele manier om een gevoelige vraag te stellen, maar uiteindelijk besloot hij dat hij het deze verstandige vrouw gewoon ronduit kon vragen. 'Heb je enig idee waar Nils en Jillian naar toe kunnen zijn, Verna? Bijvoorbeeld om even rustig te kunnen praten zonder nieuwsgierige blikken?'

'Hm... goeie vraag. Ik denk niet dat er in de stad een plekje is waar niemand ze ziet. En je hebt gelijk.'

'Wat bedoel je?'

'Dat ze daarover in zouden zitten. Vooral Nils. Hij weet dat er al gekletst wordt sinds hij Jillian uit de vlammen redde,' antwoordde ze hoofdschuddend. 'Alsof hij haar levend had moeten laten verbranden,' voegde ze er smalend aan toe. 'Maar ja, mensen roddelen nu eenmaal graag, nietwaar? Alleen moet je wel goed begrijpen dat Nils dol is op zijn gezin, Alex. Wat er vroeger ook tussen Jillian en hem is geweest, hij zou Sharon en de kinderen nooit verdriet doen.'

'Ik geloof je,' zei Cruz. 'Aan de andere kant denk ik dat Jillian misschien het idee heeft dat ze verder niemand heeft om mee te praten, terwijl Nils uit hoofde van zijn werk tot op de bodem moet uitzoeken wat er afgelopen dinsdagavond bij haar moeder is gebeurd.'

'Dat is ook wel weer waar.'

'Het gaat mij erom dat ik het graag wil weten als ze eindelijk wil praten.'

'Dat kan ik me voorstellen. Maar nogmaals, het is moeilijk om hier een plekje te vinden om ongestoord te kunnen praten. Weet je zeker dat ze niet meer in het ziekenhuis is?'

Cruz knikte. 'Ik ben er geweest, en haar dokter zag ze samen vertrekken. Ze zouden natuurlijk in Montrose kunnen zijn, alleen waren ze volgens de dokter vast van plan om de begrafenis bij te wonen. Je weet ook niet waar ze misschien naar toe zouden kunnen zijn als Jillian zich op het laatste moment had bedacht? Ergens waar niemand ze ziet? Ze hebben vroeger verkering gehad, en er is vast een plaats waar tieners naartoe gaan als ze geen prijs stellen op nieuwsgierige blikken.'

'Ik weet het niet. Het enige wat ik kan bedenken, is Lovers' Leap.'

'Lovers' Leap?' Cruz had geen idee wat voor iets ze daarmee kon bedoelen.

'Nou ja, zo noemen de kinderen het,' zei Verna. 'Het is bij een oude dam in de rivier, net buiten de stad. Alle stelletjes gaan erheen om te vrijen. Het is op een richel en je hebt er een prachtig uitzicht op het landschap, maar het is geen hoge klip, of zo. En ik denk eigenlijk niet dat Nils en Jillian daar in deze tijd van het jaar heen zouden gaan.'

'Hoezo niet?'

'Nou ja, om te beginnen is het er 's zomers wel prettig, maar nu is het er verrekte koud om lang in de auto te zitten. Bovendien gaan er 's winters veel gezinnen heen om te sleeën, dus erg privé is het er ook niet,' antwoordde Verna. 'Trouwens,' voegde ze eraan toe, 'als ze daar in de auto zitten, zou Kenny Nils wel per radio hebben kunnen bereiken, en dat is niet zo. En Nils is niet iemand om een oproep te negeren.'

'Daar heb je gelijk in,' zei Cruz, terwijl hij stopte voor het politiebureau en de motor uitzette. 'En verder kun je niets bedenken?'

'Ik heb geen flauw idee. Of...'

'Wat?'

Opgewonden keek Verna hem aan. 'De oude boerderij van Sharons pa, bij de Neck.'

'Waar is dat?'

'Je gaat de brug over bij de zomerhuisjes, waar het meer op zijn smalst is, en daarna ga je linksaf in plaats van rechtsaf. Sharons pa had een boerderij aan het einde van het meer, waar dat uitkomt in de Mississippi. Haar moeder stierf toen ze een kind was, en haar vader heeft vijf jaar geleden een beroerte gehad. Hij moest noodgedwongen naar de stad verhuizen omdat hij het werk niet meer aankon, maar de boerderij is er nog steeds. Nils, Sharon en de kinderen logeren er in de zomer wel eens. Je kunt er vanaf de autoweg komen zonder dat je eerst de stad door moet, dus ze zouden er vanuit Montrose rechtstreeks heen gegaan kunnen zijn.'

'Verna, je bent een genie.'

'Ja, dat weet ik allang. En weduwe, had ik dat al gezegd?' Toen hij haar ongemakkelijk aankeek, lachte ze. 'Schiet nou maar op. En mocht je ze vinden, zeg dan tegen Nils dat hij even contact opneemt, voor het hier echt uit de hand loopt.'

'Doe ik. Dus... over de brug links, zei je?'

'Klopt. Dan rijd je ongeveer vijf kilometer door. Aan je rechterhand krijg je dan Camp Arundel. De volgende oprit, vijfhonderd meter verder, leidt naar de boerderij. En als je nog verder doorrijdt, kom je bij de autoweg.'

'Oké. Maar ik ga eerst nog even bij Kenny langs, en als dat niets oplevert, ga ik naar die boerderij.'

'Houd je me op de hoogte?'

'Doe ik.'

Kenny Wahlberg was bij de haven, net zoals Verna had gezegd. Zijn spierwitte haar lichtte als een baken op terwijl hij op de kade stond en naar de ijsvissers keek, die hun vangst van de dag gingen wegen in een stalletje iets verderop.

'Agent Wahlberg?' vroeg Cruz toen hij hem had bereikt. 'Ik ben –'

'Ik weet wie u bent,' onderbrak de jonge agent hem. Met zijn door witte wimpers omkranste ogen nam hij Cruz argwanend op.

'Ik hoorde van Verna dat ik u hier waarschijnlijk wel zou aantreffen.'

'Ja.' Kenny's huid was bijna wit, en zijn kleurloze ogen konden iemand van een afstand bevriezen.

'We maakten ons wat zorgen over Berglund. Heeft hij zich inmiddels gemeld?'

Wahlberg haalde een reflecterende zonnebril uit zijn borstzakje en zette die op. 'Maakt u zich maar geen zorgen over de baas. Die redt zich wel.'

Cruz keek naar het meer en telde langzaam tot tien. 'Luister eens, Wahlberg, ik doe gewoon mijn werk, net als jij, dus geef verdomme antwoord op mijn vraag, wil je? Heeft Berglund zich al gemeld of niet?'

'Niet.'

'En je hebt hem nog niet kunnen bereiken via de radio? Verna zei dat je dat vanaf het kerkhof hebt geprobeerd.'

'Dat klopt.'

'En,' zei Cruz, die met zijn hand ongeduldig een draaigebaar maakte om de man tot doorpraten te manen, 'heb je het daarna nog een keer geprobeerd?'

'Vijf minuten geleden. Geen antwoord.'

'En niemand heeft hem of zijn auto gezien?'

'Klopt.'

'Ik zou het maar blijven proberen.'

'Vindt u?' vroeg Wahlberg met een opgetrokken blonde wenkbrauw.

Cruz negeerde het sarcasme. 'Hij zei dat jullie in een vakantiehuisje sporen van braak hadden gevonden en dat er een Ski-Doo werd vermist. Is die al boven water?'

Wahlberg wendde zijn hoofd weer naar de drukte op het meer. 'Niet dat ik weet.'

'Is er ook iemand bezig die machines te controleren om te zien of het gestolen exemplaar ertussen zit?'

Nonchalant haalde Wahlberg zijn schouders op. 'Deze lijken oké.'

'Kun je dat van hieraf zien? Dan ben je echt een genie,' zei Cruz. Klootzak, dacht hij. 'Nou, hartelijk dank, agent. Je hebt me geweldig geholpen.'

'Hm-hm.'

Hoofdschuddend stapte Cruz even later weer in zijn auto. Hij volgde Verna's aanwijzingen en moest voor de smalle brug even wachten op een tegenligger, een kleine vrachtwagen die net iets eerder bij de brug was dan hij. Daarna was het zijn beurt. Na de brug sloeg hij linksaf en belandde op een met grind verharde weg.

Het terrein langs de ene kant van de weg was bebost. Bij een berkenbosje zag Cruz een paar herten met witte staarten grazen. Een koppeltje mussen hipte over het stoppelveld aan zijn linkerhand, maar voor de rest was het gebied uitgestorven. Het enige teken van leven was een incidentele auto op de autoweg in de verte, die het landschap vanuit de weg waarop hij reed onder een hoek van vijfenveertig graden doorsneed. Ondanks de kou en de onbekendheid met de eigenaardigheden van het leven in een klein stadje, begon hij de lokroep te horen van al die open ruimte en rust. Hij kon bijna begrijpen waarom Berglund zo aan een plaats als deze hing, waar de wortels van een mens lang en sterk waren.

Een houten uithangbord, dat de indruk wekte dat het geschilderd was door dezelfde artiest die het bord met de springende vissen langs de snelweg had gemaakt, kondigde Camp Arundel aan, met zijn stacaravans, bungalowtenten, strand en botenhuis. Onder het grote bord hing een kleiner bordje dat meedeelde dat het kampeerterrein gesloten was. Cruz reed de met bomen omzoomde oprit naar het kampeerterrein voorbij en keek uit naar de volgende oprit aan zijn rechterhand. Die kwam eerder dan Verna had gezegd. Aan de linkerkant van de weg zag hij omgeploegde akkers, maar het terrein aan de rechterkant was net zo mooi en bebost als dat van Camp Arundel. Het werd langs de weg afgeschermd door bomen, maar zodra Cruz er voorbij was en de oprijlaan wilde inrijden, zag hij de zwart-witte politieauto staan.

Dit was foute boel.

Hij trapte op de rem en de auto kwam slippend tot stilstand aan het begin van de oprit, zo'n vijftien meter van de surveillancewagen. Nadat hij zijn pistool uit de holster had gehaald, opende hij het portier en op zijn hoede stapte hij uit, waarbij hij zorgde dat zijn auto tussen hem, de politiewagen en de enigszins vervallen boerderij in bleef.

Over de volle breedte van het huis liep een dichte veranda. De deur zwaaide zacht heen en weer in de wind. Ook het zijportier van Berglunds politiewagen stond wijd open, ondanks de ijskoude wind die van het meer kwam. De auto stond met de voorkant richting veranda geparkeerd, en vanaf Cruz' positie leek hij leeg. Berglund en Jillian hadden kennelijk haast gehad om uit te stappen, en Cruz hoefde niet lang na te denken over de vraag waarom – de voormalige tortelduifjes hadden het vuurtje weer opgestookt, en dat was kennelijk zo fel gaan branden, dat ze zich de tijd niet hadden gegund om het portier dicht te doen, in hun haast in huis en in bed te komen.

'Berglund, jij stomme idioot,' mompelde Cruz.

Gebukt sloop hij naar de achterkant van de politiewagen, toen richtte hij zich voorzichtig op om naar binnen te gluren. Leeg. Op de hoedenplank lag een politiepet, en hij kon zien dat de microfoon van de radio op de middenconsole tussen beide voorstoelen lag. Centimeter voor centimeter sloop hij verder langs de bijrijderskant van de auto. Op de voorstoel lag een shawl van rode zijde, alsof die in de haast was afgegleden. Verder lag er niets. Hij haalde diep adem en wilde net richting huis sluipen, toen de radio krakend tot leven kwam. Hij dacht dat hij het bestierf.

'Eh, tweenegen, dit is Wahlberg. Ben je daar, baas? Over.'

Cruz aarzelde. Zou hij antwoorden? Wat als de hulpsheriff en Jillian binnen waren en als beesten tekeergingen? Hoe stom Berglund ook was om zichzelf zo in de nesten te werken, wilde hij dat echt doorgeven aan die idioot in de haven? Maar was het aan de andere kant niet verstandig om rugdekking te vragen, voor het geval er iets anders aan de hand was?

Met zijn ogen en zijn wapen op het huis gericht, tastte Cruz met zijn linkerhand naar de microfoon. Hij had zijn handen al op de zendknop, maar op het laatste moment bedacht hij zich. Eerst poolshoogte nemen, besloot hij. Dan zo nodig de idioot om extra mensen vragen.

Behoedzaam bewoog hij zich in de richting van het huis, ondertussen het terrein opnemend. Dat was dichtbegroeid, op een open stuk na dat naar het meer voerde. Er bewoog niets en het was doodstil om hem heen. Alleen het lichte kraken van bevroren takken in de wind was hoorbaar. De veranda lag in de schaduw, in scherp contrast met het schitterende zonlicht dat op de sneeuw op het erf weerkaatste, zodat details zich moeilijk lieten onderscheiden. Toen hij echter dichterbij kwam en de schaduw wat oploste, kwam het hem voor dat de voordeur van het huis ook openstond. Nee. Hoe hoog de passie ook oplaait, niemand laat de deur openstaan als het tien graden vriest.

Opeens zag hij vanuit zijn ooghoeken de afdrukken van voetstappen op het erf – een erf dat sinds de laatste sneeuwbui duidelijk geen sneeuwschuiver of bezoeker had gezien. Er liepen twee sporen van de politieauto naar het huis, het ene zwaar en groot, formaat Berglund, het andere kleiner, van een vrouw waarschijnlijk. Tot zijn verrassing zag Cruz dat er nog een derde spoor liep, een spoor dat achter het huis vandaan kwam, alsof iemand uit de richting van het meer was gekomen. Op een sneeuwscooter?

Hij pakte zijn wapen met twee handen vast, zakte door zijn knieën en schuifelde verder, zo dicht mogelijk langs de bomen bij de oprit. Instinctief wist hij dat hier iets niet klopte. De lucht was bitter koud maar drukte zwaar, in het soort stilte dat in zijn ervaring altijd voorafging aan het gefluit van de kogel van een sluipschutter. Opeens voelde hij zich kwetsbaarder dan ooit, of even kwetsbaar als die ene dag op het junglepad, een kat-en-muisspel spelend met de Vietcong die het op de mensen van zijn eenheid had voorzien.

Onder aan de trap naar de veranda bleef hij even staan luisteren, maar alles was stil. Hij beklom de trap met twee treden tegelijk, bij elk kraakje ineen duikend, en glipte toen door de hordeur naar binnen. Met zijn rug tegen de muur van het huis bleef hij naast de voordeur staan, zijn wapen in beide handen geklemd. De houten voordeur stond inderdaad open, en de lamp boven zijn hoofd was aan. Hij gluurde behoedzaam om de hoek van de deur en keek een lange, smalle gang in, met aan weerskanten diverse deuren. Hij glipte naar binnen en bleef roerloos staan luisteren. Iets verderop was een trap naar boven. Hij liep erheen en keek omhoog, maar daar was alles stil en donker.

Toen hoorde hij het – een laag, hijgend gereutel, een eindje verderop in de gang. Het hield even op en begon na een paar seconden opnieuw – nat, klef en onvergetelijk. Cruz' maag draaide om. 'O, verdomme,' bracht hij uit.

Tegen de muur gedrukt, schoof hij zo snel hij kon in de richting van een geluid dat hij maar al te goed kende. Toen hij de deurpost van de eerste deur bereikte, zag hij een kleine woonkamer. Op de grond, achter de bank, zag hij een paar bekende laarzen. Berglund. De hulpsheriff lag op zijn rug op de rode linoleumvloer. Zijn groene jack stond open, en uit het midden van zijn doorweekte overhemd welde bloed op. Razendsnel doorzocht Cruz de kamer, maar er was verder niemand. Hij viel op zijn knieën neer naast de hulpsheriff en legde zijn pistool weg. Berglunds ogen waren gesloten, maar hij ademde nog. Onophoudelijk klonk het herkenbare, natte gereutel dat alleen een gapende borstwond produceert. Kennelijk was een van zijn longen geraakt.

'Berglund, hoor je me? Ik ben het, Alex Cruz!' Wanhopig zocht hij naar iets om de wond dicht te drukken, maar er stond in de kamer niets anders dan een kapotte bank, een paar stoelen en een eiken salontafel met vlekken. Hij voelde in zijn zakken, maar het enige wat hij kon vinden was zijn gehavende plastic notitieboekje. Daar moest hij het maar mee doen, dacht hij grimmig.

Haastig knoopte hij Berglunds overhemd open, en hij trok een gezicht toen hij de wond bij elke ademtocht van de hulpsheriff zag samentrekken. Overal was bloed. Cruz legde het notitieboekje over de wond heen en drukte er stevig op. Het afgrijselijke reutelen hield meteen op. Opnieuw keek hij om zich heen of hij iets zag om het op zijn plaats te houden terwijl hij hulp ging halen, maar zodra hij de druk verminderde, lekte er lucht om het boekje heen en begon het bloeden weer.

'Berglund, hoor je me?'

De hulpsheriff kreunde. Zijn ogen waren nu open, en hij volgde elke beweging die Cruz maakte.

'Je long is geraakt. Ik ga hulp halen. Ondertussen moet jij dit stevig aandrukken. Denk je dat dat lukt?'

'Ja,' antwoordde Berglund zwakjes, en hij tilde zijn hand een eindje op. Cruz greep hem beet en drukte hem tegen het opschrijfboekje, maar toen hij zijn eigen hand weghaalde, gleed de grote, slappe hand als vanzelf weer opzij. 'Sorry...'

'Geeft niks. Ik verzin wel iets anders.'

Hij trok zijn overjas uit en vouwde die zo goed en zo kwaad als het ging op tot een plat pakketje, dat hij op het opschrijfboekje legde. Met zijn ene hand hield hij het stevig op zijn plaats, terwijl hij met de andere de zware eiken salontafel naar zich toetrok.

'Oké, makker, fraai is anders, maar als je heel stil blijft liggen, lukt het misschien.' Hij tilde een poot van de tafel op en plantte die midden op de opgevouwen jas op Berglunds borst. 'Blijf zo stil mogelijk liggen, oké?'

'Ja.'

Nog even bleef Cruz wachten om te zien hoe het ging. Zolang Berglund niet op zijn zij probeerde te rollen, zou de zware tafel – met daaronder het 'verband' – op zijn plaats blijven. Enigszins gerustgesteld, krabbelde hij overeind. 'Stil blijven liggen.'

'Weinig keus met die tafel op mijn borst.'

'Sst. Niet praten. Ik ben zo terug.'

Hij vloog de gang door, naar buiten, de trap af. Bij Berglunds auto aangekomen, griste hij de microfoon naar zich toe. 'Verna! Verna, waar zit je? Dit is Alex Cruz, over!'

Niets. 'Verna! Wahlberg! Wie dan ook. Kom in, verdomme! Over!'

De radio kraakte. 'Hé, Alex, Verna hier. Wat is er? Heb je ze gevonden? Over.'

'Ja, waar je zei, maar we hebben hier dringend een ambulance nodig. Berglund is neergeschoten. Over.'

'Heilige moeder... neergeschoten? En Jillian? Over.'

'Die heb ik niet gezien. Ik moet rugdekking hebben en een ambulance, zo snel mogelijk! Begrepen? Over.'

'Begrepen. Ze zijn onderweg, Alex. Houd vol. Over.'

'Geweldig. Ik ben in het huis bij Berglund. Over en sluiten.'

Hij haastte zich terug en trof een Berglund aan die nog steeds ademde, maar wel steeds moeizamer. Cruz haalde de zware tafel van zijn borst en drukte zijn hand op de bebloede overjas. 'De ambulance komt eraan, Nils. Houd vol.'

Berglund knikte zwakjes, en Cruz keek onder de jas. Het bloeden leek iets minder te worden, maar de hulpsheriff had al genoeg bloed verloren om een klein paard te vellen. Hij drukte het noodverband stevig op de wond en probeerde de levenstekenen van Berglund zo goed mogelijk in de gaten te houden. 'Onvoorstelbaar dat ze jou dit aan kan doen,' bromde hij.'

De grote hand greep hem bij de pols met een kracht die verbazend was voor een man in Berglunds toestand. 'Ze heeft me gered,' bracht hij uit. 'Hij wilde me afmaken. Zij hield hem tegen.'

Verbaasd trok Cruz zijn wenkbrauwen op. 'Wie? Edelmann?'

'Denk het.' Berglund liet Cruz' pols los, en zijn arm viel slap naast hem neer. 'Moest haar hebben.'

In de verte hoorde Cruz sirenes naderen. Voordeel van een kleine stad – korte afstanden en niet te veel vraag naar hulp. 'Wat wilde Edelmann van haar?'

'Weet ik niet. Toen Jill zag dat hij de boel in brand wilde steken, zei ze dat ze wist waar het goud was.'

'Goud? Welk goud?'

Berglund fronste zijn voorhoofd. 'Ik dacht dat jij dat wel wist. Ze zei dat ze hem erheen zou brengen, als hij mij liet leven.'

'Hij heeft je anders wel neergeschoten,' merkte Cruz op.

'Mijn eigen schuld. Ik probeerde hem te vloeren. Je had gelijk; ze zijn hard, die Mossad-jongens.' Berglunds grimmige lach veranderde in een verstikt gehoest en er spoot bloed onder het geïmproviseerde verband uit.

'Genoeg gepraat,' zei Cruz haastig, en hij drukte nog harder op het verband. De sirenes waren nu dichtbij.

'Je moet haar vinden, Cruz. Zij is de volgende.'

'Goed. Nu stil zijn. De ambulance is er zo.'

'Ik meen het.'

'Ja, ja.' Cruz hief zijn hoofd op en luisterde even toen de sirenes – minstens twee – vaart minderden. Ze waren bij de oprit. 'Daar zijn ze al,' zei hij, weer naar Berglund kijkend.

De ogen van de hulpsheriff waren dicht en hij lag heel stil. Zijn ademhaling was zwak, en het vreselijke gerochel was amper te horen boven het gejank van de sirenes uit.

'Berglund? Volhouden, verdomme! Ze zijn er.'

Hij hoorde banden op het grind knerpen, gevolgd door het geluid van dichtslaande portieren en luide stemmen. Toen was het huis opeens vol mensen. Iemand trok de doorweekte overjas van Berglunds borst, legde een noodverband aan en begon hem te reanimeren. Cruz stapte opzij en keek zwijgend toe. De witharige agent was er ook. Hij zag nog bleker dan in de haven toen twee verplegers Berglund op een brancard hesen en de derde – de heldhaftige vriend van de lieftallige Lydia – de hulpsheriff kunstmatige beademing gaf.

Terwijl de hulpverleners zich opmaakten het huis te verlaten, zocht Cruz naar zijn pistool. Eerst kon hij het nergens vinden, maar toen hij zich bukte en onder de stoelen keek, zag hij het liggen, in een hoek gezwiept door de voeten van de hulpverleners of van hemzelf. Behalve zijn wapen, lag er nog iets.

Hij keek achterom, maar Wahlberg en een andere agent waren druk bezig de hulpverleners te helpen de brancard door de smalle deur te krijgen. Cruz trok zijn pistool naar zich toe en stopte het terug in zijn holster. Toen, na een laatste blik om te zien of echt niemand keek, griste hij het dikke notitieboek met de bobbelige, zwarte kaft naar zich toe dat hij onder de stoel had zien liggen. Snel keek hij of het inderdaad het schrift was dat Jillian Meade zo driftig had vol gepend in het ziekenhuis. Vervolgens stak hij het achter zijn riem, trok zijn shirt en trui erover, raapte zijn bebloede overjas op en liep achter de anderen aan naar buiten.

31

Sinds Parijs leef ik in een surrealistische wereld. Mijn gevoel van tijd en ruimte is verwrongen en verward geworden, als in hallucinaties en dromen. Toen ik bij Cohn-Levy vandaan kwam, wilde ik hard weglopen – weg van zijn vervloekte dossiers, van de waarheid, van mijn leven – maar een of andere kracht dreef me voort, sleepte me tegen mijn wil mee. Hoe ik het ook probeer, ik kan mezelf niet omhoogtrekken uit dit kleverige slijm dat me vasthoudt. Ik zit vast. Dit is mijn nachtmerrie, met dank aan mijn moeder.

Toen we de bewijzen vonden voor haar affaire met Gestapokolonel Kurt Braun was ik wanhopig en misselijk. Maar Cohn-Levy kwam met een andere interpretatie – al moest zelfs hij erkennen dat die een schrale troost vormde. Niettemin was het een manier om mijn moeders daden in een iets minder verdoemend licht te zien.

'Misschien kon ze er niets aan doen dat ze Brauns aandacht trok, zoals je zegt,' zei Cohn-Levy. 'En gezien zijn reputatie met vrouwen was het te verwachten dat hij zo'n mooie vrouw niet zou laten lopen. Het is misschien minder akelig dan het lijkt, Jillian.'

'Hoe zou dat kunnen? De man is mijn vader!'

'Daar lijkt het wel op,' beaamde hij, 'maar daar had je zelf geen invloed op.' Toen ik protesteerde dat dat wel zo mocht zijn, maar dat dat niet opging voor mijn moeder, maande hij me tot zwijgen. 'Luister. Toen ze niet kon ontsnappen aan zijn aandacht, heeft ze misschien besloten hem tegemoet te komen om haar eigen doel te verwezenlijken.'

'En daardoor moet ik me beter voelen?'

'Braun zou het als een klap in zijn gezicht hebben ervaren als ze hem had afgewezen. Hij zou haar in dat geval zeker hebben laten fusilleren, zoals veel anderen is overkomen. Bekijk het eens van de kant van de Résistance. Zijn belangstelling voor je moeder was een gouden kans om het verzet verder te helpen.'

'U bedoelt door Braun zover te krijgen dat hij overliep?'

'Mogelijk. De oorlog had in die tijd al een ommekeer gemaakt, en het stond niet langer vast dat Hitlers troepen zouden overwinnen. Er waren hoge functionarissen in het Reich die in het geheim voorbereidingen troffen voor vredesonderhandelingen, in de hoop dat ze na de oorlog een betere behandeling zouden krijgen.'

Daar dacht ik over na, en even voelde ik een sprankje irrationele hoop. 'Denkt u echt dat mijn moeder geprobeerd heeft Braun over te halen aan haar kant te komen?'

Cohn-Levy knikte. 'Het zou kunnen, al weet niemand of zo'n man, die de fascistische zaak zo was toegewijd, daarvoor ontvankelijk zou zijn. Maar je moeder zou op zijn minst een geweldige kans hebben om de Duitsers te bespioneren. Denk je eens in – als ze zijn vertrouwen had gewonnen, mocht ze misschien aanwezig zijn bij besprekingen en kon ze zo haar kameraden informatie verschaffen over Duitse plannen en operaties, kon ze ze waarschuwen bij voorgenomen razzia's.'

'En daar hoefde ze zich alleen maar voor te prostitueren,' zei ik bitter.

Meelevend legde Cohn-Levy een hand op mijn schouder. 'Ik weet dat dit niet makkelijk voor je is, Jillian, maar een mooie vrouw kan een machtig wapen in de strijd zijn. Dit soort dingen gebeurt altijd en overal.'

'Dat zal wel,' zei ik.

Ook al was het waar, het deed niets af aan de schok die ik ervoer toen ik mijn werkelijke afkomst ontdekte – om nog maar te zwijgen over het feit dat de ouders van Joe Meade ten onrechte hadden geloofd dat ik hun kleinkind was. Maar goed, een verklaring als die van Cohn-Levy wierp in elk geval een ander licht op mijn moeders handelwijze. En wie weet, misschien had Joe toegestemd mijn stiefvader te worden toen hij Grace had teruggevonden.

Er kwam iets anders bij me op. 'Als ik geboren ben in het doorgangskamp Drancy, dan werd mijn moeder dus rond de bevrijding door de Duitsers gevangen gehouden. Wat er tussen haar en Braun ook was, tegen die tijd was het lang en breed voorbij. Misschien had hij zijn belangstelling voor haar verloren. Of misschien ontdekte hij wat ze in haar schild voerde.'

Cohn-Levy knikte. 'Daar ziet het wel naar uit. En misschien zat hij niet te springen om vader te worden. Per slot van rekening had hij thuis in Beieren al een vrouw en kinderen. Zei je niet dat je op 14 juli bent geboren?'

'Dat klopt.'

Hij rekende snel op zijn vingers iets uit. 'Dat was dus... even zien... ongeveer zes weken voordat de geallieerden Parijs bevrijdden, hè? Dus ook al had je moeder Brauns vertrouwen voor een tijdje gewonnen, aan het einde van de oorlog genoot je moeder zijn bescherming niet meer – niet als ze in Drancy belandde.'

'Was Braun nog in Parijs toen de stad werd bevrijd?'

'Ja. De geallieerden landden in juni in Normandië, en het duurde nog tweeënhalve maand voor ze Parijs bereikten. Kolonel Braun was een van de laatsten die vlak voor die tijd het hoofdkwartier van de Gestapo verlieten, maar kennelijk kwam hij niet ver. Hij wilde via de Elzas terugkeren naar Duitsland, maar dat is nooit gelukt. Zijn auto werd bij Porte de la Villette, een wijk die erg onder zijn harde optreden geleden had, aangevallen door een woedende meute. Een paar weken eerder had hij daar een school in brand laten steken, omdat hij vermoedde dat enkele leerlingen betrokken waren bij brandstichting in een nabijgelegen Duits kampement. Vier jongens die zich in de kelder hadden verscholen, zijn levend verbrand, en vijf andere jongens die probeerden te ontsnappen, werden doodgeschoten toen ze het gebouw uit renden. Het schijnt dat Braun en zijn chauffeur door de menigte de auto uit zijn gesleurd en doodgeslagen.'

Na dit verslag nam Cohn-Levy me aandachtig op. Verwachtte hij dat ik in tranen zou uitbarsten? Dat ik zou treuren om dit monster, dat me blijkbaar had verwekt? Ik was weliswaar zonder vader opgegroeid in Havenwood, maar ik had nooit aan mijn identiteit getwijfeld. De afgelopen dagen was ik erachter gekomen dat ik niet de dochter van Joe Meade was. En de afgelopen uren had ik mijn echte vader gevonden... en verloren. Maar al met al kon ik niet rouwig zijn om zijn dood.

'Zoals je zei,' ging Cohn-Levy verder, 'moest je moeder uit de gratie zijn bij Braun, gezien het feit dat jij in Drancy werd geboren. De mensen die daar gevangen zaten, zouden naar een concentratiekamp gaan – niet het lot van een collaborateur met een machtige beschermer als kolonel Braun. Wat de theorie bevestigt dat je moeder inderdaad nog steeds voor de Résistance werkte.'

'Is er een manier om daar zekerheid over te krijgen?'

Terwijl Cohn-Levy zijn stoffige boekenplanken doorzocht, knikte hij. 'Ik moet hier ergens kopieën hebben van de administratie van doorgangskamp Drancy. We hoeven alleen de lijst met nieuwe gevangenen tot 14 juli 1944 maar na te lopen.'

Na drie uur snuffelen in oude dossiers hadden we echter nog geen spoor gevonden van de naam Sylvie Fournier, laat staan van ene Grace Wickham of Grace Meade. Wat ons wel opviel bij dat werk, was dat Cohn-Levy's dossiers van Drancy veel completer waren dan hij had geweten. Hij bezat niet alleen de lijsten met namen van nieuwe gevangenen, maar ook gegevens over de geboortes die in het kamp hadden plaatsgevonden. Dat was het punt waarop het pas echt gruwelijk en onlogisch werd, want van de twaalf bevallingen die in juli 1944 in het kamp hadden plaatsgevonden, was er slechts eentje op 14 juli geweest. Toen had een vrouw met de naam Isobel Kempf een kind gekregen. Niet lang daarna was ze op transport gezet naar Auschwitz-Birkenau.

Het was absoluut onmogelijk dat een moeder zich zou vergissen in de geboortedatum van haar kind, maar desondanks liepen we de lijst met geboortes enkele malen na. Mijn moeders naam kwam nergens voor. Ze kwam trouwens in geen enkel kampdossier voor. We verlegden onze speurtocht naar de herfst van het jaar daarvoor, toen ze in Frankrijk was gedropt, maar tevergeefs. Er viel maar één conclusie te trekken – wat mijn moeder ook tegen Miss Atwater had gezegd, ze had nooit gevangen gezeten in het doorgangskamp in Drancy. En er was maar één reden te bedenken voor die leugen: het feit dat ze wilde verbloemen dat ze een collaborateur en een verrader was geweest.

Cohn-Levy, de schat, wist wat deze uitkomst voor me betekende en deed zijn uiterste best om met een andere, minder belastende verklaring voor deze tegenstrijdigheid te komen. We controleerden de arrestatiegegevens van de Gestapo en troffen daar onder andere de namen aan van de vier kleine meisjes en de moeder-overste van de kloosterschool, die werden ontdekt toen kolonel Braun en zijn bende naar het gestolen goud zochten. Daar stuitten we ook op de naam Isobel Kempf, die in Drancy het leven had geschonken aan een kind – en die tevens de lerares bleek te zijn die samen met de vier joodse meisjes was ondergedoken. Ook werd melding gemaakt van een niet met name genoemde buitenlander, die diezelfde dag in het klooster was opgepakt. De naam Sylvie Fournier dook op in de lijst met mensen die bij de razzia in de Parijse wijk waren opgepakt, maar achter haar naam stond een sterretje.

'Wat denkt u dat dat betekent?' vroeg ik Cohn-Levy.

'Ik ben er niet zeker van, maar over het algemeen betekent het dat de gevangene in kwestie een speciale behandeling vergt. Zonder verdere gegevens kan ik jammer genoeg niet zeggen wat die behandeling inhoudt.'

'Dat lijkt me nogal duidelijk,' zei ik bitter. 'Ze hebben haar tegelijk met de rest opgepakt om geen argwaan te wekken bij haar medestrijders. Maar terwijl de anderen werden ondervraagd, amuseerde zij zich waarschijnlijk in het Georges V met lekker eten en drinken – en kolonel Braun.'

Cohn-Levy kon niet langer ontkennen dat het er heel slecht uitzag, maar hij weigerde op te geven en belde links en rechts contactpersonen op, in een poging voormalige verzetsstrijders te vinden die 'Sylvie Fournier' hadden gekend. Het was een veeg teken dat hij niemand vond. De hele afdeling in Gentilly leek te zijn weggevaagd door de Gestapo, en van de andere afdelingen was er niemand die opheldering kon geven.

Ondanks de bedroevende dingen die ik had ontdekt, bedankte

ik Cohn-Levy omstandig voor zijn hulp. Daarna ging ik zelf naar Gentilly, want ik wilde de waarheid nog steeds niet inzien. Twee dagen lang klopte ik op deuren en vroeg ik om informatie in winkels, op zoek naar iemand die zich iets kon herinneren van die tijd.

Het was een hopeloze zaak. Mensen waren verhuisd of gestorven, of hadden tijdens de bezetting gedaan of hun neus bloedde. Mijn enige succesje boekte ik bij de eigenaar van een brasserie, die een neef bleek te zijn van een van de leden van de Résistance, die op zijn beurt weer was opgepakt en gefusilleerd bij die laatste razzia van de Gestapo, de razzia waarbij ze naar het gestolen goud zochten. Jacques Aubert bleek zich zelfs een mooie jonge vrouw met de naam Sylvie Fournier te herinneren.

'Ik was toen pas twaalf, *mademoiselle*. Ik herinner me Sylvie, omdat ik smoorverliefd op haar was, zoals alleen een jongen dat kan zijn. Ik wist dat ze het nichtje was van de oude Viau, maar ik ben bang dat dat alles is.'

Ik probeerde zijn geheugen op te frissen met details uit de tijd dat mijn moeder daar gewoond had, maar wat hij nog wist, had voornamelijk te maken met de arrestatie en executie van zijn oom, en natuurlijk zijn jongensfantasieën over de mooie Sylvie, op wie hij zo verliefd was geweest. Hij geloofde me eerst ook niet toen ik zei dat ze in feite een Britse agente was geweest en in het echt Grace Wickham heette.

'*Mademoiselle*, ik ben verbijsterd,' zei Aubert, terwijl hij een oude foto van mijn moeder bestudeerde die ik hem had laten zien om te bewijzen dat we het echt over dezelfde vrouw hadden. 'Een Engelse! Dat had ik nooit gedacht. En ze woont nu in Amerika, zei u?'

'Dat klopt.'

'Wel, wel,' zei hij, en hij gaf me de foto terug. 'Dan is dat in elk geval opgelost.'

'Wat bedoelt u?'

Ik werd getrakteerd op zo'n typisch Frans schouderophalen. 'Dat verklaart waarom niemand haar ooit heeft teruggezien. Ze werd op dezelfde dag als mijn oom gearresteerd. De oude Viau kreeg een hartaanval en stierf tijdens zijn ondervraging door de

Gestapo, mijn oom en de anderen werden gefusilleerd, maar van Sylvie werd nooit meer iets vernomen. Iedereen ging ervan uit dat ze door de Gestapo was geëxecuteerd of in de kampen was omgekomen.'

'Nee, ze heeft het overleefd,' verzekerde ik hem droogjes. Ik was natuurlijk absoluut niet van plan deze man te vertellen op welke manier haar dat vermoedelijk gelukt was. Cohn-Levy was een man die ik vertrouwde, maar Jacques Aubert was een heel ander verhaal.

Aubert pakte een wijnglas, schonk het vol en schoof het naar me toe. Toen vulde hij een glas voor zichzelf en bracht hij een toost uit. 'Op Sylvie. En *mademoiselle,*' vervolgde hij toen we op haar gezondheid hadden gedronken (wat moest ik anders?), 'u moet blijven eten. U bent mijn gast. Ik wil heel graag nog wat meer horen over uw buitengewone moeder.'

Ik kan al net zo slecht tegen drank als tegen drugs. Kwam het daardoor? Heb ik die avond meer gezegd dan ik van plan was? Was het de wijn die mijn tong losmaakte, of kwam het door Auberts verbijsterende onthulling over de arrestaties op de kloosterschool op de dag dat zo veel mensen voorgoed uit de wijk verdwenen? Dat niet alleen de moeder-overste, de vier joodse meisjes en hun lerares werden opgepakt, máár dat de Gestapo in de kelder van de school een Engelssprekende piloot vond die zich daar verborgen had? Zijn naam had niet in de dossiers gestaan die Cohn-Levy en ik hadden doorgenomen, maar er was wel melding gemaakt van een 'man, identiteit onbekend, mogelijk een Britse of Amerikaanse spion'.

Ik werd opeens bekropen door het misselijkmakende gevoel dat de neergehaalde piloot die Aubert en zijn buren die dag uit de kloosterschool hadden zien komen, heel goed Joe Meade kon zijn geweest.

32

Washington, D.C.
Zondag 14 januari 1979

Zondagochtend om elf uur was Cruz terug op het hoofdkwartier van de FBI, nog geen vierentwintig uur nadat hij Berglund had gevonden, neergeschoten in de boerderij van zijn schoonvader. Jillians verslag zat veilig in de binnenzak van zijn sportcolbert en maakte korte metten met zijn voornemen de zaak volgens de voorgeschreven procedure af te ronden. Hij had het er met niemand over gehad, al helemaal niet met Kenny Wahlberg, de bleke, stekelige jonge agent die samen met de ambulance te hulp was geschoten en die kennelijk de leiding had nu zowel de sheriff als de hulpsheriff was uitgeschakeld. Ook tegenover zijn collega's van de FBI had hij zijn mond gehouden over zijn vondst. Die waren binnen enkele uren nadat ze gehoord hadden dat een man een politieman had neergeschoten en een vrouw had gegijzeld in Havenwood aangekomen – al ging het dan om een vrouw die, zoals agent Sheen grimmig had opgemerkt, meer doden achterliet dan Magere Hein.

Ondanks Berglunds woorden, die Cruz plichtsgetrouw had doorgegeven, werd Jillian Meade in federale en nationale opsporingsverzoeken niet alleen betiteld als de gevangene van Simon Edelmann, maar ook als mogelijke medeplichtige, en er was opdracht gegeven beide personen met de grootst mogelijke voorzichtigheid te benaderen.

Terwijl de artsen in de kliniek van Havenwood Berglund zo

ver probeerden op te lappen, dat hij voor een operatie overgevlogen kon worden naar het ziekenhuis in Minneapolis, had Cruz dokter Kandinsky gebeld om haar te laten weten dat Jillian vermist werd. Gelukkig was de dokter niet over het schrift begonnen, wat hem behoedde voor nog meer leugens.

Rond middernacht was Cruz in Washington gearriveerd. In het vliegtuig naar Minneapolis had hij het verslag tweemaal gelezen, en toen in de kleine uurtjes nog een keer. Alles wat hij nu wist over Jillian en Grace Meade, via zijn eigen speurwerk in Havenwood en via het verslag, bleef maar door zijn hoofd malen, en hij wist dat hij er niet van zou loskomen. Berglund had net zo weinig van de ware aard van beide vrouwen geweten als iedereen, maar de hulpsheriff had in één ding gelijk gehad – het was cruciaal Jillian te vinden, en snel ook, voordat het laatste hoofdstuk van het verhaal zichzelf zou schrijven. Cruz kon de zaak nu onmogelijk nog uit handen geven.

Wie zou hem trouwens geloven? Het hele bizarre verhaal was gebaseerd op vage, vijfendertig jaar oude herinneringen aan verre gebeurtenissen en de onsamenhangende gedachten van een suïcidale vrouw die er, ondanks haar nauwgezette onderzoek, nog steeds niet achter was waar het eigenlijk allemaal om ging, al lag het verbijsterende, onverwachte en toch zo voor de hand liggende antwoord volgens Cruz besloten in haar verslag. Het enige wat hij nog hoefde te doen, was wat aanvullende informatie verifiëren, maar de tijd drong. Er was nu nog maar één manier om het laatste hoofdstuk te schrijven, en dat zou hij moeten doen.

Jillian en Edelmann hadden een grote voorsprong, maar hij had wel een idee waar ze heen waren. Als hij snel was, kon hij hen misschien nog bereiken – voordat het te laat was. Zaterdagavond ging er geen vlucht meer naar Parijs, maar hij had die van zondagavond geboekt en vervolgens zondagochtend vroeg de agent van dienst gebeld en gevraagd of die hem wilde doorverbinden met de inspecteur die belast was met internationale betrekkingen. Kessler had hem vijf minuten later teruggebeld. Hij had niet lang hoeven nadenken over Cruz' verzoek om de vluchtelingen naar Parijs te volgen.

'Geen sprake van!'

'Elke minuut telt, *sir*. Voorzover we weten, zijn ze de grens met Canada niet overgegaan, dus ze moeten nog in het land zijn. De politie heeft de sneeuwscooter gevonden die Edelmann heeft gestolen nadat hij de hulpsheriff had neergeschoten. Ik heb net nog contact gehad, en ze hebben in South Dakota, waar net het bericht vandaan kwam dat er een auto is gestolen, een auto gevonden die onder zijn naam is gehuurd. Hij probeert de grenscontroles te ontlopen door een omweg te nemen. Het kan zijn dat hij op weg is naar Texas en van daaruit naar Mexico gaat, en dat lukt hem ook, *sir*, dat kan ik u verzekeren. Edelmann is een getrainde agent, en als de Mossad hem rugdekking geeft –'

'Over de Mossad gesproken, je vriend van de Israëlische ambassade heeft me niet teruggebeld,' onderbrak Kessler hem geprikkeld.

Mij ook niet, dacht Cruz, nog geprikkelder dan zijn baas. Mindel en hij hadden vaak samengewerkt en ze waren goede vrienden, dus hij had wat meer verwacht.

'Het punt is,' zei hij tegen Kessler, 'dat Edelmann een manier zal vinden om met Jillian in Parijs te komen. Ik ben ervan overtuigd dat het eindspel daar gespeeld gaat worden. Bovendien heb ik een idee waar ze naar toe willen, en als ik snel ben, kan ik Edelmanns plannen misschien doorkruisen.'

'Hoezo, jij? Iemand anders kan toch gaan? Niemand is onmisbaar, hoor.'

'Dat weet ik wel, *sir*, maar het is een complexe zaak, en er is gewoon geen tijd om iemand anders in te schakelen. Als het Edelmann lukt om Parijs te bereiken, durf ik u te verzekeren dat er nog meer doden vallen.'

'Reden te meer om de grenscontrole te verscherpen en die twee zo snel mogelijk op te pakken, voordat ze het land kunnen verlaten. Als we ze eenmaal hebben, is er tijd genoeg om anderen volledig op de hoogte te stellen van alle details. Ondertussen heb ik je hier nodig. Er broeit iets, en ik heb een volledige bezetting nodig.'

Cruz wist dat zijn baas het meende, maar dat veranderde niets aan het feit dat een prof als Edelmann niet zou opgeven voordat hij zijn doel had bereikt. En ook niet aan het feit dat hij deze zaak zelf tot een goed einde moest zien te brengen, ongeacht wat het hem kostte.

'Je bent nu op kantoor?' vroeg Kessler.

'Ja, *sir*.'

'Goed. Blijf daar tot ik er ben. Dan praten we verder.' De verbinding werd verbroken.

Ongeduldig trommelde Cruz met zijn vingers op zijn bureau. Misschien kon hij de tijd benutten om de stapel met kleurtjes gecodeerde internationale opsporingsberichten in zijn 'In'-bakje door te werken. Misschien zou dat de baas gunstig stemmen – en liet hij de touwtjes dan wat vieren. Hij keek een paar zaken door en vond er een paar die hij met een gerust geweten aan andere agenten kon overdragen. Halverwege de stapel kwam hij iets tegen wat tijdens zijn afwezigheid was binnengekomen. Het was een kopie van Grace Meades immigratiepapieren uit 1945, die hij bij de INS had opgevraagd.

Hij bekeek ze een voor een – haar geboortebewijs, een document dat bevestigde dat ze voor de kerk getrouwd was met Joseph Meade, en een document van de Amerikaanse ambassade in Londen, dat bevestigde dat Joseph Meade in juni 1944 in actieve militaire dienst was geweest toen hij als vermist werd opgegeven. Er was ook een document van de ambassade waarin de geboorte van een Amerikaans staatsburger in het buitenland werd bevestigd: Jillian Elizabeth Meade, dochter van diezelfde Joseph Arthur Meade en Grace Wickham Meade. Het kind was geboren op 14 juli 1944 in Drancy, Frankrijk. Het dossier bevatte ook een pasfoto van Grace Meade. De rouwende jonge weduwe stond er mooi en tragisch op, dacht Cruz. Welke ambtenaar zou bij het zien van die foto nu niet alles op alles hebben gezet om te zorgen dat ze met haar baby zo snel mogelijk bij haar schoonfamilie in Amerika kon intrekken?

Hij sloot het dossier en legde het terzijde om de telefoon te pakken. Sinds het telefoontje uit Havenwood, vrijdagavond, had hij niets meer van Z'ev Mindel gehoord, maar toen de telefoniste van de ambassade hem doorverbond, nam zijn oude makker meteen op.

'Alex! Voortreffelijke timing, zoals gewoonlijk. Ik wilde je net bellen. Zit je nog steeds in Minnesota?'

'Nee, ik ben weer terug op kantoor. Dus ik ben niet de enige gek die op zondagochtend aan het werk is.'

'Je bent weer terug? Uitstekend. Was je niet op zoek naar een Triumph?'

'Wat? Ja, dat wel, maar daar bel –'

'Ja, ik meende al dat het een Triumph was. Ik weet er eentje, maar je moet wel snel beslissen. Zullen we er samen even naar toe gaan? Liefst nu meteen?'

'Nu? Naar een motor gaan kijken? Z'ev, ik kom net terug en het is hier een heksenketel. Ik heb je het hele weekend proberen te bereiken om te zien of je al iets meer wist over –'

'Over die motor,' viel Mindel hem in de rede. 'Ja, ik weet het. Het spijt me, vriend, maar het duurde even voordat ik er een had opgespoord. Zoals ik al zei, weet ik er misschien een, maar voor de prijs die hij moet opbrengen, staat hij vast niet lang te koop. Het is echt noodzakelijk dat we er zo snel mogelijk op af gaan.'

Cruz keek om zich heen. Het afgelopen halfuur waren er een paar collega's gearriveerd, misschien om aan een zaak te werken, misschien om achterstallig papierwerk weg te werken. Hij kwam half overeind om een blik te werpen over het dunne grijze scheidingswandje dat hem van zijn buurman scheidde, maar nee, gelukkig geen schijn van kans natuurlijk dat Sean Finney op zondag naar zijn werk kwam. Hij ging weer zitten en legde zijn hand om het mondstuk van de telefoon.

'Even voor de goede orde, Z'ev... hebben we het over dezelfde machine als vrijdagavond?'

'Ja. Zullen we over een halfuur afspreken?'

'Zo snel lukt niet. Ik moet op de baas wachten. Hij is geloof ik niet zo over me te spreken.'

'Ik wil je niet onder druk zetten, Alex, maar dit is je enige kans op zo'n motor.'

Cruz wilde antwoord geven, maar er klonk een zoemer en het rode lichtje op zijn telefoon knipperde. 'Dat is mijn intercom,' zei hij. 'Ik denk dat de baas er is. Zullen we er vijfenveertig minuten van maken?'

'Oké. Drie kwartier, maar zorg dat je op tijd bent. Ik sta bij het Lincoln Memorial.'

'Ik zal er zijn.' Cruz legde de hoorn op de haak terwijl de zoemer voor de tweede keer ging, en drukte toen op het knopje van de intercom. 'Cruz.'

'Kessler. Kun je even langskomen?' Het was een bevel, geen verzoek.

'Ik kom eraan.'

Gordon Kessler was lang, fit en sprak met de botheid die FBI-functionarissen typeerde. 'Je moest een verzoek om inlichtingen van Scotland Yard behandelen, Cruz, maar het feit dat ik je permissie gaf dat boven op de stapel te leggen en naar Minnesota te vertrekken, is nog geen vrijbrief om er zoveel tijd aan te besteden. Als je bij de FBI wilt blijven, moet je leren wat efficiënter met je tijd om te gaan.'

'Begrepen, *sir*. Er deden zich enkele complicaties voor.'

'Hoe is het met die neergeschoten politieman?'

'De kogel heeft zijn long doorboord en bleef steken in zijn ruggengraat. Het was even kantje boord, maar zijn toestand is nu stabiel. Ik heb vanmorgen even gebeld, en hij heeft de ochtend gehaald, maar op het moment is hij vanaf zijn middel verlamd en zijn er mogelijk nog andere complicaties. Hij is er nog lang niet.'

'En hoe staat het met de vrouw en de schutter?'

'Verdwenen.' In het kort bracht Cruz hem op de hoogte van wat hij wist over Edelmann en de achtergrond van de zaak.

'Dus jij denkt dat ze naar Parijs zijn of gaan om naar dat goud te zoeken? En daarom zijn ook die twee Britse vrouwen vermoord?'

'Ja, *sir*. De Britse politie tastte in het duister, omdat allebei de moorden werden gepleegd door iemand die de slachtoffers niet kende. In het begin leek er ook geen verband tussen beide moorden te bestaan, behalve dan dat het beide keren om een vrouw op leeftijd ging. De vrouw in Dover was verpleegster geweest. Het slachtoffer in Londen bleek bij de geheime dienst te hebben gewerkt, wat de lijst met verdachten mogelijk iets langer maakt. Achteraf bleek echter dat Jillian Meade de laatste persoon was die haar op kantoor had bezocht, en toen ze de zaak in Dover gingen onderzoeken, vonden ze een buurvrouw die wist dat dit slachtoffer ook een Amerikaanse dame op bezoek had gehad. Toen duurde het niet lang voordat ze ontdekten dat Jillian Meade eveneens in Dover was geweest, en zo had Scotland Yard eindelijk het verband tussen beide zaken te pakken. Hoewel dat achteraf niet juist bleek.'

'Denk jij dan niet dat ze bij die moorden was betrokken?'

'Dat denk ik inderdaad niet, *sir*. Ik denk hooguit dat iemand – waarschijnlijk deze Edelmann – haar op deze manier in een positie heeft willen brengen waarin ze wel mee móest werken.'

'Meewerken waaraan?'

'Ik denk dat hij, of degene die hij vertegenwoordigt, denkt dat zij de verblijfplaats weet van een verborgen goudschat die door het Franse verzet van de nazi's is gestolen – goud dat oorspronkelijk toebehoorde aan Franse slachtoffers van de holocaust. De leden van de Résistance die bij de diefstal betrokken waren, zijn opgepakt en gefusilleerd door de nazi's, maar het goud is nooit teruggevonden. De waarde ervan bedraagt nu zo'n tien miljoen dollar. Jillian Meade schijnt Edelmann te hebben verteld dat zij weet waar het is.'

'Dus daarom neemt hij haar mee naar Parijs.'

'Ja, *sir*.' Even overwoog Cruz zijn superieur in vertrouwen te nemen over het knagende vermoeden dat hij over Edelmann had, maar besloot toen dat hij zou wachten tot hij over alle feiten beschikte.

'Nou,' zei Kessler, en hij leunde achterover in zijn stoel, 'reden te meer om de zaak over te dragen aan de Fransen.'

'*Sir* –'

'Neem contact op met de Franse Sûreté en geef ze alle informatie waarover je beschikt. Doe dat zo snel mogelijk, want morgenochtend moet je beschikbaar zijn voor een andere opdracht. We krijgen berichten binnen dat ayatollah Khomeiny een vergeldingsoperatie voorbereidt als wraak voor onze steun aan de voormalige sjah. We weten niet of die hier of in Teheran zal plaatsvinden, maar we gaan iedere Iraniër ondervragen die hier op een toeristenvisum is. Al was het maar om ze te laten weten dat we ze in de gaten houden. Ik wil dat jij deze week aan die zaak begint.'

Cruz deed zijn mond open om te protesteren, maar op dat moment ging de telefoon. Kessler nam op. 'Kessler... ik kom eraan.' Hij legde neer en stond op. 'Dat was de secretaresse van de directeur; ik heb een vergadering. Ik zie je morgenochtend op de weekvergadering.' Bij de deur van zijn kantoor bleef hij staan om zich nog even om te draaien. 'Ben je eigenlijk al twaalf maanden bij ons in dienst?'

'Nee. Elf, om precies te zijn.'

Kessler knikte. 'Dan zit je nog in je proeftijd. Ik heb dingen door de vingers gezien omdat je onze procedures nog niet goed kent en omdat je een uitstekend onderzoeker bent. Maar nogmaals, agent Cruz, niemand is onmisbaar. Onthoud dat.'

Het was gaan regenen tegen de tijd dat Cruz bij het Lincoln Memorial arriveerde. Hij zette zijn kraag op en keek om zich heen. Mindel stond in het overdekte deel van het monument tegen de granieten sokkel van het beeld geleund. Cruz schrok van de aanblik die zijn oude vriend bood. Mindel was altijd een klein fel kereltje van amper een meter zestig geweest, maar toen ze elkaar zes jaar eerder in München hadden ontmoet, was de Israëliër taai, energiek en pezig geweest, met armen als een bootwerker, een wollige bos donkere krullen, fel-blauwe ogen en een aanstekelijke grijns. De grijns was er nog steeds en liet zijn gezicht stralen toen hij Cruz in het oog kreeg, maar zijn haar was nu sneeuwwit. Toen hij naar voren kwam, uit de schaduw van Lincolns granieten knieën, liep hij stijfjes en wat trekkebenend op Cruz af, een zichtbaar bewijs van de beroerte die de oude krijger een jaar eerder had gehad.

'Alex! Ouwe gabber!' Zijn omhelzing was nog even innig als vroeger. 'Wat zie je er chic uit! Ik geloof dat de FBI je zowaar goed doet.'

'Hé, Z'ev! Je ziet er zelf ook goed uit.'

'Leugenaar. Ik zie er verschrikkelijk uit, maar wat zou dat? Ik ben er nog. Je had me een jaar geleden moeten zien. Toen zat ik in een rolstoel samen met kwijlende bejaarden met strandballen te spelen. Zielig. Maar het was mijn eigen schuld. Te vet eten, te veel jajem, te weinig beweging. Ons lijf blijkt ons uiteindelijk altijd weer te verraden. Onthoud dat.'

'Ik zal het proberen.'

Hun stemmen weerkaatsten hol in de hoge, overdekte ruimte rondom het gedenkteken, en het gegil en geren van een groep schoolkinderen die plezier maakten rond Lincolns reusachtige stoel deed pijn aan de oren. Maar de motregen buiten lokte ook niet erg.

'Zullen we ergens een hapje gaan eten?' vroeg Cruz.

Mindel knikte geestdriftig. 'Mijn idee. Hier vlak in de buurt is een fantastische lunchroom. Ze hebben broodjes pastrami om je vingers bij af te likken.'

'O, ja? Waren het niet juist die dingen die jou de das om dreigden te doen?'

'Ja, ja,' mompelde Mindel, zijn woorden wegwuivend. 'Houd maar op. Ik zei toch niet dat ik er een zou nemen? Ik denk dat ik borsjt en een salade neem, dan ruik ik wel even aan jouw broodje pastrami.' Joviaal gaf hij Cruz een klap tegen zijn schouder. 'Jij kunt nog een paar jaar lekker eten voordat jouw lichaam je verraadt, jongeman. Geniet ervan zolang het duurt.'

In de drukke zaak vonden ze nog net een tafeltje in een hoek, waar ze geen last zouden hebben van luistervinken. Na een paar minuten, die ze benutten om het menu te bestuderen, kwam er een al wat oudere serveerster bij hun tafeltje staan, die hen met de handen op de heupen strijdlustig aankeek. 'Wat zal het zijn, jongens?'

Mindel keek over de rand van zijn halve leesbrilletje. 'Pastrami roggebrood met alles erop en eraan voor mijn vriend. Plus koolsla. Rauwkost is goed voor je, Alex. Geeft je een paar jaartjes extra.' Grijnzend wendde hij zich weer tot de serveerster. 'En voor mijzelf,' voegde hij eraan toe terwijl hij de menu's aan de vrouw gaf, 'een kom borsjt zonder zure room – hoe verzinnen ze het – een salade zonder dressing en een flinke scheut schuld en spijt.'

'Oké. Dat was het?'

'Schrijft u dat niet op?' vroeg Cruz.

Met een vernietigende blik keek ze hem aan. 'Waarom zou ik?'

'Het is hier druk, en dan vergeet je weleens wat.'

'Denk je dat borsjt en pastrami roggebrood zo moeilijk te onthouden zijn?'

'Nee, dat zal wel niet.'

'Dan lijk ik zeker te stom om zo'n bestelling te onthouden, hè?'

'O, nee, *ma'am,* helemaal niet.'

'Gelukkig maar. Nou, had je nog meer goede raad voor me, jochie, of kan ik verdergaan met mijn werk?'

'Ja, *ma'am*. Sorry.'

'Hartelijk dank. Nou, moet er nog wat te drinken bij?'

'Nu graag een ijswater en straks koffie,' zei Cruz, en Mindel knikte instemmend.

'Oké.' Ze beende weg en de banden van haar schort zwierden over haar brede heupen terwijl ze door de zaak schetterde: 'Mort! Eenmaal nummer zestien, eenmaal borsjt en sla, min zure room.'

Mindel zette zijn leesbrilletje af en stak het grinnikend terug in zijn borstzakje. 'Stommeling. Weet je nou nog niet dat je een koe niet moet vertellen hoe ze moet grazen?'

'Ik had beter moeten weten,' beaamde Cruz. Hij keek even om zich heen en dempte toen zijn stem. 'Nou, Z'ev, vertel me nou maar eens waarom ik twee dagen niks van je hoor over mijn schutter en je me dan opeens dringend moet spreken over een motor.'

'Ik weet niks van een motor. Maar ik wist niet of er iemand meeluisterde, vandaar. Jij hebt namelijk wel iets losgemaakt met dat verzoek van je, mijn vriend.'

'Je hebt dus iets kunnen vinden over die Edelmann?'

'Ja, zeker. Hij blijkt een heel interessante figuur te zijn. Helaas ben je, waar het mijn regering betreft, op een heel gevoelige zaak gestuit. Een zaak waar in het openbaar liever niet over wordt gesproken. Ik ben bereid je te vertellen wat ik weet, maar er zijn mensen die het helemaal niet leuk zouden vinden als ze wisten dat ik er met een buitenstaander over had gepraat. En vergis je niet, Alex, ze zouden niet aarzelen een klacht tegen je in te dienen en het zo hoog mogelijk te zoeken om te zorgen dat jij van deze zaak wordt gehaald – en misschien wel ontslagen. Ik heb het over BZ, de minister van Justitie en mogelijk zelfs het Witte Huis. Voor je eigen bestwil moet je je gedeisd houden, Alex.'

'Ik moet die man hebben, Z'ev. Hij heeft een politieman neergeschoten. Een prima vent vecht op dit moment in Minnesota voor zijn leven. We mogen niet toestaan dat mensen denken dat ze ongestraft politiemensen kunnen neerschieten. Bovendien zijn er meer slachtoffers: een vrouw van zestig en mogelijk twee andere vrouwen in Engeland.'

De vervaarlijke serveerster verscheen en voorzag hen van glazen water en bestek. 'Alsjeblieft, jongens. En kijk eens,' voegde ze eraan toe, Cruz met opgetrokken wenkbrauwen aankijkend. 'Ik heb zowaar onthouden dat je ijswater had besteld. Knap, hè?'

Cruz knikte, en rollend met haar ogen verdween de serveerster weer. 'Nou, wat is er afgesproken?' vroeg Cruz aan Mindel. 'Werkt Edelmann onder de vlag van de Mossad? En gaat je regering hem beschermen?'

Ontkennend schudde Mindel zijn witte hoofd. 'Nee, dat is niet gezegd, maar het is een complexe zaak. Niemand wil hem dekken als hij is doorgedraaid, maar je moet goed begrijpen, Alex, dat ook niemand zijn foto op de voorpagina van de New York Times wil zien. Dat zou een dikke vette puist op de relatie tussen onze regeringen zijn.'

'Nou, wat doen we?'

Mindel rolde zijn mouwen op en boog zich over de tafel naar voren, als een man die ter zake komt. 'Dit is de deal. Jij vertelt me wat er aan de hand is, en dan vertel ik jou wat ik te weten ben gekomen over Edelmann. En dan gaan we kijken wat ons te doen staat.'

De twintig minuten erna gaf Cruz Mindel, tussen de komst van de bruuske serveerster, die nog steeds nijdig was over Cruz' opmerking, en happen van de beste pastrami op roggebrood die hij ooit had gehad door, een beknopt verslag van zijn zoektocht naar Jillian Meade en wat er was gebeurd sinds hij haar had gevonden – inclusief de dingen die hij in haar schrift over het dubieuze oorlogsverleden van haar moeder had gelezen. Zelfs in zijn eigen oren klonk het nogal warrig, maar toen hij klaar was, knikte zijn Israëlische vriend.

'Ja, natuurlijk. Het klopt helemaal. Natuurlijk.'

'Hoe bedoel je?'

De koffie werd gebracht. Mindel gooide vier klontjes suiker in die van hem en nam een vijfde tussen zijn tanden, alvorens een slokje te nemen. Toen hij zijn kopje optilde, zag Cruz voor de zoveelste keer de gruwelijke grijze cijfers die op zijn linkeronderarm waren getatoeëerd. Mindel was geboren in Hamburg, maar was tijdens de oorlog eerst naar België en vervolgens naar Nederland gevlucht, waar hij had deel had uitgemaakt van de Amsterdamse ondergrondse, tot de nazi's hem uiteindelijk te pakken hadden gekregen en hem op transport hadden gezet naar Auschwitz. Cruz had hem een keer gevraagd waarom hij zijn kamptatoeage niet liet verwijderen.

'Omdat het een ereteken is,' had de oude vos gezegd. 'Het bewijs dat die hufters me niet eronder kregen.'

Met opgetrokken wenkbrauwen vermaalde Mindel het suikerklontje tussen zijn kiezen, waarna hij achteroverleunde. 'Simon Edelmann werd na de oorlog, in 1949, in Jeruzalem geboren. Zijn familie van vaderskant bestond uit Duitse joden uit Berlijn, die halverwege de jaren dertig, toen de nazi's aan de macht kwamen, naar Palestina waren gevlucht. Zijn moeder was Française. Ze was bij de Résistance, maar werd opgepakt en heeft acht maanden in Auschwitz-Birkenau doorgebracht, tot het kamp door de Russen werd bevrijd. Net als veel anderen leed ze aan tuberculose en God mag weten wat nog meer, en daarom heeft ze na de oorlog meer dan een jaar in allerlei klinieken en ziekenhuizen gelegen. Uiteindelijk belandde ze in Palestina, waar haar zus woonde. Daar heeft ze Edelmann ontmoet, is met hem getrouwd en heeft een zoon gekregen.'

'Simon Edelmann.'

'Precies. Maar het huwelijk liep spaak, en na de scheiding is ze teruggekeerd naar Frankrijk. Simon liet ze bij zijn vader achter. De jongen was toen pas negen, en hij schijnt erg verbitterd te zijn geraakt door haar vertrek.'

'Fijne moeder.'

'Er waren verzachtende omstandigheden. Men zegt dat ze nooit over haar kampervaring is heen gekomen. De meeste overlevenden voelen zich namelijk heel schuldig en verdrietig. Er zijn daar dingen gebeurd die we nooit zullen vergeten. De meesten van ons stoppen de herinnering eraan diep weg en proberen door te gaan, zo goed en zo kwaad als het gaat, maar Mrs. Edelmann kon dat kennelijk niet. Zo was ze bijvoorbeeld eerder getrouwd geweest en had ze in de oorlog een kind gekregen. Ze was zelfs zwanger toen haar man en zij door de Gestapo werden opgepakt. De echtgenoot werd meteen gefusilleerd, maar omdat zij halfjoods was, vond men zo'n einde voor haar waarschijnlijk te goed. Ze werd daarom overgebracht naar het doorgangskamp Drancy, in afwachting van het transport naar Auschwitz. De baby werd in Drancy geboren.'

'Ja!' riep Cruz uit, die op het puntje van zijn stoel zat. 'Jillian had het in haar verslag over Drancy. Volgens Grace was zij daar geboren, op 14 juli 1944 – alleen bleek dat niet zo te zijn. Grace is nooit geïnterneerd geweest in Drancy.'

'Natuurlijk was dat niet waar. Dat had ik je ook kunnen vertellen.'

Cruz keek hem verbaasd aan. 'Hoe dat zo?'

'Omdat, Alex, jouw Jillian niet meer in leven zou zijn als ze in die tijd in Drancy geboren was.'

'Hoe weet je dat?'

'Het is een van de ergste gruweldaden van de bezetters,' antwoordde Mindel. 'De dag dat de laatste trein van Drancy naar Auschwitz vertrok, werden de kinderen onder de twee jaar gescheiden van hun moeders. De Duitse bewakers zeiden dat de kinderen in een speciale treinwagon zouden nakomen en dat er verpleegsters zouden zijn om voor ze te zorgen. Er zou melk zijn en babyvoedsel, en aan het eind van de reis zouden de moeders met hun kinderen herenigd worden.'

'En dat was niet zo.'

'Nee, natuurlijk niet. Een sprookje om de moeders rustig te houden. Ooggetuigen hebben verklaard dat er een vrachtwagen stopte bij het zaaltje waar de kinderen lagen zodra de moeders op transport waren gegaan. Dat zaaltje bevond zich op de kraamafdeling, op de bovenste verdieping. Er waren een paar pasgeboren baby's en een stuk of twintig peuters. Volgens de ooggetuigen gingen de bewakers naar binnen, openden een paar minuten later de ramen van de bovenste verdieping en gooiden de baby's een voor een naar beneden in de laadbak van de vrachtwagen.'

Met een ruk schoof Cruz zijn koffie weg. 'Wat verschrikkelijk.'

'Dus je begrijpt waarom Jillian daar niet geweest kan zijn. Alle kinderen werden vermoord,' zei Mindel grimmig. 'Dertig onschuldige slachtoffertjes van het Dritte Reich extra. Wat Simon Edelmanns moeder betreft, die heeft het verlies van haar kind en haar eerste man nooit kunnen verwerken. Toen Simon ouder was, is hij naar Frankrijk gegaan en heeft daar zijn moeder teruggevonden. Ze leeft nog steeds, maar haar gezondheid laat veel te wensen over. Na Auschwitz is ze nooit meer helemaal de oude geworden. Naar verluidt woont ze in een verzorgingstehuis in de buurt van Tours.'

'En Edelmann?'

'Nou, toen hij zijn moeder had teruggevonden en zag hoe ze eraan toe was – een treurige, gebroken vrouw – sloot hij zich aan bij een organisatie die heeft gezworen de onschuldigen te wreken en de schuldigen te straffen, hoe lang dat ook duurt en welke wetten er daarvoor ook overtreden moeten worden.'

'En daarom is hij achter Grace Meade aangegaan?'

'Ach ja, Grace Meade – ook bekend als Sylvie Fournier. Toen ik voor het eerst van Edelmann hoorde, vroeg ik me af of hij een missie uitvoerde voor Ariëls Klauw, maar –'

'Ho, ho. Ariëls wie? Over wie heb je het?'

Een beetje schichtig zette Mindel zijn koffie neer en vouwde zijn beide handen om het kopje terwijl hij om zich heen keek. Cruz volgde zijn blik, maar er was zo'n geroezemoes in de drukke zaak, dat iemand onmogelijk kon horen wat er aan het tafeltje in de hoek werd gezegd. 'Nu komen we bij het gevoelige deel van de zaak, Alex. Bij de dingen waar je beter over kunt zwijgen. Er zijn mensen die mijn oude, verschrompelde maar nog steeds dierbare ballen in een bankschroef zouden klemmen als ze wisten dat ik je dit vertel.'

'Je weet dat ik je nooit in gevaar zou willen brengen, Z'ev.'

'Als ik dat niet wist, was ik hier niet, mijn vriend.' Mindel keek nogmaals om zich heen en zuchtte toen. 'Waar zal ik beginnen? Ariëls Klauw... Ariël is Hebreeuws voor 'leeuw van God', dus Ariëls Klauw zou je kunnen zien als Gods wapen tegen zijn vijanden. Zo zien ze zichzelf in elk geval.'

'En die "zij" zijn?'

'De leden van deze ultrageheime organisatie.'

'Maakt die deel uit van de Mossad?'

'Er zijn Mossad-agenten die volgens de geruchten bij Ariëls Klauw horen, maar de organisatie bestrijkt een veel breder gebied. Ministers, legerofficieren en talloze andere, gewone mensen schijnen erbij te horen. Niemand weet precies wie erbij horen of hoe groot de organisatie is. Er zijn zelfs sceptici die aan het bestaan ervan twijfelen, al hoor ik daar niet bij. Net als veel geheime organisaties bestaat deze groep uit kleine cellen met activisten die om veiligheidsredenen vrijwel los van elkaar opereren, zodat geen enkel lid de identiteit van meer dan een handvol medeleden kent.'

'En wat is het doel van deze organisatie?'

'Zoals ik al zei, zien de leden zichzelf als de actieve hand van Gods wraak op mensen die misdaden tegen joden hebben begaan. De organisatie schijnt in 1945 in Neurenberg te zijn opgericht. In die tijd zaten er achtduizend nazi's gevangen in Stalag 13. De Amerikanen bewaakten ze, tot de geallieerden hadden besloten wie zich voor de rechtbank zou moeten verantwoorden voor zijn daden. Zoals je vast wel weet, werden er uiteindelijk slechts tweeëntwintig van hen aangeklaagd en slechts een stuk of twaalf ter dood veroordeeld. Denk je eens in, Alex, – maar twaalf nazi's werden schuldig bevonden aan de dood van zes miljoen joden, om nog maar te zwijgen over de vijf miljoen zigeuners, homoseksuelen, politieke activisten, gehandicapten en andere groepen die systematisch door het Dritte Reich zijn uitgeroeid. Let wel, geen soldaten. Die slachtoffers waren gewone burgers die door die fanatici als minderwaardig werden beschouwd. Een tikje onevenwichtig, vind je ook niet? Of hebben die twaalf nazi's die in Neurenberg zijn veroordeeld helemaal alleen elf miljoen onschuldige mensen vermoord?'

'Lijkt me niet,' beaamde Cruz grimmig. Het was algemeen bekend dat het Westen, druk met het economische herstel, de communistische dreiging en het begin van de Koude Oorlog, na 1945 weinig trek had gehad in nog meer oorlogstribunalen. 'Dus Ariëls Klauw werd opgericht om het evenwicht te herstellen?'

'Dat is heel waarschijnlijk. Ze begonnen met de achtduizend nazi's die door de Amerikanen werden vastgehouden in Stalag 13. Ariëls Klauw bedacht een geheim plan om het brood van de gevangenen te vergiftigen met arsenicum. Daarmee is het hun gelukt een paar honderd van hen te doden of ernstig ziek te maken. Het exacte aantal is nooit bekendgemaakt, want het was natuurlijk voor jouw regering een blamage geweest om toe te geven dat er gevangenen pal onder haar neus zijn vergiftigd.'

'En sindsdien is Ariëls Klauw op jacht? Werd daarom het huis van Edelmanns vermoedelijke slachtoffers naderhand in brand gestoken? Een soort symbolische verwijzing naar de crematoria in de kampen?'

'Dat is heel goed mogelijk. Maar ik wil wel even zeggen, Alex, dat mijn regering het bestaan van Ariëls Klauw categorisch zal ontkennen. Niet dat we de Eichmanns en de Mengeles zelf niet zullen opsporen en berechten als we dat kunnen. Maar het soort gerechtigheid van Ariëls Klauw heeft de neiging zich tegen je te keren, vooral wanneer het gebruikt wordt als een excuus voor terroristische acties tegen de staat Israël. Vandaar dat je me moet geloven als ik zeg dat Edelmann niet de steun van mijn regering had als hij deze dingen inderdaad heeft gedaan. We zullen uiteraard alles doen wat we kunnen om hem te vinden en terug te fluiten.'

'Goed om dat te weten.'

'Nou, misschien niet zo goed. Het probleem is dat Edelmann de kudde heeft verlaten.'

'Hij is ervandoor?'

'Precies. En ook al schijnt hij een fanatiek lid van Ariëls Klauw te zijn, ik vermoed dat deze laatste incidenten zelfs niet door die dubieuze organisatie worden gesteund. Ik denk dat hij voor zichzelf bezig is.'

'Waarom denk je dat?'

'Omdat Grace Meade, ook wel bekend als Sylvie Fournier, degene is die Edelmanns moeder aan de Gestapo heeft verraden. In en na een oorlog verdwijnen er mensen, maar Edelmann schijnt al achter deze Sylvie aan te zitten sinds de hereniging met zijn moeder. Hij heeft in heel Europa zijn netten uitgezet in de hoop erachter te komen wat er na de oorlog met haar is gebeurd. Toen jouw Jillian in haar moeders verleden begon te wroeten, is er vast ergens een alarmbel afgegaan.'

Cruz leunde achterover en haalde zijn vingers door zijn haar. 'Wel alle... En toen hoefde Edelmann haar alleen nog maar te vinden om bij Grace uit te komen.'

Mindel knikte. 'Zoals ze in Amerika zeggen: bingo!'

'Je hebt zeker geen foto bij je van deze Simon Edelmann, hè?'

'Natuurlijk wel,' antwoordde Mindel glimlachend, en hij haalde uit de binnenzak van zijn jasje een zwart-wit pasfototje, dat hij naar Cruz toeschoof. De man die erop stond was jong – hooguit dertig, schatte Cruz. Net zoals Tom Newkirk had gezegd, had Edelmann donker krulhaar, een fikse snor en doordringende ogen, die waarschijnlijk donkerbruin waren.

'Een buurman zag Jillian samen met Edelmann aankomen op het vliegveld van Minneapolis,' zei hij tegen Mindel. 'Ze leken elkaar te kennen, al noemt Jillian hem nergens in haar verslag. Maar ze was natuurlijk ook nog niet helemaal klaar toen Berglund, die politieman uit Havenwood, werd neergeschoten, dus misschien had ze dat nog willen doen.'

'Denk jij dat ze samenwerkt met Edelmann?'

'Nee. Misschien. Hemel, Z'ev, ik weet het niet. Ze zijn apart van elkaar naar Havenwood vertrokken, en Berglund zei dat ze net zo verbaasd was als hij toen Edelmann op de boerderij opdook, dus nee, dat denk ik niet.'

Mindel tikte op de foto. 'Het is een knappe kerel, en hij schijnt erg veel succes bij de vrouwtjes te hebben. Misschien heeft jouw

Jillian zich gewoon door hem laten inpalmen.'

Cruz had peinzend in het koffiedik in zijn kopje gestaard, maar keek nu geërgerd op. 'Ze is mijn Jillian niet, dus houd alsjeblieft op haar zo te noemen.'

Snel veranderde Mindel van onderwerp. 'Wat zei je baas trouwens, toen je hem vanmorgen hebt gesproken? Mag je doorgaan met deze zaak en achter Edelmann en de vrouw aangaan?'

'Niet echt. Ik moet contact opnemen met de Sûreté en doorgeven dat ze mogelijk richting Parijs zijn.'

'En daarna...'

'Daarna moet ik de zaak laten rusten.'

'En? Ga je dat doen?'

'Je weet dat ik dat niet kan.'

'Omdat...'

Als antwoord haalde Cruz het zwarte schrift uit zijn zak en legde het voor zich op tafel. Hij legde zijn hand erop en keek er een tijdje zwijgend naar. 'Omdat ik haar nu ken,' zei hij toen. 'En daarvóór niet.'

'En?'

Zuchtend schudde hij zijn hoofd. 'Ik weet het echt niet, Z'ev. Ik kan niet uit mijn hoofd zetten wat ze heeft doorgemaakt, en ik denk dat ik haar kan helpen. Of liever gezegd, dat wil ik graag proberen. Wat zegt dat over mij? Ben ik bewust op mijn vernietiging uit? Ben ik geobsedeerd?'

'Is ze mooi?'

'Ik geloof het wel. Donker en droevig, zoiets – en ook verrekte afstandelijk en mysterieus. Het irriteert me mateloos. Ik weet niet wat het met haar is. Ik weet alleen dat ik haar – en deze zaak – niet uit mijn hoofd kan zetten, vooral niet nadat ik haar relaas heb gelezen. Ik moet dit afmaken.'

Mindel leunde achterover en vouwde zijn vingers over zijn buikje. 'Mooi zo. We gaan dus naar Parijs.'

Verrast keek Cruz op. ' "We"?'

'Natuurlijk. Wat Edelmann heeft gedaan, is deels de schuld van mijn kant. Het is daarom niet meer dan eerlijk dat ik mijn steentje bijdraag. Daar komt bij dat ik even genoeg heb van ambtenarenprietpraat. Ik kan wel een verzetje gebruiken om de spinnenwebben weg te vegen.'

'Geen sprake van, Z'ev. Deze keer niet. Ik wil wel graag op een ander vlak van je diensten gebruikmaken, maar Jillian heeft weinig tijd meer, en alleen kan ik sneller in actie komen.'

De serveerster had de rekening gebracht, en Mindel gebaarde ongeduldig naar Cruz terwijl hij zijn bril pakte om de schade op te nemen. 'Je hebt waarschijnlijk gelijk, vervloekt. Nou, ga dan maar alleen. Zeg maar wat ik moet doen, dan probeer ik dat zo snel mogelijk te regelen. En Alex?' Over de rand van zijn bril keek de oudere man hem aan.

'Ja?'

'Zullen we als dit achter de rug is op de motor door Zuid-Frankrijk toeren? Misschien samen met deze Jillian. Het schijnt rond deze tijd van het jaar heerlijk te zijn in Marseille.'

Cruz glimlachte. 'Ik zal erover nadenken.'

33

Na mijn terugkeer in Washington was ik nog steeds niet bereid de waarheid te aanvaarden – dat mijn moeder niet de heldin was voor wie iedereen haar altijd had gehouden. Nee, veel erger, dat ze een verraadster en een collaborateur was geweest en dat ze had gelogen over haar verblijf in kamp Drancy. Dat ze vier joodse kinderen, hun lerares en de nonnen die hen hadden opgenomen, had verraden en tot een wisse dood in het concentratiekamp had veroordeeld. Dat ze mogelijk zelfs Joe Meade had verraden, die, naar ik dacht, ook in dat klooster was ondergedoken en wiens naam ze zich voor zichzelf en voor mij had toegeëigend.

Ik zegde mijn plannen af om kerst in Havenwood te vieren onder het mom dat ik het te druk had met mijn werk – nog steeds te laf om mijn moeder met mijn bevindingen te confronteren. Hopend dat ik in de Amerikaanse dossiers die Haddon Twomey had verzameld, een snipper bewijs kon vinden die mijn conclusies zou tegenspreken. Maar het enige wat dat speurwerk opleverde, was de bevestiging dat Joe Meade en mijn moeder mij onmogelijk konden hebben verwekt, omdat ze in die tijd honderden kilometers uit elkaar waren.

Die oss-dossiers gaven me overigens wel een laatste sprankje hoop dat niet kolonel Braun mijn vader was, maar toch iemand anders. Ik ontdekte dat Tom Newkirk degene was die mijn moeder naar Frankrijk had overgevlogen en achter de linies had gedropt. Daarna was hij nog ettelijke keren teruggekeerd. Geen van beiden had daar ooit met een woord over gerept. Het maakte deel uit van de grote samenzwering om te zwijgen die het grootste deel van hun leven had beheerst.

Ik weet al sinds mijn dertiende dat mijn moeder en Tom minnaars waren, al heb ik nooit de neiging gehad dat onderwerp aan te snijden. Maar ik geloof dat het rond die leeftijd was – mijn grootouders leefden in elk geval al niet meer – dat ik op een dag van school naar huis werd gestuurd omdat ik me niet lekker voelde. Toen ik thuiskwam, dacht ik eerst dat er niemand was, maar even later kwam mijn moeder met een verhit gezicht binnen in haar zijden peignoir. Haar haren, die die ochtend nog netjes in een wrong hadden gezeten, hingen warrig over haar schouders. Ze zei dat ze op het punt had gestaan een bad te nemen, maar haar woorden klonken onecht. Toen ik er eindelijk in was geslaagd langs haar heen de keuken uit te glippen, zag ik dat haar slaapkamerdeur op een kier stond. Binnen stond Tom. Hij propte zijn overhemd haastig in zijn broek en zijn haar viel in slordige pieken over zijn voorhoofd.

Ik geneerde me zo, dat ik snel doorliep en nooit heb laten merken dat ik hem had gezien of hun gefluister bij de achterdeur had gehoord. Maar daarna begon ik op te letten, en opeens leek alles heel duidelijk – zijn frequente bezoekjes, onder het mom dat ze hulp nodig had bij haar belastingaangifte of een ander klusje, het feit dat ze vaak eventjes samen verdwenen, zijn nauwe betrokkenheid bij de bouw van ons huis, pal naast het zijne, de tijdstippen die mijn moeder uitkoos om te gaan winkelen in Minneapolis, die toevallig altijd samenvielen met Toms zakenreisjes naar die stad. En ondertussen paste Sybil op mij.

Toen ik Tom vorige week belde om hem te vertellen wat ik in Europa had ontdekt, en hem ronduit te vragen hoelang mijn moeder en hij al geliefden waren, boorde hij mijn laatste hoop de grond in dat ik mijn vader toch dichter bij huis moest zoeken dan in het Dritte Reich. Hij antwoordde vriendelijk, maar met onthutsende eerlijkheid, dat hij al vijfendertig jaar van mijn moeder hield, maar pas na mijn geboorte haar minnaar was geworden. Ik neem aan dat ik dankbaar moet zijn dat hij genoeg respect voor me had om niet te liegen en dat hij zei dat hij vereerd zou zijn geweest als hij mijn vader was. Dat verandert echter niets aan het feit dat hij waarschijnlijk medeplichtig was aan het bedrog dat mijn moeder ten opzichte van Joe Meades ouders en de Amerikaanse overheid pleegde, omdat hij min of meer toegaf dat hij ook betwijfelde of zijn beste vriend met haar was getrouwd of mij had verwekt. Verder wilde hij niets kwijt. Ik moest het maar aan mijn moeder vragen, zei hij.

Dat was geen onderwerp om telefonisch te bespreken; dat zou in een persoonlijk gesprek moeten. Hoewel ik afgelopen dinsdagmiddag onaangekondigd naar Havenwood kwam, denk ik dat mijn moeder gewaarschuwd is dat ik zou komen om haar met harde feiten te confronteren. Ik arriveerde rond enen bij haar huis. Ze stond op het punt naar de kapper te gaan, zodat ons gesprek moest wachten. Dat uitstel kwam mij eigenlijk wel goed uit, want ik zag er als een berg tegenop.

Tot mijn schande moet ik bekennen dat ik van haar afwezigheid gebruik heb gemaakt om de cederhouten kast te doorzoeken waarin ze haar belangrijke papieren bewaarde, al had ik geen idee wat ik hoopte te vinden. Liefdesbrieven van Kurt Braun? Foto's van haar met de kolonel in de Moulin Rouge? Een volledige bekentenis van haar zonden, pas te openen na haar dood? Alleen een historicus die zo verslaafd is aan papieren sporen als ik, zou zich aan zulke waanideeën overgeven. Maar ik vond zelfs haar immigratiepapieren niet, wat heel jammer was, omdat mij dat de kans zou geven een van haar naar verluidt befaamde vervalsingen te onderzoeken – de trouwakte van haar en Joe Meade. Misschien had ze het bewijsmateriaal allang vernietigd toen het niet langer nodig was.

Wel vond ik het testament van mijn grootouders. Ik had het nog nooit eerder gezien, hoewel Tom Newkirk me op mijn vijfentwintigste had verteld dat alle persoonlijke bezittingen van Helen en Arthur Meade mij nu officieel toebehoorden. Destijds had ik Havenwood al de rug toegekeerd en was ik niet van plan me er ooit weer te vestigen. Ik maakte geen bezwaar toen Tom me vroeg een document te tekenen dat mijn moeder het recht gaf in het huis te blijven wonen en haar onderhoud te blijven bekostigen uit de mij nagelaten middelen. Ik kon in mijn eigen onderhoud voorzien en zag geen reden haar dat te weigeren. Al was onze verhouding inmiddels nog zo bekoeld, ze was en bleef mijn moeder.

Pas toen ik het testament zelf las, viel het me op dat mijn grootouders hun zogenaamde schoondochter nadrukkelijk buiten hun wilsbeschikking hadden gehouden. Hadden ze een vermoeden gekregen? Hadden ze ontdekt dat ze een verhouding had met een getrouwde man, de beste vriend van hun zoon, en hun afkeuring middels hun testament laten blijken? Of was het om haar kwaliteiten als moeder, of liever gezegd het gebrek daaraan? Niettemin was het duidelijk dat Tom hun belangen had willen behartigen door te regelen dat mijn moeder goed verzorgd achterbleef, wat de bedoelingen van die twee arme, bedrogen mensen ook waren. Hij hield echt van haar, de arme man.

Ik wachtte de hele middag op mijn moeder, maar met haar vele sociale verplichtingen kostte het haar geen enkele moeite me tot de vooravond te ontlopen. Ze belde zelfs om te zeggen dat ze een afspraak voor het eten had die ze helemaal was vergeten. Ik vond het best. Ik had geen haast. Ik doorzocht het huis, kamer voor kamer, op zoek naar iets wat ik over het hoofd had gezien. Ik ging zelfs naar de garage om te zien of daar een kist of koffer stond met de papieren bewijzen die mijn ongelijk zouden aantonen. Maar natuurlijk was er niets.

Naast de grasmaaier zag ik een lege jerrycan staan. Ik werd hoe langer hoe rustelozer en begon me af te vragen hoe ik terug moest naar Washington om daar door te gaan met de voorbereidingen voor de expositie over de Tweede Wereldoorlog alsof er niets was gebeurd. Ik heb in geen jaren een echte vakantie gehad, maar toen ik die jerrycan zag staan, kwam het opeens bij me op dat ik misschien per auto kon terugkeren naar Washington in plaats van per vliegtuig. Een week vakantie om tot rust te komen, om na te denken over de dingen die ik had ontdekt. Daarom besloot ik de jerrycan vol te tanken en in de kofferbak van mijn auto te zetten.

Ik maak hier even melding van omdat iemand – de dokter? Nils? De FBI-agent? – zei dat er benzine in het huis was gesprenkeld en dat iemand mij die middag de jerrycan had zien vullen. Dat zet mij ongetwijfeld in een kwaad daglicht, en mijn verklaring zal vast als een uitvlucht worden gezien. Ik kan alleen maar herhalen dat het de waarheid is. De laatste keer dat ik die jerrycan heb gezien, was toen ik hem bij het pompstation van Jorgenson in de kofferbak van mijn huurauto zette. Voorzover ik weet, is hij daar nog steeds, als die auto tenminste niet is verbrand. Zo niet, dan heeft iemand hem er wellicht uitgehaald. Ik was het in elk geval niet.

Mijn moeder keerde pas tegen de avond terug, als ik me goed herinner tegen zevenen. Eindelijk kon ik haar lang genoeg laten zitten om mijn verhaal te doen en te eisen dat ze me de waarheid zou vertellen. Toen ik klaar was met de dingen die ik te zeggen had, was ik bijna hysterisch. Hoe ze reageerde? Eerst lachte ze me uit. Toen deed ze verontwaardigd.

'Je belt bijna nooit, Jillian. Je komt zelden langs. En dan duik je hier ineens half januari op met een of ander onzinverhaal! Ben je wel goed bij je hoofd?'

'Ik heb bewijzen, moeder! Brauns chauffeur heeft alle uitstapjes van de kolonel bijgehouden, inclusief de passagiers die hij meenam. Data, tijden, plaatsen. En één naam duikt steeds weer op – Sylvie Fournier. De naam die u aannam toen u bij het verzet ging.'

'Die naam komt zo vaak voor.'

'Het was de naam van uw moeder! Daarom hebt u die gekozen. En de data waarop die naam opduikt in de verslagen van de chauffeur, komen overeen met de data die voorkomen op de arrestatielijsten van de Gestapo van het hoofdkwartier aan de Avenue Foch. Op die data was u aan het feestvieren met die verschrikkelijke man, moeder, terwijl uw vrienden van de Résistance werden verhoord, gemarteld en doodgeschoten.'

'Waag het niet mij de les te lezen over de Résistance, jongedame! Ik was erbij. Ik heb het overleefd. Je hebt geen idee wat ik heb doorgemaakt. De offers die ik heb gebracht. De prijs die ik heb betaald.'

'De Luftwaffe heeft uw vader vermoord. Nellie Entwistle zei dat u hem op straat hebt gevonden. Hoe kon u dat vergeten?'

'Vergeten? Hoe kom je erbij? Dat ben ik nooit vergeten. Dacht je dat ik mijn arme vader niet keer op keer in mijn nachtmerries heb gezien zoals Nellie en ik hem die avond hebben aangetroffen? Hoe kun je zo wreed zijn om dat te zeggen?'

Ik vocht tegen mijn tranen. Ik wilde niet huilen. 'Ik wil niet wreed zijn, moeder. Het kost me alleen zo'n moeite om te begrijpen waarom u hebt gedaan wat u hebt gedaan. Ik heb u altijd alleen maar beter willen leren kennen. U begrijpen en van u houden.'

'Volslagen nonsens! Je hebt nooit van me gehouden, Jillian.'

'Dat is niet waar!'

'O, jawel. Je bent je hele leven jaloers op me geweest. Probeer het maar niet te ontkennen. Je was een saai, grijs meisje, en je bent uitgegroeid tot een saaie, grijze vrouw.'

'U bent mijn moeder! Waarom zou ik jaloers op u zijn?'

'Je voelde dat ik je overschaduwde. Geef het maar toe. Is het mijn schuld dat ik mijn uiterlijk mee had? Je hebt me kwalijk genomen dat ik mooi was. Altijd al.'

'Moeder, het enige wat ik u ooit kwalijk heb genomen, is dat u de jongen van wie ik hield, hebt verleid.'

Ze had rusteloos hen en weer gelopen, maar toen ik dat zei, bleef ze staan, liet zich in haar fauteuil zakken en hief haar handen gelaten ten hemel. 'Ach jee, daar zijn we dan. Daar gaat dit dus allemaal over, hè? Dat belachelijke incident met Nils Berglund. Ik kan niet geloven dat je al die jaren naar een manier hebt gezocht om me dat betaald te zetten, Jillian. Wat ontzettend klein van je.'

'Ik wil het u niet –'

'Wat ben jij een wraakzuchtig iemand, dat je me op zo'n manier probeert te straffen. En zo onrechtvaardig ook. Bovendien ben je vreselijk stom dat je nog steeds een zwak hebt voor een man die al tien jaar getrouwd is, drie kinderen heeft en een uitgezakt lijf begint te krijgen dat goed past bij die grijze muis van een vrouw van hem.'

'Moeder, Sharon is geen grijze muis, en dit heeft helemaal niets met Nils te maken, dat weet u best.'

'O, nee?'

'Nee. Ik ben al jaren over Nils heen. De echte reden voor mijn komst –

'Is me te straffen dat ik zo stom was die jongen te troosten. Goed. Toe maar. Ik had even een zwak moment, dat geef ik toe, maar hij stond daar zo trots en bang tegelijk in zijn uniform, klaar om ten strijde te trekken. En toevallig wist ik iets van wat hem over een paar dagen te wachten stond. Per slot van rekening heb ik zelf een oorlog meegemaakt. En toen...' Ze slaakte een diepe zucht, en een berekenende traan biggelde over haar wang. 'Toen ik hem daar zo zag staan in zijn uniform, kon ik... Vroeger heb ik zelf iemand van de marine liefgehad, moet je weten. Nils trof me aan in een zwak moment. Misschien liep het een beetje uit de hand –'

'Misschien?'

'Ik had gedacht dat je nu wel oud genoeg was om het te begrijpen, Jillian. Nils had op dat moment de troost van een vrouw nodig, en jij was er niet voor hem.'

Ik stond perplex. 'Moeder, in de eerste plaats ging ik al sinds mijn zeventiende met Nils naar bed – zoals u heel goed weet, aangezien u hem wekenlang de toegang tot ons huis hebt ontzegd toen u daarachter kwam. In de tweede plaats had ik geen idee dat hij dat weekend zou vertrekken. Ik was bij de Jorgensons. U had me even kunnen bellen. Trouwens, ik heb ontdekt dat Nils een paar dagen eerder uit San Diego had gebeld om te zeggen dat hij langs wilde komen. Dat bent u zeker vergeten te vertellen, hè? Want als ik het geweten had, was ik natuurlijk thuis geweest. Maar toen ik er eindelijk achter was dat hij in Havenwood was, ben ik meteen naar huis gegaan. U had hem zo dronken gevoerd, dat hij niet meer wist wat links en rechts was.'

'Ik heb hem niet dronken gevoerd. Hij heeft zelf –'

'Het was uw drank, moeder. Hij was een nerveuze, domme jongen van negentien. U was niet veel ouder dan ik nu ben. En ja, u was mooi en u hebt hem dronken gevoerd en hem verleid. Toen ik binnenkwam, lagen jullie op de bank en kroelde u over hem heen als een loopse teef.'

Ze fixeerde me met een blik die koningin Victoria waardig zou zijn geweest. 'Wat kun jij grof zijn, Jillian.'

Ik was boos op haar, maar nog bozer op mezelf. Ik kon niet geloven dat ik me door deze oude koeien van het echte doel van mijn komst had laten afbrengen.

'Het doet er niet toe wat u zeventien jaar geleden met Nils Berglund hebt uitgespookt, moeder. Ik wil het over de oorlog hebben. Hoe kon u met kolonel Braun naar bed gaan na wat de nazi's u hadden aangedaan? Na wat ze al die mensen hebben aangedaan?'

Ze zat daar als een standbeeld en ze zweeg koppig.

'Ontkennen heeft geen zin,' ging ik verder. 'Ik weet dat het zo was. U kunt niet eens aanvoeren dat het voor het goede doel was, want als dat zo was, had u uw verleden niet hoeven te verbergen. Ik heb Vivian Atwater ontmoet. Een heel pragmatische vrouw. Zij zou de eerste zijn om toe te geven dat het soms heel gerechtvaardigd is om voor het goede doel met de vijand te slapen.'

Bernard Cohn-Levy had die mogelijkheid ook opengehouden, herinnerde ik me, maar ik wist dat hij mijn verdriet alleen maar probeerde te verzachten en dat het zo niet was gegaan.

'Dat was uw opdracht niet,' zei ik. 'Miss Atwater wist niet zeker of u de zelfdiscipline had om het verzetswerk achter de linies te steunen. Ik weet heel zeker dat ze vond dat u de emotionele stabiliteit miste om voor uw land de vijand te naaien, moeder.'

'Jillian! Zulke taal duld ik niet! Hoe durf je?'

'Ik wil niet grof zijn. En ik veroordeel u niet,' zei ik vermoeid. 'In elk geval probeer ik dat niet te doen. Zoals u zei, was ik er niet bij. Ik heb geen idee wat u hebt doorgemaakt. Wat ze u hebben aangedaan. Wat hij met u heeft gedaan. Maar ik wil het zo graag begrijpen. Vertel het me toch! Waarom hebt u het gedaan?'

Eerst zei ze niets, maar toen gleed er ineens een triomfantelijke uitdrukking over haar gezicht. 'Jij denkt dat ik ben gedwongen, hè? Jij denkt dat ik een zwakke pion was in de handen van de kolonel – verslagen, gebroken, gehersenspoeld. Ik zal je uit de droom helpen, schatje. Niets, maar dan ook niets is verder van de waarheid.'

'Hoe bedoelt u?'

'Kurt had mij niet aan een touwtje. Ik had hém aan een touwtje. Natuurlijk liet ik hem in de waan dat hij me had verleid. Hij was het soort man dat geniet van de macht die hij over anderen, en met name vrouwen, heeft, en daarom liet ik hem geloven dat hij mij in zijn macht had. Tegen de tijd dat hij besefte dat het net andersom was, was het al te laat. Hij was in mijn macht, en hij kon geen weerstand aan me bieden. Er was niets wat die machtige man niet voor me wilde doen. Eerlijk gezegd was dat een heel opwindend gevoel.'

'Hoe rechtvaardigde u dat tegenover uzelf? Dacht u dat u het voor de Résistance deed?'

Haar lippen krulden zich tot een smalend lachje. 'De Résistance? Hoe kom je erbij? Dat was me een zielig stelletje, zeg. Ellendige Franse slappelingen. Ze legden hun wapens neer en lieten de Duitsers gewoon hun land bezetten. En de rest van de oorlog lagen ze aan de voeten van diezelfde Duitsers. Ja, zo nu en dan knabbelde er eentje aan hun enkels, maar dat had geen enkel effect. Een hopeloos stelletje zwakkelingen en collaborateurs waren het. Ik had het natuurlijk kunnen weten. Na al die vakanties bij die ellendige neven van me had ik moeten weten hoe de Fransen zijn. Maar in de oorlog verlies je de realiteit maar al te snel uit het oog als je wordt meegesleept door de spanning en de romantiek ervan.'

'Welke realiteit?'

'Dat Franse mannen karakterloos, kleinzielig en ijdel zijn. Vergeleken met hen is de doorsnee Duitse officier... Ik kan alleen maar zeggen dat die op goden leken, zoals ze door de straten van Parijs liepen in hun mooie, geperste uniform – lang, blauwe ogen, kaarsrechte rug. Mooie mannen, eigenlijk. Geboren veroveraars. En ze wisten hoe ze van het leven moesten genieten. Want genieten deden ze, kind. En ik vraag je, wie geeft nu niet de voorkeur aan kaviaar eten en champagne drinken met rijzige goden boven droog brood en surrogaatkoffie met een stel laffe dwergen?' Haar porseleinblauwe ogen fonkelden en haar stem leek bij de herinnering te trillen van erotische opwinding.

Het duizelde me. Dit had ik nooit verwacht. Ontkenning, ja. Verontwaardiging, woede, zelfrechtvaardiging. Maar kinderlijke wrok voor haar Normandische neven als basis van haat en minachting voor een heel volk? Om nog maar te zwijgen over uit zelfzucht collaboreren met een vijand die een heel land en bijna heel Europa had geknecht? Ja, ik kan rustig zeggen dat ik dit absoluut niet had verwacht.

Toen kwam opeens een andere gedachte op in mijn geschokte brein. 'En hoe zit het met Joe Meade, moeder? Wat is er met hem gebeurd?'

'Hij werd opgepakt en gefusilleerd. Samen met dat ellendige Franse mens van wie hij zo gecharmeerd was.'

'Wie bedoelt u?'

Ze maakte een ongeduldig gebaar met haar hand. 'Die Isobel Kempf. Een joodse of halfjoodse lerares uit de Elzas. Ze was tijdens de invasie van Frankrijk in Engeland en sloot zich daar aan bij de vrije Fransen. Keerde terug naar Frankrijk, ging bij het verzet, raakte gewond, werd naar Engeland gesmokkeld, waar ze herstelde. Ze gaven haar een baantje bij mij in de zaak – niet dat ze zo goed was, hoor. Maar ze was in bezet gebied geweest, dus elke keer dat iemand wilde weten hoe het daar was, haalden ze dat ellendige mens erbij.'

'En Joe hield van haar? Maar ik dacht dat u en hij elkaar weer hadden ontmoet in Frankrijk toen zijn vliegtuig was neergehaald.'

'Neergehaald?' Ze haalde haar neus op. 'De idioot liet zijn vliegtuig neerstorten om haar te zoeken toen ze was teruggegaan. Ze was in een klooster ondergedoken met een paar joodse kinderen die ze moest redden. Daar kon hij haar moeilijk te pakken krijgen, toch? Ik heb ervoor gezorgd dat de Résistance hem bij ons in huis plaatste. De oude Viau en ik waren de enige bewoners, dus we hadden ruimte genoeg. Viau raakte zelfs erg op hem gesteld.' Ze glimlachte. 'Een enige man, onze Joe. Zo knap. Groot en sterk en lief. Een hartenbreker.'

'U hield echt van hem, hè?'

'Ja,' zei ze zachtjes. Er rolde een traan over haar wang. 'Ik hield echt van hem. Hij was een geweldige man.'

'Maar...' drong ik aan, al was ik bang voor wat ik te horen zou krijgen. Ik móest het echter weten.

Ze haalde haar perfect gevormde schouders op. 'Hij wilde niet mij, maar die vrouw. Ik weet niet wat hij in haar zag. Het leek wel of ze hem had behekst.'

'Isobel.'

'Ja.'

'Wat is er met haar gebeurd?'

'Ze werd gevonden in het klooster. Zij en de kinderen, Kurt vond ze.'

'Hoe wist kolonel Braun dat ze daar waren?'

'Dat weet ik niet.'

'Volgens mij wel. U hebt het hem verteld, nietwaar? Zonder Isobel maakte u een kans bij Joe. Dat was uw plan, hè?'

'Joe was niet voor haar!' riep mijn moeder snuivend uit. 'Ik had hem het eerst ontmoet. Alleen werd ik toen door de SOE naar Frankrijk gestuurd. Ik had hem nooit alleen moeten laten. Alles liep verkeerd. Een paar maanden na mij werd zij ook in Frankrijk gedropt. Toen Londen haar radiosignaal niet meer ontving, kwam Joe haar zoeken. Zolang zij er was, had het geen zin om hem te helpen. Hem had ik zo lang als nodig was kunnen verbergen. Maar Isobel moest weg.'

'En dus hebt u kolonel Braun verteld dat er vier joodse kinderen en een lerares in het klooster ondergedoken zaten. Hij heeft ze gevonden en via Drancy naar Auschwitz gestuurd. Zo is het gegaan, hè? Alleen hebt u zich verrekend, want Joe liep ook in de val die u had opgezet.'

Een laag, klaaglijk geluid maakte zich los uit haar keel. Haar handen klauwden zich als vanzelf om de leuningen, en ze trok wit weg.

'Vertel het me!' schreeuwde ik. 'U hebt Joe ook verraden, hè?'

'Hij hoorde daar helemaal niet te zijn! Het was de schuld van die oude zot!'

'Welke oude zot?'

'Viau. Hij was op Joe gesteld geraakt, zoals ik al zei. Toen Joe tegen hem zei dat hij Isobel dolgraag wilde zien, haalde die ouwe gek de moeder-overste over hem in het klooster te laten, zodat die twee even bij elkaar konden zijn. Ik had geen idee dat hij daar zou zijn toen Kurt en zijn mannen langskwamen, anders had ik geen woord gezegd. O, die stomme oude zot!' riep mijn moeder uit. 'Waarom heeft hij dat ook gedaan?'

Mijn hart bloedde. 'Kolonel Braun vond niet alleen Isobel en de kinderen, maar ook Joe Meade. En hij werd meegenomen en gefusilleerd, terwijl de vrouwen en de kinderen in Auschwitz terechtkwamen. O, moeder, wat hebt u gedaan? U hebt vrouwen en kinderen en de man die u liefhad verraden, en u hebt met hun moordenaar geslapen en zijn kind gebaard – ik. En toch houdt u nog steeds vol dat u aan de touwtjes trok? Bent u wel goed bij uw hoofd?'

Ze rechtte haar rug en keek me uitdagend aan, door haar tranen heen. 'Ik heb het laatste woord gehad,' zei ze bitter. 'Ik heb wraak genomen.'

'Wat voor wraak? Ik weet al dat u niet gevangen zat in Drancy toen dat door de geallieerden werd bevrijd.'

'Nee, ik was bij Kurt. Hij was een van de laatste Duitsers die Parijs verliet. Ik wilde zelf ook weg, terug naar Engeland, maar eerst moest ik zorgen dat hij bloedde voor wat hij Joe had aangedaan.'

'Hoe dan?'

Moeders stem was ijskoud toen ze zei: 'Als er niet altijd zoveel soldaten in de buurt waren geweest, had ik hem eigenhandig vermoord. Ik wist heel goed dat ik niet ver zou komen als ik dat nu deed. Maar als ik hem alleen te pakken kon krijgen, ergens op straat, zou het me lukken.'

Opeens schoot me te binnen wat Bernard Cohn-Levy me in Parijs had verteld – dat kolonel Braun was doodgeslagen door een woedende meute toen hij via Porte de la Villette de stad had willen verlaten. Ik herhaalde zijn woorden voor mijn moeder.

Ze glimlachte. 'Dat weet ik. Ik was erbij.'

'O, ja? Hoe kan dat?'

'Ik zei immers dat Kurt alles voor me wilde doen, Jillian. Hij wilde dat ik met hem meeging naar Berlijn. Het plan was dat hij met enkele andere officieren per auto zou vertrekken, maar ik overtuigde hem ervan dat het veiliger was om samen te reizen. Ik moest hem alleen zien te krijgen, begrijp je. En uiteindelijk vertrokken we in een auto met alleen een chauffeur, verder niemand.'

'En?'

'En,' zei ze triomfantelijk, 'toen we bij Porte de la Villette kwamen en de auto vaart minderde, deed ik mijn jas uit, scheurde mijn jurk kapot en sprong uit de auto, terwijl ik schreeuwde dat ik was ontvoerd door de beruchte kolonel Braun, neef van Hitlers minnares, kindermoordenaar. Je had me moeten zien, Jillian. Mijn toneelspel was werkelijk een Oscar waard. In een mum van tijd had zich een grote menigte gevormd. Mensen begonnen aan de auto te schudden. Iemand anders trok keien los uit de straat en gooide die door de ruit. Kurt en zijn chauffeur werden naar buiten gesleurd. Hij kon het nog steeds niet geloven. Hij smeekte me hem te helpen. Noemde me nota bene zijn *Liebchen*. Iemand drukte me een kei in de hand en die gooide ik naar de rotzak toe. Hij raakte hem vol op zijn hoofd. Toen begon iedereen stenen te gooien, en even later werd de auto in brand gestoken.' Met een triomfantelijk gezicht leunde ze achterover. 'Dus nu begrijp je wel waarom ik zei dat ik het laatste woord heb gehad.'

Ik denk dat ik mijn moeder die avond wel had kunnen vermoorden. Elk woord uit haar mond had me geschokt en vervuld met walging en afkeer. De schok was nog groter dan toen ik nog dacht dat ze niets ergers had kunnen doen dan het kind van een kolonel van de Gestapo baren en dat laten doorgaan voor de dochter van de Amerikaanse piloot Joe Meade.

Maar hoe ontzet ik ook was, ik realiseerde me ook dat ze moreel bankroet was, en misschien wel krankzinnig. Ik kon haar aanwezigheid geen minuut langer verdragen, en dus holde ik naar buiten en begon te lopen. Ik wist niet waarheen. Ik wist alleen dat ik weg moest. Ik had geen jas aan en droeg geen sokken in mijn schoenen, maar ik voelde de kou niet. Eerst niet, tenminste... Pas lang nadat ik het laatste huis van Lakeshore Road was gepasseerd, begon ik het koud te krijgen. Toen het begon te sneeuwen, draaide ik me om en liep ik terug naar huis, vastbesloten mijn koffers te pakken en onmiddellijk te vertrekken.

In mijn moeders huis was alles echter donker. Ik schopte mijn doorweekte schoenen uit in de hal en liep naar de keuken. Ik rook meteen dat er brand was. Er kwam een rode gloed uit de woonkamer. Ik riep mijn moeder en wilde naar de woonkamer hollen, maar ik gleed uit op een natte plek op de vloer en viel. Ik greep me aan een stoel vast, maar die viel ook om. Het laatste wat ik weet, is dat mijn hoofd de rand van het aanrecht raakte.

Toen – ik weet niet wanneer – was Nils bij de keukendeur. Hij riep mijn naam, haalde me uit het huis en ging toen terug voor mijn moeder. Ik liep hem achterna en zag haar dode, blauwe ogen.

Vanaf dat moment wilde ik ook dood. Net als mijn moeder. Net als mijn vader. Net als alle anderen wier bloed aan hun handen kleefde.

34

Parijs, Frankrijk
Maandag 15 januari 1979

Vlak voordat het vliegtuig naar Parijs vertrok, belde Cruz naar het bureau en liet een boodschap achter bij de weekendwaarnemer waarin hij zei dat hij weg moest om een dringend familieprobleem af te handelen – al zei hij er niet bij dat de familie in kwestie niet zijn familie was. Het was een slappe smoes, en hij zou er normaal al niet mee weggekomen zijn. Na hun gesprek van die ochtend, zou Kessler helemaal geïrriteerd zijn. Met een beetje geluk was hij echter over een dag of twee weer in Washington, en dan zag hij wel of hij nog een baan had of dat hij de personeelsadvertenties moest doorpluizen. Ondertussen was hij niet van plan Berglunds aanvaller vrijuit te laten gaan of Jillian Meades spoor te verliezen – niet zolang er een kans was dat hij haar uit het moeras kon trekken waarin ze dreigde te verdrinken.

Mocht hij niet kunnen beschikken over rugdekking van de FBI en op eigen titel moest opereren, dan had hij in elk geval nog een troef achter de hand. Mindel had zijn kaart nog sneller gespeeld dan hij had gehoopt. Hij had net rond acht uur 's ochtends plaatselijke tijd het vliegtuig verlaten nadat het geland was op Roissy-Charles de Gaulle, toen zijn naam werd omgeroepen met het verzoek of hij zich wilde melden bij de balie van El Al. Daar leidde een controleur – of een van Mindels mannen vermomd als controleur – hem naar een lege, geïsoleerde kamer in het kantoor van de Israëlische luchtvaartmaatschappij, waar de man naar een telefoon met een rood knipperlichtje wees.

'Uw vlucht was laat, Mr. Cruz,' zei de agent. Hij had peenkleurig haar en zoveel sproeten, dat hij voor zongebruind had kunnen doorgaan als het er nog een of twee meer waren geweest. 'Degene die u belt, begon heel erg ongeduldig te worden.'

'Bedankt,' zei Cruz, die wachtte tot de man was vertrokken en de deur had gesloten, voordat hij de hoorn van de haak pakte.

'Alex, eindelijk!' baste Mindels stem door de telefoon. 'Probeer je me om zeep te helpen?'

'Sorry, Z'ev. De piloot besloot om een of andere Noord-Atlantische depressie heen te vliegen. Ik stond op het punt te springen en verder te zwemmen. Wat heb je ontdekt?'

'Genoeg. Dit is overigens een beveiligde lijn.'

'Je verbaast me keer op keer, Z'ev.'

'Ik probeer alleen maar te helpen. We hebben trouwens een probleempje, ben ik bang. Onze man in Mexico City heeft net doorgegeven dat Edelmann en Jillian net voor middernacht op het vliegtuig naar Parijs zijn gestapt. Edelmann heeft Jillian van een vals Canadees paspoort voorzien. De agent die bij jou is, heeft me verteld dat hun vlucht over een kwartier wordt verwacht.'

'Geen probleem. Komt perfect uit. Nu kan ik ze mooi opwachten.'

'Ik ben bang van niet. Hun vliegtuig is namelijk vijfentwintig minuten te vroeg geland... op Orly.'

'Vervloekt! Dat is aan de andere kant van Parijs!'

'Ik heb er mensen heen gestuurd, maar ik denk dat we ze zijn misgelopen.'

'Het was ook te mooi om waar te zijn.' Cruz haalde zijn vingers door zijn haar. 'Ik moet ze maar gewoon in de stad opsporen, net zoals ik van plan was. We weten in elk geval dat ze in Parijs zijn. Dat zegt trouwens wel wat over onze grensbewaking.'

'Ik had je van tevoren wel kunnen vertellen dat het hun zou lukken de grens over te komen. Geloof me, vriend, je land inkomen kost wat moeite, maar eruit komen is een makkie.'

'O, ja? Hoe vaak heb je dat zelf dan gedaan?' Cruz hief zijn hand op. 'Nee, laat maar. Ik wil het niet weten.'

'Waarschijnlijk maar beter ook. En, wat nu? Enig idee wat hun doel is?'

'Daar heb ik onderweg over zitten nadenken. Als Jillian vorige maand in Parijs alarmbellen heeft laten rinkelen toen ze in Grace' verleden spitte, denk ik dat het die advocaat was, die Cohn-Levy, die onze man heeft ingelicht dat zijn prooi eindelijk was opgedoken.'

'Hm, die ken ik niet, alleen van naam,' zei Mindel. 'Het is heel goed mogelijk.'

'De man is een fanatiek nazi-jager. Hij lijkt mij een logische kandidaat voor Ariëls Klauw, dacht je niet?'

'Misschien een idee om hem op te zoeken,' zei Mindel instemmend. 'Maar denk je niet dat Edelmann jou heeft gezien toen je in Minnesota was? Ik denk dat je er goed aan doet die Cohn-Levy zo omzichtig mogelijk te benaderen, voor het geval Edelmann bij hem is.'

Cruz knikte. 'Dat zou een probleem kunnen zijn. Het stikte in Havenwood van de onbekenden toen ik er was. Edelmann kon kennelijk in de menigte opgaan, maar ik viel echt op. Zo nu en dan had ik het gevoel dat iemand naar me keek, maar dat schreef ik toe aan kleinsteedse nieuwsgierigheid. Nu vraag ik me af of dat wel zo was. Bovendien kan hij me met de hulpsheriff in het ziekenhuis hebben gezien waar Jillian was opgenomen, als hij daar zijn kans afwachtte om haar te pakken te krijgen.'

'Je krijgt nog spijt dat je mij niet hebt meegenomen naar Parijs, jongen. Ik had je rugdekking kunnen geven.'

'Je doet al genoeg voor me.'

'Ik zal zorgen dat je alle hulp krijgt die je nodig hebt, mijn vriend. Al moet ik wel zeggen dat het me niet helemaal duidelijk is. Als Edelmanns doel het afrekenen met de collaborateur was die zijn moeder en die kinderen in het klooster heeft verraden, wat moet hij dan nog met de dochter?'

'Louter wraakzucht, misschien? Hij heeft immers ook niet geaarzeld die twee vrouwen in Engeland om te leggen in de jacht op Jillian, hopend dat ze hem naar Grace zou leiden – wat ook is gebeurd. Misschien vond hij het niet genoeg om alleen haar te doden. Misschien wil hij alle sporen van Grace Meade van de aardbodem laten verdwijnen – inclusief haar nazaat.' Er schoot Cruz iets anders te binnen. 'Tenzij...'

'Tenzij wat?'

'Heb je die andere informatie nog kunnen krijgen?'

Mindel kreunde. 'Oef! Dat was ik bijna vergeten. Ja, ik ben er achteraan geweest, en je had gelijk wat betreft Edelmanns moeder en haar baby.'

Cruz voelde de haartjes in zijn nek overeind komen. 'Wel alle... Oké, Z'ev, dat helpt enorm. Kan zijn daden in een heel ander daglicht stellen.'

'Ik kan je niet volgen.'

'Lang verhaal. Leg het later wel uit. Ik weet trouwens zelf niet of dit het nu beter of slechter maakt. Deze Edelmann is een gewelddadige man. De balans kan volgens mij nog naar beide kanten doorslaan. Misschien leeft Jillian alleen nog omdat ze heeft beloofd hem naar het goud van de nazi's te brengen.'

'Petje af voor haar als ze die informatie boven water heeft gekregen. Veel mensen is dat niet gelukt.'

Cruz fronste zijn wenkbrauwen. 'Het probleem is dat ik dat verslag van haar keer op keer heb gelezen en nergens uit op kan maken dat zij wél weet waar het goud is.'

'Denk je dat ze blufte?'

'Dat denk ik, ja. Niet dat ze de puzzel niet zou kunnen oplossen, maar ze was niet op jacht naar goud toen ze hier een maand geleden was. Ik denk eerder dat ze snel iets heeft verzonnen om het leven van de hulpsheriff te redden. Ze leeft nog, en dus hecht Edelmann nog geloof aan haar woorden, maar als ze bluft, komt hij daar gauw genoeg achter.'

'Zou hij dat goud willen hebben om de oorlogskas van Ariëls Klauw te spekken, of voor zichzelf?'

'Geen idee.'

'Nou, met mijn officiële pet op hoop ik dat het persoonlijk gewin is. Als die fanatici zo'n enorm werkkapitaal te pakken krijgen, krijgen onze mensen er nog een zware dobber aan om ze in bedwang te houden.'

'Wat Jillian betreft, maakt dat geen enkel verschil. Edelmann zit achter dat goud aan, en ik durf er heel wat onder te verwedden dat ze er geweest is zodra hij het in handen heeft. Dat zal trouwens ook het geval zijn als ze hem niet naar het goud brengt. Vroeg of laat zal Jillian voor hem van geen enkel nut meer zijn.'

Bernard Cohn-Levy kwam over als een man die óf het doelwit van een moordaanslag was geweest óf meer dan eens met de dood was bedreigd. Het was duidelijk dat hij iets wist van persoonlijke veiligheidsmaatregelen.

Cruz was naar het huisadres van de man bij de Place de Vosges gegaan dat Mindels mensen in Parijs hem hadden gegeven, in de stoffige grijze Fiat die hem ter beschikking was gesteld. Edelmann was het probleem van de Mossad, had Mindel gezegd, en als Cruz meehielp dat op te lossen, kon de Mossad op zijn minst wat middelen verschaffen. Een blik in de achteruitkijkspiegel leerde Cruz dat daar ook een gevolg bij hoorde – discreet en op een afstand, maar wel zo zichtbaar dat hij zich ervan bewust was.

Bij het adres van de advocaat aangekomen, zag hij nog net een forse, witharige man die aan Jillians beschrijving beantwoordde een smal, elegant flatgebouw verlaten. De man was alleen. Cruz zag hem naast een zwarte Citroën stilhouden en een zakspiegeltje te voorschijn halen, waarna hij zich bukte en er de bodem van de auto mee inspecteerde. Toen hij niets vond, liep hij om de auto heen, ontsloot het portier aan de kant van de bestuurder, gleed achter het stuur, deed het portier weer op slot en bukte zich toen, waarschijnlijk om de stuurkolom en het rempedaal op sporen van sabotage te controleren. Pas daarna startte hij de motor. Cruz stond een flink eind verderop, maar zelfs van die afstand zag hij de oude man zijn adem inhouden in de fractie van een seconde die het duurde voordat de motor aansloeg. Het dagelijks leven van een kruisvaarder was geen sinecure.

Toen de advocaat wegreed, volgde Cruz hem op enige afstand. Ze gingen in de richting van de Seine en, naar hij vermoedde, van Cohn-Levy's kantoor. Even later reden ze over de Pont Neuf en sloeg Cohn-Levy linksaf, richting St-Germain-des-Prés. Tegen de tijd dat hij zijn Citroën had geparkeerd en zorgvuldig had afgesloten, had Cruz de kleine Fiat tussen twee andere auto's gewrongen en was hij in zijn richting gespurt. De advocaat stak net zijn sleutels weg, toen Cruz hem bij zijn elleboog pakte.

'Neem me niet kwalijk, Monsieur Cohn-Levy, u hoeft niet te schrikken.' De oude man schrok natuurlijk wel, maar het pleitte voor hem dat hij niet terugdeinsde. Cruz toonde zijn mapje met daarin zijn penning. 'Mijn naam is Alex Cruz van de FBI. Zou ik u misschien even kunnen spreken?'

Argwanend bekeek Cohn-Levy zijn identificatie. 'U bent wel een beetje buiten uw werkgebied, is het niet?'

'Klopt, *sir*. Ik ben hier zelfs niet in een officiële hoedanigheid, maar aangezien ik aanneem dat u in het verleden problemen met uw persoonlijke veiligheid hebt gehad, leek het me beter me bekend te maken.'

Cohn-Levy wuifde zijn woorden weg. 'Daar maak ik me niet al te veel zorgen over. Als mijn vijanden me nu nog niet hebben vermoord, kunnen ze het inmiddels net zo goed aan Onze Lieve Heer overlaten.'

'Toch tart u het noodlot niet,' zei Cruz, met een knikje naar het spiegeltje dat uit zijn zak stak.

'Mijn vrouw staat erop; zij maakt zich zorgen. Maar het leven is te kort om voortdurend in angst te leven, vindt u niet?'

'Ja, *sir*, dat vind ik ook.'

'Maar waarmee kan ik u van dienst zijn, agent... Cruz, was het?'

'Kunnen we ergens ongestoord praten? In uw kantoor, misschien?'

'Ik heb de gewoonte om elke ochtend, voor ik me begeef naar het gekkenhuis dat mijn kantoor is, een espresso te drinken in het café op die hoek daar. We kunnen een tafeltje zoeken waar we niet worden afgeluisterd.'

'Prima,' zei Cruz, zelf ook wel aan koffie toe na de turbulente vlucht van negen uur.

Toen ze goed en wel aan een hoektafeltje zaten en koffie hadden besteld bij de toegesnelde kelner, kwam Cruz meteen ter zake. 'Ik ben hier in verband met Jillian Meade. Herinnert u zich haar nog?'

'Jillian? Ja, zeker.' Met een brede glimlach boog Cohn-Levy zich over het gietijzeren tafeltje heen. 'Geweldige jonge vrouw. Ze was ongeveer een maand geleden in Parijs. Ik hoop dat ze het goed maakt?'

'Ik hoopte eigenlijk dat u me dat kon vertellen.'

'Dat begrijp ik niet.'

'Kent u een zekere Simon Edelmann?'

'Edelmann? Die naam klinkt niet bekend. Wie is dat?'

'Ariëls Klauw, dan?' Cruz zag dat de advocaat overeind veerde en dat er een schaduw over zijn gezicht gleed. 'Ik zie dat u die naam wel kent,' zei hij.

'Wat is dit allemaal?'

'Wat is uw connectie met die organisatie?'

'Word ik ergens van beschuldigd?'

'Hebt u de laatste tijd nog contact met ze gehad?'

'Ik vraag u nogmaals of ik ergens van beschuldigd word, agent Cruz. Wat voor spelletje speelt u?'

'Geen spelletje. Ik probeer Jillian Meade te vinden.'

'Wordt ze vermist?'

'Ja. Ze is deze ochtend in Parijs gearriveerd, in gezelschap van Simon Edelmann. Ik wil weten waar ze zich bevinden.'

De kelner arriveerde met de espresso, maar Cruz bleef de advocaat aankijken, die de kelner wegwuifde en zijn koffie opzij schoof. 'Heeft ze problemen met de wet? Bent u haar daarom hierheen gevolgd? Want als dat zo is, bied ik me aan om haar te vertegenwoordigen, en ik kan u verzekeren dat ze dan de volledige bescherming van de Franse wet geniet. Het is een geweldige vrouw, en –'

'Ik denk dat ze echte problemen heeft. Ze is min of meer ontvoerd door deze Edelmann, en haar leven loopt mogelijk gevaar. Dus als u werkelijk zo gesteld bent op Miss Meade, laten we dan ophouden elkaar vliegen af te vangen en helpt u mij haar op te sporen.'

'Ontvoerd, zei u?'

'Ja. Ik denk dat u iets weet van Miss Meades onderzoek naar

het dubieuze oorlogsverleden van haar moeder bij het Franse verzet?' Toen Cohn-Levy knikte, vervolgde Cruz: 'Niet lang na haar ontmoeting met u, heeft deze Edelmann kennelijk haar spoor gevonden en is hij haar gevolgd naar haar moeder. Die werd vervolgens vermoord, waarschijnlijk uit wraak voor haar verraad in de oorlog, een verraad dat leidde tot de dood van onder andere vier jonge joodse meisjes.'

'Is Jillians moeder vermoord? En dat had iets te maken met die kleine meisjes in Gentilly die door de nonnen verborgen zijn gehouden?'

'Zo is het. De lerares die tegelijk is opgepakt, blijkt de moeder van Simon Edelmann te zijn. Er speelt dus een persoonlijk motief mee. Edelmann heeft inmiddels Jillian te pakken en bevindt zich met haar in Parijs.'

'Wat komt hij hier doen?'

'Hij denkt dat zij hem bij de goudschat kan brengen die de nazi's in 1944 werd ontstolen. Wanneer hij erachter komt dat ze dat niet kan – en ik denk echt dat ze het niet weet – zal hij haar waarschijnlijk doden.'

Cohn-Levy vouwde zijn handen op zijn ronde buik en trok zijn witte wenkbrauwen samen. 'Dit is werkelijk onaanvaardbaar, zelfs voor die rebellen.'

'Bedoelt u Ariëls Klauw?'

'Ja, natuurlijk.'

'Wilt u zeggen dat u hen niet steunt?'

'Absoluut. Het zijn doodgewone moordenaars, verder niets.'

'Ik neem aan dat deze groep jacht maakt op oorlogsmisdadigers. Is dat niet ook uw werkterrein?'

'Hun methoden verschillen hemelsbreed van de mijne,' zei Cohn-Levy verontwaardigd. 'Ja, ik jaag op oorlogsmisdadigers, maar ik gebruik geoorloofde middelen om ze voor de rechter te brengen. Ik volg de wetten van de menselijkheid, niet de wet van de jungle. We vergaren bewijs, werken naar een proces toe. Saai en moeizaam werk. Ons doelwit is vaak al verdwenen of gestorven voordat we de zaak rond hebben, maar daar is niets aan te doen. Mijn eigen familie is ook omgekomen in de oorlog, en ik geef toe dat er een zwarte tijd is geweest dat ik de moordenaars met mijn blote handen had kunnen wurgen...'

Cohn-Levy hief zijn handen op, en zijn vlezige vingers omklemden een denkbeeldige nek met een felheid die duidelijk maakte dat hij nog steeds de kracht bezat om het leven uit zijn vijanden te knijpen. Toen vielen ze terug in zijn schoot. 'De nazi's hebben door te moorden de wetten van de beschaving met voeten getreden,' zei hij. 'Ik zag in dat wij geen haar beter waren als wij ons op dezelfde manier gedroegen. Dan zouden wij het ook verdienen om op de vuilnisbelt van de geschiedenis gegooid te worden, samen met Hitler en zijn navolgers.' De oude man slaakte een diepe zucht. 'Dus om uw vraag te beantwoorden, agent Cruz, nee, ik steun de activiteiten van Ariëls Klauw niet, noch die van anderen die denken dat God hun het recht heeft gegeven om jury, rechter en beul te zijn over andere mensen, op welke manier ze dat ook rechtvaardigen.'

'In dat geval bied ik u mijn verontschuldigingen aan, *sir*. Maar u bent dus wel op de hoogte van het bestaan van de organisatie. Hebben ze u benaderd?'

De jurist nam een slokje koffie, zette toen zijn kopje neer en knikte. 'Een- of tweemaal, al is het de laatste jaren niet meer voorgekomen. Ik denk dat men nu wel weet dat die gekke oude Cohn-Levy sterk hecht aan handelen volgens de regels en weinig moet hebben van lynchpartijen.'

Cruz haalde het fotootje van Edelmann uit zijn zak dat Mindel hem had gegeven. 'Hebt u deze man ooit eerder gezien?'

Cohn-Levy bestudeerde de foto en schudde toen zijn witte lokken. 'Is dit de man die Jillian te pakken heeft? Wel jong om bij zulke akelige zaken betrokken te zijn.'

'Hij is nooit bij u geweest?'

De advocaat gaf de foto terug. 'Nee.'

Nadenkend tikte Cruz ermee tegen de rand van zijn kopje. 'Hm, dan heeft iemand anders in Parijs contact met hem opgenomen. Kort nadat Jillian hier vertrok, heeft hij haar spoor opgepikt. We denken dat hij twee mensen die ze in Engeland heeft opgezocht, heeft vermoord toen die hem niet konden vertellen waar haar moeder en zij woonden. Wie kan er nog meer iets hebben geweten van Grace Meades activiteiten en hem hebben getipt?'

'Tja... dat kunnen er nogal wat zijn.'
'Hoezo?'
'Na Jillians vertrek heb ik links en rechts eens wat geïnformeerd,' zei Cohn-Levy. 'Het blijkt dat een aantal mensen in Gentilly tot de conclusie is gekomen dat ene Sylvie Fournier degene is geweest die de onderduikers in het klooster heeft verraden. Kennelijk heeft iemand haar in gezelschap van kolonel Braun gezien, een dag of twee nadat zij en een groot aantal anderen waren opgepakt door de Gestapo. En al snel deed het gerucht de ronde dat deze Sylvie luxe winkels bezocht, terwijl anderen uit de buurt wegrotten in de gevangenis.'
'Dus dat was bekend?' vroeg Cruz, die opveerde.
'Daar lijkt het wel op.'
'Dat is wat anders dan in Jillians verslag staat.'
'Welk verslag?'
Snel haalde Cruz het zwarte opschrijfboekje uit zijn binnenzak. Het zag er door het vele geblader inmiddels al aardig verfomfaaid uit.
In korte bewoordingen vertelde hij Cohn-Levy over Jillians zelfmoordpogingen, en dat ze een verslag wilde nalaten over haar onderzoek naar haar moeders activiteiten. 'Ze vertelt erin dat u haar hebt geholpen, en ook dat ze na haar bezoek aan u naar Gentilly is gegaan en daar op zoek is gegaan naar iemand die een alternatieve verklaring kon geven voor de dingen die daar in 1944 zijn gebeurd. Ze trof daar een café-eigenaar met de naam...' Cruz bladerde in het boekje tot hij de betreffende bladzijde had gevonden. 'Jacques Aubert. Een neef van een lid van de Résistance dat na de goudroof werd gefusilleerd. Deze Aubert was toen nog maar een kind, maar hij zei dat hij zich Sylvie Fournier goed herinnerde, omdat ze zo knap was, en hij tot over zijn oren verliefd...' Cruz gaf een klap op de tafel. 'Dat is het!'
'Wat?'
'Aubert! Hij heeft Jillian uitgehoord over haar moeders verblijfplaats! Ze schrijft dat hij haar uitnodigde voor het eten en dat ze meer dronk dan ze eigenlijk wilde. Haar verslag is soms wat onsamenhangend door het effect van de medicijnen die ze in het ziekenhuis kreeg, maar ik denk dat ze wilde zeggen dat ze

radeloos was toen ze Aubert tegen het lijf liep, en dat ze zich zorgen maakte dat ze misschien meer had verteld dan ze wilde. Ergens in haar achterhoofd moet ze hebben geweten dat ze haar hart die avond heeft gelucht en gezegd dat ze twee oude bekenden van haar moeder heeft opgezocht. Een andere verklaring is er niet voor het feit dat ze achter die twee vrouwen zijn aangegaan. De mensen hier hadden geen idee dat Sylvie in feite een Engelse spionne was. Aubert moet een van de informanten zijn die Edelmann had ingeschakeld om achter haar verblijfplaats te komen.'

'Ik kan het adres van dat café voor u opzoeken,' zei Cohn-Levy.

'Dat zou fijn zijn. Bedankt.' Cruz dronk zijn kopje leeg. Cohn-Levy volgde zijn voorbeeld, en na het betalen van de rekening verlieten ze het café. Onderweg naar het kantoor van de advocaat, zei Cruz: 'Er is nog iets wat me dwarszit. Misschien kan Aubert dat punt ophelderen.'

'Wat dan?'

'Grace had het zo druk met haar werk voor de Résistance en haar andere activiteiten, zoals uitgaan in de Moulin Rouge, avonden in hotel Georges V doorbrengen met kolonel Braun... Wanneer had ze tijd om zwanger te zijn? Feestte ze gewoon door tot de dag van de bevalling? Jillian schreef het al in haar verslag – de cijfertjes kloppen niet, en cijfertjes liegen niet.'

'Ik kan het even niet volgen.'

'Laat ik het zo zeggen – hoe groot is de kans dat een jongen van twaalf smoorverliefd wordt op een zwangere vrouw? Heel klein, denk ik. En nog wat. Volgens de gegevens uit Drancy die u Jillian hebt laten zien, is er op 14 juli maar één kind geboren. Het kind van een vrouw die Isobel heette.'

'Isobel Kempf, de lerares die tegelijk met de kinderen in het klooster werd gearresteerd.'

'Precies. Isobel, de geliefde van Joe Meade, de Amerikaanse piloot met wie Grace zogenaamd getrouwd was. Zoals ik eerder zei, is Isobel ook de moeder van Simon Edelmann. Toen ze na de oorlog hoorde dat Joe en haar baby dood waren, is ze naar Jeruzalem verhuisd en later hertrouwd. In 1949 werd Simon geboren. Uit Jillians verslag blijkt nergens of de in Drancy geboren baby een jongetje of een meisje was, maar een vriend van me, die bij de Mossad werkt, heeft ontdekt dat het om een meisje ging. Simons halfzusje.'

Cohn-Levy bleef abrupt staan, wat leidde tot verwensingen van de voetgangers achter hem, die een botsing ternauwernood konden voorkomen. 'Jillian! Isobels baby was Jillian!'

'Dat denk ik.'

'Heeft Grace Meade de baby gestolen?'

'Het is logisch, als je erover nadenkt. Joe Meade was zo wanhopig toen Isobels radiosignaal verdween, dat hij zijn vliegtuig aan de grond zette om haar te gaan zoeken. Waarom? Ja, hij hield van haar, maar hij moet ook geweten hebben dat ze hun kind droeg. Hij ging naar Parijs en werd daar ondergebracht in het huis van Viau, de drukker. Misschien heeft Grace Isobel niet eens gezien tijdens haar verblijf in het klooster, maar de kans is groot dat Joe haar heeft verteld dat Isobel zwanger was. Nadat hij was gedood en Isobel werd gearresteerd en opgesloten in Drancy, vond de invasie in Normandië plaats en begon het tij te keren. Grace was slim genoeg om te weten dat de dagen van de Duitse bezetting waren geteld. Het was niet moeilijk om te bedenken wat er dan met collaborateurs zou gebeuren, en dus begon ze haar ontsnapping voor te bereiden. Engeland was te dichtbij, maar als ze naar Amerika kon vluchten...'

Cohn-Levy's ogen werden groot, en hij sloeg in afgrijzen zijn handen voor zijn gezicht. 'Dus deed ze alsof ze Joe Meades weduwe was – en de moeder van zijn kind.'

'Juist. Had hij zijn ouders misschien geschreven dat hij vader zou worden? Wie weet. Het maakte niet uit. Grace wist dat de baby hoe dan ook haar ticket naar de vrijheid zou zijn. Wie zou een mooie weduwe met een vaderloos baby'tje in de armen kunnen weerstaan?'

'Maar Isobel en de baby bevonden zich toen al in het doorgangskamp. Hoe heeft Grace het kind te pakken gekregen?'

'Viel Drancy onder jurisdictie van kolonel Braun?'

'Hoogstwaarschijnlijk wel,' antwoordde Cohn-Levy knikkend. 'In elk geval zou een bewijs van overdracht van een gevangene, afgegeven door een kolonel van de Gestapo, niet in twijfel worden getrokken door de kampcommandant, die veel lager in rang was.'

'En vergeet niet dat Grace een vervalser was, en door haar relatie met kolonel Braun in een positie om allerlei officiële Gestapo-formulieren te gappen. Hij hoeft er niets van geweten te hebben.'

'Ze moest de baby weghalen voordat de gevangenen op transport gingen naar Auschwitz – voordat alle kinderen onder de twee werden vermoord,' voegde Cohn-Levy er kalm aan toe. 'En wat een ironie schuilt daarin, nietwaar?' vervolgde hij, Cruz aankijkend. 'Grace heeft de baby gestolen om zichzelf te redden, en ze heeft daarmee tegelijk Jillians leven gered.'

Cruz volgde Cohn-Levy's aanwijzingen en arriveerde iets na tienen bij de brasserie van Aubert in Gentilly. Tegen die tijd was er al een team aanwezig van wat hij 'Mindels Mannetjesputters' was gaan noemen, die de zaak bewaakten – ongetwijfeld ingelicht door degenen die Cruz al vanaf het vliegveld volgden. Cruz, die met een grimmige voldoening constateerde dat hij zijn oude vaardigheden nog niet helemaal kwijt was, had hen verrast toen ze wachtten tot hij uit Cohn-Levy's kantoor te voorschijn kwam. Een van de 'achtervolgers' bleek de roodharige ticketverkoper van de El Al-balie te zijn, Solomon, zoals hij zichzelf noemde. Cruz had hem maar verteld wat zijn volgende bestemming was.

Toen hij met zijn gevolg de zijstraat in reed waar de brasserie op uitkwam, kwam een van de reeds aanwezige mannen naar hen toe.

'De verdachten zijn hier,' zei de man tegen Solomon. 'Ze zijn ongeveer dertig minuten geleden de brasserie binnen gegaan en hebben aan een tafeltje koffie gedronken tot de ochtendklanten verdwenen waren. De eigenaar heeft ongeveer tien minuten geleden de zaak op slot gedaan en de jaloezieën neergelaten. Sindsdien is alles rustig.'

'Edelmann is gewapend,' merkte Cruz op. 'De eigenaar mogelijk ook.'

'En de vrouw?' wilde Solomon weten. Hij leek de leiding te hebben.

'Nee – en één ding wil ik heel duidelijk stellen. De vrouw wordt gegijzeld. Onze eerste prioriteit is haar veilig en wel naar buiten te krijgen.'

De vier Mossad-agenten wisselden een blik. 'We hebben opdracht Edelmann te isoleren en in hechtenis te nemen,' zei Solomon tegen Cruz.

'Hij wordt in de VS gezocht wegens moord, en verder wordt hij verdacht van twee moorden in het Verenigd Koninkrijk,' zei die. 'Jullie dragen hem toch wel over, hè?'

'Ik weet niet wat er daarna gaat gebeuren, agent Cruz. We hebben opdracht hem in te rekenen.'

Dit was niet goed, dacht Cruz. Was de Mossad van plan Edelmann heimelijk over te brengen naar Israël? Zelf met hem afrekenen, in een poging de schade voor de relatie met de VS en Engeland zoveel mogelijk te beperken? Opeens kwam er een andere gedachte bij hem op. Waren deze Mannetjesputters in werkelijkheid leden van Ariëls Klauw en kwamen ze een van de hunnen redden? Mindel had de versterkingen geregeld, en Cruz was ervan overtuigd dat zijn vriend zuiver op de graat was, maar hij had ook gezegd dat hij niet wist wie er wel en niet bij die geheime kliek hoorde.

'Ons uitgangspunt is dat er geen onschuldige slachtoffers mogen vallen,' hield Cruz vol. 'Anders krijg je niet alleen Washington en Londen op je dak, maar Parijs ook. Akkoord?'

'Akkoord,' zei Solomon met tegenzin.

'We doen het als volgt. Ik ga alleen naar binnen om poolshoogte te nemen en te zien of het mogelijk is Edelmann zonder geweld naar buiten te krijgen. Geef me een van jullie walkietalkies mee en houd je gereed. Als hij begint te schieten, of als jullie met twintig minuten niets van me hebben gehoord, gaan jullie naar binnen.'

Weifelend schudde Solomon zijn hoofd. 'Ik weet niet –'

'Ik neem de achterdeur. Houden jullie de voordeur in de gaten. Als de pleuris uitbreekt, doen jullie een inval – en reken er dan maar op dat je sneller het land uitvliegt dan je persona non grata kunt zeggen. Afgesproken?'

'Akkoord, maar ik geef je tien minuten en geen twintig.' Solomon keek op zijn horloge. 'En die gaan nu in.' Met die woorden overhandigde hij Cruz een zender.

Cruz hing hem aan zijn riem en begaf zich naar de achteringang van het café. De deur bleek stevig vergrendeld. Ernaast stond een aantal bierkratten opgestapeld. Hoog boven de grond stond een klein raampje op een kier van een paar centimeter. Cruz keek naar links en naar rechts, stapelde de kratten toen op tot een soort trap en klom naar boven. Daar greep hij zich vast aan de vensterbank. Zijn hoofd bevond zich nu ter hoogte van het raampje; het zou net groot genoeg zijn om doorheen te klimmen als hij het helemaal kon openzetten. Hij duwde het uitzetijzer zo ver mogelijk naar buiten, maar de ruimtewinst die hij daarmee behaalde, bleef beperkt tot een centimeter of vijf.

Hij haalde de sleutel van de Fiat uit zijn zak en wierp een blik op zijn horloge. Al anderhalve minuut verstreken. Met de kartelkant van de sleutel probeerde hij de schroef van het uitzetijzer los te draaien, maar die zat zo vastgeroest, dat er geen beweging in te krijgen was. Zacht vloekend wilde hij net weer naar beneden klimmen om zijn geluk op de grendel van de deur te beproeven, toen zijn blik op de houten vensterbank viel waarop de pin van het uitzetijzer was vastgeschroefd. De verf bladderde af, en toen hij met de sleutel in het hout prikte, merkte hij dat het vochtig en half-verrot was. Hij haalde zo veel mogelijk rot hout weg, en toen was het een koud kunstje om de pin los te wrikken. Met een zucht van opluchting deed hij het raam wijd open. Toen hij zijn hoofd naar binnen stak, werd hij begroet door de geur van chloor en urine.

Op het moment dat een vrachtwagen over de kinderkopjes van de straat iets verderop reed, hees Cruz zichzelf naar binnen en landde zo stil mogelijk op de tegelvloer van de smerige toiletruimte aan de andere kant. Hij bleef even staan luisteren, maar afgezien van de rammelende vrachtwagen hoorde hij geen enkel geluid. Opnieuw keek hij op zijn horloge. Vier minuten waren verstreken. Met een gesmoorde vloek haalde hij zijn pistool uit zijn holster, vervolgens liep hij naar de deur en drukte zijn oor tegen het hout. Niets. Hij opende hem op een kiertje en zag de bar. De witte blinden waren neergelaten tegen de ochtendzon – en tegen pottenkijkers. Licht weerkaatste op de glimmend gepoetste biertap en de rijen glazen die voor de spiegels tegen de wand achter de bar waren opgestapeld, maar mensen zag hij niet.

Behoedzaam opende hij de deur iets verder. Links van hem bevond zich de achterdeur, nog steeds afgesloten. Toch was er niemand aanwezig. Hoe kon dat? Solomons mensen hadden voor- en achterdeur in de gaten gehouden sinds de komst van Edelmann en Jillian.

Op dat moment zag hij aan de andere kant van de bar een derde deur. Hij dook ineen, zodat hij niet zichtbaar was vanaf de andere kant van de bar, en sloop erheen. Bij de deur aangekomen, drukte hij zich tegen de deurpost en luisterde. Niets. Hij hield zijn wapen gereed en drukte met zijn andere hand langzaam de klink naar beneden. Voorzichtig duwde hij tegen de deur. Geen beweging.

Hij keek omhoog en zag dat de deur aan de bovenkant vergrendeld was. Zacht schoof hij de grendel weg. Toen hij de klink opnieuw naar beneden drukte, ging de deur wel open. Hij kwam uit in een kleine, overvolle ruimte zonder ramen, met een stalen bureau, een stoel, een dossierkast en kratten sterke drank. Er was nauwelijks ruimte voor één persoon, laat staan voor Edelmann, Jillian en Jacques Aubert.

Met gefronste wenkbrauwen deed hij de deur dicht en keek om zich heen. Waar waren ze in 's hemelsnaam gebleven? Hij was via de enige wc binnen gekomen, en de achterdeur was vergrendeld. Naast het kleine kantoortje waren er geen andere ruimtes. Hij liep naar het raam en probeerde langs een van de blinden te kijken. Aan de overkant van de straat zag hij Solomon achter het stuur van zijn auto, quasi-verdiept in de ochtendeditie van Le Monde. Toen hij Cruz zag, liet hij de krant zakken alsof hij in actie wilde komen, maar Cruz hief snel een hand op. Wachten. De agent leunde weer achterover.

Cruz liet de jaloezie los en draaide zich weer naar de verlaten ruimte. Hij liep naar de bar en hief het scharnierende blad aan het eind ervan omhoog. Toen hij door de opening liep, voelde hij de vloer bewegen. Hij keek naar beneden en zag dat hij op een luik stond. Half onder de bar lag een opgerolde rubbermat. Die onttrok natuurlijk normaliter wat wel de toegang tot de wijnkelder zou zijn aan het oog. En wat nog meer? Jillian had het over tunnels gehad. Een heel stelsel tunnels, in de oorlog gegraven door verzetslieden om ongezien van het ene huis in het andere te kunnen komen.

Hij ging op zijn hurken zitten en trok het zware luik een klein stukje open aan de in een uitsparing vastgeklonken ring. Een vlaag vochtige kelderlucht prikkelde zijn neus. Een houten trap voerde naar een vloer van aangestampte leem. Het leek er eerst donker, maar toen zijn ogen zich aan het licht hadden aangepast, zag hij een vaag schijnsel in de diepte. Hij luisterde even, maar hoorde niets.

Nadat hij het luik helemaal had opengetrokken, stak hij zijn hoofd in het gat. Vanaf de plaats waar hij zat, zag hij maar heel weinig, alleen iets wat op de onderkant van lange rijen wijnrekken leek, flauw verlicht door een klein, kaal peertje aan het plafond. Hij haalde diep adem en sloop de trap af. De wijnkelder was zo'n zeven meter lang en bijna net zo breed. Drie van de vier muren waren voorzien van stoffige rekken voor wijn; tegen de vierde lagen drie enorme eikenhouten cognacvaten, gedeeltelijk in het witte pleisterwerk verzonken. De lemen vloer dempte zijn passen toen hij behoedzaam doorliep.

Een zacht geluid deed hem verstijven. Vanachter een van de wijnrekken aan de andere kant van de kelder klonk een laag gebrom van stemmen. Hij sloop erheen en keek om het hoekje. Het rek stond tegen de muur aan, en toch klonk het gemompel vanhier af luider. Hij hoorde een man en toen, heel kort, een vrouw. Jillian. Maar hoe...

In een opwelling duwde hij tegen het rek – en dat schoof soepel opzij. In de vloer zat een gat en, zag hij nu, een omhooggeschoven, zware, ijzeren grendel die vrijwel onzichtbaar was door de onderste rij flessen. Toen hij het rek verder wegduwde, zag hij daarachter een aarden tunnel, die om de zoveel meter gestut werd door houten palen. De tunnel maakte na ongeveer dertig meter een bocht naar rechts. Daar zag Cruz een zwak licht. Hij liep de tunnel in en zorgde ervoor niet op de elektriciteitsleiding te stappen die door de tunnel liep. De aarden vloer, die hier minder hard was aangestampt, smoorde zijn voetstappen. Bij de bocht aangekomen, bleef hij even staan luisteren.

'... zegt dat jij het weet.' Een mannenstem, die Engels met een accent sprak dat Cruz aan dat van Mindel deed denken.

'Maar ik weet het niet!' Een andere mannenstem, met een zwaar Frans accent. Aubert, waarschijnlijk.

Voorzichtig keek Cruz om de hoek. De tunnel liep nog een meter of tien rechtdoor en leek toen dood te lopen op een blinde stenen muur. Kennelijk was er aan de zijkant een soort kamer, die fel verlicht was, vergeleken met de schemering in de tunnel. Waarschijnlijk was het gewoon een kaal peertje, net als in de wijnkelder, dacht hij. Voetje voor voetje liep hij verder, met zijn rug tegen de muur gedrukt en zijn pistool in de aanslag.

'U kunt het hem net zo goed vertellen, Monsieur Aubert.' Jillian. Haar stem klonk helder. Ze was ongedeerd. 'Hij krijgt het er toch wel uit, goedschiks of kwaadschiks. Is het het echt wel waard? U raakt het goud kwijt, maar dat is toch beter dan uw leven?'

'Maar ik weet het niet! Simon, ik zweer dat ik het je zou vertellen als ik het wist!'

'Echt waar?'

Cruz glimlachte. Goed werk, Jillian. Ze probeerde de twee mannen tegen elkaar op te zetten.

'Ja, natuurlijk!' riep Aubert wanhopig uit. 'Dat was toch de afspraak, *non*? Ik heb gezocht en gezocht. Na de oorlog heb ik talloze dichtgemetselde tunnels opengebroken. Ik heb tien jaar lang gezocht, maar niets gevonden. En ik dacht dat jij zei dat zíj wist waar het gebleven is!'

'Ik zei misschien.'

'En ik heb toch contact met je opgenomen zodra zij hier opdook?'

'Niet zo snel als je had moeten doen, Jacques.'

'Maar ik heb het nummer gebeld dat je me gaf! Is het mijn schuld dat je de boodschap pas na een week kreeg?'

'Je hebt me heel wat problemen bezorgd. Je hoefde alleen

maar uit te zoeken waar Sylvie was. En wat kreeg ik te horen? 'In Minnesota'. Heb je enig idee hoe groot Minnesota is?'

'Ze zei dat Sylvie nu in een klein stadje woonde.'

'Minnesota is een staat, idioot. Half zo groot als Frankrijk.'

'Hoe moet ik dat weten? En trouwens, ik heb je ook de naam gegeven van vrouwen die het wel wisten. Bovendien heb je Sylvie toch gevonden?'

'Pas na een hele tijd. Gelukkig leidde onze Jill hier me linea recta naar haar toe.'

'Zie je nou wel?'

'Maar Sylvie, of Grace, zoals we haar nu maar moeten noemen,' zei Edelmann, 'zei dat ze niet bij de overval op het goudtransport was betrokken. Haar leven stond op het spel toen ze dat zei, dus ben ik geneigd haar te geloven.'

'Ze loog, en ik denk dat jij dat ook wel weet. Waarom heb je anders haar dochter meegenomen?'

Het bleef even stil. Cruz waagde het erop en stak zijn hoofd iets verder om de hoek. Hij keek in een korte tunnel van anderhalf à twee meter, met aan het eind een doorgebroken muur. Daarachter zag hij de drie mensen, in een ruimte die vroeger misschien deel had uitgemaakt van de kelder van een aangrenzend gebouw. Jillian was helemaal in het zwart – zwarte jurk, openhangende zwarte jas en zwarte laarzen. Vast de kleren die dokter Kandinsky haar had gegeven voor de begrafenis van haar moeder. Ze zat op een krat tegen een van de wanden en zag er moe en verhit, maar wel alert, uit. Cruz herkende Edelmann van het fototje van Mindel – krulhaar, snor, bruin leren jack en spijkerbroek. Zonder de 9-mm-Beretta in zijn rechterhand had hij voor een musicus of een professor kunnen doorgaan. Links van Jillian zat Aubert op een ander kratje. Hij was kaal, droeg een wit overhemd en een zwart vest en likte nerveus zijn lippen.

Edelmann ging voor Jillian staan en streek de pony uit haar gezicht. Ze wendde haar hoofd af en duwde zijn hand weg. 'Daar had ik mijn redenen voor,' zei hij. 'Ze is heel stout geweest. Eerst zei ze tegen me dat ze wist waar het goud was.' Hoofdschuddend wendde hij zich tot Aubert. 'Maar onderweg zei ze dat jij in een dronken bui had toegegeven dat je wist waar het was.'

'Ik ben nooit dronken,' zei Aubert verontwaardigd. 'En als ik over zoveel goud beschikte, dacht je dan dat ik me uit de naad zou werken in een kleine brasserie in Gentilly? Dit slaat nergens op, Simon, dat zie je zelf toch ook wel? Miss Meade, vertel hem dat u degene bent die die avond te veel dronk. Dat u zich hebt vergist.'

Jillian haalde haar schouders op. 'Ik herinner me wat ik me herinner, maar als u erbij blijft dat u het niet hebt, Monsieur Aubert, dan kan ik weinig meer doen.' Ze keek Edelmann aan en vervolgde: 'Het spijt me dat je al deze moeite voor niets hebt gedaan. Hij wil je niet vertellen waar je bloedgeld is, dus einde verhaal.'

'Maar ik heb het niet!' schreeuwde Aubert.

'Kop dicht, Jacques!' beet Edelmann hem toe. 'En jij,' zei hij tegen Jillian, 'jij maakt me heel erg boos, na alle moeite die ik voor jou heb moeten doen. Je zei dat je had ontdekt waar het goud was.'

'Ik had nog geen seconde willen verspillen aan het zoeken naar dat goud,' zei Jillian minachtend. 'Het is bloedgeld. Het is gestolen van mensen die vermoord zijn. Dat weet jij ook, Simon! Treur om hén, en niet om dat ellendige goud. Ik hoop dat het voor altijd verdwenen is. Ik zei alleen dat ik het wist zodat je Nils met rust liet – maar toen heb je hem alsnog neergeschoten. En waarvoor? Voor niets. Alles is voor niets geweest.'

Edelmann zuchtte. 'Nee. Niet voor niets. Per slot van rekening heb ik háár eindelijk gevonden.'

'Mijn moeder.'

'Noem haar niet zo!' zei hij woest. 'Ze was een duivel.'

'Dan ben ik dus het kind van de duivel. Waarom maak je dan niet af wat je begonnen bent? Schiet mij ook maar dood.' Ze gebaarde naar Aubert. 'En ruk dan elkaars hart maar uit. Het zal mij een zorg zijn. O, nee, sorry, foutje. Jullie hebben geen hart. Anders hadden jullie nooit die twee arme vrouwen in Engeland vermoord. Die waren onschuldig.'

'Die ene heeft die hoer hierheen gestuurd!'

'Vivian Atwater was een fantastische, briljante vrouw, een van de echte helden van de oorlog. Haar werk heeft meegeholpen miljoenen mensen te redden en de oorlog te winnen. Hoe durf je haar te veroordelen? En wat heeft Nellie Entwistle ooit misdaan?'

'Ze was een dwaas. Als ze me verteld had wat ik weten wilde, had ik haar misschien laten leven. In plaats daarvan ging ze maar door over die lieve, aardige, dappere Grace en wat een engel dat was. Ze spuide alleen maar onzin! Ze hield maar niet op. En toen ik tegen haar zei dat die Grace een hoer en een moordenaar was, werd ze hysterisch. Wat had ik dan moeten doen?'

'Waar je het beste in bent. Dus ga je gang maar, Simon. Maak mij ook maar dood.'

'Kop dicht.'

'Toe maar, schiet maar.'

'Ik schiet jou niet dood.'

'Jawel, hoor. Ik ben de bastaard van die hoer en haar nazislachter. Doe het maar. Je doet er mij een plezier mee.'

'Kop dicht, zei ik! Houd die klep dicht, want ik zweer dat ik je anders –'

'Wat? Neerschiet? Doe het dan!'

'Nee!' schreeuwde Cruz vanuit de tunnel.

Edelmann draaide zich met een ruk om en vuurde, maar de kogel ketste af op de stenen muur. Cruz schoot terug, maar Edelmann was al opzij gesprongen. Hij trok Jillian met zijn vrije hand omhoog en klemde zijn arm om haar keel, terwijl hij de Beretta tegen haar slaap drukte. Aubert had zich laten vallen en kroop weg tegen de muur.

'Jij!' riep Edelmann uit.

'Het is voorbij,' zei Cruz. 'De Franse politie kan elk moment arriveren, Edelmann, en buiten staan agenten van de Mossad te wachten om je mee te nemen. Geef het dus maar liever op.'

'Nooit. Terug jij, of ik schiet haar dood.'

Cruz wierp een bik op Jillians kalme gezicht, en het drong met een schok tot hem door dat ze klaar was om te sterven. Ze wist het niet. Ze wist het echt niet. Ze was zo geschokt over wat Grace bleek te zijn, dat ze niet had gezien wat toch zo duidelijk was – dat Grace' nalatenschap van verraad en dood haar niet toebehoorde. 'Je schiet haar niet dood,' zei hij tegen Edelmann.

'Niet na al die jaren dat je haar hebt gezocht. Je kunt je eigen zus toch niet doodschieten?'

Het werd even muisstil. Toen fluisterde Jillian: 'Waar heb je het over?'

Cruz keek naar haar lijkbleke gezicht. 'Isobel Kempf is zijn moeder. Edelmann is in 1949 in Israël geboren, maar hij was niet Isobels eerste kind. Dat was een meisje, dat op 14 juli 1944 in het doorgangskamp Drancy ter wereld kwam. Isobel Kempf was de vrouw die Joe Meade liefhad, niet Grace. Isobel was de vrouw die hij in Frankrijk kwam zoeken. De baby die in Drancy is geboren, was hun kind. En die baby ben jij, Jillian.'

'Noem haar niet zo!' grauwde Edelmann. Jillian kromp ineen, maar hij hield haar stevig vast. 'Zo heet ze niet. Het is de naam die die hoer haar heeft gegeven.'

'O, natuurlijk. Neem me niet kwalijk,' zei Cruz, zo kalm mogelijk. Hij had het idee dat Jillian elk moment kon flauwvallen, maar hij moest Edelmann aan de praat houden. 'Hoe heeft je moeder haar genoemd, Simon?'

'Joelline. Die vrouw heeft hem verdraaid tot Jillian. Mijn moeder noemde haar Joelle.'

'Naar Joe, denk ik. Het is een mooie naam.'

'Waar hebben jullie het over? Hoe kan ik...' Jillians stem brak.

'Laat haar toch gaan zitten, Edelmann,' zei Cruz dringend. 'Zie je niet hoe ze eraan toe is?'

Edelmann liep achterwaarts naar het krat en liet Jillian erop zakken, maar hij bleef haar stevig vasthouden en hield de loop van het pistool tegen haar slaap gedrukt.

'Laat haar toch los,' drong Cruz aan.

'Dat kan ik niet. Nu niet meer. We blijven nu bij elkaar.'

'Ik wil weten hoe het zit!' barstte Jillian uit. Ze haalde diep adem en had weer iets meer kleur toen ze rechtop ging zitten.

Haar vechtlust was niet helemaal verdwenen, dacht Cruz. Gelukkig. Ze zou het nodig hebben.

'We hebben elkaar op de vlucht van Washington naar Minneapolis ontmoet,' zei ze. 'Ik ben niet helemaal achterlijk. Ik vond het al zo vreemd dat je zo vriendelijk deed. Nu weet ik dat dat was omdat je me gebruikte om bij mijn moeder te komen.'

'Ze was je moeder niet, Joelle!' Met een verbijsterd gezicht schudde Edelmann zijn hoofd. 'Al moet ik toegeven dat ik dat ook pas wist toen ik je zag. Ik had geen idee. We hebben mijn moeder er jarenlang van proberen te overtuigen dat haar baby in Drancy is gestorven. Iedereen had dat na de oorlog tegen haar gezegd, maar ze wilde het niet geloven. Ze bleef maar volhouden dat een engel haar baby had weggehaald en in veiligheid had gebracht. Al die jaren hebben we gedacht dat ze waanideeën had door haar ervaringen in het kamp. Maar toen spoorde ik jou op in dat museum waar je werkt. Het was een enorme schok je te zien.'

Even liet hij haar los om met zijn vrije hand haar haren te strelen. 'Je lijkt heel erg op haar... op onze moeder. Het was een heel bijzonder moment. Ik realiseerde me dat ze toch gelijk had gehad met haar bewering dat je nog leefde. Weet je dat ze daarom mijn vader en mij heeft verlaten en is teruggekeerd naar Frankrijk? Ze dacht dat jij daar nog steeds was. Ze wilde je zoeken, het arme mens. Hoe moest ze ook weten dat Sylvie helemaal Sylvie niet was – laat staan een engel? Dat ze jou kwam stelen en je heeft meegenomen naar Amerika?'

Koppig schudde Jillian haar hoofd. 'O, nee, Simon. Ik vind het heel erg wat je moeder is overkomen, maar dat kan absoluut niet waar zijn. Je vergist je.'

'Nee, hij heeft gelijk,' mengde Cruz zich in het gesprek. 'Ik heb je verslag gelezen. De meeste stukjes van de puzzel waren aanwezig, maar je kon het grote geheel niet zien omdat je er te dicht bovenop zat. Het is nooit bij je opgekomen dat Grace je moeder misschien niet was. Ik heb zelf hier en daar wat navraag gedaan, en alles klopt. Joe en Isobel zijn je ouders, niet Joe en Grace – en dus ook kolonel Braun niet. Grace heeft documenten vervalst om je het kamp uit te krijgen, net als ze de trouwakte heeft vervalst om toegang tot Amerika te krijgen. Ze moest Europa koste wat kost verlaten hebben voordat het onderzoek naar oorlogsmisdaden op gang kwam. Je hebt met Tom Newkirk gesproken, en ik ook. Hij heeft nooit geloofd dat Joe met Grace is getrouwd, maar hij zweeg, omdat hij haar graag in zijn buurt wilde hebben. Hij vertelde me dat hij wist dat Joe verliefd was geworden op een Française die Isobel heette. Hij wist alleen niet dat ze samen een kind hadden.'

Nog steeds leek Jillian het niet te kunnen geloven. Geen wonder, dacht Cruz. Maar hij wist misschien nog iets om haar te overtuigen.

'Aubert kende Grace, toen die als Sylvie bij de Résistance werkte. Je hebt hem haar foto laten zien,' zei hij. 'Dat is toch zo, Aubert?'

'Ja,' antwoordde de man vanaf zijn plekje bij de muur.

'En u was als jongen smoorverliefd op haar, nietwaar?'

'O, ja, heel erg. Ze was zo mooi.'

'Hebt u haar vaak in de buurt zien rondlopen?'

'O, ja.'

'En hebt u haar in die tijd ooit zwanger gezien?' vroeg Cruz.

'*Mais non!* Nooit. Sylvie was zo slank, dat je je handen om haar middel kon sluiten.'

Cruz wendde zich weer tot Jillian. 'Dus je ziet –'

Plotseling klonk er een oorverdovende knal en vulde de ruimte zich met rook. Cruz liet zich op de grond vallen en rolde in de richting van Jillian en Edelmann. Hij sloeg de benen van de Israëliër opzij en trok tegelijk Jillian op de grond. Hoewel hij niets hoorde, zag hij de flits toen Edelmann terugschoot en zich daarna ruggelings terugtrok naar de opening in de muur die uitkwam op de tunnel, de enige ontsnappingsroute. Cruz trok Jillian mee achter het krat en beschermde haar met zijn eigen lichaam, terwijl de kogels hun om de oren floten. Er zat niets anders op dan te wachten tot Edelmann door zijn kogels heen was.

Er leek geen einde aan te komen, maar toen was het opeens voorbij, net zo plotseling als het was begonnen. Rook en de geur van cordiet vulden de ruimte. Voorzichtig keek Cruz over de rand van het krat. Aubert lag in foetushouding opgekruld tegen de muur – sidderend, maar zo te zien ongedeerd. Zweet glinsterde op zijn kale hoofd.

Edelmann was het niet zo goed vergaan. Hij hing ineengezakt tegen de muur, zijn ogen waren open, en op de muur achter zijn hoofd was een grote bloedvlek, waarschijnlijk afkomstig van het fatale schot net boven zijn rechteroor.

Uit de richting van Auberts wijnkelder scheen een fel licht, en Cruz aarzelde toen er een schaduw langs gleed. Toen verscheen Solomon in de opening, met een rokend pistool in zijn hand. Zijn gestalte tekende zich scherp af tegen het licht van de lampen van zijn collega's achter hem, en het was net of zijn rode haar in brand stond. Onwillekeurig moest Cruz denken aan de vader van Grace, die avond dat Nellie Entwistle en zij hem dood hadden aangetroffen in die straat in Dover.

Solomon wendde zich tot Cruz en zei iets, maar Cruz wees naar zijn oren en schudde zijn hoofd. Daarop stak Solomon zijn duim omhoog en trok zijn wenkbrauwen op. Alles in orde?

Voorzichtig hielp Cruz Jillian overeind, toen keek hij naar Aubert, die eveneens wat moeizaam overeind kwam. 'Ja, met ons is alles in orde,' zei hij knikkend, 'tenminste over een uurtje, wanneer we ons gehoor terug hebben.'

Jillian keek in verwarring om zich heen, tot haar blik op Edelmann bleef rusten. Ze sloeg haar handen voor haar mond en slaakte waarschijnlijk een gil, maar Cruz kon het niet horen. Beschermend sloeg hij een arm om haar heen en hield haar vast. Uiteindelijk liet ze haar handen zakken en haalde ze diep adem. Ze liep naar de muur en hurkte neer voor de halfbroer die ze maar zo kort had gekend – aandachtig starend, alsof ze zich zijn gezicht wilde inprenten.

Het verlies van hun gehoor was maar tijdelijk, dacht Cruz, toekijkend toen Jill haar hand uitstak en Edelmanns ogen sloot, maar zij had andere, grotere verliezen geleden die blijvend waren. Haar leven was vanaf het begin getekend door de gruwelen van een oorlog en een ongelooflijke, zelfzuchtige wreedheid. Hoe lang zou het duren voordat ze met zichzelf in het reine zou komen en ze zich niet meer zou afvragen wat er gebeurd zou zijn als bijvoorbeeld Grace' vader en haar verloofde niet waren omgekomen in de oorlog? Misschien was ze dan nu de verveelde echtgenote geweest van een marineofficier, die zich verongelijkt afvroeg wanneer haar man nu eens een onderscheiding kreeg.

Wat als Joe en Isobel erin waren geslaagd bezet Frankrijk te ontvluchten? Dan zou Edelmann nooit geboren zijn.

Wat als Isobel had geaccepteerd dat haar baby was verdwenen en ze de moeder voor Simon was geweest die ze voor de kleine Joelle had willen zijn? Dan was Edelmann mogelijk nooit zo wraaklustig en moordzuchtig geweest.

En wat als Grace Meade nooit een baby had gestolen om haar eigen huid te redden? Dan was Jillian misschien een van de vele slachtoffers van de holocaust geworden en hadden Helen en Arthur Meade niet alleen hun enige zoon verloren, maar ook hun geliefde kleindochter. Dan zou deze bijzondere vrouw die voor hem stond nooit hebben geleefd – en dat, dacht Cruz, zou de grootste tragedie van allemaal zijn geweest.

Epiloog

Mensen verdwijnen in tijden van oorlog. Sommigen verliezen hun leven. Sommigen verliezen huis en haard. Sommigen hun morele kompas. Dat laatste is misschien het ergst van alles.

Sinds een maand ben ik terug in Washington, en ik zou liegen als ik zei dat ik eroverheen ben. Ik weet niet of ik ooit helemaal in het reine kom met de grillen van het lot die me hierheen hebben gevoerd.

Maar ik denk dat we op een gegeven moment zelf besluiten het verleden te accepteren of erin te verzinken. We kiezen zelf of we slachtoffer of winnaar zijn. Dat heeft zowel Bernard Cohn-Levy als Alex' vriend Z'ev Mindel tegen me gezegd, in de uren dat ik met hen heb gepraat na die ene dag waarop ik ontdekte wie ik ben. Ze hebben vast gelijk.

Ik kan er niets aan doen dat ik dolgraag wilde dat ik niet de enige overlevende van mijn familie was. Ik voel me vooral heel schuldig. Dat is iets waarover Bernard en Z'ev uren met me hebben gepraat. Zelf zijn ze hun familie ook kwijtgeraakt in de holocaust, dus ze weten waar ze het over hebben. Ik houd mezelf steeds voor dat er elke dag mensen door een of andere oorzaak alleen achterblijven. En om Z'ev te citeren: 'We zijn zo alleen als we zelf willen'.

Ik wou dat mijn moeder – mijn echte moeder, Isobel – dat had begrepen. Haar naoorlogse leven lijkt zo triest. Na de dood van Simon ben ik haar gaan opzoeken in het verzorgingshuis in Tours, ten zuiden van Parijs, waar ze het afgelopen jaar heeft gewoond. Haar geest en haar lichaam zijn de gevolgen van Auschwitz nooit te boven gekomen, zegt men. Vorig jaar heeft ze twee keer een hartaanval gehad, en een paar weken voor mijn bezoek kreeg ze een beroerte. Toen ik haar opzocht, was ze er heel slecht aan toe. Haar ogen staarden nietsziend in de verte en ze lag praktisch in coma. Ze leek zo fragiel in dat grote witte ziekenhuisbed. Net als ik had ze lange benen, maar haar lichaam was verwoest door de aandoeningen die haar hadden opgeëist voordat we de kans hadden elkaar te leren kennen. Niettemin kon ik zien wat Simon had bedoeld toen hij zei dat ik op haar leek.

Ze zeggen dat je gehoor het laatste zintuig is dat verdwijnt, en daarom boog ik me over haar heen, kuste haar en zei in mijn beste schoolfrans: '*Maman? C'est Joelle.*' En heel even leek haar blik helder te worden en verscheen er een flauwe glimlach om haar mond. Dat geloof ik tenminste. Ik weet het niet zeker.

Die hele middag heb ik haar hand vastgehouden. Ik streelde haar en vertelde haar keer op keer hoe erg ik het vond dat we elkaar vroeger waren kwijtgeraakt. Ik praatte over van alles en nog wat, schakelde over op Engels toen mijn Frans ontoereikend bleek. Ze zeggen dat moeders en kinderen elkaar ook begrijpen zonder elkaar te verstaan. Aan die gedachte klamp ik me vast, en ook aan de gedachte dat ze wist dat ik bij haar was toen ze haar laatste adem uitblies. Ik hoop dat ze voelde dat ze niet alleen was.

En dan is er nog het hoofdstuk Grace. De boosheid die ik vroeger voor haar voelde, was nog niets vergeleken met wat ik voelde toen ik eenmaal de volle waarheid kende. Toen ik eraan dacht dat ze naast mijn grootouders in het familiegraf van de Meades rustte, heb ik even overwogen haar op te laten graven en aan de wolven te voeren. Desondanks heb ik besloten het verleden – en Grace – te laten rusten.

Dat kwam misschien wel door mijn gesprek met Tom Newkirk. Ik belde hem eigenlijk om te vragen hoe het met Nils ging, maar natuurlijk was het onvermijdelijk dat Grace ter sprake kwam. Toen heb ik de hele akelige waarheid eruit gegooid. Arme Tom. Hij klonk alsof hij na haar dood twintig jaar ouder was geworden. Ondanks alles houdt hij nog steeds van haar. En zoals hij terecht opmerkte, ze heeft wel mijn leven gered en mij samengebracht met mijn grootouders, welke motieven ze daarvoor ook had.

Ik ben geen heilige, en ik geef toe dat er nachten zijn dat ik wakker lig en aan al die keren denk dat Grace me kleineerde, en dan haat ik haar om haar jaloezie en kleingeestigheid – vooral nu ik weet dat ze Isobel zag als ze naar me keek. Maar ik weet ook dat ik die woede moet loslaten, omdat die me anders zal verteren. En dan heeft zij alsnog gewonnen.

Dus laat ik mijn leven niet langer door Grace beheersen – maar ik zal haar ook niet opgraven.

Wat Nils betreft, de kogel die hij in zijn rug kreeg, miste zijn wervelkolom op een haar na. Niettemin zal hij nog maanden moeten revalideren. De doktoren verwachten dat hij weer helemaal zal herstellen. Ik heb Sharon Berglund ook gebeld, om haar te vertellen dat er niets tussen ons is gebeurd en dat we ook niets van plan waren toen we naar haar vaders boerderij gingen. Ik raakte alleen in paniek op de dag van de begrafenis en kon niet langer doen alsof ik om Grace treurde, niet na alles wat ik over haar had ontdekt. Ook wilde ik Nils vertellen wat er de avond van de brand was gebeurd. Sharon zei dat Nils precies hetzelfde had gezegd en dat ze geen reden had hem niet te geloven. Ze is een fantastische vrouw. Ze hebben een hecht huwelijk, en ik hoop dat ze nog heel lang bij elkaar blijven.

Zowel Sharon als Tom zei dat sheriff Lunders om gezondheidsredenen zijn functie moet neerleggen. Aangezien Nils nog een tijdje uit de running is, heeft hij het stadsbestuur kennelijk aangeraden de baan aan Alex Cruz aan te bieden. Ik heb het doorgegeven, maar Alex zegt dat hij, nu hij zijn proeftijd heeft overleefd, misschien toch liever bij de FBI blijft – al moeten ze daar weinig hebben van zijn methoden (waarmee hij toch maar mooi eigenhandig drie moorden heeft opgelost). Hij vindt zichzelf lichamelijk ook niet geschikt om ergens te wonen waar mensen gaten in het ijs moeten boren om te kunnen vissen.

Ik was blij dat te horen, want ik ben aan hem gewend geraakt, en ik ben absoluut niet van plan ooit nog terug te gaan naar Havenwood. Ik zou veel te veel moeten uitleggen aan de nieuwsgierige dames van de vrouwenbond en de Set'n Style-kapsalon. Er is veel te zeggen voor de anonimiteit van de grote stad wanneer je familiegeschiedenis opeens zo gecompliceerd is geworden als die van mij.

Alex Cruz en ik zijn trouwens goed bevriend geraakt, hoe verrassend dat misschien ook is. De afgelopen weken is hij een enorme steun geweest. Elke avond kwam hij na het werk langs om te praten. Eindeloze gesprekken hebben we gevoerd over de dingen die ons zijn overkomen. Hij heeft me verteld over een incident in Vietnam – een moord in zijn eenheid. Dat zijn vader nog steeds vindt dat hij zijn mond erover had moeten houden. En dat hij het nog het allerergste vond dat de mannen van zijn eenheid zeiden dat ze het voor hém hadden gedaan. Toen Alex alleen vooruit ging om de sluipschutter die hen belaagde te pakken te nemen en niet terugkwam, dachten ze dat hij dood was en gaven ze de luitenant daar de schuld van. Al luisterend, moest ik eraan denken dat Grace altijd zei dat ze haar leven voor mij had opgeofferd. We zijn het erover eens dat er niets erger is dan het doel van iemands nodeloze offerzucht te zijn.

Dat besluit mijn verhaal wel zo'n beetje – behalve dan dat ik zei dat ik de laatste van mijn familie was. Dat klopt niet helemaal. Ik blijk een tante in Israël te hebben – Isobels zuster. Z'ev Mindel heeft haar voor me opgespoord, en we hebben afgelopen maand al drie keer met elkaar gebeld. De eerste keer moesten we allebei zo hard huilen, dat we nauwelijks een woord hebben gewisseld. Ik ben van plan haar in april op te zoeken. Alex zegt dat hij meegaat, en ik geloof dat Z'ev om die tijd ook een paar weken vakantie wil opnemen.

'Stel je de Negevwoestijn in de lente voor,' zei Z'ev tegen ons. 'Die is schitterend in die tijd van het jaar... en een motorrit is de mooiste manier om daarvan te genieten. Ik zou jullie een rondleiding kunnen geven.'

We hebben gezegd dat we dat een geweldig idee vonden.

Jillian (Joelle) Meade

17 februari 1979
Washington D.C.

Ook verschenen bij MIRA BOOKS:

Alex Kava – Blinde razernij

In een verlaten steengroeve wordt een vat ontdekt met daarin het verminkte lichaam van een jonge vrouw. Het blijkt niet het enige vat. Iemand gebruikt de groeve om gruweldaden te verbergen.

'Angstaanjagende thriller met onvergetelijke ontknoping...'

Bookreporter

ISBN 90 8550 001 X – 288 pagina's – €14,95

Erica Spindler – Voor het oog van de duivel

Een vermiste vrouw, een vermoorde tiener, een rijke bankier die van zijn balkon springt... Op het zonnige Key West lijken duistere krachten ongestoord hun werk te kunnen doen.

'Geloofwaardige personages, prima setting, sterke plot...'

Globe and Mail

ISBN 90 8550 002 8 – 400 pagina's – €15,95

Fiona Hood-Stewart – De gestolen jaren

Deze drie generaties omspannende saga van de Schotse familie MacLeod is een meeslepend verhaal van impulsieve keuzes en onherroepelijke gevolgen.

'Een van de beste romans die ik in tijden gelezen heb...'

Amazon.com

ISBN 90 8550 005 2 – 480 pagina's – €16,95

Elizabeth Flock – Maar van binnen schreeuw ik

Een intens en onvergetelijk verslag van wat het betekent om zonder voorafgaande waarschuwing en voor het oog van de wereld de greep op je leven te verliezen.

'Een fascinerend boek, dat je niet loslaat...'

Oakland Tribune

ISBN 90 8550 006 0 – 304 pagina's – €14,95

Emilie Richards – Smeedijzeren tralies

Een spannende, intrigerende familiesaga, die zich afspeelt in het diepe zuiden van de Verenigde Staten, in een tijd waarin de rassentegenstellingen er het hele leven beheersten.

'Een complexe, meeslepende en bijzonder boeiende roman...'

Publishers Weekly

ISBN 90 8550 004 6 – 432 pagina's – €15,95

